Madre del Arroz

RANI MANICKA

Madre del Arroz

Traducción de
Albert Solé

Grijalbo

FIC
Manicka
Spanish

Título original: *The Rice Mother*

Bookspan
501 Franklin Avenue
Garden City, NY 11530

Printed in U.S.A. Impreso en U.S.A.

ISBN: 84-253-3816-6

Fotocomposición: Revertext, S. L.
Liancia editorial para Bookspan por cortesiá
de Gupo Editorial Random House Mondadori, S.L.

Para mis padres,
mis dioses protectores
desde el comienzo de mis días

AGRADECIMIENTOS

Gracias a mi madre por todas y cada una de las valiosas cicatrices que ha compartido conmigo; a Girolamo Avarello por creer en mí antes que nadie; al equipo de la agencia literaria Darley Anderson por ser sencillamente lo mejor; a William Colgrave por su apoyo y ánimos, a Joan Deitch por añadir lo que es especial, y a la inimitable Sue Fletcher, de Hodder & Stoughton, por haber comprado mi manuscrito.

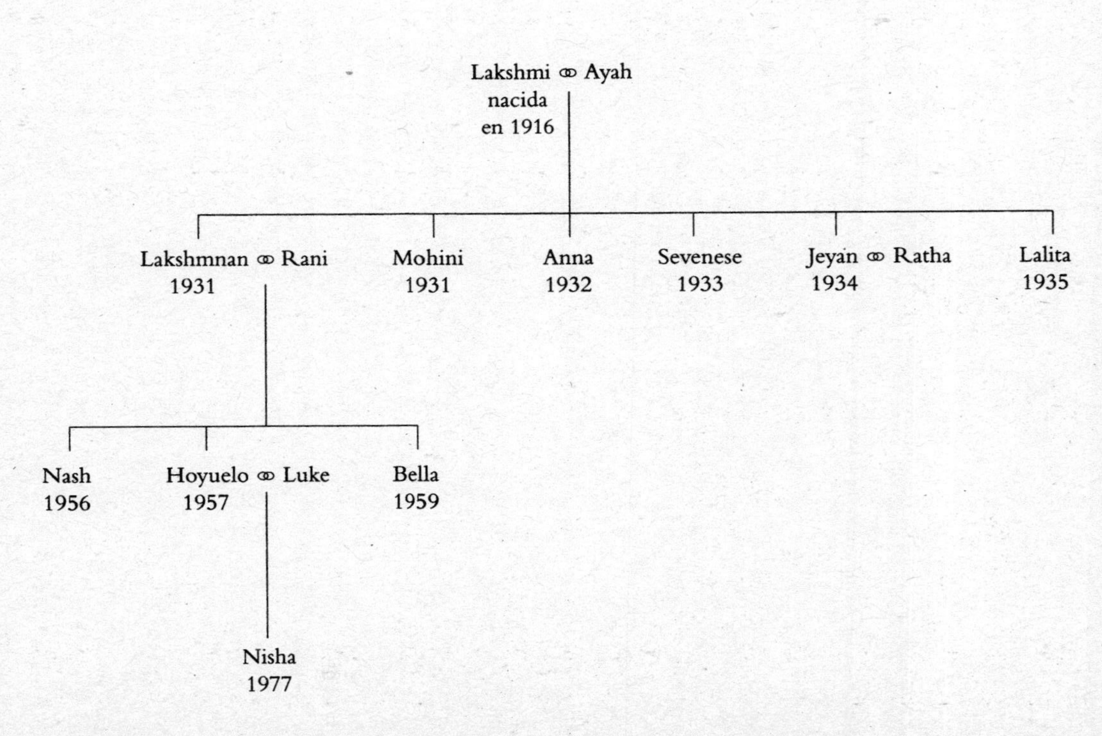
Lakshmi ∞ Ayah
nacida
en 1916
Lakshmnan ∞ Rani
1931
Mohini
1931
Anna
1932
Sevenese
1933
Jeyan ∞ Ratha
1934
Lalita
1935
Nash
1956
Hoyuelo ∞ Luke
1957
Bella
1959
Nisha
1977

Sobre las rodillas de mi tío el comerciante de mangos oí hablar por primera vez de los asombrosos recolectores de nidos de pájaros, que vivían en una tierra muy lejana llamada Malasia. Subían, valientemente y sin antorchas, por bamboleantes tallos de bambú que tenían decenas de metros de alto para llegar hasta los techos de las cuevas que había en las montañas. Contemplados por los fantasmas de los hombres que se habían precipitado a sus muertes, los recolectores extendían las manos desde sus precarias perchas para robar la exquisitez de los ricos: un nido hecho con la saliva de un pájaro. Cuando se estaba entre la oscuridad nunca había que utilizar palabras como miedo, caída o sangre, porque atraen a los espíritus diabólicos y los tientan con su sonido. Los recolectores de nidos no tienen otros amigos que esos bambúes que sostienen su peso. Antes de que lleguen a dar su primer paso, los recolectores siempre golpean suavemente el tallo del bambú con las puntas de los dedos y si este suspira tristemente, entonces lo abandonan de inmediato. Solo cuando el tallo del bambú cante se atreverán los recolectores de nidos a dar inicio a su tarea.

Mi tío decía que mi corazón es mi bambú y que si lo trato con cariño y escucho su canción, entonces el nido más alto y más grande será mío.

LAKSHMI

PRIMERA PARTE

NIÑOS QUE TROPIEZAN EN LA OSCURIDAD

LAKSHMI

Nací en Ceilán en el año 1916, una época en la que los espíritus andaban por la tierra igual que las personas antes de que el resplandor de la electricidad y el rugir de la civilización los hicieran huir asustados hacia los corazones escondidos de los bosques. Los espíritus moraban en el interior de enormes árboles llenos de frescas sombras de un color azul verdoso. En aquella inmovilidad moteada por el sol, podías extender las manos y casi sentir su silenciosa y vigilante presencia. Todos sabían que los espíritus anhelaban tener forma física. Si en medio de la selva nos sentíamos asaltados por el apremiante impulso de hacer nuestras necesidades, teníamos que decir una oración y pedirles permiso antes de que nuestras excreciones llegaran a tocar el suelo, porque los espíritus se ofendían con mucha facilidad. Que un intruso hubiera interrumpido su soledad era la excusa que utilizaban para entrar en él y andar con sus piernas.

Mi madre decía que en una ocasión su hermana había sido alejada de su camino y poseída por uno de aquellos espíritus. Entonces se hizo venir a un hombre santo que vivía a dos aldeas de distancia para que exorcizara al espíritu. Aquel hombre llevaba extrañamente enredadas alrededor de su cuello muchas cuentas de raíces secas y abalorios, todas ellas testimonios de sus temibles poderes. Los aldeanos, que eran gentes sencillas e inocentes, se congregaron como un anillo humano de curiosidad alrededor del hombre santo. Lo primero que hizo este para ahuyentar al espíritu fue golpear enérgicamente a mi tía con una caña muy delgada y muy larga, mientras le preguntaba una y otra vez qué quería. El hombre santo llenó la apacible aldea con los gritos de terror de mi tía pero, impertérrito, siguió golpeándola hasta que de su pobre cuerpo manaron arroyos rojos de sangre.

—¡La estás matando! —aulló mi abuela mientras era sujetada por tres mujeres, consternadas pero terriblemente fascinadas.

Sin hacerle ningún caso, el hombre santo se pasó el dedo por una pálida cicatriz rosada que se extendía de un extremo a otro de su cara y siguió describiendo sus resueltos y estrechos círculos alrededor de la encogida joven, sin dejar de preguntar hoscamente ni una sola vez aquel «¿Qué quieres?» hasta que finalmente ella chilló con voz estridente que lo que quería era un fruto.

—¿Un fruto? ¿Qué clase de fruto? —preguntó el hombre santo con voz amenazadora, deteniéndose delante de la joven que no paraba de sollozar.

Entonces tuvo lugar una repentina y sorprendente transformación. La carita se alzó hacia él para mirarlo con súbita astucia y puede que incluso hubiera un atisbo de locura en forma de saliva en la sonrisa que, muy poco a poco y con una indecible obscenidad, fue extendiéndose sobre sus pequeños labios. Después la joven señaló con burlona malicia a su hermana pequeña, mi madre.

—Ese es el fruto que quiero —dijo, hablando con una voz que sonó inconfundiblemente masculina.

Los ingenuos aldeanos se unieron en un grito sofocado de perpleja conmoción. Huelga decir que el hombre santo no entregó a mi madre al espíritu, ya que no cabía ninguna duda de que ella era la hija favorita de su padre. El espíritu tuvo que conformarse con cinco limones que fueron cortados y arrojados a su cara, una abrasadora aspersión hecha mediante agua sagrada y una sofocante cantidad de mirra.

Cuando era muy pequeña, yo solía reposar tranquilamente en el regazo de mi madre mientras escuchaba cómo su voz iba recordando tiempos más felices. Porque, veréis, el caso es que mi madre descendía de una familia tan rica e influyente que en su momento de máximo apogeo su abuela inglesa, la señora Armstrong, había sido llamada para entregar un ramillete de flores y estrechar la mano enguantada de la mismísima reina Victoria. Mi madre había nacido aquejada de una sordera parcial, pero su padre le puso los labios en la frente y le habló incansablemente hasta que ella aprendió a hablar. A los dieciséis años, mi madre era tan hermosa como una doncella de las nubes. Las propuestas de matrimonio procedentes de los lugares más lejanos no paraban de llegar a la preciosa casa de Colombo, pero desgraciadamente mi madre se enamoró del aroma del peligro. Sus preciosos ojos alargados se posaron en un bribón encantador.

Una noche mi madre salió sigilosamente por su ventana y bajó por el mismo árbol neem sobre el que su padre había sujetado una espinosa mata de buganvilla cuando ella solo tenía un año, en un intento de disuadir a cualquier hombre de tratar de escalar el árbol y llegar hasta la ventana de su hija. La mata fue creciendo como si la pureza de los pensamientos de mi madre la hubiera alimentado hasta que el árbol entero, cubierto de flores, se convirtió en un hito que podía ser visto en kilómetros a la redonda. Pero nuestro abuelo no había contado con la determinación de su propia hija.

Aquella noche de luna, espinas como colmillos desgarraron las gruesas ropas de mi madre, le arrancaron mechones de cabello y se hundieron en su carne, pero ella no podía detenerse. Debajo del árbol se hallaba el hombre al que amaba. Cuando por fin se detuvo ante él, no había ni un solo centímetro de la piel de mi madre que no ardiera como si estuviese en llamas. La sombra se la llevó de allí silenciosamente, pero cada paso era como cuchillos clavados en los pies de mi madre hasta que, presa de un terrible dolor, le suplicó que descansaran un rato. Pero la muda sombra la tomó en sus brazos y se la llevó. Una vez a salvo dentro del cálido círculo de aquellos brazos, mi madre volvió la mirada hacia su hogar, que se alzaba imponente contra el vívido cielo nocturno, y vio sus propias huellas ensangrentadas alejándose del árbol. Eran las manchas de su traición. Entonces mi madre lloró, sabiendo que esas huellas iban a ser las que más daño le harían al corazón de su pobre padre.

Los enamorados se casaron al romper el alba en un pequeño templo en otra aldea. En la violenta disputa que siguió a la boda, el novio, mi padre, que de hecho era el hijo resentido de un sirviente empleado por mi abuelo, prohibió a mi madre que volviese a ver a cualquier miembro de su familia. Solo después de que mi padre se hubiera convertido en ceniza gris dispersada por el viento regresó ella a la casa de su familia, mas para aquel entonces ya era una viuda encanecida por la pérdida.

Después de que hubiera dictado su cruel sentencia, mi padre la llevó a nuestra pequeña aldea, que estaba muy alejada de Colombo. Luego vendió algunas de las joyas de mi madre, compró un poco de tierra, construyó una casa y la instaló en ella. Pero el aire limpio y la felicidad conyugal no fueron del agrado del recién casado y no tardó en irse, atraído por las brillantes luces de las ciudades y llamado por los deleites del alcohol barato servido por prostitutas pintarrajeadas mientras se dejaba intoxicar por el olor que emanaba de una baraja de naipes. Después de cada una de sus escapadas, mi padre regresaba a casa y ofrecía a su joven esposa un recipiente tras otro llenos de inocentes mentiras curadas en distintas clases de alcohol. Por alguna oscura razón, mi padre creía que a ella le gustaban aquellas mentiras. Lo único que le quedó a mi pobre madre fuimos yo y sus recuerdos, aquellas cosas tan queridas que solía sacar a relucir todas las noches. Primero lavaba la suciedad de los años con sus propias lágrimas y después les sacaba brillo con el paño de la pena. Finalmente, cuando su maravilloso destellar les había sido devuelto, las iba exponiendo una a una para que yo pudiera admirarlas antes de volver a guardarlas con mucho cuidado en la caja dorada que había dentro de su cabeza.

De su boca iban saliendo visiones de un pasado glorioso repleto de ejércitos de fieles sirvientes, magníficos carruajes tirados por caballos blancos y arcones de hierro llenos de oro y preciosas joyas. ¿Cómo podía yo, sentada en el suelo de cemento de nuestra minúscula choza, comenzar aunque solo fuese a imaginarme una casa edificada tan en lo alto de una colina que todo Colombo era visible desde su balcón principal, o una cocina tan inmensa que nuestra casa entera podía caber en ella?

En una ocasión mi madre me dijo que cuando la pusieron por primera vez en los brazos de su padre, lágrimas de alegría corrieron por el rostro de él ante la visión de su piel insólitamente blanca y su cabeza llena de abundante cabello negro. Nuestro abuelo acercó aquel pequeño bulto a su cara y durante un rato lo único que pudo hacer fue aspirar el olor, extraño y dulzón, propio de una criatura recién nacida. A continuación fue a los establos, con su *veshti* blanco aleteando sobre sus robustas y morenas piernas, subió de un salto a la grupa de su corcel preferido y se alejó al galope entre una nube de polvo. Cuando regresó, traía consigo las dos esmeraldas más grandes que jamás se hubieran visto en la aldea. Se las entregó a su esposa, un insignificante par de baratijas a cambio de un milagro maravilloso. Luego ella hizo que se las engarzaran en dos pendientes incrustados de diamantes sin los cuales nunca se la veía.

Yo nunca he llegado a ver las famosas esmeraldas, pero todavía conservo la foto de estudio en blanco y negro de una mujer de ojos melancólicos que está rígidamente sentada delante de un fondo bastante mal pintado, un cocotero que crece allí donde termina una playa. Contemplo con frecuencia a mi abuela, inmovilizada sobre un trozo de papel mucho tiempo después de que haya dejado de estar entre nosotros.

Mi madre decía que cuando yo nací ella había llorado al ver que solo era una niña, y que mi disgustado padre desapareció para preparar más mentiras en remojo; tardó en regresar dos años, todavía muy borracho. A pesar de ello, aún guardo recuerdos claros como el agua de una vida en la aldea tan feliz y libre de preocupaciones que no pasa un solo día de mi vida adulta en el que no piense en ellos con agridulce nostalgia.

¿Cómo podría contarte hasta qué punto echo de menos aquellos días felices en los que yo era la única hija de mi madre, su sol, su luna, sus estrellas, su corazón? Cuando me quería tanto y era tan valiosa para ella que se me tenía que convencer de que comiera. Cuando mi madre salía de la casa con un plato lleno de comida en la mano y recorría toda la aldea buscándome para así poder darme de comer con sus propios dedos, todo eso con el único fin de que la tediosa tarea de comer no interrumpiera mis juegos. ¿Cómo no echar de menos aquellos días en que el sol era un alegre compañero que se quedaba todo el año a jugar conmigo y me besaba hasta convertirme en un fruto salvaje libre de preocupaciones, cuando mi madre recogía la dulce lluvia en su pozo detrás de la casa y el aire era tan limpio que la hierba olía a fresco?

Fue un tiempo lleno de inocencia en que los polvorientos caminos de tierra se hallaban rodeados por los troncos inclinados de los cocoteros y se veían salpicados por sencillos aldeanos montados en chirriantes bicicletas, con los dientes manchados de rojo que lucían en sus carcajadas libres de toda pena. Cuando el pequeño campo que había detrás de cada casa era una especie de supermercado y una cabra sacrificada bastaba para alimentar a ocho personas benditamente ignorantes de la existencia de un invento llamado nevera. Cuando las madres solo necesitaban tener de canguros a los dioses, que se congregaban en las nubes blancas por encima de ellas, para que cuidaran de los pequeños que estaban jugando en el salto de agua.

Sí, recuerdo que Ceilán era el lugar más mágico y hermoso del mundo.

Mamé de los pechos de mi madre hasta casi los siete años, corriendo de un lado a otro con mis amigos hasta que el hambre o la sed se adueñaban de mí y me hacían volver al frescor de la casa donde llamaba impaciente a mi madre. Sin importar lo que estuviera haciendo, ella se abría el sari y dejaba que mi boca se curvara alrededor de aquellos ilimitados montículos de suave caramelo marrón. Mi cabeza y mis hombros se acurrucaban en la seguridad del áspero algodón de su sari, el limpio olor de su cuerpo, el amor inocente contenido en la leche que fluía hacia el interior de mi boca y la reconfortante comodidad de aquellos suaves chupeteos que yo solía hacer apoyada contra su carne. Por mucho que lo hayan intentado, los crueles años no han conseguido robarle a mi memoria ni su sabor ni su sonido.

Durante muchos años odié el sabor del arroz o de cualquier clase de verdura; me limitaba a vivir de la dulce leche y los mangos amarillos. Mi tío comerciaba en todo tipo de mangos y las cajas que los contenían solían guardarse en el almacén que había detrás de nuestra casa. Un flaco cornaca montado en un elefante las depositaba allí, y allí esperaban hasta que otro cornaca llegaba para recogerlas. Pero mientras ellas esperaban, yo subía hasta lo alto de aquellas montañas de cajas de madera y me quedaba sentada allí con las piernas cruzadas, sin ningún temor a las arañas y escorpiones que inevitablemente acechaban dentro de ellas. Ni siquiera ser mordida por un ciempiés y ponerme azul durante cuatro días enteros me disuadía de hacerlo. Toda mi vida me he sentido impulsada por un ciego impulso a andar descalza por el sendero más difícil. «¡Vuelve!», me gritaba la gente desesperadamente. Con los pies sangrando y llenos de cortes, yo apretaba los dientes y continuaba andando en la dirección opuesta.

Indómita e insaciable, arrancaba con los dientes las pieles de la suculenta carne de las naranjas. Esa es una de las imágenes más intensas que todavía llevo conmigo: yo sola en la fresca oscuridad de nuestro almacén, sentada en lo alto de aquellas cajas de madera con los dulces y pegajosos jugos resbalando por mis brazos y mis piernas mientras me doy un atracón con un montón de las mercancías de mi tío.

A diferencia de los niños, en mi época las niñas no teníamos que ir a la escuela y, excepto las dos horas diarias durante las que mi madre me enseñaba a leer y escribir, yo siempre podía ir donde me viniera en gana. Al menos eso fue lo que pude hacer hasta que, a los catorce años, la primera gota de sangre menstrual proclamó de manera tan súbita como inquietante que me había convertido en una mujer. Pasé la primera semana encerrada en una pequeña habitación cuyas ventanas habían sido claveteadas. Era la costumbre, ya que ninguna familia decente estaba dispuesta a correr el riesgo de que los muchachos más atrevidos pudieran trepar hasta lo alto de los cocoteros para así atisbar los recién florecidos encantos secretos de sus hijas.

Durante mi período de confinamiento me vi obligada a tragar muchos huevos crudos, a los que se ayudaba a bajar con aceite de semilla de sésamo y toda una serie de amargas pociones de hierbas. Las lágrimas no sirvieron de nada. Cuando mi madre entraba con su nueva dieta llegada del infierno, venía equipada con un bastón que, como no tardé en descubrir para mi más absoluto asombro, estaba dispuesta a utilizar. A la hora del té, en vez de sus deliciosos pastelillos se me entregaba medio coco lleno hasta rebosar de berenjenas calientes que se habían cocinado en un mar del temido aceite de sésamo. «Cómetelas mientras están calientes», me aconsejaba mi madre mientras cerraba la puerta y pasaba el pestillo. En un arranque de frustración y desafío, yo las dejaba enfriar a propósito. La fría y viscosa carne de las berenjenas se despachurraba satisfactoriamente entre mis dedos, pero dentro de mi boca se volvían absolutamente repugnantes. Era como tragar orugas muertas. Treinta y seis huevos crudos, varias botellas de aceite de sésamo y una cesta entera de berenjenas bajaron por mi garganta antes de que el confinamiento en la pequeña habitación llegara a su fin. Entonces simplemente se me confinó dentro de la casa y se me hizo aprender las labores de las mujeres. Aquello supuso una triste transición para mí. La profunda pérdida de la tierra cocida por el sol bajo mis pies lanzados a la carrera es imposible de explicar. Igual que una prisionera, me quedaba inmóvil y lanzaba miradas anhelantes por las pequeñas ventanas. Casi inmediatamente, mi larga y enredada cabellera se peinó, trenzó y transformó en una esbelta serpiente que bajaba por mi espalda, y mi piel se consideró súbitamente demasiado oscurecida por el sol. Mi verdadero potencial, decidió mi madre, radicaba en mi piel. Yo no era ninguna belleza india como ella, pero en una tierra de gentes color café yo era una taza llena de té muy lechoso.

Un color valoradísimo, inapreciable.

Un color sin duda digno de ser buscado activamente en una esposa, sutilmente alentado en una nuera y cariñosamente adorado en los nietos de uno. Extrañas señoras de mediana edad comenzaron a aparecer súbitamente en nuestra casa. Se me vestía de punta en blanco y luego se me exhibía delante de ellas. Todas tenían la mirada alerta y penetrante de las compradoras en una tienda de diamantes. Sus agudos ojillos me examinaban cuidadosamente en busca de defectos, sin dar la menor muestra de incomodidad por ello.

Una tarde muy calurosa —después de que mi madre hubiera estirado, manipulado y envuelto con manos expertas mi cuerpo en una gran cantidad de tela rosada, a continuación de lo cual decoró mi cabello con maltrechas rosas rosadas del jardín y lo salpicó con piedras preciosas incrustadas en oro de un amarillo mate—, yo estaba mirando por la ventana con el ceño fruncido mientras me sentía tristemente maravillada por lo rápida y completamente que había llegado a cambiar mi vida. En un solo día. No, en menos tiempo. Y sin avisar.

Fuera, el viento susurraba entre las ramas del tilo y de pronto una brisa juguetona entró en mi habitación, agitando los rizos de mis sienes y soplando suavemente en mi oreja. Yo conocía muy bien aquella brisa. Era tan azul como el dios Krishna cuando era pequeño, e igual de descarada que él. Siempre que nos zambullíamos desde la roca más alta en los saltos de agua que había en los bosques de detrás de la casa de Ramesh, ella se las arreglaba para ser la primera en llegar hasta aquellas aguas frías como el hielo. Eso es porque hace trampas. Sus pies nunca llegan a tocar el terciopelo verde oscuro del musgo que crece sobre las rocas.

La brisa rió en mi oreja. «Ven», tintineó alegremente su voz. Me hizo cosquillas en la nariz y luego salió volando de la habitación.

Me asomé por la ventana y estiré todo lo que pude mi delgado cuello, pero en lo que a mí respectaba el agua resplandeciente y la brisa azul se habían perdido para siempre. Pertenecían a una niña descalza que reía llevando un vestido sucio.

Mientras estaba de pie allí dando rienda suelta a mi resentimiento y mi frustración, vi detenerse un carruaje delante de nuestra casa. Las ruedas crujieron sobre la tierra reseca. Una mujer muy gruesa que vestía un sari de seda azul oscuro y calzaba zapatillas demasiado delicadas para su peso bajó del carruaje. Retrocediendo hacia la penumbra de mi habitación, la observé con curiosidad. Sus oscuros ojos recorrieron nuestra pequeña casa y su pobre recinto, contemplándolos con cierta secreta satisfacción. Sorprendida por su extraña expresión, miré fijamente a la mujer hasta que perdí de vista su taimado rostro cuando desapareció detrás de las buganvillas que circundaban el sendero que llevaba a nuestra puerta delantera. La suave voz de mi madre invitándola a entrar se introdujo en mi habitación. Me quedé pegada a la puerta de mi dormitorio y escuché la voz inesperadamente musical de la desconocida. Tenía una voz preciosa, nada acorde con sus astutos ojillos y aquellos delgados labios fruncidos. Unos instantes después mi madre me llamó, diciéndome que llevara el té que ella había preparado para nuestra visitante. Apenas hube llegado al umbral de la habitación principal en la que mi madre recibía a las visitas, sentí la rápida mirada con que la desconocida me evaluó. Una vez más me pareció que quedaba satisfecha con lo que veían sus escrutadores ojos. Sus labios se distendieron en una cálida sonrisa. Si yo no hubiera visto la mirada, satisfecha y casi victoriosa, que le había lanzado antes a nuestra pobre morada, hubiera podido tomarla por la tía llena de adoración que mi madre, sonriendo, dijo que era cuando me la presentó. Bajé modestamente la mirada, tal como se me había enseñado a hacer en presencia de los adultos benevolentes y las compradoras de diamantes de penetrante mirada.

—Ven y siéntate junto a mí —me llamó dulcemente la tiíta Pani, dando unas palmaditas sobre el banco junto a ella.

Me di cuenta de que en su frente no había el punto rojo hecho con kum kum que era habitual en las mujeres casadas, sino el punto negro indicador de su estado de soltería. Fui hacia ella andando con mucho cuidado para no tropezar en algún lugar de los seis metros de gruesa tela que se ondulaban peligrosamente alrededor de mí, lo cual hubiese humillado a mi madre y divertido a aquella refinada desconocida.

—¡Qué guapa eres! —exclamó ella con su voz musical.

La miré con el rabillo del ojo sin decir nada y sentí una extraña e inexplicable repugnancia. Su piel lisa y libre de arrugas estaba cuidadosamente empolvada y sus cabellos olían al dulce aroma del jazmín; aun así, en mi reino encantado me la imaginé como una mujer-serpiente que comía ratas. Fluía de un lado a otro como la espesa savia negra que rezuma de los árboles, y entraba en los dormitorios deslizándose tan silenciosamente como una cinta. Siempre negra, siempre cazando. Una larga lengua, rosada y de sangre fría, sale de su boca. ¿Qué es lo que sabe la mujer-serpiente?

Una mano regordeta cargada de anillos hurgó dentro de un bolsito recubierto de cuentas y salió serpenteando de él con una golosina envuelta. Semejantes regalos eran raros en la aldea. Decidí que no todas las mujeres-serpiente eran venenosas. La tiíta Pani me ofreció la golosina. Era una prueba. No le fallé a mi madre, que estaba observando, lanzándome sobre él. Solo cuando mi madre sonrió y asintió, extendí la mano hacia tan preciado ofrecimiento. Nuestras manos se tocaron por un instante. Las suyas eran frías y húmedas. Nuestras miradas se encontraron y se sostuvieron la una a la otra. Ella se apresuró a apartar la vista. Mi mirada había sabido ser más fuerte que la de la serpiente. Fui enviada de regreso a mi habitación. En cuanto la puerta se hubo cerrado detrás de mí, desenvolví la golosina y me comí el soborno de la mujer-serpiente. Estaba delicioso.

La desconocida no se quedó mucho rato y mi madre no tardó en venir a mi habitación. Me ayudó con la complicada tarea de salir de las largas capas de hermosa tela y luego fue doblándolas una por una y las guardó con mucho cuidado.

—He aceptado una propuesta de matrimonio para ti, Lakshmi —le dijo al sari doblado—. Es una propuesta muy buena. Él es de una casta superior a la nuestra y además vive en esa tierra tan rica a la que llaman Malasia.

Me quedé perpleja y la miré con incredulidad. ¿Una propuesta de matrimonio que me llevaría muy lejos de mi madre? Había oído hablar de Malasia. Estaba a muchos miles de kilómetros de distancia. Los ojos se me llenaron de lágrimas. Nunca había estado separada de mi madre.

Nunca.

Nunca. Nunca.

Corrí hacia ella y bajé su cara hacia la mía. Le puse los labios en la frente.

—¿Por qué no puedo casarme con alguien que viva en Sangra? —pregunté incrédulamente.

Los hermosos ojos de mi madre se humedecieron. Era como una hembra de pelícano que se desgarra su propio pecho para dar de comer a sus crías.

—Eres una chica muy afortunada —me dijo—. Viajarás con tu marido a una tierra donde se puede encontrar dinero en las calles. La tiíta Pani dice que tu futuro marido es muy rico y que vivirás igual que una reina, tal como vivía tu abuela. No tendrás que vivir como yo. Él no es un borracho ni un jugador como tu padre.

—¿Cómo puedes soportar la idea de enviarme lejos de ti? —jadeé, sintiéndome traicionada.

Había pena y mucho amor en sus ojos. La vida todavía tenía que enseñarme que el amor de una niña nunca puede igualar al dolor de una madre. Es profundo y desgarrador, pero una madre no está completa sin él.

—Estaré tan sola sin ti... —gimoteé.

—No estarás sola, porque tu nuevo marido es viudo y tiene dos hijos de nueve y diez años de edad. Eso quiere decir que tendrás compañía de sobra y muchas cosas con las que mantenerte ocupada.

Fruncí el ceño sin saber qué decir. Sus hijos casi tenían mi edad.

—¿Cuántos años tiene él?

—Bueno, él tiene treinta y siete años —dijo mi madre rápidamente, dándome la vuelta para poder soltar el último gancho de mi blusa.

Me apresuré a volverme para quedar de cara a ella.

—¡Pero *ama*, si es todavía más viejo que tú!

—Puede que lo sea, pero será un buen marido para ti. La tiíta Pani dice que no tiene un reloj de oro, sino varios. Ha dispuesto de mucho tiempo para amasar una inmensa fortuna y es tan rico que ni siquiera pide una dote. Es primo suyo, así que la tiíta debe de saberlo. Hace años yo cometí un terrible error y ahora me he asegurado de que tú no llegues a cometerlo. Serás mucho más que yo. Empezaré a preparar tu joyero inmediatamente.

Miré a mi madre sin decir nada. Ella ya había tomado su decisión. Yo estaba condenada.

Las quinientas lámparas de aceite que se hallaron presentes hacía ya casi cincuenta años en la boda de mi abuela habían sorprendido al sol en el momento de su despertar para dar inicio a cinco suntuosos días de alegre celebración, pero mi boda fue un asunto de un solo día. Los preparativos de la boda mantuvieron ocupado a todo el mundo durante un mes entero y a pesar de mis primeros temores, terminé haciéndome a la idea de vivir con un marido misterioso que me trataría igual que a una reina. También me sentía bastante complacida por la idea de que iba a tener autoridad sobre mis dos nuevos hijastros. Sí, quizá todo sería una maravillosa aventura. En la magnífica fantasía que creé, mi madre venía a visitarnos una vez al mes y yo subía a la embarcación para regresar a su casa unas dos veces al año. Un apuesto desconocido sonreía cariñosamente y me cubría de regalos. Incliné la cabeza con timidez mientras un millar de sonrojantes conceptos románticos solo parcialmente vestidos desfilaban a toda velocidad por mi tonta mente de adolescente. Ninguno de ellos llevaba aparejado el acto sexual, claro está. Nadie que yo conociera hablaba de tales cosas, o sabía siquiera acerca de ellas. El secreto proceso de la creación de bebés no era algo que me concerniese y sus cabecitas rizadas ya harían acto de presencia por sí solas cuando fuera el momento apropiado.

El gran día llegó. Nuestra pequeña casa parecía suspirar y gemir bajo el peso de todas las gordas señoras de mediana edad que iban de un lado a otro. El aroma del famoso curry negro de mi madre llenaba el aire. Yo permanecía sentada en mi pequeña habitación, totalmente fascinada por aquel ajetreo. Una bolita de excitación iba creciendo dentro de mi estómago y cuando me puse las palmas de las manos en las mejillas descubrí que estas estaban muy, muy calientes.

—Bueno, vamos a echarte una mirada —dijo mi madre después de que las hábiles manos de Poonama, la vecina de al lado, hubieran doblado y dejado pulcramente sujetos los seis metros de mi precioso sari rojo y oro.

Durante un buen rato, mi madre se limitó a contemplarme en silencio con la más extraña mezcla de tristeza y alegría imaginable mientras se secaba ojos rebosantes de lágrimas e, incapaz de hablar, se limitaba a expresar su aprobación asintiendo con la cabeza. Entonces la dama a la que mi madre había hecho venir de otra aldea para que se encargara de mi cabello dio un paso adelante y entró en acción con una rápida eficiencia. Yo permanecí sentada en un taburete mientras aquellas rápidas manos enhebraban sartas de perlas a través de mis cabellos y les añadían un grueso fajo de áspero pelo falso, después de lo cual retorcieron toda la masa hasta dejarla convertida en un gran moño suspendido sobre la delgada forma de mi cuello. Parecía como si me hubiera salido una segunda cabeza de la nuca, pero no dije nada porque enseguida pude ver que a mi madre parecía complacerla la idea de tener una hija con dos cabezas. Luego la dama había sacado de yo no sabía dónde un tubito al que le desenroscó el tapón para revelar una densa pasta roja. Metió su gordo dedo índice en aquel producto hediondo y aplicó con mucho cuidado la pegajosa grasa sobre mis labios. Parecía como si yo hubiera besado la rodilla sangrante de alguien. Me contemplé fascinada.

—No te mojes los labios —ordenó la experta.

Sacudí la cabeza en una solemne negativa, pero la tentación de quitarme aquella capa de gruesa pintura que tanto olía persistió hasta el momento en que vi a mi prometido. Entonces fue cuando olvidé no solo la molestia que suponía llevar toda aquella grasa en mis labios, sino también todo lo demás. Ese fue el instante en que el tiempo se detuvo y mi infancia huyó para siempre, chillando de horror.

Fui escoltada cubierta de joyas hasta la sala principal en la que me esperaba mi prometido encima de un estrado, pero cuando llegamos a la segunda hilera de invitados sentados no pude seguir conteniendo mi curiosidad por más tiempo. Atrevidamente, levanté la cabeza y lo miré. Aquella bola de excitación que tan juguetonamente había estado burbujeando y rebotando de un lado a otro dentro de mi estómago se hizo añicos. Se me aflojaron las rodillas y mi paso se volvió torpe y vacilante. Mis dos sonrientes escoltas reforzaron simultáneamente la presa que habían estado ejerciendo sobre mis brazos. Pude oír sus pensamientos de desaprobación dentro de mi cabeza, que había empezado a dar vueltas: «¿Qué le pasará ahora a la chica del color del té?».

Lo que le pasaba a la chica del color del té era que había visto al novio.

Sentado en el estrado me esperaba el hombre más gigantesco que yo hubiera visto jamás. Su piel era tan oscura que relucía como el aceite negro en la noche. Grandes alas de pelos grises flotaban sobre sus sienes como si fuera un pájaro de presa. Largos dientes amarillos sobresalían hacia delante por debajo de su gruesa nariz, haciendo que a su boca le resultara imposible llegar a cerrarse del todo.

Un escalofrío de miedo recorrió todo mi cuerpo de niña cuando pensé en aquel hombre como mi marido. Mi ridículo sueño romántico exhaló su último aliento con temblorosa desesperación y de pronto me sentí muy pequeña, sola y al borde del llanto. A partir de ese momento, para mí el amor pasó a ser el gusano en la manzana. Cuando mi boca pone fin a su búsqueda encontrándose con su blando cuerpo, lo destruye y eso me llena de asco. Dominada por el pánico, busqué entre la confusión de rostros que me observaban el de la única persona que podía hacer que todo volviera a ser mejor.

Nuestras miradas se encontraron. Mi madre me sonrió llena de felicidad, con sus ojos reluciendo orgullosamente en su pobre cara. Yo nunca podría decepcionarla. Ella había querido aquello para mí. Enfrentada a nuestra abyecta pobreza, la riqueza de aquel hombre la había cegado a todo lo demás. Mis pies me acercaron todavía más a mi destino. Me negué a bajar la cabeza como hacen otras novias tímidas, y miré fijamente a mi nuevo marido con una mezcla de miedo y bravura.

Tendría como tres veces mi tamaño.

Él levantó la vista. Sus ojos eran pequeños y negros. Capturé las pequeñas cuentas negras en mi atrevida mirada y encontré en ellas una irritante expresión de orgullosa posesión. Lo miré sin pestañear. «No muestres miedo», pensé con el estómago apretado en un nudo de furia. Arrastré a aquel hombre a un juego infantil de averiguar quién podía hacerle bajar la mirada a quién. El batir de los tambores y el sonido de las trompetas se perdió en la lejanía y los espectadores pasaron a ser un mero fondo grisáceo mientras mis ojos abrasaban incesantemente a los suyos. Curiosamente, entonces percibí un cambio en los ojos de mi nuevo marido. La sorpresa engulló a la orgullosa posesión. Bajó los ojos. Yo había derrotado a la horrible bestia. Él era la presa y yo la cazadora, después de todo. Había domado a la fiera con una mirada. Sentí que una oleada de fuego recorría todo mi cuerpo como una súbita fiebre.

Volví la mirada hacia mi madre. Continuaba sonriendo con aquella misma sonrisa alentadora y llena de orgullo con la cual había estado sonriendo antes. Antes de mi fugaz victoria, quiero decir, porque para ella el momento nunca había existido. Solo mi marido y yo lo habíamos experimentado. Le devolví la sonrisa a mi madre y, levantando ligeramente la mano, dejé que mi dedo medio golpeara con suavidad tres veces mi pulgar, en lo que era nuestra señal secreta para indicar que todo estaba perfecto. Cuando llegué al estrado adornado, dejé que mis rodillas cedieran sobre el lecho de flores que había debajo de mí. Podía sentir las oleadas de calor que emanaban del rostro de la bestia domada, pero no había nada que temer.

Él no volvió la cabeza para mirarme. El resto de la ceremonia transcurrió en un confuso borrón. Mi marido no volvió a buscar el fuego que había en mis ojos. Y en cuanto a mí, pasé la totalidad de la ceremonia lanzándome incansablemente una y otra vez desde la más alta de las rocas para sumergirme en las frías aguas que había detrás de la casa de Ramesh.

Aquella noche yací en la oscuridad sin hacer ningún ruido mientras él iba apartando mis ropas para luego montarme torpemente. Mi marido ahogó mi grito de dolor con su enorme mano. Recuerdo que olía a leche de vaca.

—Chist... solo duele la primera vez —me consoló.

Fue amable y delicado, pero mi mente de niña se llenó de conmoción. Me hizo lo mismo que hacían los perros en las calles... hasta que les tirábamos agua y se separaban de mala gana, con las disgustadas puntas rosadas todavía distendidas. Concentré mis pensamientos en la astuta manera con que aquel hombre podía llegar a disolverse por completo en la oscuridad. Sus largos dientes flotaban en la noche sin nada que los sostuviera y sus ojos vigilantes relucían húmedamente con la expresión de una rata en las tinieblas. A veces el reloj de oro que tanto había impresionado a mi madre destellaba. Clavé la mirada en aquellos ojos abiertos que me observaban hasta que mi marido parpadeó y a partir de entonces me dediqué a contemplar sus dientes. De esta manera, todo terminó muy deprisa.

Saciado, mi marido se recostó en la cama y me abrazó como quien consuela a una niña herida. Yo yací entre sus brazos, manteniéndome tan rígida e inmóvil como la madera que se echa al fuego. Cuando la respiración de mi marido se volvió regular y sus miembros se hicieron pesados, salí con mucho cuidado de debajo de su cuerpo dormido y fui hasta el espejo andando de puntillas. Muy confusa, contemplé mi rostro perplejo y lleno de lágrimas. ¿Qué era lo que acababa de hacerme mi marido? ¿Había sabido mi madre que él me haría aquello? ¿Le había hecho también mi padre aquella cosa tan repugnante a mi madre? Me sentía sucia. Todavía había líquido pegajoso y sangre manchando mis muslos y seguía sintiendo una parte dolorida de mí entre mis piernas.

Fuera, a la luz de las lámparas de aceite, aquellos que estaban más decididos a disfrutar de la celebración todavía reían y bebían. Encontré un sari viejo en la alacena. Con el rostro encapuchado, abrí cautelosamente la puerta y salí al exterior. Mis pies no hicieron ningún ruido al moverse por el frío suelo de cemento y nadie se fijó en mi esbelta figura yendo hacia la pared para pegarse a las silenciosas sombras. Salí corriendo silenciosamente por la puerta de atrás y no tardé en encontrarme junto al pozo de Poonama. Entonces me desnudé con un loco frenesí y llené un cubo con la reluciente agua negra que llenaba aquel profundo agujero abierto en la tierra. Cuando aquella agua helada resbaló por mi cuerpo, comencé a llorar, con unos sollozos profundos y desgarradores que hicieron temblar incontrolablemente a mi cuerpo. Seguí echando negra agua sobre mi cuerpo estremecido hasta que este quedó entumecido e insensible. Cuando todos los sollozos hubieron sido vertidos dentro de la hambrienta tierra, volví a vestir mi desgraciado cuerpo y regresé a la cama de mi marido.

Él dormía apaciblemente. Mis ojos fueron hacia su reloj de oro. Bueno, al menos viviría como una reina en Malasia. Mi marido quizá tenía una mansión tan grande en lo alto de una colina que nuestra casa podía caber en su cocina. Ahora yo ya no era una niña sino una mujer, y él era mi marido. Extendí vacilantemente una mano y le acaricié la ancha frente. Su piel era lisa y suave bajo mis dedos. Mi marido no se movió. Reconfortada por la idea de una cocina que era más grande que toda nuestra casa, me hice un ovillo lo más lejos que pude de su enorme cuerpo y caí en un profundo sueño.

Al cabo de dos días nos haríamos a la mar y hasta que llegara ese momento había mucho por hacer. Yo apenas veía a mi marido. Era la oscura sombra que extendía sus enormes alas sobre mí al final de cada día, apagando incluso aquel tenue rayo de luz que habitualmente se quedaba al final de mi puerta, lleno de curiosidad, para ver cómo me dormía.

La mañana de nuestra marcha me senté junto al peldaño de la puerta trasera y contemplé a mi madre en su mundo silencioso. Estaba limpiando el hornillo tal como había hecho todas las mañanas hasta donde alcanzaba mi memoria. Pero aquella mañana las lágrimas goteaban de su barbilla y dejaban oscuras manchas redondas en la blusa de su sari. Yo siempre había sabido que no quería a mi padre, pero no sabía que quisiera a mi madre con un amor tan profundo que podía llegar a doler. La vi sola en nuestra pequeña casa, cocinando, cosiendo, limpiando y barriendo, pero no había nada que yo pudiera hacer. Apartando la mirada de ella, contemplé retirarse a las últimas gotas de la tormenta. Centenares de ranas iniciaron su canción en los bosques, suplicando a los cielos que volvieran a despejarse para que los charcos del suelo pudieran convertirse en piscinas hechas a la medida de las ranas. Miré en torno a mí contemplando todo aquello que me era familiar: el liso suelo de cemento de nuestra casa, aquellas paredes de madera tan mal construidas y el viejo taburete en el que se sentaba mi madre para untarme el pelo con aceite. Entonces me sentí súbitamente sola. ¿Quién me peinaría a partir de ese día? Peinarme casi se había convertido en un ritual. Conteniendo las lágrimas, me prometí que no olvidaría una sola cosa acerca de mi madre. Recordaría su olor, el sabor de la comida que salía de sus dedos gastados por el trabajo para ir directamente a mi boca, sus hermosos ojos llenos de tristeza y todas las preciosas historias que guardaba en la caja dorada que había dentro de su cabeza. Me quedé sentada allí durante un rato imaginándome a mi abuelo montado en su caballo blanco, erguido y orgulloso, e imaginé lo que le hubiese parecido mi pobre e insignificante persona.

En el patio, nuestra vaca Nandi, que no se había enterado de nada y no estaba prestando ninguna atención a los detalles de mi marcha, volvió tristemente los ojos de un lado a otro sin que hubiera ningún motivo aparente para ello mientras los polluelos que acababan de salir del huevo ya iban adaptándose al papel que la vida exigía de ellos. Una parte de mí no podía creerlo. No podía creer que fuera a irme aquel día, dejando atrás todo lo que había llegado a conocer para surcar los mares con un hombre que me decía que lo llamara Ayah.

Llegamos al punto de reunión acordado en el muelle. Contemplé fascinada el enorme barco que se elevaba de las aguas, reluciendo bajo el sol como si supiera lo importante que era y estuviera listo para atravesar el océano. La tiíta Pani, a la que se le había confiado la tarea de traer a mis hijastros, llevaba retraso. Ayah, el ceño fruncido por la preocupación, volvió a consultar su resplandeciente reloj. Las grandes sirenas del barco ya se disponían a sonar cuando Pani llegó en su carruaje, pero sin los niños.

—Están bastante enfermos y no se encuentran en condiciones de hacer el viaje. Se quedarán conmigo durante unos meses —le anunció, en un tono más bien alegre, a mi atónito esposo—. Cuando estén mejor, yo misma los llevaré a Malasia —añadió su voz musical.

Ayah miró en torno a él, tan impotente como un elefantito perdido.

—¡No puedo irme sin ellos! —exclamó con desesperación.

—Tienes que hacerlo —insistió ella—. Su enfermedad no es grave y no les pasará nada por quedarse algunas semanas más conmigo. Ya sabes lo mucho que los quiero. Nadie podría cuidar mejor de ellos.

Mi marido permaneció inmóvil durante un instante de dolorosa vacilación, sin saber qué hacer mientras era observado por todos los rostros que había a su alrededor. La cara de la tiíta Pani, que no mostraba ninguna señal de arrepentimiento, finalmente se llenó de alegría cuando mi marido cogió una pequeña maleta que había junto a mis pies y se dispuso a subir a bordo. Por increíble que pudiera parecer, iba a dejar allí a sus hijos. Para mí resultaba evidente, como lo era para todos los que estaban mirando, que la misteriosa enfermedad no era más que alguna clase de treta. ¿Por qué no insistía mi marido en que alguien fuera corriendo a casa de Pani y trajera a los niños? Lo seguí lentamente; no entendía nada pero no dije ni una palabra. Pani no era una buena persona. Yo lo percibía con toda claridad, pero entonces en lo más profundo de mi ser floreció el negro pensamiento de que aquello quizá fuera lo mejor que podía llegar a ocurrir. Había visto a mis hijastros en la boda y eran pequeñas copias de su padre. Sus feas caras carecían de expresión y se movían con una irritante lentitud. Me disgustaba mucho ver que Pani se salía con la suya, pero el temor que me inspiraban mis bobos hijastros era todavía mayor.

Me volví y besé a mi madre en la frente.

—Te quiero con todo mi corazón —le dije a aquella lisa superficie.

Ella tomó mi cara entre sus manos y me miró en silencio durante un buen rato como si estuviera aprendiéndose de memoria mis facciones, porque ya sabía que aquella era la última ocasión en que podría verme o tocarme. Mi madre sabía que nunca volveríamos a vernos.

Seguí mirando a mi madre desde el barco hasta que solo fue un puntito verde que sollozaba entre una multitud de familiares que gimoteaban mientras nos despedían agitando la mano.

Oh, el viaje.

El viaje fue indescriptiblemente espantoso. Pasé casi todo el tiempo sumida en el delirio de la fiebre. La cabeza me daba vueltas y mi estómago revuelto temblaba y se rebelaba. Había momentos en los que me sentía tan mal que deseaba estar muerta. Mi marido permanecía sentado junto a mí, tan sólido como una roca, y me miraba sin poder hacer nada mientras yo me retorcía como una serpiente encima de la pequeña litera, consumida por la incesante necesidad de vomitar. Un nauseabundo olor a rancio lo impregnaba todo. Mi cabello, mis ropas, las sábanas, mi aliento, mi piel... Todo parecía hallarse manchado por el pegajoso aire marino.

Desperté en la bamboleante oscuridad sintiendo una sed terrible. Una mano se posó suavemente sobre mi frente.

—*Ama* —llamé con un hilo de voz.

Confusa y desorientada, imaginé que mi madre había venido para cuidarme. Me volví para sonreírle y entonces mi marido me miró a los ojos con la expresión más extraña que se pueda imaginar. Sorprendida por la súbita intensidad de aquella mirada, pestañeé y se la devolví en silencio, incapaz de apartar la vista. Sentí que se me secaba la boca.

—¿Cómo te encuentras? —me preguntó con dulzura.

El hechizo se rompió.

—Sedienta —dije con voz enronquecida.

Él se volvió y yo miré a aquel hombre, inmenso y de miembros desmadejados, mientras me servía un poco de agua. Estudié su expresión mientras bebía, pero en su rostro color de ébano no pude ver más que bondad. Recuerdo aquel incidente porque durante todo el resto de nuestra vida en común yo nunca volvería a ver aquella peculiar mezcla de emociones tan desesperadamente intensas en los ojos de mi marido.

El cielo era de un límpido color cerúleo y la superficie del mar, un grueso cristal que relucía bajo el intenso sol. Ocultas en el fondo de sus verdes profundidades había, eso ya lo sabía yo, maravillosas ciudades misteriosas repletas de soberbios palacios, minaretes deslumbrantes y exquisitas flores de mar, que eran el hogar de los poderosos semidioses de las historias que me contaba mi madre. En el barco, centenares de personas se esforzaban por llegar a las barandillas para contemplar con orgullo la tierra hacia la que nos estábamos aproximando. El aire vibraba como el batir de un millar de alas, las alas de la esperanza.

A mis incrédulos ojos el puerto de Penang les pareció el lugar más apasionante del mundo. Más personas de las que yo jamás había visto en toda mi vida iban de un lado a otro, moviéndose tan rápidamente como una colonia de hormigas que va y viene sobre una duna de arena. ¡Y qué personas tan extrañas eran, además! Boquiabierta y llena de deleite, me dediqué a contemplarlas.

Allí había mercaderes árabes de aceitunada piel ataviados con largas túnicas blancas y turbantes de color blanco y negro. Su aspecto de prosperidad sobresalía, incluso viéndolos desde lejos, como una cometa roja en un cielo azul. Sus cabezas enturbantadas permanecían arrogantemente ladeadas y sus gordos dedos, cargados de enormes anillos, relucían bajo el intenso sol con destellos de fuego azul, verde y rojo. Estaban allí para comerciar en especias, marfil y oro. El viento recogía su extraña lengua gutural para traerla volando hacia mis oídos.

Luego estaban los chinos, de ojos rasgados, narices chatas y aire decidido. Ellos no dedicaban ni un solo instante a la ociosidad. Sin camisa y curtidos por el sol hasta adquirir un intenso color broncíneo, andaban encorvados con paso tambaleante bajo los pesados fardos que iban descargando de las barcazas y los mercantes. Eran incansables en su tarea. Para mis jóvenes ojos que solo habían aprendido a apreciar los rasgos muy marcados y los grandes ojos llenos de alma de mi tierra natal, sus rostros tan chatos como la luna parecían el epítome de la deformidad.

Lugareños del color de los cocos maduros rondaban por allí con expresiones apaciblemente serviles. Había una nobleza natural en sus caras y sin embargo no eran dueños de su propia tierra. Por aquel entonces yo no sabía que habían perdido la guerra que habían librado contra el hombre blanco, de manera tan rápida como sutil, únicamente mediante el recurso a la violencia encubierta.

Los europeos fueron los primeros en desembarcar. Al parecer, mientras estaban en primera clase, separados del resto, habían comido tan bien que todos se habían ido hinchando hasta adquirir nuevas proporciones. Altos, autoritarios y cuidadosamente vestidos, avanzaban como dioses con el sol reluciendo en sus cabellos. Se movían como si el mundo les debiera algo. Sus inaccesibles y pálidos labios me parecieron extrañamente absorbentes. Los hombres se mostraban desusadamente solícitos con las mujeres que, altivas, apretadamente encorsetadas y con diminutas sombrillas adornadas con volantes que eran patéticamente incapaces de desempeñar la función que se esperaba de ellas, subían con la espalda muy recta a magníficos coches y elegantes carruajes. Parecían muñecas fascinantemente blancas con pañuelos de encaje que aleteaban de un lado a otro.

Hombres de caras morenas y cuerpos fornidos con taparrabos blancos como única vestimenta se apresuraron a ayudar a los pasajeros. Grandes cajas de hierro fueron cargadas en rickshaws cubiertos y hombres nervudos y descalzos con los músculos forzados al máximo y tocados con sombreros triangulares llevaron hacia la ciudad a las gentes y sus pertenencias.

Sentí que me tocaban el hombro y alcé la mirada hacia el ancho y moreno rostro de mi marido. Yo debía de resplandecer de juventud y ávido entusiasmo, porque sus ojillos me contemplaron con tolerancia casi paternal.

—¡Ven, Bilal debe de estar esperando! —gritó entre el estrépito.

Seguí a la enorme figura de mi marido mientras él, sin ninguna dificultad, transportaba en sus manos todo aquello que me pertenecía. Se detuvo delante de un gran coche negro estacionado a la sombra de un árbol. Bilal, el chófer, era malayo. No hablaba el tamil y como no pudo sacarme ni una sola palabra de malayo, me estudió con curiosidad; después asintió e hizo aparecer en sus labios una sonrisa amarilla para la niña-esposa de su señor. Subí a aquel coche con sus asientos de pálido cuero. Yo nunca había estado en un coche anteriormente. «Este es el comienzo de mi nueva vida de riqueza», pensé sintiéndome invadida por una indescriptible sensación de aventura y excitación.

Las calles no estaban pavimentadas con oro, sino cubiertas por una gruesa capa de tierra y polvo. Almacenes con tejados curvos del tipo oriental y grandes letras chinas en las entradas dormitaban bajo el sol abrasador. Hileras de pequeñas tiendas se alzaban a ambos lados de la calle, abarrotadas con un maravilloso surtido de mercancías. Los alimentos frescos rebosaban de sus cestas para derramarse sobre el pavimento y encima de peldaños de madera especialmente construidos reposaban grandes botellas repletas de artículos secos. Sastres, zapateros, panaderos, orfebres y colmados formaban una larga fila de color, ruido y olores. En el interior de los cafés, flacos ancianos con pantalones cortos y rostros oscuros como el cuero estaban sentados con cigarrillos colgando de sus dedos llenos de manchas. Había perros callejeros de húmedos hocicos y ojos de carroñero que desaparecían detrás de las esquinas. En un puesto improvisado junto al camino, una hilera de patos colgaba de sus cuellos rotos y una bandada de patos vivos graznaba y se peleaba ruidosamente dentro de una jaula de madera depositada en el suelo. Un enorme cuchillo de carnicero clavado en un bloque de trinchar relucía intensamente. Hombres a los que el sol teñía de un azul medianoche barrían con largas escobas los desagües que había junto al camino.

Junto al juego de luces del tráfico que había en el centro de la ciudad, dos ancianas estaban sentadas a la sombra de un árbol e intercambiaban cotilleos, con la fláccida piel de sus caras ondulando de un lado a otro mientras hablaban. Al otro lado del camino, bajó de un coche la criatura más gloriosa que yo nunca hubiese podido imaginar. De huesos muy delicados, era tan pálida que casi parecía blanca. Vestida con un traje chino de color rojo, se había sujetado los cabellos negros como la medianoche con peinetas enjoyadas y sartas de abalorios. Sus ojos almendrados eran enormes pero tímidos y delicados, y su pequeña boca tenía la forma de un diminuto capullo de rosa. Se la había pintado hasta dejarla muy roja y relucía bajo el sol. Todo en ella era perfecto y tan delicado como si fuera una muñeca hasta que dio un tambaleante pasito hacia delante. Uno de los hombres que la cuidaban se apresuró a extender la mano hacia ella para que no perdiera el equilibrio. Sin agradecérselo, la mujer dejó caer su abanico sobre la mano que la ayudaba y se apartó altivamente. Fue entonces cuando me di cuenta de que sus pies no eran más grandes que mi puño apretado, y eso que yo tengo las manos pequeñas. Pestañeé y miré con incredulidad sus pies deformes, calzados con unos zapatos de seda negra que habían sido hechos para una niñita.

—Le vendaron los pies cuando era pequeña —dijo mi marido en el terrible calor que reinaba dentro del coche.

Me volví hacia él, muy sorprendida.

—¿Por qué?

—Para que no llegaran a hacerse tan grandes y torpes como los tuyos —bromeó él.

—¿Qué? —exclamé con incredulidad.

—En China es costumbre vendar los pies de las niñas —me explicó él—. Los chinos consideran que los pies vendados son hermosos y deseables. Solo los campesinos pobres que necesitan otro par de manos en los campos de arroz no vendan los pies a sus hijas. En cuanto la niña ha cumplido dos o tres años, las familias más ricas le vendan los pies tan apretadamente que al crecer los huesos se van deformando en un arco que les duele muchísimo. Durante el resto de sus vidas ellas pagan con ese indescriptible dolor el precio por esa idea de feminidad. Una vez que se los han vendado sus pies ya nunca pueden volver a ser desatados porque entonces adquirirían formas contrahechas que volverían imposibles incluso esos extraños pasitos suyos.

Yo había dejado atrás para siempre mi inocente aldea.

Decidí inmediatamente que los chinos eran una raza de bárbaros. Había que tener un corazón particularmente cruel para vendarle los pies a tu propia hija mientras ella aullaba de dolor, y además hacerlo sabiendo que después verías cómo iba tambaleándose penosamente de un lado a otro a lo largo de los años. ¿Qué gusto depravado había sido el primero en anhelar un pie deformado? Bajé la mirada hacia mis robustos pies calzados con sus zapatillas marrones y me alegré de tenerlos. Aquellos pies habían corrido libremente a través de los bosques y nadado en las frescas aguas; nunca se les había llegado a ocurrir la posibilidad de que en algún lugar del mundo las niñas tuvieran que pasar el día atrapadas en el dolor y luego lloraran durante toda la noche.

Nuestro coche no tardó en salir del ajetreo de la ciudad. Un hombre con la ropa manchada de barro llevaba de la nariz a un búfalo de agua junto al camino. Pequeñas chozas salpicaban el llano paisaje. Mi marido se relajó sobre el duro asiento y sus ojillos se cerraron por el sueño. El camino se extendía como una serpiente gris plateada bajo el abrasador sol del mediodía, describiendo curvas a través de los arrozales y de las plantaciones de especias para terminar abriéndose paso en el suelo anaranjado de los bosques vírgenes. A cada lado de él se alzaban muros de una enredada vegetación color verde oscuro. Helechos gigantes extendían sus frondas bajo la luz amarilla y gruesas plantas trepadoras colgaban desordenadamente de las ramas de los árboles en un esfuerzo por llegar a los retazos de moteada claridad solar, como niños que extendieran las manos hacia un pastel de cumpleaños; aquí y allá, la rugosa corteza asomaba de entre la penumbra como un viejo rostro fruncido por la preocupación. Entre las lisas hojas que se extendían kilómetro tras kilómetro, todo permanecía inmóvil y silencioso. En el camino, aparecían y desaparecían espejismos del agua. El bosque dormía sabiamente en el terrible calor, pero yo no podía pestañear siquiera por miedo a que ello hiciese que se me pasara por alto algo importante.

Las dos horas de constante vigilancia fueron recompensadas.

En el horizonte vi primero una persona, luego dos y finalmente una fila entera de personas que iban en bicicleta. Todas vestían de negro de la cabeza a los pies. Y cada una de ellas estaba aterradoramente desprovista de rostro, con su cara acechando entre las sombras que los negros tocados proyectaban en ella. Los tocados eran mantenidos en su sitio por pañuelos rojos anudados debajo de las barbillas. Sobre el tocado negro y el pañuelo rojo, todas llevaban enormes sombreros de paja. Sus mangas negras sobresalían más allá de sus manos. Ni el más pequeño fragmento de carne quedaba al descubierto. Los ciclistas se fueron aproximando sin que parecieran tener ninguna prisa en llegar hasta nosotros.

Me apresuré a sacudir a Ayah para despertarlo.

—¿Qué pasa? ¿Qué ocurre? —balbuceó, bruscamente devuelto a la vigilia por el sobresalto.

—¡Mira! —chillé temerosamente, señalando la evidente amenaza presente en el oscuro cortejo que se extendía ante nosotros.

Los ojos de Ayah siguieron la dirección de mi dedo.

—Oh, ellos —suspiró aliviado y volvió a recostarse medio adormilado en el asiento —. Son lavadores de dulang. Trabajan en las minas de estaño y luego se dedican a colar el mineral en grandes bandejas después de que lo hayan extraído de los yacimientos. Debajo de toda esa tela negra hay algunas de las jóvenes chinas más hermosas que puedas llegar a conocer. Deberías verlas de noche, cuando se ponen sus *cheongsams* ceñidos al cuerpo.

La hilera pasó rodando junto a nosotros, silenciosa e inofensiva.

Yo estaba muy intrigada. Aquellas personas se envolvían a sí mismas igual que las momias en una pirámide egipcia para así poder permanecer tan blancas como los polvos de arroz. Seguimos adelante por caminos hechos para carros, dejando atrás pequeños pueblos y aldeas sumidas en la inmovilidad. En un momento dado, Bilal redujo la velocidad cuando dos pequeños cerdos salvajes cruzaron el camino entre bufidos y resoplidos en un súbito instante de curiosidad. Morenos niños desnudos llegaban corriendo al lado del camino para contemplarnos y nos saludaban con entusiasmo con la mano. Yo, incómodamente envuelta en seis metros de tela firmemente sujetos a unas enaguas blancas y sudando profusamente, me enamoré de ellos nada más verlos. Una niña descalza escondida dentro de mí ansiaba salir.

Esos niños de ojos aterciopelados todavía son mi mejor recuerdo de aquellos momentos. Mediada la tarde pasamos por delante de un templo chino con pilares de granito, el interior de color rojo oscuro y dragones de piedra intrincadamente tallados que descansaban sobre su tejado de cerámica.

Finalmente llegamos a Kuantan, nuestra ciudad de destino. Bilal metió el coche por un sendero lleno de baches cuyo suelo estaba salpicado de afiladas piedras blancas, algo así como una especie de callejón sin salida. El camino describía un gran círculo alrededor de una masa de arbustos, un bosquecillo de bambúes y un árbol rambután realmente espléndido, y daba acceso a los cinco edificios que habían sido construidos en torno a él. La casa más próxima al sendero era la más grande de las cinco; esa era la mía. Un muro de ladrillo bajo circundaba todo el recinto. Debajo de la sombra de un árbol angsana había una mesa y asientos hechos de piedra. Era un sitio precioso y nada más verlo quedé prendada de él. Imaginé a sirvientes de pies silenciosos moviéndose en el frescor de sus gruesos muros. Vi que había farolillos chinos de color rojo colgados encima de la puerta y me pregunté por qué razón estarían allí.

Bilal fue reduciendo la velocidad hasta que el coche quedó casi detenido junto a las grandes puertas negras, pero cuando ya me disponía a bajar de él, dos feroces perros alsacianos salieron corriendo por las puertas para ladrarnos amenazadoramente. Luego, después de haber atravesado un gran bache, Bilal siguió adelante dejando atrás la hermosa casa. Una carita morena nos contempló pasar con ávida curiosidad desde una de las ventanas. Me volví hacia mi marido, pero él rehuyó deliberadamente mi mirada escrutadora y siguió mirando hacia delante. Sintiéndome muy confusa, volví la cabeza. Continuamos dando tumbos por aquel camino tan terrible; me fijé en que todas las otras casas eran de madera y tenían un aspecto muy pobre. Finalmente, Bilal se detuvo delante de una casita construida sobre pequeños pilotes.

Entonces mi marido bajó del coche y yo salí de él andando con mis zapatillas marrones, una personita aturdida y desarreglada. El equipaje salió del maletero del coche y Bilal, que no era el chófer de confianza de mi marido después de todo, se despidió de nosotros agitando la mano y se fue en el coche. Ayah rebuscó en los bolsillos de sus holgados pantalones hasta extraer de ellos un juego de llaves. Luego dirigió una sonrisa a mi rostro aturdido.

—Bienvenida a casa, mi queridísima esposa —me dijo dulcemente.

—Pero... pero...

Pero él ya se había ido, precediéndome con rápidas zancadas de aquellas piernas tan ridículamente largas que tenía. La puerta de madera de la casa de madera se abrió para tragárselo. Por un instante lo único que fui capaz de hacer fue contemplar el oscuro interior de la casa y luego lo seguí andando lentamente. Me detuve nada más haber dado el primer paso. Mi madre había sido estafada. Un oscuro pensamiento invadió mi mente: mi esposo no era rico, sino pobre. Pani nos había engañado. Ahora yo me encontraba sola en un país extraño con un hombre que no era lo que nos habían hecho creer. No tenía dinero, no hablaba una sola palabra de inglés o del idioma local y no tenía la menor idea de cómo regresar a casa. La sangre comenzó a correr muy deprisa por mis venas.

Dentro hacía fresco y estaba oscuro. La casa dormía, apaciblemente, no se oía ruido alguno. No por mucho tiempo, pensé yo. Abrí todas las ventanas de la pequeña sala de estar. Los ya tenues rayos del sol del atardecer entraron en la casita con el aire fresco. De pronto ya no importó que no fuese una gran casa o que yo no tuviera sirvientes a los cuales dar órdenes. De hecho, el desafío de crear algo a partir de la nada ya me estaba llamando, y era mucho más emocionante.

Ayah había desaparecido en algún lugar de la parte de atrás de la casa. Comencé a explorar, llena de curiosidad. Anduve por el suelo de cemento y examiné las paredes de madera. La pequeña sala contenía dos desvencijados sillones con viejos cojines ya muy usados, una mesita muy fea, una vieja mesa para comer bastante desgastada por el uso embutida en un rincón y cuatro sillas de madera con asientos laminados montando guardia alrededor de ella. Entré en el dormitorio y me asombré al encontrar una enorme cama de hierro de cuatro postes pintados de plata. En toda mi vida yo nunca había visto una cama tan grande. Sin duda era una cama digna de un rey. El paso del tiempo había hecho que los doseles se volvieran de un tono verde pálido. El colchón relleno de algodón estaba apelmazado y cubierto de bultos, pero a mí me pareció celestial. Nunca había dormido en nada que no fuera una esterilla. Un viejo armario, elaboradamente tallado y de una madera muy oscura que tenía un espejo en la puerta izquierda, crujió cuando lo abrí. Dentro de él colgaban telarañas plateadas. Encontré algunas de las prendas de mi marido y cuatro saris que habían pertenecido a su primera esposa. Los saqué. Eran sencillos y nada alegres, confeccionados con los colores discretos de una mujer muerta. Delante del espejo, extendí alrededor de mi cuerpo un sari de color gris y pensé en ella por primera vez. Hubo un tiempo en el que había vivido en aquella casa y llevado aquellas ropas. Acaricié la fría tela y la husmeé. Olía como huele la tierra durante la estación seca. Aquel olor caliente hizo que me estremeciese. Los saris me recordaban a aquella mujer y a los niños a los que tan poco me había costado dejar atrás. Volví a guardar el sari dentro del armario y me apresuré a cerrar la puerta.

En el segundo dormitorio había dos camas pegadas a la ventana. Un estante había sido convertido en altar de oración adornado con imágenes enmarcadas de algunas deidades hindúes. Ramos de flores secas coronaban las imágenes. Hacía mucho tiempo que no había una mujer en la casa. Junté las manos automáticamente en un gesto de respeto y plegaria. Junto a la puerta había dos pares de zapatillas de niño. Dos caritas alzaron la mirada hacia mí. «No tenemos zapatos», murmuraron tristemente con ojos llenos de desolación. Me apresuré a retroceder, cerrando la puerta detrás de mí.

Me sorprendió descubrir que el cuarto de baño formaba parte de la estructura del edificio. En casa de mi madre yo siempre había tenido que ir a un pequeño cobertizo exterior. Oí a mi marido moviéndose en el porche. Inspeccioné las lisas paredes grises y abrí un pequeño grifo de bronce: un hermoso chorro de agua limpia salió de él para caer dentro de la pileta de cemento incorporada al rincón. Casi parecía un pequeño pozo que te llegase a la cintura y me sentí muy complacida con él. Accioné el viejo interruptor redondo de un modelo ya muy anticuado y una luz amarilla llenó aquel diminuto espacio carente de ventanas. Estaba realmente encantada con mi nuevo cuarto de baño. Salí de él y entré en la cocina, donde dejé escapar mi primer grito de alegría porque al fondo de ella se encontraba el banco más hermoso que hubiera visto jamás. Hecho de una madera muy oscura y con las patas magníficamente talladas, era tan grande como una cama individual. Lo examiné minuciosamente y con auténtico placer, pasando los dedos por su superficie suavizada por el tiempo sin caer en la cuenta de que aquel mueble me sobreviviría y algún día contendría en su dura superficie el cuerpo muerto de mi esposo.

Desde la ventana de la cocina podía ver una zona con el suelo de cemento que servía para lavar y hacer las tareas propias del exterior de una casa, como por ejemplo moler el grano, y un vasto y descuidado patio trasero de cuyo suelo brotaban dos cocoteros. Un gran desagüe para las lluvias del monzón separaba nuestra propiedad de los campos llenos de espiguilla que se extendían más allá de ella.

Comencé a limpiar, fregar, lavar y quitar el polvo con toda la energía propia de una chica de catorce años. Mi casa se había convertido en mi nuevo juguete. Mi esposo estaba sentado en un sillón del porche; encendía un largo puro y se disponía a disfrutar de él. Su aromático olor fue entrando en la casa mientras yo iba diligentemente de un lado a otro. La pequeña vivienda no tardó en adquirir un aspecto limpio y ordenado y después de que hubiera conseguido encontrar algunos ingredientes en la cocina, preparé un sencillo curry de lentejas y cocí un poco de arroz.

Mientras la comida burbujeaba suavemente, me encerré en mi nuevo cuarto de baño, abrí el grifo y disfruté de mi pozo interior. El agua fría fue cayendo por todo mi sucio cuerpo. Una vez limpia y refrescada, quité las flores secas del altar de oración. Al final de nuestro patio trasero terriblemente invadido por la maleza había un árbol de jazmín. Llené un plato con sus flores, decoré el altar con ellas y recé a las deidades pidiéndoles su bendición. Ayah entró y sirvió la sencilla comida. Comió con apetito pero despacio, como tenía por costumbre en todo lo que hacía.

—¿Qué trabajo haces? —le pregunté.

—Soy oficinista.

Asentí, pero aquello no significaba nada para mí. Solo más tarde llegaría a descubrir el grado de humilde servidumbre que representaba.

—¿De dónde vienen la cama y el banco?

—Antes yo trabajaba para un inglés y cuando regresó a su casa me los dio.

Asentí lentamente. Sí, eran una cama y un banco de primera categoría hechos para personas que captaban la luz del sol en sus cabellos.

Aquella noche, mientras yacía en una cama que era nueva para mí, cerré los ojos y escuché los sonidos nocturnos. El viento susurraba entre las cañas de bambú, los grillos parloteaban en la oscuridad, un lémur arañaba el árbol rambután y la flauta del encantador de serpientes sonaba en la lejanía. Aquella melodía solitaria hizo que me acordara de mi madre. Pensé en ella, sola en su pequeña choza. Al día siguiente le escribiría. Se lo contaría todo, desde lo de aquella dama a la que le habían aplastado los pies hasta lo de los trabajadores de las minas que vestían de negro. No me olvidaría de los niños descalzos o de la hilera de patos con los cuellos rotos. Se lo contaría todo, salvo quizá el hecho de que su hija se había casado con un hombre pobre. Nunca le hablaría del suave chasquido que aquel reluciente reloj de oro, que tanto impresionó a mi madre, había producido cuando cayó sobre la palma vuelta hacia arriba de Bilal, unos instantes antes de que este asintiera y se dispusiera a devolvérselo a su verdadero dueño. Oí cómo las sábanas rígidamente almidonadas crujían en la oscuridad y sentí la pesada mano de mi marido posada sobre mi estómago; y suspiré suavemente.

Mi vecindario estaba formado por un círculo de cinco casas. La espléndida mansión, la que yo tanto había codiciado a mi llegada, de hecho pertenecía a la amante de un chino muy rico al que llamaban el viejo Soong. Al lado de ella, en una casa similar a la mía, vivían un malayo que conducía camiones y su familia. Aquel hombre pasaba mucho tiempo lejos de casa pero su esposa, Minah, era una mujer de muy buen corazón y una excelente vecina que el segundo día después de mi llegada me dio la bienvenida con un plato de gelatina de coco. Tenía el tipo de rostro sonriente y lleno de franqueza con el que te encuentras en cada kampong malayo, una silueta de reloj de arena realmente asombrosa y unos modales muy delicados y afables pulcramente doblados dentro de su persona. Lucía su suave gracia como si fuera un largo traje bellamente cortado y no había ni un solo filo cortante en ella. Todo era refinado, desde su voz hasta sus maneras pasando por sus movimientos, sus andares, su piel y su manera de hablar. Cuando se fue, me quedé inmóvil detrás de mis cortinas descoloridas y contemplé el lento balanceo de sus caderas hasta que su magnífica silueta desapareció detrás de una cortina de cuentas en la entrada de su casa. Inconcebiblemente, Minah era madre de cuatro hijos. Fue solo mucho más tarde, después del final de su quinto embarazo, cuando me enteré de en qué consistía exactamente la pesadilla de un confinamiento tradicional malayo para una joven que acababa de dar a luz: cuarenta y dos días de hierbas amargas, un brasero humeando debajo de la cama para secar el exceso de fluido y apretar los músculos vaginales, un estómago tenazmente envuelto e implacables masajes cotidianos administrados por ancianas arrugadas y espantosamente fuertes. Pero todas las penalidades tienen sus recompensas y Minah era la prueba viviente de ello.

Al lado de su casa había una vivienda inexplicablemente repleta de chinos. Toda clase de personas parecían aparecer y desaparecer de aquella pequeña casa, haciendo que me preguntara dónde dormían. A veces, una de las mujeres de la casa echaba a correr por el sendero en pos de un niño que chillaba y, atrapándolo, le bajaba los pantalones y azotaba la blanca carne hasta que esta se ponía de un rojo intenso. Luego, todavía maldiciendo y soltando juramentos, la mujer dejaba abandonado al niño en el camino para que sollozara lastimeramente. En ocasiones castigaban a alguna de las niñas de más edad haciéndola correr desnuda alrededor de la casa. La niña tendría nueve o diez años y yo sentía mucha pena por la pequeña mientras esta pasaba corriendo delante de mi ventana, flaca, con los ojos enrojecidos y sin parar de llorar. Eran gentes toscas y descaradas, pero la verdadera razón por la que yo las odiaba tan intensamente era que cada día las dos esposas del hombre se turnaban para abonar el huerto con excrementos humanos en la penumbra del crepúsculo. Cada vez que el viento soplaba en nuestra dirección, aquel horrible hedor me llenaba de asco, me quitaba el apetito y hacía que me entraran ganas de vomitar.

A nuestra derecha vivía un viejo ermitaño. A veces yo podía entrever su cara, pálida y triste, en la ventana. Junto a él vivía el encantador de serpientes, un hombrecillo flaco y nervudo con lacios cabellos de un negro azulado y una nariz de halcón en un rostro adusto y alargado. Al principio yo le tenía mucho miedo a aquel hombre, con sus cobras danzantes y sus serpientes venenosas de las cuales obtenía medicina de serpiente que vender, porque temía que las serpientes que se le escapasen pudieran estar acechando en mi cama. Su esposa era una mujercita muy delgada y en total tenían siete hijos. Un día, mientras yo estaba en el mercado, me topé con un gran círculo de espectadores llenos de curiosidad. Maniobrando con mis compras, fui abriéndome paso. El encantador de serpientes estaba sentado en el centro del círculo, cerrando sus cestas y con su número al parecer ya concluido. Entonces hizo una seña a uno de sus hijos y un niño que no tendría más de siete u ocho años de edad fue hacia él. Mechones rizados colgaban sobre su frente, oscureciendo sus risueños y brillantes ojos. Vestido con una sucia camisa blanca y unos pantalones cortos de color caqui, parecía un mocoso de las calles. Su mano sostenía una botella de cerveza. De pronto, y sin previo aviso, estrelló la botella contra el suelo. El niño cogió un trozo de cristal, se lo metió en la boca y empezó a masticarlo. La multitud dejó escapar un grito sofocado y luego se quedó en silencio.

La sangre comenzó a manar de la boca del niño, goteando de su barbilla y empapando el sucio cuello blanco de su camisa. Un hilillo rojo corrió por la pechera de esta. El niño cogió otro trozo de cristal de aquel suelo lleno de polvo y se lo metió en la boca. Mientras yo lo miraba paralizada y llena de horror, el niño abrió la boca para enseñar la cavidad llena de sangre; luego sacó de su bolsillo un trocito de tela roja y, sin dejar de masticar, comenzó a recoger monedas del gentío. Empujando frenéticamente a los espectadores, me apresuré a huir de allí. La proeza, el truco, estaban fuera de mi entendimiento. Me sentía trastornada, inquieta y físicamente enferma. Después de aquel incidente, evité tener cualquier contacto con la familia del encantador de serpientes. Estaba firmemente convencida de que dentro de aquella extraña casa se practicaba la magia negra y el engaño, de que en el interior de aquella vivienda siempre sumida en la penumbra acechaba alguna presencia que yo no podía describir, pero cuya proximidad bastaba para hacer que se me pusiera la piel de gallina.

Me senté en el porche y contemplé cómo el hijo del encantador de serpientes corría descalzo hasta la casa del conductor de camiones, sus rizos volando al viento. Todavía podía verlo inmóvil entre el grupo de espectadores boquiabiertos, con una masa de cristal triturado y sangre dentro de su pobre boca y sus ojos solemnes en vez de risueños. El niño se dio cuenta de que yo lo estaba mirando y me saludó con la mano. Le devolví el saludo. El olor de lo que estaban cocinando mis vecinos florecía en el aire. La dulce fragancia del cerdo friéndose en el sebo caliente hizo que anhelara algo más aparte de las verduras y el arroz. Todas las alacenas estaban vacías y durante las últimas dos semanas habíamos estado viviendo de mi capacidad para convertir una cebolla en un plato sabroso. Pero aquel día, una espera expectante me daba nuevos ánimos. Era el día de cobro. Me quedé sentada en el porche esperando a que Ayah volviera a casa, impaciente por sentir por primera vez en mi mano el dinero para la casa. Al igual que mi madre, yo también haría planes y administraría sabiamente el dinero, pero antes quería obsequiarnos con algo bueno para variar. Vi que Ayah entraba por nuestro camino, con su corpachón moviéndose torpemente encima de la desvencijada bicicleta que empleaba mientras iba maniobrando sobre las piedras sueltas. Me apresuré a levantarme.

Mi marido aparcó su bicicleta sin darse ninguna prisa mientras me sonreía. Yo le devolví la sonrisa con nerviosismo. En mi mano había una carta de Ceilán para él y después de que yo le hubiera ofrecido el sobre azul claro, mi marido metió la mano en su bolsillo y sacó de él un delgado sobre marrón. Intercambiamos los sobres y Ayah pasó junto a mí y entró en la casa. Contemplé con la más absoluta sorpresa el sobre marrón que había en mis jóvenes manos. Yo tenía todo el sobre y eso significaba que mi marido me había entregado todo su sueldo. Abrí el sobre rasgándolo por un extremo y conté el dinero. En total había doscientos veinte ringgits, lo cual era muchísimo dinero. Enseguida empecé a hacer planes en mi cabeza. Le enviaría un poco de dinero a mi madre y luego escondería una buena cantidad junto con mis joyas dentro de mi caja cuadrada de latón, que antaño había contenido chocolates importados. Ahorraría y ahorraría, y no tardaríamos en ser tan ricos como el viejo Soong. Yo crearía un futuro de color de rosa para mi marido y para mí. Todavía estaba allí, sujetando mi dinero y mis fabulosos sueños en ambas manos, cuando un hombre que vestía una chaqueta de estilo Nehru y un *veshti* blanco, calzaba zapatillas de cuero y empuñaba un enorme paraguas negro apareció por nuestro sendero de tierra. De su otra mano colgaba un maletín de cuero. Venía hacia mí con una gran sonrisa en los labios y no tardé en tener delante a aquel hombre achaparrado y de abultado estómago. Sus ojos fueron hacia el dinero que había en mis manos. Yo las bajé lentamente y su codiciosa mirada fue siguiéndolas. Esperé hasta que su mirada hubo concluido el trayecto de subida para terminar encontrándose con la mía. Aquel rostro redondo estaba lleno de falsa jovialidad. Me cayó mal nada más verlo.

—Saludos a la nueva señora de la casa —dijo alegremente.

—¿Quién es usted? —le pregunté con voz hosca, mostrándome imperdonablemente grosera.

Él no se ofendió.

—Soy su prestamista —explicó con una gran sonrisa que mostró dientes manchados de un marrón rojizo por el jugo de la nuez de betel. Luego sacó de un bolsillo un cuadernito de notas, se lamió un gordo dedo y fue pasando las sucias páginas—. Si me da veinte ringgits y firma en la fecha de hoy, dejaré de molestarla y seguiré mi camino.

Prácticamente arranqué el cuadernito de sus regordetas manos. Perpleja, vi el nombre de mi marido escrito en la esquina superior izquierda de la hoja y una hilera de firmas suyas junto a distintas cantidades. Durante el último mes Ayah no había pagado nada mientras estaba en Ceilán buscando una nueva esposa. Los ojos del hombre relucieron mientras me recordaba el interés y los atrasos. Sumida en un profundo estupor, le entregué los veinte ringgits correspondientes a aquel mes, los atrasos y el interés.

—Que tenga un buen día, señora, y ya la veré el mes que viene —trinó el hombre mientras daba media vuelta para irse.

—¡Espere! —grité—. ¿Cuánto queda por pagar de la deuda?

—Oh, solo cien ringgits más —canturreó él alegremente.

—Cien ringgits —murmuré yo con un hilo de voz.

Cuando levanté los ojos vi que otros dos hombres venían hacia nuestra casa. El prestamista los saludó con una inclinación de cabeza cuando pasaron junto a él.

—Saludos a la nueva señora de la casa —dijeron a coro los dos hombres.

Me estremecí. Aquel día los «visitantes» no dejaron de llegar hasta mucho después de que hubiera oscurecido. En un momento dado incluso llegó a haber una cola delante de la puerta, hasta que finalmente me quedé con cincuenta ringgits en la mano. ¡Cincuenta *ringgits* para que me duraran todo un mes! Me quedé inmóvil en medio de nuestra mísera sala de estar sin decir nada, avergonzada e hirviendo de furia por dentro.

—Solo tengo cincuenta ringgits para que me duren todo el mes —le anuncié a mi marido en el tono más tranquilo de que fui capaz mientras él se tragaba su último bocado de arroz con patatas.

Los ojillos apagados y carentes de expresión de Ayah me miraron en silencio durante un minuto entero. Pensé en un animal enorme, con su pesada lentitud y la estoica paciencia que muestra ante la insistencia de las moscas, y en cómo mueve de un lado a otro su sucio rabo mientras se queda plantado donde se encuentra, estúpidamente inmóvil.

—No te preocupes —me tranquilizó finalmente mi marido—. Cuando necesites dinero, basta con que me lo digas y entonces yo siempre puedo pedir prestado un poco más. Dispongo de un buen crédito.

Lo único que pude hacer fue mirarlo con incredulidad. Él me devolvió la mirada con la bovina apatía de un rumiante que está muy ocupado masticando el pasto. Una súbita ráfaga de viento trajo a nuestra cocina el olor de los excrementos humanos. La comida que había en mi estómago ejecutó un pequeño salto mortal y un martilleo comenzó a resonar en algún lugar del interior de mi cabeza. Era un martilleo ruidoso e insistente que me duraría el resto de mi vida, con solo breves intervalos de pausa. Aparté la mirada de los opacos ojos negros de la bestia adormilada y no dije nada.

Aquella noche, me senté con las piernas cruzadas sobre mi hermoso banco a la luz de una lámpara de queroseno e hice una lista de lo que se le debía a cada acreedor. Los planes que estaba urdiendo hacían que no pudiese dormir. Finalmente, cuando todos los demonios de la noche se hubieron ido volando al otro extremo del mundo, me tumbé de costado y contemplé a través de la ventana abierta cómo un amanecer rojo iba abriéndose paso en el este del cielo. El martilleo que me resonaba en la cabeza se había calmado un poco. El plan estaba muy claro en mi mente. Me preparé un té negro bien fuerte y, sentándome ante mi mesa buena, fui sorbiéndolo lentamente tal como habían hecho mi madre y su madre antes que ella al final de un día muy largo. Antes de que los pájaros dieran comienzo a su jornada, me bañé en agua fría como el hielo, lavé mis cabellos con leche de coco y, vestida con un sari de algodón blanco, recorrí el kilómetro y medio que nos separaba del templo de Ganesha que había justo detrás de la tienda de provisiones de Apu. Luego recé con todo mi corazón en el pequeño templo que se alzaba junto al camino de tierra, rezando tan sinceramente que las lágrimas escaparon de mis párpados cerrados. Supliqué al gran dios Ganesha que hiciera que mi plan diese resultado y le pedí que convirtiera mi nueva vida en una vida feliz. Acto seguido, eché diez céntimos en la caja para los donativos que había junto al dios elefante que siempre era misericordioso y de buen corazón, y volví por donde había venido después de haberme frotado la frente con ceniza sagrada.

Cuando llegué a casa, mi marido ya se estaba despertando. El ruido de la radio llenaba la pequeña vivienda. Preparé gachas y café para él y me senté a verlo comer. Me sentía llena de fuerza y deseosa de proteger a mi marido, nuestra casa y nuestra nueva vida en común. Después de que él se hubiera ido, me senté y escribí una carta, una carta muy importante. Luego me vestí y fui a la ciudad. En la oficina de correos envié la carta a mi tío, el comerciante en mangos. Mi tío vivía con su esposa en Serembán, otro de los estados que había en Malasia. Yo tenía una propuesta para él. Quería que me prestara el importe total de la deuda contraída por mi marido, más una pequeña suma extra para que me ayudara a salir adelante hasta que llegara el próximo sobre de la paga. A cambio, yo le pagaría un bajo interés y podría quedarse con mi caja de las joyas como garantía. Yo sabía que mis joyas valían mucho más que la suma que le estaba pidiendo a mi tío. Mi madre me había dado un pendiente en el que había engarzado un rubí casi tan grande como el dedo pequeño de mi pie, y yo sabía que por sí solo ese pendiente ya valía una gran cantidad de dinero. Era una piedra muy hermosa, dotada de una extraña y cálida claridad interior que parecía respirar fuego rojo igual que un ser vivo bajo la luz del sol. Después de haber echado la carta fui al mercado.

En aquellos tiempos el mercado era un lugar fascinante lleno de cosas espléndidas que yo nunca había visto antes.

Me paré delante de los montones de negros huevos salados, con uno o dos colocados en lo alto de la pila que habían sido abiertos para dejar al descubierto yemas que tenían el intenso color de la sangre. Chinos calzados con zuecos de madera estaban sentados en el suelo vendiendo nubecillas de nidos de pájaro hechas con la saliva del propio pájaro. Dentro de sus jaulas de alambre, grandes lagartos correteaban de un lado a otro con movimientos nerviosos y espasmódicos ante la visión de las serpientes que reptaban dentro de otras jaulas. Había toda clase de artículos frescos en cestas de paja y comerciantes malayos con dientes de oro vendían los blandos huevos de las tortugas en cestas de alambre.

En un rincón del mercado, una anciana china que apenas si podía andar iba de un lado a otro cojeando lentamente mientras vendía extraños cohombros de mar de formas retorcidas que tenían el color del barro y habían ido poniéndose negros al endurecerse, además de algas marinas y toda una serie de criaturas imposibles de identificar que nadaban en cubos llenos de agua. Recolectores que masticaban nuez de betel esperaban pacientemente detrás de los rimeros de toda clase de raíces silvestres, sus criaturas salvajes que aún se debatían y los manojos de hojas medicinales. A veces sus manos sostenían las colas de cuatro o cinco serpientes que se retorcían y se estiraban, elevándose del pavimento enfrente de ellos. La gente compraba aquellas delgadas serpientes multicolores con propósitos medicinales. Había cubas llenas de fideos amarillos y filas enteras de patos asados colgados de sus grasientos cuellos que todavía goteaban grasa. Naturalmente la auténtica sorpresa del mercado eran las ranas, blancas y ya destripadas, cuando las veías yacer con las patas extendidas sobre tablillas de madera. Pero aquel día no me entretuve contemplando las mercancías. Yo tenía una misión que cumplir.

Compré rápidamente un minúsculo trocito de carne, algunas verduras, una bolsita de tamarindo y un gran sombrero de ala ancha de los que usaban los lavadores de dulang por el que pagué cinco centavos y fui al puerto, donde compré un puñado de gambas. Mi madre tenía una receta muy especial para las gambas y yo estaba segura de que sabría cómo prepararlas de aquella manera. Con la cabeza baja y totalmente absorta en mis propios grandes pensamientos de un rosado futuro, regresé a casa. Mi sombra era muy larga delante de mí y estaba impaciente por volver a casa. Tan ensimismada estaba en la ejecución de todos los planes que tan cuidadosamente había tramado que di un salto cuando de pronto otra sombra se unió a la mía. Volví la cabeza y me encontré con la cara que había estado contemplándome con curiosidad desde la ventana abierta de la casa del viejo Soong y que en esos momentos me sonreía con una tímida y vacilante sonrisa. Dos largas trenzas negras rematadas por los lacitos color rosa que les ponían a las niñas flanqueaban la cara. ¡Vaya, pero si tenía los mismos años que yo! Un par de ojos negros como el azabache relucían en su cara redonda.

La verdad es que más tarde descubrí que Mui Tsai, que significa «hermanita», era una pobre esclava doméstica. Le devolví la sonrisa vacilantememente. Había encontrado una amiga, pero aquello iba a ser el comienzo de una amistad perdida. Si entonces hubiera sabido lo que sé ahora, la habría apreciado más. Mui Tsai fue la única amiga de verdad que llegué a tener. Intentó comunicarse conmigo en malayo, pero aquel idioma todavía era una mezcla de sonidos nada familiares para mí y lo único que conseguimos fue intercambiar una complicada serie de gestos con las manos. Decidí pedirle a Ayah que me enseñara a hablar el malayo como era debido. Nos separamos en la puerta de su casa y la vi entrar corriendo en ella con su cesta llena de productos del mercado.

Nada más llegar a casa, comencé a rebuscar en la cocina y por fin encontré un viejo cuchillo oxidado de hoja muy larga, que en sus días de esplendor probablemente habría sido utilizado para partir cocos. Luego me puse las gruesas enaguas que se llevan debajo del sari. Encima de ellas llevaba una vieja camisa medio deshilachada que pertenecía a mi marido. Las mangas me sobresalían de las manos y contemplé con satisfacción toda aquella longitud sobrante. Luego me cubrí la cabeza con un enorme pañuelo de hombre y lo até debajo de mi mentón. Finalmente coloqué sobre mi cabeza mi nuevo sombrero de lavadora de dulang y, una vez segura de que me encontraba completamente protegida del cruel sol, abrí la verde puerta trasera y comencé a limpiar el jardín de atrás. El patio trasero estaba lleno de hierbajos, largos tallos de hierba y feos zarzales que me cortaron las manos y las hicieron sangrar. Las plantas espinosas crecían abundantemente en toda la superficie del patio, pero yo estaba totalmente decidida a dejarlo en buen estado. No paré hasta que todo el recinto hubo quedado limpio y la dura tierra hubo sido removida y ablandada por la hoja curva de mi cuchillo. La espalda me dolía terriblemente y los músculos gritaban de dolor en lugares insospechados, pero sentí placer, un auténtico placer ante un trabajo bien hecho.

Cuando por fin entré en casa, el sudor goteaba de mi piel y corría por mi cuerpo formando pequeños riachuelos. Después de haberme dado una ducha fría, alivié la hinchazón de mis manos con aceite de semilla de sésamo y luego empecé a cocinar. Mariné la carne en especias y dejé que la potente mezcla fuese cociéndose lentamente en un recipiente bien cerrado durante las horas siguientes. Mientras la mezcla iba cociéndose, limpié las gambas y las aplané. Luego rallé coco fresco y preparé el sambal especial que hacía mi madre con cebollas y pimientos. Acto seguido preparé las berenjenas hirviéndolas en un poco de agua que contenía sal y algo de cúrcuma, y cuando estas se hubieron ablandado las trituré hasta dejarlas convertidas en una pasta a la que añadí leche de coco para luego ponerla a hervir. Corté patatas y las freí con un poco de polvo de curry. Las cebollas y los tomates los trinché y los mezclé con yogur fresco. En cuanto tuve casi preparada una comida digna de un rey, comencé a limpiar la casa. Me sentía muy complacida con los deliciosos aromas que emanaban de la carne cuando encontré una carta rota en mil pedazos dentro de la lata del tabaco de Ayah. Sabía que no debía hacerlo, pero no pude contenerme. Recogí los pedazos de la carta y, extendiendo encima de la cama los fragmentos que contenían aquella caligrafía azul, leí la carta que había llegado el día anterior para mi marido.

> Querido Ayah:
>
> La aldea es más pobre que nunca, pero a mí me está negada la esperanza de irme y prosperar tal como has hecho tú. Esta tierra empobrecida es el lugar en el que la pira funeraria encendida para mis viejos huesos iluminará los cielos durante un rato. Pero las últimas semanas han sido un magnífico regalo del cielo para mí, porque he aprendido a querer a tus dos hijos como si fueran de mi propia sangre. Al menos, ahora sé que no moriré sola.
>
> Espero que no hayas olvidado tus responsabilidades mientras estás entre los jóvenes brazos de tu nueva felicidad. Los niños están creciendo muy deprisa y necesitan ropa y zapatos nuevos y comer bien. Como ya sabes, estoy sola en el mundo sin ningún esposo en el que poder confiar y ahora tengo dos nuevas bocas hambrientas a las que alimentar. Espero que me enviarás rápidamente algo de dinero, porque la situación está empezando a volverse muy dura para mí.

Dejé de leer. El resto de la carta de la tiíta Pani se había convertido en un borroso manchón. De pronto sentí que me fallaban las piernas y me senté pesadamente en la cama. Entonces comprendí por qué la tiíta Pani había venido a verme aquel día, a qué se debía la expresión especulativa que había en sus astutos ojos y de dónde salió la repugnancia instintiva que yo había experimentado nada más verla. Pani siempre había querido quedarse con los niños para que le sirvieran como medio de obtener ingresos durante muchos años en el futuro. Había ido a la casa de una mujer pobre en busca de una esposa joven que fuera dócil y maleable; alguien a quien pudiera manipular. ¡Qué descaro el suyo! En ese momento sentí como si la odiara. La exigencia de su tono me pareció indeciblemente odiosa. ¿Imaginaba acaso que la cabeza de mi marido era un taburete en el cual ella podía apoyar los pies? Aquello hizo que la sangre me hirviese de ira. Apenas había podido disfrutar de una buena comida desde el día en que me casé, y si mis planes para los próximos ocho meses iban a consistir en trabajar, entonces tendría que ahorrar y arreglármelas con el mínimo posible, lo cual significaba que mi marido no podía enviarle más dinero. ¿No sería una buena lección para ella que me limitara a no enviar el dinero que pedía? Pero entonces vino a mi mente la imagen de dos niños, con sus ojos apagados y faltos de toda esperanza y su oscura piel tensada en sus grandes mejillas. La inocencia y la estupidez estaban allí presentes para que pudieran ser vistas por todos. Hasta sus dientes, tan aburridos de permanecer en unas cabezas tan vacías, sobresalían en dos desiguales hileras amarillentas para contemplar el mundo exterior. Sin duda eran meros esclavos de aquella mujer taimada. La verdad, sin importar lo muy horrible que me haga parecer, era que yo no quería que aquellos niños vivieran conmigo.

Cerré los ojos y experimenté una sensación de profunda derrota, así como el primer destello de auténtica ira al ver hasta qué punto yo había sido manipulada y utilizada por aquella mujer. De no haber sido por sus hermosas mentiras, todavía estaría en casa con mi querida madre.

Tendríamos que enviarle el dinero que pedía. No nos quedaba otra elección.

Entonces la belleza de la juventud hizo acto de presencia. De la misma manera en que la primavera hace que aparezcan nuevas hojas en las ramas marchitas, en ese momento la juventud decidió que mi plan podía ser ampliado hasta incluir una asignación para mis hijastros. Mi madre y yo lo habíamos pasado muy mal porque mi padre nunca se molestaba en enviarnos dinero. Yo sabría hacer las cosas mucho mejor que mi padre. No comeríamos carne hasta que todas nuestras facturas hubieran sido pagadas. Viviríamos de las verduras que diera nuestro huerto y, cuando hubiéramos instalado nuestro pequeño gallinero, de los huevos que fueran poniendo nuestras gallinas. Cuando entré en la cocina para remover la carne, mi paso ya volvía a ser rápido y decidido.

Aquella tarde mi marido volvió a casa con algo de dinero que había pedido al prestamista para enviárselo a sus hijos, un regalo para mí envuelto en papel de periódico y un trozo de madera que me dijo iba a tallar. Puso el regalo junto a mí encima del banco y esperó. Yo contemplé su rostro expectante y luego volví la mirada hacia aquel regalo envuelto en papel de periódico que no había deseado recibir; quise gritar de pura frustración. Así nunca conseguiríamos salir del pozo de serpientes de nuestras deudas. ¿Cómo podía explicarle a mi marido que prefería pasar hambre durante un mes antes que soportar una cola de prestamistas delante de nuestra casa todos los días de cobro? Respiré hondo, me mordí la lengua y desaté el cordel. Luego aparté el papel de periódico y la animosidad murió en mi garganta. Debajo del papel había el más adorable par de zapatillas doradas de tacón alto adornadas con cuentas de colores que yo hubiese visto jamás. Las puse en el suelo de cemento gris con algo cercano a la reverencia. Eran lo más bonito que yo poseía y, encantada, deslicé los pies entre sus delicados cordones dorados. Eran justo de mi medida. Tardaría un poco de tiempo en acostumbrarme a los tacones, pero ya estaba enamorada de mi nueva adquisición.

—Gracias —murmuré, inclinando la cabeza con humilde gratitud.

Mi marido era un buen hombre, pero aun así decidí que haríamos las cosas a mi manera. Primero él disfrutó de su magnífica comida y luego le conté mi plan. Ayah me escuchó en silencio. Finalmente, tragando aire y mirándolo directamente a los ojos, le dije que a partir de aquel momento yo sería la única que pagaría las facturas. Él recibiría una pequeña asignación para que le fuera posible comprar el periódico o tomarse un café en la cantina, pero no podría pedir prestado más dinero y tendría que consultar conmigo en todo lo que hiciera referencia a nuestras finanzas. Mi marido asintió y luego me acarició cariñosamente los cabellos con su manaza, pero sus opacos ojos se habían llenado de tristeza.

—Como desees, mi querida esposa —convino.

—Y una cosa más. ¿Me enseñarás a hablar malayo?

—*Boleh* —dijo él y me sonrió.

Yo conocía aquella palabra. Quería decir «sí». Le devolví la sonrisa.

—*Terima kasih.* —Gracias, en malayo.

A finales de aquella semana, mi pequeño huerto ya estaba plantado. Un hombre que acudió a nuestra casa desde el otro lado del camino principal me construyó un gallinero de alambre y luego lo llené con aves amarillas de suave plumaje. Mientras permanecía inmóvil debajo de mi sombrero de lavadora de dulang contemplando orgullosamente mi nuevo campo de tierra cultivada, mi tío, el comerciante en mangos, llegó gruñendo y quejándose bajo el peso de un enorme saco de mangos. Ver su familiar cara morena hizo que derramase lágrimas de alegría y me apresuré a rodear con los brazos su oronda figura. No había sabido lo sola que me sentía hasta que lo vi. Había traído consigo el dinero que le pedí y descartó con una gran carcajada mi idea de la garantía por considerarla ridícula. Después de que mi tío se hubiera ido, me comí seis mangos en rápida sucesión y luego, inexplicablemente, fui al hornillo de la cocina y comencé a mordisquear pedacitos de carbón.

Entonces supe que estaba embarazada.

Las semanas fueron devoradas por los meses llenos de hambre que nos esperaban en mi huerto. Mi pequeño campo prosperó. Yo pasaba los dedos por la piel aterciopelada de una nueva cosecha de okras, me sorprendía ante el rojo color ojo de pájaro que iban adquiriendo mis pimientos y me sentía especialmente orgullosa del púrpura reluciente de mis berenjenas. Mi gallinero ya era un éxito cuando mi barriga todavía no había crecido totalmente. Estaba satisfecha y me sentía feliz. Las deudas estaban siendo atendidas e incluso había empezado a ahorrar una modesta cantidad en una pequeña lata que escondía en el saco del arroz.

De noche, cuando todas las voces humanas se habían apagado, los platos ya estaban lavados, los interruptores de la luz habían sido desconectados y el vecindario estaba acostado, yo seguía despierta. El sueño se negaba a acudir a mí. Cruzándose de brazos, me miraba malévolamente desde lejos. Así pasé muchas horas tendida de espaldas y contemplando por la ventana el cielo nocturno lleno de estrellas, aprendiendo malayo y llenándome la cabeza con sueños impacientes de mi bebé todavía no nacido. Me imaginaba a un pequeñuelo tan hermoso como un querubín, con soberbios rizos y ojos chispeantes. Cuando soñaba despierta, él siempre tenía ojos muy grandes y llenos de vida que no paraban quietos contemplándolo todo con una despierta inteligencia. Pero en mis pesadillas siempre había un niño flaco y emaciado con los ojillos opacos y la piel reluciente estirada por el hambre, que me contemplaba con mirada implorante, suplicándome un poco de amor. Entonces me despertaba con un súbito sobresalto, con la culpabilidad que sentía por haber abandonado a mis hijastros zumbando como una pequeña abejita peluda agazapada en mi corazón. Mi joven corazón se saltaba un latido, de pura vergüenza que sentía. Antes de que amaneciera, me bañaba y luego iba al templo. Allí hacía ofrendas y rezaba fervientemente para que mi hijo no se pareciera en nada al huérfano abandonado de mis pesadillas.

Mi marido se mostraba solícito hasta un extremo que hacía que me entraran ganas de gritar. Cada mañana y cada noche se interesaba preocupadamente por mi estado y luego esperaba mi respuesta con nerviosa impaciencia, como si yo pudiera decirle algo que no fuese que me encontraba estupendamente. Durante nueve meses, nunca llegó a pasársele por la cabeza que quizá no debiera interrogarme con cara de preocupación para luego esperar impacientemente mi réplica. Se negaba a dejar que fuera andando hasta el mercado e insistía en ir él. Al principio volvía a casa con pescados pasados, carne gris y verduras medio podridas, pero después de algunos errores y los fríos silencios malhumorados por mi parte, mi marido trabó amistad con el afable dueño de un puesto que se compadeció de su apuro. A partir de entonces siempre regresaba con pescado cuyos relucientes ojos plateados todavía estaban inyectados en sangre de lo fresco que era, frutas maduras que habían adquirido color y trozos de carne tan selectos que a mí misma me hubiese complacido escogerlos.

Un día trajo a casa un extraño fruto llamado durián. Yo nunca había visto un fruto cubierto con largas espinas de un aspecto tan amenazador. Ayah me dijo que si un durián caía del árbol encima de la cabeza de un hombre, podía matarlo. No me costó nada creerle. Mi marido abrió con mucho cuidado la piel erizada de pinchos y dentro había hileras de carne cubierta de semillas. Enseguida me enamoré del sabor cremoso de aquella carne dorada. Incluso me gustaba su olor asombrosamente único, que había impulsado a un novelista inglés a describir el acto de comerlo como estar comiendo un pastel de moras dentro de un lavabo. Soy perfectamente capaz de comerme cinco o seis durianes de una sola sentada.

Cuando llegué al octavo mes del embarazo, tenía tales molestias que me levantaba de la cama lo más silenciosamente posible para tenderme sobre la fría dureza del banco de la cocina. Entonces la negrura de tinta de la noche malaya iba entrando por la ventana y me acariciaba con su pesado y húmedo contacto. A veces mi marido entraba para observarme con cara de preocupación desde la penumbra y preguntarme qué tal me encontraba; durante aquellas noches horribles yo me tragaba mi injusta punzada de irritación y me recordaba a mí misma que Ayah era un buen hombre.

Al menos no tenía que padecer las terribles penas de Mui Tsai. Ella también estaba embarazada. Su abultada barriga tensaba la fina blusa de cuello alto que siempre llevaba para indicar su condición de «hermana pequeña». Mui Tsai se ataba los holgados pantalones negros debajo del liso bulto blanco. Entre las sombras que proyectaba la lámpara de aceite, su historia hubiese bastado para que la misma Desesperación se desesperase. Todo había empezado en una pequeña aldea de China cuando su madre murió súbitamente a causa de unas extrañas fiebres. Entonces Mui Tsai tenía ocho años. En menos de un mes, una nueva madre vestida de seda fue a vivir con ellos. Siguiendo la tradición de los buenos presagios chinos, una boquita roja florecía en su pálida y redonda carita. A los chinos les gusta que sus esposas tengan la boca pequeña, porque creen que las mujeres que tienen la boca muy grande son portadoras de mala fortuna. Una mujer que tenga la boca grande engulle espiritualmente a su marido y lo hace morir antes de tiempo.

La boca de la nueva esposa era tranquilizadora, pero lo que hizo que el padre de Mui Tsai se derritiera ante su presencia igual que un trozo de chocolate amarillo fue el hecho de que tuviera los pies vendados. Los pies de la nueva esposa eran más pequeños que los de la hijastra de ocho años de edad, porque la madre de Mui Tsai tenía demasiado buen corazón para vendarle los pies a su hijita. La nueva esposa pasaba todo su tiempo sentada en una habitación perfumada sin poder atender los requerimientos del trabajo doméstico. Mui Tsai ponía fin a cada larga y ardua jornada con la labor de quitarle los vendajes a su madrastra y lavar sus pies con agua caliente aromatizada. Muchos años después de aquello, la sombra alargada de Mui Tsai se estremecía sobre la pared de mi cocina ante el recuerdo de los pies desnudos de su madrastra. Era una visión muy sabiamente negada a todos los hombres, y especialmente al propio marido, porque la ausencia de aquellos zapatitos tan bonitos hacía que la deformidad se volviera insoportable. Retorcidos, amoratados y oliendo a carne en proceso de putrefacción, los pies vendados tenían el poder de repeler al más ardiente de los pretendientes. Antes de que aquellas horribles cosas volvieran a ser vendadas con pétalos de rosa, cada día había que cortar un poco de piel muerta y alguna uña que había crecido hacia dentro.

Durante tres años Mui Tsai limpió, cocinó y fue a hacer las compras para su nueva madre. Después de cumplir los trece años, la mirada de su madrastra pasó del mal disimulado disgusto al cálculo. La hermana de Mui Tsai acababa de cumplir ocho años y ya podía asumir las obligaciones que hasta entonces habían recaído sobre su hermana mayor. Si la hija mayor seguía en la casa, habría que empezar a preocuparse por el matrimonio. Los matrimonios significaban dotes. Una mañana, la madrastra hizo que la joven se pusiera su mejor traje y la sentó en la sala mientras su padre estaba trabajando. Luego envió una nota al mercado y un mercader fue a la casa. Mui Tsai le fue vendida. Un documento legal que obligaba a ambas partes fue redactado en una delgada hoja de papel rojo. A partir del momento en que las delicadas y blancas manos de la madrastra firmaron el documento, Mui Tsai pasó a ser propiedad exclusiva del mercader. Durante el resto de su vida ya no volvería a tener voluntad propia.

El mercader de dura mirada y largas uñas amarillas pagó la suma acordada por ella y Mui Tsai fue sacada de la casa sin nada más que la ropa que llevaba puesta. El mercader la enjauló. En la misma habitación había otras jaulas con otras niñas asustadas encogidas dentro de ellas. Mui Tsai pasó varias semanas viviendo así, con una sirvienta de hosca mirada repartiendo cuencos de comida y recibiendo los recipientes de las necesidades a través del mismo agujero en la jaula. En aquella oscura habitación, junto con jóvenes de otras aldeas, Mui Tsai lloraba y gemía de miedo y de dolor. Pero ninguna de ellas podía entender el dialecto de las otras. Luego las llevaron a un junco que se hizo a la mar con destino al sudeste de Asia. La vieja embarcación se bamboleó en los mares del sur de China, agitados y turbulentos por los fuertes vientos del monzón. Las desgraciadas niñas pasaron muchos días gritando de terror. El rancio olor de los vómitos causados por el mareo hizo que todas estuvieran seguras de que perecerían en el mar, para servir de alimento a los hijos e hijas de todos aquellos peces de blanca carne que ellas habían tenido la temeridad de ir consumiendo durante sus vidas. Milagrosamente, sobrevivieron. Todavía mareadas y temblorosas por aquel terrible viaje, fueron eficientemente vendidas como prostitutas y esclavas domésticas en Singapur y Malaya a cambio de un suculento beneficio.

El viejo Soong, el nuevo dueño de Mui Tsai, pagó la principesca suma de doscientos cincuenta ringgits por ella. Iba a ser un regalo para su nueva esposa, la tercera. Así fue como Mui Tsai pasó a vivir en la gran casa en lo alto del callejón sin salida. Durante los primeros dos años, se encargó de las labores domésticas y vivió en una diminuta habitación en la parte de atrás de la casa. Luego su dueño, que durante todo aquel tiempo había estado muy concentrado en pasar su regordeta mano por los muslos marfileños de su esposa y convencer a la malhumorada boca de esta de que aceptara los trocitos de comida que colgaban de los extremos de los palillos de su marido, de pronto comenzó a sonreírle a Mui Tsai de una manera que no era del todo correcta. A continuación, más o menos cuando yo llegué al vecindario, sus codiciosos ojos empezaron a seguirla durante las comidas con una intensidad que la joven encontraba aterradora, ya que el viejo Soong era una criatura realmente repulsiva.

Mientras iba al mercado a veces yo lo veía sentado en el frescor de su sala debajo del ventilador, sudando profusamente mientras leía el periódico chino con su chaleco de talla extra grande tensándose sobre su hinchado estómago. Ver toda aquella grasa amontonada allí hacía que me acordara de su insaciable afición a la carne de perro. El viejo Soong solía traer a casa la carne de cachorros envuelta en papel encerado de color marrón y después el cocinero la convertía en un estofado que era sazonado con las caras raíces de ginseng importadas especialmente de China.

Todas las noches el dueño de la casa jugaba al mismo juego. Con sus manos regordetas cubriéndole la boca, el viejo Soong se hurgaba los dientes mientras sus ávidos ojos recorrían como dos manos invisibles el cuerpo juvenil de Mui Tsai. Manteniendo la mirada cuidadosamente alejada de él, Mui Tsai fingía no darse cuenta de lo que estaba haciendo su señor. No era consciente de que ese era el papel que le tocaba desempeñar a ella en el juego, el de la renuencia. La esposa, con la vista baja, no se enteraba de nada. Envuelta en sus magníficas prendas, apoyaba los codos en la mesa igual que un águila mientras aguardaba pacientemente la llegada de cada nuevo plato, momento en el que los palillos que habían estado esperando se movían con la celeridad del rayo para coger con infalible precisión los pedazos más selectos. Una vez que los mejores bocados estaban en su cuenco, la esposa procedía a comérselos con una irresistible elegancia.

El viejo Soong no tardó en encontrar otras ocasiones de permitir que sus dedos rozaran de manera accidental a la «hermana pequeña» de su esposa y, en una ocasión, su gorda manaza subió por el muslo de Mui Tsai mientras ella estaba sirviendo la sopa. La sopa se derramó en la mesa. Aun así, la esposa no vio nada. «Esta jovencita estúpida siempre lo está tirando todo», le masculló furiosamente a su cuenco lleno de lechón tierno.

—Díselo a la esposa —la apremié yo, horrorizada.

—¿Cómo puedo hacer tal cosa? —susurró Mui Tsai, atónita y con sus ojos almendrados llenos de perplejidad—. Él es el señor de la casa.

A medida que las atenciones de su dueño iban volviéndose más osadas, Mui Tsai comenzó a abandonar su habitación durante la noche. Solo dormía allí cuando su señor se encontraba en la casa de alguna de sus otras esposas. Cuando Soong iba a visitar a su amante, Mui Tsai se hacía un ovillo debajo de la cama en una de las habitaciones de la gran casa y, de esta manera, consiguió esquivar la sudorosa presa de su dueño durante muchos meses. Solía entrar por la ventana de mi cocina y luego nos sentábamos en mi banco para hablar de nuestra tierra natal hasta que faltaba poco para que amaneciera.

Yo no podía creer que lo que le estaba ocurriendo a Mui Tsai fuese lícito y estaba decidida a denunciarlo. Alguien tenía que hacer algo para poner fin a su sufrimiento. Le hablé de ello a Ayah. Él trabajaba en una oficina y sin duda tenía que conocer a alguien que pudiera ayudarla, pero mi marido sacudió la cabeza. Mientras la esclava doméstica no fuera maltratada, la ley no podía hacer nada.

—Pero su señora la abofetea y le da pellizcos. Eso es maltratarla, ¿no? —quise saber yo apasionadamente.

Ayah sacudió la cabeza y acto seguido unas palabras que no parecían tener cabida en su gruesa lengua aparecieron en ella como una fila de extranjeros tan maleducados que son capaces de entrar en un templo con los zapatos puestos.

—En primer lugar —dijo—, eso no se considera malos tratos y en segundo lugar, aunque el señor Soong no venga personalmente a cobrar el alquiler, es nuestro casero. Todas las casas que hay a lo largo de esta curva del camino le pertenecen.

—Oh —dije yo, renunciando a todas mis revolucionarias ideas de entrar en oficinas donde nunca había puesto los pies para denunciar al viejo Soong.

Realmente, el problema era mucho más grande que yo.

Una noche en que los árboles se veían plateados bajo una luna fantasmal, la señora de Mui Tsai la hizo acudir a su dormitorio. Quería que le dieran un masaje. Dijo que le dolía la espalda de tanto comer platos medio fríos; a continuación se quitó sus prendas de satén y se acostó boca abajo en la cama. Mui Tsai comenzó a darle masaje. Deslizó sus firmes manos morenas por la suave piel blanca de la espalda de su señora. Sin su ropa, saltaba a la vista que la señora estaba engordando inexorablemente.

—Esta noche dejaré que le des masaje al amo. Está muy cansado y tú eres muy buena con las manos —dijo la señora, cogiendo su túnica de satén.

Como si todo hubiera sido coreografiado de antemano, el dueño de la casa entró en el dormitorio luciendo su túnica de seda amarilla adornada con negros dragones bordados. La seda susurraba al rozar sus fláccidas piernas blancas. Mui Tsai se quedó paralizada de estupor. Su señora evitó mirar a los ojos al viejo Soong y lo que hizo fue lanzar una mirada de advertencia a Mui Tsai mientras la reñía en un tono lleno de irritación:

—*Ai yah*, no armes tanto escándalo por una tontería.

Tan pronto como el suave sonido de las zapatillas de su esposa se hubo alejado por las baldosas, el dueño de la casa tomó asiento encima de la colcha ligeramente arrugada. Mui Tsai, arrodillada en el suelo junto a la cabecera de la cama, alzó los ojos hacia él para mirarlo con incredulidad. Después de muchos meses de miradas incendiarias, el juego estaba a punto de tener un ganador. Vestía una túnica amarilla. La túnica se abrió, y el enorme y duro estómago de Soong se hizo bien visible cuando el hombre extendió la mano y apagó una lamparita de noche. Bajo la luz de la luna, su rostro reluciente de humedad se convirtió súbitamente en una máscara. El terror se apoderó de Mui Tsai. Intoxicados por toda la excitación prohibida implícita en aquella situación, los ojos profundamente hundidos en los pálidos pliegues de carne parecían arder. El viejo Soong apestaba a licor. Mui Tsai sintió la primera, y todavía tenue, punzada de aborrecimiento.

—Ven, querida mía, ven —la invitó dulcemente el señor de la casa, con su voz acelerándose mientras daba unas palmaditas sobre la cama.

Mui Tsai sabía lo que le estaba pasando por la cabeza con tanta claridad como si Soong hubiera gritado sus pensamientos. «Aquella muchacha no estaba destinada a ser ninguna gran belleza, pero el primer y delicioso rubor de la juventud la hacía indudablemente bonita y una virgen le proporcionaría aquella vitalidad que tanta falta le hacía. Para un hombre de su edad, siempre era bueno tomar el primer sorbo de la esencia de una muchacha.» La pureza y la inocencia de Mui Tsai eran como una flor que espera ser cogida y el viejo Soong era el dueño y señor de aquel jardín.

Sonrió con una sonrisa alentadora y desnudó su orondo cuerpo.

Sumida en una aturdida incredulidad, la pobre muchacha todavía estaba mirando el pequeño gusano anidado entre las piernas de Soong cuando de pronto este hizo descender su blanca carne sobre el minúsculo cuerpo de Mui Tsai. Algo pequeño y duro entró dolorosamente en ella y, para su sorpresa, una carne fláccida y húmeda se estremeció alrededor de ella. Soong gruñó como un cerdo salvaje y gimoteó muy cerca de su oreja hasta que, sin ningún aviso previo, todo su peso se desplomó súbitamente encima de ella. Sintiéndose aplastada, Mui Tsai boqueó en busca de aliento. Al poco, Soong se apartó hacia un lado y pidió un vaso de agua con voz jadeante.

Todo había terminado. Mui Tsai se subió los pantalones sin saber muy bien lo que hacía y fue a llevarle agua a su dueño. Las lágrimas ardían en sus ojos y le temblaba la barbilla con el esfuerzo de no echarse a llorar. Cuando regresó con el agua, Soong la hizo desnudarse por completo y mientras bebía su agua, las oscuras y abrasadoras rendijas que había en su cara la estudiaron con una adusta intensidad. Mui Tsai sintió cómo la pegajosa pasión de su dueño iba saliendo de ella para correr por sus muslos ensangrentados. Permaneció inmóvil bajo la pálida luz de la luna, desnuda y vacía por dentro, hasta que Soong extendió una gorda mano y volvió a atraerla hacia él. Cuando por fin se hubo quedado dormido, roncando pesadamente, Mui Tsai contempló sin verlas las sombras plateadas del techo hasta que, de pronto y con un sobresalto, se encontró contemplando el rostro lleno de disgusto de su señora. La mujer, que iba descalza, había entrado en el dormitorio tan silenciosamente que Mui Tsai no oyó sus pasos.

—Levántate, ramera desvergonzada —siseó furiosamente la señora de la casa mientras sus ojos llenos de envidia recorrían el joven cuerpo que yacía en la cama. Mui Tsai, humillada, trató de taparse los senos—. Levántate y cubre ese cuerpo tuyo que tanto te pica, y no te atrevas a volver a quedarte dormida en mi cama —siseó su señora.

Mui Tsai regresó tambaleándose a la parte de atrás de la casa para lavarse. Luego yació despierta y avergonzada en su cuartito trasero hasta que llegó la pálida claridad de la mañana. Después de aquello, el señor de la casa comenzó a requerir un masaje con frecuencia. A veces tenía necesidad de dos masajes en una misma noche. Aquellos días horribles, Mui Tsai oía el suave chapaleo de sus pisadas delante de su puerta y cómo esta crujía cuando se abría en la oscuridad. Entonces el furtivo resplandor de la luna y las estrellas le permitía entrever la suntuosidad de la túnica amarilla de Soong. Luego la puerta se cerraba y en la oscuridad de su cuarto sin ventanas, Mui Tsai solo oía los tenues chasquidos de las zapatillas de seda de Soong moviéndose por el suelo de cemento y su entrecortada y laboriosa respiración. Después una mano enfriada por un sudor helado caía sobre sus pequeños pechos. En cuestión de segundos Mui Tsai se vería súbitamente envuelta por una carne húmeda y fría, y el pestilente y cálido aliento de Soong llenaría sus fosas nasales. Entonces aquel extraño temblor contoneante volvería a empezar de nuevo.

Mui Tsai no tardó en quedar encinta.

El señor de la casa se puso extremadamente contento, ya que sus tres esposas eran estériles. Ya hacía mucho tiempo que se murmuraba que la culpa era de él, pero ahora resultaba evidente que las responsables eran las viejas arpías. El extasiado Soong ordenó que Mui Tsai fuera alimentada con las mejores comidas para que su semilla creciera fuerte y sana dentro de ella. La señora de la casa se vio obligada a tratar con amabilidad a Mui Tsai, aunque una terrible envidia yacía en las profundidades de aquellos ojos rasgados. Mui Tsai solía esconder alguna de sus muy caras pero espantosamente amargas hierbas especiales y luego me la daba.

—Para que el bebé se haga fuerte —decía con su alegre vocecita cantarina.

Una mañana el señor de la casa llegó con la noticia de que la Primera Esposa quería conocer al árbol fértil que había dado vida a la semilla de su marido. La Primera Esposa era una mujerona con pliegues de carne alrededor de las mejillas, una arrogante inclinación en su chata nariz y ojillos llenos de astucia. El hogar del viejo Soong se llenó de una furiosa actividad. Se cocinaron platos selectos, los suelos fueron fregados y lustrados y la mejor porcelana fue limpiada y sometida al escrutinio de ojos sagaces y penetrantes.

—¿Has comido? —preguntó la Primera Esposa, en el habitual saludo cortés chino.

Su voz era hosca y su rostro, aunque orgulloso, había conocido la pena de verse sustituida en el afecto de su marido y de ser incapaz de darle hijos.

—Sí, hermana mayor. Tiene muy buen apetito —se apresuró a replicar la señora de Mui Tsai.

—¿Cuántos meses faltan para que llegue el bebé? —preguntó majestuosamente la Primera Esposa.

—Todavía faltan tres meses. Toma un poco más de té, hermana mayor —replicó la Tercera Esposa con una humilde cortesía tomada prestada para la ocasión; acto seguido, se levantó grácilmente para servir el té.

La Primera Esposa asintió con aprobación y a partir de aquel momento hizo algunas visitas más; siempre se sentaba con Mui Tsai debajo del árbol assam. Era amable con ella, parecía sinceramente preocupada por su bienestar y mostraba cada vez más interés por el bebé aún no nacido. Hasta le trajo regalos, caras ropitas azules de bebé importadas y un patito que hacía cuac-cuac. A Mui Tsai la complacían mucho las visitas de la anciana gran señora. Ser aceptada por la Primera Esposa suponía un gran honor. Quizá su suerte había cambiado después de todo. Las cosas serían distintas después de que el bebé hubiera nacido, porque entonces Mui Tsai sería la madre del heredero de la vasta fortuna de su señor.

Al pueblo llegó una feria y se instaló en el campo de fútbol que había junto al mercado. Mui Tsai y yo nos escapamos a verla cuando el calor se hallaba en su apogeo mientras la Tercera Esposa, que no tenía ganas de moverse después de una pesada comida, dormitaba debajo del ventilador.

Entrar en la feria costaba veinte céntimos.

El delicado aroma del huevo y los pasteles de nueces se mezclaba con el olor grasiento de las tortitas de pescado friéndose dentro de grandes cubas de aceite. El escenario improvisado encima del que, durante la noche, hermosas jóvenes permanecían sentadas en una sonriente hilera esperando a que los jóvenes más atrevidos pagaran cincuenta centavos por el placer de disfrutar de un enérgico baile con la chica a la que hubieran escogido, se hallaba desierto aquella calurosa tarde.

«¡Vean a la asombrosa dama pitón!», proclamaba un gran cartel en el que se veía a una serpiente gigante enroscada alrededor de una hermosa muchacha con los ojos aparatosamente pintados. Pagamos diez centavos y entramos en la tienda. Dentro hacía un calor asfixiante. Una bombilla desnuda ardía en la atmósfera cargada. En una jaula de hierro, una malaya de mediana edad y nada atractiva permanecía sentada con las piernas cruzadas sobre un catre de paja. Sostenía en sus manos una serpiente decepcionantemente pequeña y trataba de envolverse con ella, pero la flaca y aburrida criatura se limitaba a enseñar la lengua para luego volver a deslizarse lánguidamente entre la paja. Aburridas y acaloradas, enseguida nos fuimos.

Fuera, compramos un poco de agua de coco helada y Mui Tsai me convenció de que nos uniéramos a una cola para entrar en la tienda de un adivino chino. Delante de su tienda había dibujos de distintos tipos de palmas seccionadas en distintas categorías, con su relevancia para la fortuna de uno explicada en verdes ideogramas chinos. Nos entregaron billetes rojos con números en ellos. Mui Tsai y yo compartimos un billete, ya que queríamos que se nos atendiera juntas. La cabeza de Mui Tsai rozó las campanillas del viento que colgaban del faldón de la entrada y todavía estábamos riendo cuando nos adentramos en la tienda marrón.

Un anciano chino con una rala barbita de chivo nos sonrió enigmáticamente desde detrás de una mesita plegable. Su piel era muy amarilla y sus ojos estaban hundidos en las cuencas. Nos sentamos torpemente, dejando en la hierba nuestras bolsitas de plástico con el agua de coco mientras nuestras tontas risitas eran engullidas por aquellos ojos que no se apartaban de nosotras. Encima de la mesita había un pequeño altar rojo con una figurilla de bronce y algunas varillas de incienso encendidas.

El adivino levantó la mano derecha y dijo:

—Dejemos hablar a los antepasados.

Las campanillas tintinearon suavemente.

Con el rostro vacío de toda expresión, el chino primero le cogió las manos a Mui Tsai y se las sujetó entre sus dedos arrugados mientras respiraba profundamente. Mui Tsai y yo nos encogimos de hombros y nos hicimos muecas la una a la otra para aliviar la súbita tensión surgida en aquella tienda donde hacía un calor asfixiante. Yo puse los ojos cómicamente en blanco y Mui Tsai me respondió haciendo un mohín.

—¡Pena, mucha pena, mucha, mucha pena! —exclamó el adivino con voz enronquecida.

Lo repentino de aquel grito en el silencio de la tienda nos sobresaltó a las dos.

—No tendrás hijos a los que puedas llamar tuyos —añadió el adivino en un tono muy extraño.

Todo pareció quedar súbitamente inmóvil en el interior de la tienda. Sentí que Mui Tsai se ponía rígida de miedo. Como si sus pequeñas manos lo hubieran estado quemando, el anciano se las soltó de pronto. Luego volvió sus ojos vengativos hacia mí. Nerviosa y sorprendida con la guardia baja, deslicé automáticamente mis manos entre las que ya me estaban esperando extendidas hacia mí. Sentí cómo una piel tan seca y dura que parecía cuero se cerraba sobre mis húmedas manos. El adivino cerró los ojos, permaneciendo tan inmóvil como una estatua en aquel calor insoportable.

—Fuerza, demasiada fuerza. Deberías haber nacido hombre. —Se calló para fruncir el ceño y los globos de sus ojos se movieron frenéticamente detrás de sus párpados cerrados—. Tendrás muchos hijos, pero nunca llegarás a conocer la felicidad. Ten mucho cuidado con tu primogénito. Es tu enemigo de otra vida que ha regresado para castigarte. Conocerás el dolor de enterrar a una hija y atraerás hacia tus manos un objeto ancestral de gran valor. No te lo quedes y no intentes obtener ningún beneficio de él. Su lugar está en un templo.

Entonces el adivino soltó mis manos y abrió de pronto aquellos ojos inexpresivos, que solo parecían tener dos dimensiones, para contemplarnos con una mirada totalmente vacía. Tanto Mui Tsai como yo nos levantamos, perplejas y asustadas. La piel de los brazos se me había puesto de gallina. El calor era inaguantable.

Salimos tambaleándonos; nuestras fláccidas bolsas de plástico llenas de agua de coco habían quedado olvidadas en la hierba. Miré a Mui Tsai y vi que sus ojos estaban desorbitados por el miedo y se había llevado las manos al abdomen. Aunque estaba embarazada de siete meses, su bulto no era visible como el mío. Con su holgado *samfu*, ella podía engañar a cualquiera.

—Mira, resulta evidente que ese hombre es un timador —declaré valientemente—. ¡Vaya, pero si dijo que nunca tendrías hijos cuando ya estás embarazada! Acabamos de tirar nuestro dinero. No dijo más que un montón de estupideces.

—Sí, tienes razón. Ese hombre no puede ser un adivino. No es más que un horrible timador al que le gusta asustar a las chicas jóvenes.

Las dos estuvimos muy calladas durante el camino de vuelta a casa. Intenté olvidarme de aquel viejo cuyos labios apenas si se movían, pero sus extrañas palabras habían quedado tan grabadas en mi memoria como si fueran la maldición de un desconocido. Puse protectoramente las manos encima del bulto que sobresalía de mí. Pensar que mi todavía no nacido primer hijo, que ya me era tan querido, pudiera llegar a ser mi enemigo era realmente ridículo.

Nunca había oído mayor tontería.

La vida siguió su curso. La talla en la que trabajaba mi marido fue convirtiéndose, muy lentamente, en un rostro ovalado. Al principio yo le echaba una mirada cada día; luego, los progresos empezaron a parecerme tan lentos que mi naturaleza impaciente pudo más que yo y perdí todo interés en ella.

Oh, espera, también he de hablarte de mi encuentro con una auténtica pitón. Ocurrió una calurosa tarde en la que yo estaba sentada en el frío suelo de la cocina separando y limpiando las entrañas de unas anchoas secas. Las anchoas eran baratas y abundaban y yo las usaba mucho en mi cocina. Preparaba anchoas al curry, berenjenas con anchoas y anchoas en leche de coco. Casi sin pensar en lo que hacía, iba añadiendo aquellas cosas rizadas y nutritivas a todos los platos. El caso es que aquella tarde el rostro de Mui Tsai apareció en la ventana de mi cocina. Sus ojos estaban muy abiertos y sus manos se agitaban excitadamente en el aire.

—¡Deprisa, ven a ver la pitón!

—¿Dónde está?

—Detrás de la casa de Minah.

Fuimos corriendo a la parte de atrás de la casa de Minah y entre los arbustos, ya bastante lejos de la casa, vimos a tres niños acurrucados que estaban señalando algo en el suelo reseco mientras sus ojos brillaban con una mezcla de miedo y excitación. Aunque consciente de nuestra presencia, la gruesa pitón enroscada que había allí parecía ser incapaz de moverse. El sol y un gran banquete la habían dejado pesada y somnolienta. Ojos anaranjados que no pestañeaban nos observaban malévolamente desde una cabeza en forma de diamante.

Era enorme y hermosa.

Tan hermosa que quise quedármela. No sentía ningún temor por las serpientes.

Entonces unos hombres llegaron corriendo entre una agitación de gritos y redujeron a pulpa la cabeza de la pitón. Su grueso y reluciente cuerpo se retorció de dolor antes de perecer en una sangrienta muerte. Luego los hombres extendieron al animal muerto y lo midieron, utilizando como regla la longitud que había entre sus codos y las puntas de sus dedos. Declararon que medía más de dos metros y medio de largo. Después le abrieron el vientre y encontraron una cabra a medio digerir, envuelta en sangre y tan aplastada que apenas si se la podía reconocer. Contemplé con la más pura fascinación aquel absurdo amasijo de destrozada carne purpúrea cubierto por los viscosos jugos estomacales, de la que sobresalían aquí y allá un cuerno o una pezuña. Entonces un pensamiento muy extraño me pasó por la cabeza. Mi estómago no tardaría en ser más grande aún, pensé. No cabía duda de que iba creciendo con una rapidez que me alarmaba.

En mi noveno mes de embarazo, me había puesto tan enorme y me sentía tan mal que estaba segura de que iba a reventar en cualquier momento como un melón aplastado.

Los verdaderos dolores comenzaron por fin. Las aguas salieron de mí, manando tan rápidamente como el licor de arroz barato en un burdel lleno de clientes. Sentía un cosquilleo en la nuca. El momento había llegado.

Oh, pero fui valiente. Llamé a mi marido para que hiciera venir a la comadrona. Ayah me contempló durante unos segundos con el rostro inexpresivo; luego se volvió súbitamente y salió corriendo de la casa. Yo me quedé en la ventana y vi cómo mi marido se alejaba en su bicicleta, oscilando peligrosamente por el sendero lleno de piedras.

Luego fui a la cocina y cogí dos toallas limpias y algunos sarongs, viejos pero limpios. Herví agua en una gran olla, agua limpia para lavar a mi hijo. Luego incliné la cabeza y volví a rezar pidiendo un hijo. Mientras esperaba la llegada de mi bebé, me senté en mi banco y desdoblé una antigua carta de mi madre.

Me temblaban las manos. Me las miré, sintiéndome muy sorprendida. Creía que me estaba comportando como una adulta y con calma. Siete delgadas hojas crujieron en mis manos igual que un secreto, un espíritu maravilloso que caminara sobre hojas secas. La letra pequeña y pulcra de mi madre temblaba y se volvía borrosa en mis manos.

Un intenso dolor desgarró todo mi ser. Mi mano vibró en un súbito espasmo. Siete delgadas hojas llenas de los anhelos, esperanzas, plegarias, amor y deseos de mi madre susurraron en el aire y se esparcieron en el suelo de la cocina.

Los dolores enseguida se volvieron terribles. Yo seguía sin perder la calma. Incluso mi madre se habría sentido orgullosa de mí, porque mordí con fuerza un trozo de madera y reprimí todos mis gritos para que los vecinos no vieran ni oyeran nada. De pronto me encontraría de pie en el porche con el estómago liso y un bebé en mis brazos. ¡Cómo se maravillarían todos entonces! Pero en ese momento otra contracción, que recorrió todo mi cuerpo con la celeridad del rayo, hizo que me aferrara el estómago en un impotente dolor. Gotas de sudor brotaban en mi frente y mi labio superior. Luego llegó otra contracción, esta todavía más deprisa que la anterior.

—Ganesha, ayúdame, por favor —recé con los dientes apretados.

Todavía peor que el dolor era el miedo. Miedo por el bebé, miedo por todo lo que estaba yendo mal. Otro feroz espasmo y comencé a dejarme llevar por el pánico. Estaba de pie en un pequeño templo consagrado a Ganesha, sin que hubiera un alma a la vista y haciendo sonar la campana para el placer de un dios. Seguí haciéndola sonar hasta que me sangraron las manos.

—Oh, Ganesha, tú que apartas todos los obstáculos, deja que mi bebé nazca sano y salvo —supliqué una y otra vez.

Sentí cómo el bebé daba patadas dentro de mí y lágrimas abrasadoras se abrieron paso entre mis párpados tensamente apretados.

Maldije a mi estúpido y lento marido. ¿Dónde estaba? Me lo imaginé sentado en una acequia en alguna parte. El bebé comenzó a moverse dentro de mí, apremiante, impaciente y peligrosamente vulnerable. Una dolorosa presión estaba empezando a crecer entre mis caderas y un terror recién destilado que parecía ser capaz de llegar a consumirlo todo burbujeó violentamente dentro de mi cerebro.

El bebé ya llegaba. No había comadrona y el bebé estaba llegando. Sin que nada me hubiera advertido de lo que iba a ocurrir, me encontré en el ojo del huracán. El trozo de madera cayó de mi boca. Los contornos de la habitación se estaban volviendo negros.

Dios me había abandonado.

Llegué a estar convencida de que me estaba muriendo. Me olvidé abruptamente de los vecinos y de la seductora idea de aparecer de pronto en el porche con el estómago liso y un bebé en mis brazos. Me olvidé de ser valiente u orgullosa. Cuando se ve estrellada contra el duro cemento del dolor, la dura cáscara de coco del orgullo se rompe con mucha facilidad para quedar hecha añicos.

Una masa que se estremece de sudor y terror no conoce el orgullo. En cuclillas como un animal asustado, abrí la boca para lanzar un largo aullido, pero entonces un súbito dolor desgarrador me dejó sin respiración. Pude sentir la coronilla de la cabeza de mi bebé.

«Empuja. Tú limítate a empujar», dijo la voz grisácea de la comadrona dentro de mi cabeza. Su voz hizo que todo sonara muy sencillo y fácil de hacer. La tempestad que había dentro de mi cerebro amainó inesperadamente como por arte de magia. «Empuja. Tú limítate a empujar.» Me agarré a los cantos del banco, respiré hondo y empujé. Empujé y empujé. La cabeza apareció en mi mano. Ya he olvidado aquella aterradora lucha solitaria, pero recuerdo la súbita magia de encontrarme sosteniendo a un bebé púrpura en mis manos ensangrentadas. Puse aquella cosita cubierta de líquidos sobre mi estómago y la contemplé con perplejo asombro.

—¡Oh, gran Ganesha, me has dado un chico! —jadeé alegremente.

Mis manos cogieron el cuchillo que había al lado de la tabla de trinchar, sujetándolo como si ya hubieran hecho aquello un millar de veces. Aquella mañana había cortado una cebolla con él y la hoja había quedado manchada de sus jugos. Empuñé firmemente el cuchillo en mi mano y corté el cordón umbilical. El cordón quedó colgando del bebé. El pequeño ya no estaba unido a mí.

Con los ojos todavía fuertemente cerrados, el bebé abrió su diminuta boquita y comenzó a sollozar con unos ruiditos que llegaron directamente a lo más profundo de mi ser. Reí de alegría.

—No podías esperar, ¿verdad? —pregunté, sintiéndome llena del más puro asombro.

Contemplé aquella criatura sin dientes y ridículamente enfadada y pensé que era la cosa más hermosa que había visto jamás. La maternidad abrió su cuerpo de arriba abajo y me mostró el corazón que palpitaba furiosamente dentro de él. Desde aquel preciso instante supe que por aquel desconocido arrugado yo sería capaz de arrancar las cabezas de los leones, detener trenes con mis manos desnudas y escalar montañas de cimas nevadas. Como en una representación irreal, Ayah y la comadrona aparecieron en el umbral, jadeantes y sin aliento. Miré sus caras boquiabiertas y les sonreí.

—Vete a casa —le dije orgullosamente a la comadrona, pensando en los quince ringgits que me había ahorrado de tener que pagar por sus servicios.

Luego volví impacientemente mi rostro radiante de alegría, apartándolo de sus feas caras para así poder absorber toda la belleza de mi nueva y maravillosa creación. De hecho, deseé que se fueran de allí durante un buen rato, pero en ese mismo instante un puñito apretado se incrustó en la parte inferior de mi estómago haciendo que me doblara sobre mí misma, en una agonía que casi me hizo soltar mi precioso fardo. La comadrona corrió hacia mí. Cogió expertamente a mi bebé y lo puso encima de las toallas limpias. Acto seguido se inclinó sobre mí y sus manos se movieron por todo mi cuerpo con rápida precisión.

—Que Alá se apiade de nosotros —rezó en voz baja antes de volverse hacia mi marido y murmurar—: Hay otro bebé en su vientre.

De esta manera tan simple fue como nació la hermana gemela de mi hijo. Salió de mí con toda facilidad para caer en los brazos de la comadrona que esperaban recibirla. La comadrona era una vieja malaya, recomendada por Minah, que se llamaba Badom. Minah me había dicho que sus manos eran su gran don y no podía estar más en lo cierto. Nunca olvidaré la fortaleza que fluía igual que un río desbordado de sus nervudas manos, o aquel conocimiento firmemente seguro de sí mismo que brillaba en las profundidades de sus legañosos ojos. Badom sabía todo lo que hay que saber acerca de las madres y los bebés, y su arrugado cráneo encerraba una vasta familiaridad con todo aquello que realmente tenía importancia. Desde los pepinos prohibidos y las flores convertidas en polvo para encoger el útero hasta las pociones mágicas hechas con cardos hervidos y las hierbas que devuelven un cuerpo distendido a su antiguo esplendor, Badom sabía todo aquello que es necesario saber.

Depositó en mis brazos dos magníficos bebés.

Mi hijo era todo lo que yo hubiese podido desear, un auténtico regalo de los dioses. Todas mis plegarias habían sido respondidas bajo la forma de preciosos ricitos negros y un alarido impecablemente articulado con el cual proclamar su salud, pero en realidad fue a mi hija a la que contemplé con algo rayano en la incredulidad. Debería explicarte ahora mismo cuán increíblemente especial era, porque su hermosura iba más allá de cuanto yo pudiera haber imaginado. Cuando depositó el diminuto bulto en mis brazos, Badom levantó sus ralas cejas y dijo con voz llena de asombro: «Pero si tiene los ojos verdes». En todos los años que llevaba trayendo bebés al mundo, nunca había visto uno que tuviera los ojos verdes.

Miré con asombro su piel rosada y los inicios de una mata de relucientes y lacios cabellos. La sangre que corría por sus venas solo podía ser la de la señora Armstrong, aquella famosa abuela de mi madre a la que se había convocado para que entregara un ramillete de flores y estrechara la mano enguantada de la reina Victoria hacía ya tantos años. Contemplé aquella pequeña y preciosa criatura que tenía en mis brazos y decidí que todos los nombres que mi marido y yo habíamos pasado horas discutiendo no servían de nada. La llamaría Mohini.

Mohini era la tentadora celestial de las antiguas leyendas, tan increíblemente hermosa que un sorbo accidental de las líquidas profundidades de sus ojos era cuanto se necesitaba para que incluso un dios se olvidara de todo. En las historias de mi madre, los dioses iban ahogándose uno a uno en su apremiante deseo de poseerla. Por aquel entonces yo era demasiado joven para saber que el exceso de belleza es una maldición. La felicidad se niega a compartir el mismo lecho con la belleza. Mi madre me escribió para advertirme de que Mohini no era un buen nombre para una joven. Traía mala suerte. Ahora sé que hubiese debido hacerle caso.

Ni siquiera puedo describir aquellos primeros meses. Era como andar por un jardín secreto y descubrir centenares de hermosas flores nuevas, los colores, los increíbles nuevos aromas y las formas maravillosas llenaban mi día, haciéndome feliz desde que salía el sol hasta que se ponía por la noche. Me iba a la cama con una sonrisa en los labios, atónita por la hermosura de mis hijos, y soñaba con deslizar respetuosamente mis dedos por su sedosa piel.

Perfecta desde la coronilla de su suave cabecita hasta los diminutos dedos de sus pies, mi Mohini no tenía defecto alguno. La gente la contemplaba sin tratar de disimular su curiosidad cuando la sacaba de casa. Luego me miraban a mí y a su feo padre y entonces yo veía cómo la envidia iba echando profundas raíces en sus diminutos y mezquinos corazones. Me tomé muy en serio la responsabilidad de cuidar de la belleza de mi hija. La bañaba en leche de coco y le frotaba la piel con gajos de lima. Una vez a la semana, estrujaba flores de hibisco en agua caliente hasta que el agua adquiría el color óxido apropiado y luego metía en ella su cuerpecito que no paraba de moverse. Mohini chapoteaba y reía y me tiraba puñados de agua enrojecida a la cara. No me molestaré en contarte hasta qué extremos llegué para proteger su piel blanca como la leche.

Ninguna niña puede haber sido más querida. Su hermano simplemente la adoraba. Aunque carecían de cualquier clase de similitud física, existía un vínculo especial e invisible entre ellos. Ojos que hablaban, caras que entendían... Era algo indescriptible. No se trataba de que cada uno terminase la frase iniciada por el otro, sino más bien de las pausas que compartían. Era como si en aquellos momentos del más puro silencio se comunicaran entre sí a un nivel distinto, más profundo. Si cierro los ojos ahora, todavía puedo verlos sentados el uno enfrente del otro mientras van machacando arroz en el mortero de piedra. Nunca hablaban. No necesitaban decirse nada. Él hacía girar la pesada piedra y ella echaba con su manita desnuda el arroz en el agujero que había en la piedra, manteniéndose callados y en una armonía tan perfecta como si fueran una sola persona. Yo podría haberme pasado horas enteras mirándolos. Lo hacían cada día, cuando ya faltaba poco para que anocheciese. Era un trabajo muy peligroso, porque siempre cabía la posibilidad de que una mano terminara aplastada.

Cuando estaban solos con el otro por única compañía, aquel silencio iba extendiéndose alrededor de ellos para formar un círculo mágico llamado «nosotros» que excluía a cualquier otra persona. Recuerdo que había momentos en los que no resultaba nada cómodo de ver.

Si yo estaba desusadamente orgullosa de mi hija, su padre adoraba el suelo que pisaba. Mohini hacía temblar su alma; su presencia llegaba tan profundamente a su deleitado ser que lo confundía y lo sorprendía. Cuando nació, Mohini era lo bastante pequeña para caber toda ella en sus manazas ahuecadas y aquello fue una sensación que Ayah nunca olvidó. Apenas capaz de creer que semejante maravilla hubiera surgido de su semilla, se quedaba de pie ante ella y la contemplaba durante horas mientras dormía. Despertaba dos, en ocasiones tres veces a lo largo de la noche para cambiarle delicadamente la ropa si esta se había humedecido a causa de la transpiración. Por la mañana yo solía encontrarme un montón de ropa de la niña al pie de la hamaca de tela suspendida en la que dormía.

Si Mohini se caía o se hacía aunque solo fuese el más insignificante rasguño, Ayah la levantaba con sus cariñosas y enormes manos y luego la mecía lentamente en sus brazos mientras las lágrimas de la niña se reflejaban en sus propios ojos. ¡Cómo llegaba a sufrir aquel hombre cuando Mohini enfermaba! La quería tanto que un solo instante de dolor soportado por ella era como una terrible espina hundida en lo más profundo de su sencillo corazón.

Cuando Mohini era muy pequeña, pasaba muchas de las horas que no dormía en el regazo de su padre mientras escuchaban las voces llenas de estática que salían de la radio. Pasaba horas enredando un mechón de la espesa cabellera de Ayah alrededor de sus hermosos dedos, sin llegar a sospechar jamás que aquello era un truco de magia que tenía el poder de convertir a los gigantes buenos en bobos balbuceantes.

A mi pequeño lo llamé Lakshmnan. Precioso, inteligente y el primero en nacer, no cabía duda de que Lakshmnan era mi favorito. Verás, por mucho que Mohini superase cuanto yo pudiera haber llegado a imaginarme jamás, lo cierto es que no me la merecía. Nunca podía librarme de la sensación de que de algún modo había entrado en el jardín de otra persona y había cogido sin permiso la flor más grande y hermosa. No había nada de su padre o de mí en ella. Hasta cuando la acunaba en mis brazos tenía la sensación de que Mohini era algo prestado y que, un día u otro, alguien llamaría a mi puerta para reclamarla. Por eso me mantenía a cierta distancia de ella. Su belleza perfecta me llenaba de admiración, pero no podía quererla de la manera en que quería a Lakshmnan.

Ah, pero la manera en que yo quería a mi hijo... ¡Cómo lo quería! Construí un altar en mi corazón solo para su risa. Me reconocía a mí misma en sus luminosos ojos y cuando tenía junto al mío su robusto cuerpo que daba patadas no podías saber dónde empezaba él y dónde terminaba, porque su piel era exactamente del mismo tono que la mía. Ambos teníamos el color del té cuando se le ha echado mucha leche.

Mui Tsai dio a luz a su bebé. Una noche llegó con él a mi casa cuando todo el vecindario estaba durmiendo para que yo pudiera ver lo rechonchito que era aquel niño por el cual había rezado en el templo rojo junto al mercado. Estaba muy gordo y era muy blanco, con un mechón de negros cabellos. El pequeño era exactamente aquello por lo cual había rezado.

—Ves, el adivino estaba equivocado —exclamé yo alegremente, ocultando el alivio que sentí en cuanto supe que el hijo de Mui Tsai había nacido vivo y con una salud perfecta.

Si aquel viejo se había equivocado acerca de Mui Tsai, entonces se lo podía considerar como un mero charlatán al cual no había que hacer ningún caso y todas sus predicciones quedaban reducidas a un montón de crueles mentiras. Puse mi dedo en la diminuta palma del bebé y este la agarró enérgicamente, sujetando mi dedo con su manita y negándose a soltarlo.

—Fíjate en lo fuerte que es —la felicité.

Mui Tsai asintió lentamente, como si no osara provocar a los dioses mostrando demasiado orgullo, pero aun así pude ver lo extasiada que estaba. A la claridad de la lámpara su piel parecía tan luminosa como si alguien hubiera encendido una bombilla dentro de su cráneo, pero nunca debes alardear de tu buena fortuna. Eso era lo que creía la gente, al menos. Hacerlo traía mala suerte, había dicho Mui Tsai en una ocasión. Por eso aquella noche besó al bebé dormido sintiéndose llena de felicidad y luego se quejó, sin demasiada convicción, de que la viva imagen de la salud que tenía en sus brazos estaba demasiado flaco. Cuando se fue con su preciosa carga firmemente apretada contra su pecho, me sentí muy contenta por ella. Al fin había encontrado algo a lo cual llamar suyo.

Exactamente un mes después, para corresponderse con el final de su período de confinamiento, su dueño y señor entregó el bebé, todo él rosadito y regordete, a su primera esposa. Mui Tsai se quedó demasiado conmocionada por la traición para poder protestar. Completamente destrozada e incapaz de negarse, lo único que pudo hacer fue aceptar el acostumbrado paquete rojo de *ang pow* con el billete de cincuenta ringgits pulcramente doblado dentro a cambio.

—¿Cómo se ha atrevido a hacer tal cosa el viejo Soong? ¿Es que una madre no tiene ningún derecho? —quise saber yo, atónita.

Mui Tsai me informó con voz abatida de que el hecho de que la primera esposa tuviera derecho a reclamar al primogénito de cualquier concubina o esposa secundaria simplemente era otra costumbre establecida desde hacía mucho tiempo en China.

—Que la más vieja de las esposas pida que se le entregue al hijo de alguien como Mui Tsai es un gran honor —me dijo Mui Tsai—. Creo que es lo mejor para el niño. Ahora tendrá un lugar adecuado en la familia sin que nadie haga ninguna pregunta —añadió con tristeza.

Su pobre corazón estaba destrozado y la bombilla que había brillado tan intensamente dentro de su cráneo acababa de fundirse para siempre.

Yo la miré en silencio, sin saber qué decir. Aquello era sencillamente monstruoso.

Mui Tsai siguió acudiendo a sentarse conmigo algunas noches en las que ya no podía seguir soportando las solitarias llamadas del lémur en el árbol rambután y todavía trepaba por mi ventana con la antigua agilidad que yo recordaba, pero ya todo era distinto. La joven llena de traviesas intenciones que no paraba de reír se había esfumado y en su lugar había un rostro redondo totalmente perdido. Igual que un cachorro abandonado lloriquea sin que pueda comprender la razón que le impulsa a hacer tal cosa, Mui Tsai se sentaba en mi cocina con el mentón hundido en sus palmas. A veces volvía a repasar toda la escena del momento en que le habían arrebatado al bebé.

«¿Qué esperabas? —le había dicho despectivamente su odiosa señora—. ¿Acaso pensabas que ibas a estar por encima de la Primera Esposa?» Luego Mui Tsai me miraba valerosamente y me aseguraba que nunca había esperado llegar a estar por encima de la Primera Esposa. Ella sabía cuál era el lugar que le correspondía, claro está. Era solo Mui Tsai. ¡Pobre Mui Tsai! Yo tenía a mis dos hermosos pequeños mientras ella soportaba saber que otra mujer acunaba a su niño. Cuando miraba a los gemelos dormidos que respiraban suavemente envueltos en sus mantas de algodón, a veces corrían inconteniblemente por su cara lágrimas llenas de amargura. Lloriqueaba audiblemente y luego se limpiaba la cara con las puntas de las mangas para declarar, mansamente y con un hilo de voz, que aquella era la voluntad de los dioses.

Entonces un día volvió a estar encinta. Deleitado por aquel segundo signo de su fertilidad viril, el señor de la casa se apresuró a prometerle que esta vez sí que podría quedarse con el bebé. La Primera Esposa nunca fue a visitar a Mui Tsai y ella se lo tomó como una buena señal. Había aprendido bien su lección. No tener noticias de la vieja matriarca era una buena noticia.

Cuando los gemelos tenían un año y medio, dejé de darles el pecho y me quedé embarazada de nuevo. Mui Tsai y yo volvimos a unirnos para jugar a las damas chinas y reír suavemente bajo la tenue luz de mi lámpara de queroseno. Por las tardes, mientras su señora dormía, Mui Tsai se sentaba en el alféizar de mi ventana y las dos soñábamos juntas sueños imposibles en los que veíamos a nuestros hijos habiendo llegado muy alto. Otras tardes me ayudaba a escardar los lechos de las nueces. Las lavábamos para quitarles el barro, las hervíamos en mi cocina y nos las comíamos cuando todavía estaban muy calientes. Era entonces cuando Mui Tsai solía suspirar y declarar dramáticamente que sus momentos más felices tenían lugar en mi cocina, pero luego comenzó a ponerse cada vez más nerviosa conforme se acercaba la fecha en que debía dar a luz. Los huesos de sus antepasados se agitaban en lo más profundo de su corazón y le recordaban la predicción que había sido entonada en una tienda asfixiante hacía ya más de dos años. Toda una multitud de parientes muertos extendía los brazos hacia ella y deseaba que no tuviera ningún hijo. ¿Sería quizá que la promesa de Soong no significaba nada?

Mui Tsai solía despertar durante la noche con el corazón palpitándole violentamente. Tras levantarse de la cama, salía fuera y comenzaba a pasear a lo largo de su habitación escrutando la noche negra como la tinta en busca de la luz de mi lámpara de queroseno. Si veía su luz, entonces suspiraba con alivio, cerraba la puerta de su habitación sin hacer ningún ruido e iba hacia ella. Muy cargada ya por el peso del embarazo, trepaba a través de la baja ventana de mi cocina. Como una dulce y tenue voz del pasado, todavía puedo oír a Mui Tsai diciendo: «Lakshmi, tú eres mi lámpara en la noche».

Yo siempre me alegraba de ver su carita redonda. A veces hablábamos en susurros y en otras ocasiones nos limitábamos a compartir el silencio. Cuando pienso en esa época ahora, me doy cuenta de lo preciosa que fue. Solo con que entonces hubiera sabido lo que sé ahora, le habría murmurado al oído a Mui Tsai que la quería mucho. Le habría dicho que era mi mejor amiga. Ojalá le hubiera dicho: «Eres mi hermana y esta es tu casa». Puede que yo fuera demasiado joven y estuviese demasiado absorta en la egoísta labor de ser una madre para mis propios hijos. Que Mui Tsai y yo nos sintiéramos tan cerca la una de la otra era algo que yo daba por sentado, y nunca pensé demasiado en ello. A veces Mui Tsai se echaba a llorar sin que pareciera haber ninguna razón para ello y, con la voz más llena de tristeza del mundo, decía que había nacido bajo una estrella muy mala.

Mui Tsai dio a luz otro niño. Dijo que tenía la cabeza cubierta de negros cabellos y que el niño le había sonreído al nacer. Durante el primer día, Mui Tsai lo mantuvo apretado contra su pecho. El segundo día la señora de la casa fue a su habitación. Había un brillo de desdén en sus ojos cuando le dijo a Mui Tsai que el pequeño de la Hermana Mayor había muerto hacía un mes y que tenían el deber de sacrificarse y ayudarla. Mui Tsai tenía que entregar su bebé a aquella mujer que había quedado destrozada por el dolor. La terrible noticia de saber que su primer hijo había muerto resultó todavía más difícil de aceptar para Mui Tsai que la idea de que tenía que renunciar a su segundo hijo. Sacudió la cabeza, sintiéndose muy confusa, y entregó a aquella deliciosa carga suya que olía tan bien. En lo más profundo de su ser, Mui Tsai sabía que su hijo había muerto con el corazón destrozado.

El rostro se le había puesto gris, pero sus ojos se mantuvieron secos incluso cuando aquella mujer llena de malicia tuvo el descaro de decir:

—Eres joven y muy fértil. Hay muchos hijos más dentro de tu vientre.

—¿Y os los quedaréis a todos? —preguntó Mui Tsai en voz tan baja que sin duda la Tercera Esposa no la oyó.

Dos meses después, Anna entró en mi mundo helado y abrasador azotado por la malaria, llegando a él con la piel del color del caramelo y los ojos tan grandes como platos. Las noches eran el peor momento. Primero deliraba con una fiebre que iba consumiéndome poco a poco y luego temblaba incontrolablemente bañada en mi propio sudor. Durante el día, muy debilitada por la niebla de la quinina, sentía a los niños en los brazos de Mui Tsai. Durante diecisiete días, Ayah fue una sombra que se movía y los niños fueron puntitos luminosos que hablaban en susurros junto a la cabecera de la cama con vocecitas llenas de preocupación. A veces sentía los fríos y duros labios de mi marido sobre mi piel pegajosa por el sudor y unos deditos llenos de curiosidad me tocaban la cara, pero siempre parecía más fácil darse la vuelta y hundirse en aquella oscuridad que todo lo aceptaba y lo perdonaba. Cuando todo hubo llegado a su fin, yo había perdido mi leche y mis pechos eran dos pequeñas rocas debajo de mi piel. Mis dedos los encontraban duros y doloridos al explorarlos. Me sentía muy débil y tenía muchas ganas de llorar. La única persona que podía arrancar una tenue sonrisa a mi cara era mi querido Lakshmnan.

Miraba a la pequeña Anna y me sentía llena de compasión. ¡Pobre cosita mía! Ni siquiera tendría derecho a la leche de una madre. Pero era una niñita muy buena con enormes ojos llenos de luz y volví a agradecer que otra criaturita hubiera escapado a los genes estúpidos y simplones de mi enorme marido. Yacía en mi cama y veía cómo Ayah la cogía con tanta cautela como si temiera dejarla caer o hacerle daño, a pesar de que había sostenido desde el primer momento a Mohini en sus brazos como si fuera la más experimentada de las comadronas.

Mui Tsai estaba totalmente prendada del nuevo bebé. Respondía a la presencia de Anna de una manera en que nunca lo había hecho ante la de Lakshmnan o Mohini. Encontraba encanto y alegría en las cosas más insignificantes. «¡Fíjate en lo diminuta que tiene la lengua! Qué bonita es...», exclamaba de pronto mientras su redonda carita se iluminaba con el más puro deleite. Un día regresé del mercado y me la encontré dando de mamar a Anna. Mui Tsai levantó la vista para mirarme con ojos llenos de culpabilidad y dijo que lo sentía mucho, pero que la pequeña había estado llorando porque tenía hambre.

En un repentino instante de lucidez, entonces supe por qué Anna odiaba tanto la leche de lata. Con las orejas ardiendo, escuché la explicación de Mui Tsai. Me contó cómo se le había secado la leche cuando se llevaron a su pequeño y cómo el primer grito ancestral emitido por Anna hizo que sus pechos volvieran a llenarse súbitamente. En ese mismo momento y precisamente allí, delante de mi marido que no sabía qué cara poner, su blusa había quedado embarazosamente mojada.

¡Claro! Nunca se me había ocurrido hasta aquel instante, pero ella era la que había alimentado a Anna durante los diecisiete días en que yací delirando a causa de la fiebre. Solo con la mayor dificultad conseguí reprimir la repugnancia instintiva que sentí al saber que alguien que no era yo le había dado el pecho a mi niña. Me dije que era su terrible pérdida la que había hecho que Mui Tsai se tomara semejante libertad. Lo comprendía, o al menos eso fue lo que me dije a mí misma. Quería ser magnánima. Mui Tsai había perdido muchísimo. ¿Qué mal había en que diera de mamar a mi pequeña? Mis pechos seguían secos y los suyos todavía permanecerían llenos de leche durante muchas semanas. De esa manera, fueron los pequeños y nada desarrollados pechos de Mui Tsai los que chupó la boquita rosada de Anna. La maternidad es una cosa muy rara que da muchas cosas y quita otras tantas. Hubiese debido sentirme llena de gratitud, pero no fue así. Aunque no dije nada, yo no era lo bastante generosa para pasar por alto aquello.

Levanté un pequeño muro entre nosotras.

No era un muro muy alto, pero la pobre Mui Tsai tenía que escalarlo cada vez que quería llegar hasta mí. Ahora siento haber levantado aquel muro. Mui Tsai era la única amiga que tenía y yo le volví la espalda. Ahora ya es demasiado tarde, claro está. Les digo a todos mis nietos que nunca deben levantar muros, porque en cuanto has empezado a levantarlo entonces el muro se adueña de todo. Es algo que forma parte de su naturaleza, porque un muro siempre quiere seguir levantándose a sí mismo hasta que llegue a ser tan alto que ya no pueda ser escalado.

Cuando Mohini tenía tres años, pilló un resfriado. En menos de una semana, el resfriado se había convertido en una aterradora ronquera asmática. Mi pequeña, totalmente indefensa, permanecía sentada en mi gran cama plateada con tres almohadas sosteniéndole la espalda y luchaba penosamente con la difícil tarea de respirar, sus hermosos ojos llenos de miedo y su boca convertida en una aterradora línea azulada. Yo oía dentro de su diminuto pecho el cascabeleo de una peligrosa serpiente fingiendo ser un juguete infantil. El cascabeleo de la serpiente hacía llorar a su padre.

Probé con todos los remedios tradicionales que se me ocurrieron y con todo lo demás que me aconsejaron las señoras del templo. Froté el pecho jadeante de Mohini con bálsamo de tigre, sostuve su cuerpo aullante encima de los acres humos de las hierbas y obligué a su garganta a tragar pequeñas píldoras negras ayurvédicas. Luego su padre recorrió toda la distancia hasta Pekan a bordo de un autobús para comprar pichones verdes. Se los veía muy monos dentro de la jaula, zureando y moviendo sus bonitas cabezas, pero yo sujeté atrapados sus cuerpecitos que se debatían debajo de la palma de mi mano y les corté las cabezas. La pequeña Mohini comió la carne purpúrea trinchada y asada con clavos, raíz negra y azafrán. La Primera Esposa de aquella casa tan rara que había al lado de la nuestra trajo un paquete aplastado de insectos secados especialmente que habían sido envueltos con papel de periódico. Una inspección más atenta reveló bichos muertos, hormigas, abejorros, cucarachas y saltamontes enredados unos con otros en un amasijo de patas, tan resecos que crujían entre sí y chirriaban ásperamente contra el papel dentro del cual llegaron. Los herví en agua hasta que la mezcla marrón quedó reducida a un tercio de su masa original y luego los eché dentro de la boca de la pobre niña. Pero todo aquel esfuerzo no sirvió de nada.

Había ciertas horas aterradoras, cuando ya era noche cerrada, en las que Mohini se ponía de un feo color azul debido a la falta de oxígeno. En el hospital, un médico le dio unas pildoritas rosadas que hicieron que su cuerpo temblara y se estremeciera incontrolablemente. Los estremecimientos me asustaban todavía más que aquel cascabeleo de serpiente que resonaba dentro de su pecho. Transcurrieron dos días infernales. Ayah hundía la cabeza en las manos igual que un viejo, impotente y abatido. La radio guardaba silencio. Mi marido se echaba la culpa de lo que estaba ocurriendo. Era él quien había llevado a Mohini a dar un paseo y había dejado que se mojara cuando de pronto empezó a llover.

Yo quería culparlo, pero no había nadie a quien culpar. Era yo la que le había pedido que se llevara a la niña a dar un paseo. Recé. ¡Cómo recé! Pasé horas arrodillada en el frío suelo del templo y, postrándome sobre él, rodaba de un lado a otro del templo para demostrar hasta dónde llegaba mi devoción. No soy más que un humilde insecto. Dios mío, te ruego que me ayudes. El buen señor del cielo no podía abandonarme en esos momentos.

La tercera tarde Mui Tsai entró corriendo en mi cocina con la idea más ridícula imaginable. Dejé de remover las lentejas que se estaban cociendo en yogur y, sujetándome con las manos la barriga que no paraba de crecer, escuché mitad perpleja y mitad llena de incredulidad las palabras llenas de excitación que salieron a toda prisa de la pequeña boca de Mui Tsai. Yo ya estaba sacudiendo la cabeza cuando ella todavía no había terminado de hablar.

—No —dije, pero a mi voz le faltaba convicción.

La verdad era que yo estaba lista para probar cualquier cosa. Quería ser persuadida.

Mui Tsai se apresuró a hacerlo.

—Dará resultado —insistió apasionadamente.

—Es una idea repugnante. ¡Qué asco! ¿A quién se le ha podido ocurrir una idea tan asquerosa? Con todo...

—Dará resultado. Pruébalo, por favor. La *sinseh* de mi señor es muy, muy buena. Viene directamente de Shanghai.

—Es una idea imposible. ¿Cómo puedo obligar a la pobrecita a que haga tal cosa! ¡Pero si ahora ya apenas puede respirar! Podría morir asfixiada.

—Tienes que hacerlo. ¿Quieres verla curada de esta terrible enfermedad?

—Por supuesto que sí, pero...

—Bueno, pues entonces inténtalo.

—¿No es más que una rata corriente?

—No, claro que no. Es una rata de ojos rojos criada especialmente. Y cuando acaba de nacer no tiene pelo. Es rosada y apenas tiene el tamaño de mi dedo.

—Pero Mohini tiene que tragársela viva, ¿no?

—Los primeros minutos después de haber nacido todavía no se mueve. Mohini puede tragársela con un poco de miel. No le digas lo que es.

—¿Estás segura de que realmente funcionará?

—Sí, en China muchas personas lo han hecho. La *sinseh* es muy lista. No te preocupes, Lakshmi. Pediré ayuda a la señora Soong.

—¿Cuántas ratas tendrá que tragarse?

—Solo una —se apresuró a decir Mui Tsai—. ¿Estás de acuerdo?

Pero la pequeña Mohini nunca tuvo que llegar a tragarse la rata de Mui Tsai después de todo. Su padre se negó a permitirlo. Por primera vez desde que lo conocí, sus negros ojillos relucieron con un destello de ira.

—Nadie dará de comer una rata viva a mi hija. ¡Malditos bárbaros! —gritó con voz de trueno antes de ir a ver a Mohini, momento en el que volvió a su cariñoso y balbuceante yo habitual.

Ayah odiaba las ratas. Le bastaba con verlas desde lejos para sentirse lleno de asco. No se me ocurre ninguna razón para ello, pero el caso es que Mohini comenzó a recuperarse y en unos días estuvo mejor. Hasta muchos años después, no pedí que me trajeran a la cría de la rata de ojos rojos criada especialmente.

Sevenese llegó al mundo a medianoche. Cuando nació, el encantador de serpientes estaba tocando su flauta y las suaves notas llenas de soledad que acompañaron al nacimiento de Sevenese casi fueron un presagio para la extraña persona en que llegó a convertirse. La comadrona lo envolvió, rojo oscuro en una toalla limpia, y me lo ofreció. Bajo su piel transparente, la sangre de Sevenese palpitaba a través de una telaraña de diminutas venas verdes. Cuando abrió los ojos, vi que eran oscuros y estaban extrañamente alerta. Exhalé otro suspiro de alivio. Sevenese no se parecía en nada a mis hijastros.

De pequeño, Sevenese tenía una sonrisa encantadora y una respuesta llena de descaro siempre lista en su lengua. Con sus cabellos rizados y su traviesa sonrisa, era irresistible. En aquellos primeros tiempos yo me sentía muy orgullosa de lo listo que era. De pequeño ya se sentía atraído por todo aquello que se salía de lo corriente. La casa del encantador de serpientes se alzaba junto a la curva del camino y lo atraía igual que un imán. Incluso después de que yo le hubiera prohibido ir a aquella casa, Sevenese se escapaba en secreto y pasaba horas allí, tentado y fascinado por los extraños encantos y pociones de aquella casa. Tan pronto estaba en el patio como había desaparecido para ir a aquella horrible casa. Había algo ausente, inacabado o distinto dentro de él que lo impulsaba a seguir adelante, buscando y buscando sin encontrarlo jamás. Muchas noches entraba corriendo en la cocina después de haber sido súbitamente despertado por mórbidos sueños que hacían que el vello de los antebrazos se le pusiera de punta. Enormes panteras de relucientes ojos saltaban de su pecho con un rugido para luego volverse y darse un banquete con su cara. En una ocasión vio mi muerte. Me vio yaciendo dentro de una gran caja. Sobre los párpados de mis ojos cerrados había monedas y niños a los que él no reconoció caminaban alrededor de mí con varitas encendidas en las manos. Viejas damas cantaban himnos religiosos con ásperas voces. Mohini, ya crecida y con una criatura en su regazo, estaba llorando en un rincón. Cuando soñó mi muerte, Sevenese nunca había visto un funeral hindú y aun así lo describió con tan asombroso detalle que un escalofrío helado recorrió mi espalda. Nunca podré entender a Sevenese.

Cuando Anna tenía dos años y medio, un día volví del huerto inesperadamente y me quedé inmóvil. Anna tenía medio cuerpo metido dentro del *samfu* azul y blanco de Mui Tsai. Yo estaba asombrada, porque suponía que ya hacía mucho tiempo que Mui Tsai había dejado de darle el pecho a Anna. Aquel secreto era como una traición. No me pareció normal que mi pequeña de dos años y medio todavía fuera amamantada. La ira surgió del barro negro que se escondía dentro de mi estómago. Un resentimiento abrasador me hizo olvidar que yo había mamado del pecho de mi madre hasta casi los ocho años. Palabras horribles y crueles se congregaron en mi garganta. Abrí la boca y entonces me di cuenta de que Mui Tsai, sin percatarse de que mis ojos estaban clavados en ella, tenía la mirada perdida en el horizonte mientras lágrimas silenciosas resbalaban por sus afligidas mejillas. Vi que su angustia era tal que di media vuelta y me mordí la lengua. La sangre corría rápidamente por mis venas. Mui Tsai todavía era mi amiga, mi mejor amiga. Me tragué el veneno que había llenado mi boca.

De pie detrás de la puerta de la cocina, respiré profundamente y luego llamé a Anna empleando el tono de voz más normal del que fui capaz. Mi hija llegó corriendo sin que en su rostro hubiera nada más que inocencia. No había traición alguna por su parte. Yo seguía sintiendo cómo la bestia extrañamente horrible de los celos se agitaba en mi pecho. Los celos son implacables y nunca llegaré a saber por qué permitimos que se escondan tan cerca de nuestros corazones. Los celos fingen perdonar, pero nunca lo hacen. Sin dejarse conmover por los lobos que Mui Tsai había visto esperarla agazapados en su futuro destruido, o por los negros cuervos de la desesperación que describían círculos sobre su cabeza, me susurraron al oído que Mui Tsai anhelaba robarme a mi hija para quedársela. Estreché a la pequeña Anna entre mis brazos y entonces ella depositó un húmedo beso en mi mejilla.

—La tía Mui Tsai está aquí —dijo.

—Oh, qué bien —exclamé yo alegremente, pero a partir de entonces procuré no permitir que Anna se quedara a solas con Mui Tsai.

El tiempo ardió rápidamente a través de los meses como varitas de incienso encendidas y fue dejando finas cenizas blancas sobre mi cuerpo, cambiándolo. Ya casi tenía diecinueve años. Era toda una mujer. Mis caderas se habían ensanchado con el acto de la creación y mis pechos estaban llenos de leche. Mi cara también estaba cambiando. Los pómulos aparecieron. Una nueva sensación de seguridad en mí misma había entrado en mis ojos para instalarse dentro de ellos. Los niños crecían rápidamente, llenando la casa con risas y chillidos infantiles. Yo era feliz. No podía haber una sensación más agradable que la de estar sentada en el exterior de la casa al atardecer viéndolos jugar, con los paños de tela blanca que yo utilizaba como pañales, las camisitas de Lakshmnan y los vestiditos de Mohini ondeando al viento. Sabía que yo había sacado el mejor provecho posible de las circunstancias y me aferraba a esa idea. Todos mis hijos eran hermosos y ninguno de ellos se hallaba afligido por aquello que mis hijastros soportaban sin quejarse.

Mui Tsai se cortó los largos cabellos hasta dejárselos a la altura de los hombros. Las dos volvíamos a estar embarazadas. En aquellos tiempos, cada momento de descuido en la oscuridad llevaba consigo años de responsabilidades y penas. Los redondos y enormes ojos del pequeño Sevenese contemplaban a Mui Tsai mientras ella andaba con el paso lento y pesado de los condenados.

Esta vez su dueño y señor había sido tajante en su promesa. Mui Tsai me dijo que el viejo Soong parecía sincero y no había nada que yo pudiera hacer o decir. Sus ojos carentes de expresión me miraban con una falta de emociones que yo nunca había visto antes en ella. Mui Tsai era como un animalito cuya pata ha quedado atrapada en una trampa. Incluso entre las sombras proyectadas por mi lámpara, yo podía ver los gritos silenciosos reluciendo en sus ojos. Antes, ella y yo siempre hablábamos de todo. Discutíamos incluso los secretos del dormitorio, porque nada era lo bastante grande para que fuera un secreto entre nosotras. Ahora estaba mi callado y mezquino muro y Mui Tsai se alzaba al otro lado de él, sola, desgraciada y mirándome en silencio. Yo tenía a mis hijos y ella tenía las visitas de su dueño y señor y sus embarazos inútiles.

Pero seguíamos siendo amigas, me decía a mí misma negándome tozudamente a derribar el muro. Cuando eres joven, te resulta muy difícil destruir un muro que has edificado con los rojos ladrillos del egoísmo para luego sujetarlos con el cemento gris del orgullo.

Después de que Mui Tsai hubiera dado a luz, mantuve encendida la lámpara de queroseno hasta altas horas de la noche y me quedé sentada junto a la ventana, esperando oír sus pasos y cómo su voz cantarina me preguntaba en un susurro si todavía estaba despierta. Las semanas fueron transcurriendo, pero la redonda carita de Mui Tsai nunca apareció en mi ventana. En el fondo de mi corazón yo ya sabía lo que había ocurrido, claro está. Un día la vi por casualidad. Por aquel entonces mi embarazo ya estaba muy avanzado, pero desde mi porche vi a Mui Tsai sentada en uno de los asientos de piedra verde con los codos apoyados en la gruesa mesa de piedra. Con la cabeza baja, estaba mirando el suelo. Sus lacios cabellos habían caído hacia delante, ocultando su rostro. Me calcé las zapatillas y me apresuré a ir con mis torpes andares hasta el muro que rodeaba la propiedad del viejo Soong. Llamé a Mui Tsai y ella volvió apáticamente la cabeza hacia mí. Por un instante se limitó a mirarme en silencio. En ese momento sentí como si no la conociera, como si nunca la hubiese conocido. Era una persona distinta. Luego se levantó como de mala gana y se aproximó a mí.

—¿Qué ha sucedido? —pregunté, aunque ya lo sabía.

—La Segunda Esposa tiene al bebé —dijo Mui Tsai, con el rostro vacío de toda expresión—. Pero el señor de la casa dice que podré quedarme con el próximo. ¿Dónde está Anna? —preguntó, y entonces una sombra de emoción apareció en su cara.

—Ven a verla. Se está poniendo muy grande muy deprisa.

—Pronto iré a visitarla —dijo ella suavemente con una tenue sonrisa—. Será mejor que te vayas antes de que te vea la señora. Adiós.

Las cortinas de una de las ventanas temblaron y volvieron a quedar inmóviles. Antes de que yo pudiera decirle adiós, Mui Tsai ya había dado media vuelta y estaba andando hacia la casa. No volví a preocuparme por ella durante mucho tiempo, porque aquella tarde me enteré de que mi marido había sufrido un accidente. Mientras iba al banco en su bicicleta, una moto había chocado contra él. Me tragué la noticia de que había sido llevado al hospital inconsciente igual que si fuera un enorme objeto. Fue como tragarse un guijarro marrón que ha pasado mucho tiempo en el fondo de un arroyo, algo duro que no sabe a nada pero está muy liso.

La piedra era un peso dentro de mi estómago cuando los niños y yo tomamos un taxi para ir al hospital. Yo estaba muerta de miedo. El pensamiento de que tendría que criarlos yo sola sin disponer de alguien que ganara el pan se extendía como un enorme agujero negro delante de mí. Llevé a los niños a la unidad de urgencias e hice que se sentaran en uno de los largos bancos que había en la sala de espera. Los pequeños deslizaron sus cuerpecitos entre una mujer que gemía y un hombre con un terrible caso de elefantiasis. Los dejé contemplando la pierna enormemente hinchada de aquel pobre hombre y fui por un pasillo. Allí vi el cuerpo inmóvil de Ayah que yacía encima de una estrecha camilla que habían arrimado junto a la pared del pasillo. Corrí hacia él, pero cuanto más me acercaba más asustada me sentía. Tenía una herida que le había abierto la cabeza igual que si fuera un coco y roja sangre manaba de ella, manchándole los cabellos, derramándose sobre su camisa y acumulándose debajo de su cabeza. Yo nunca había visto tanta sangre en toda mi vida. En el rostro ensangrentado de mi marido, cuatro de sus dientes delanteros —aquellos mismos dientes que tan poca gracia me habían hecho en nuestra boda— habían desaparecido. Un agujero más negro que el rostro de

Ayah me miraba fijamente, pero lo que me dejó realmente conmocionada fue su pierna. El hueso se había roto y sobresalía de su carne rosada. Verlo hizo que me sintiera extrañamente débil y tuve que agarrarme a algo para no desmayarme. Lo que tenía más cerca era la pared del pasillo y me apoyé pesadamente en ella. Llamé a mi marido sintiendo la solidez de la pared junto a mi espalda, pero Ayah estaba inconsciente.

Unos enfermeros llegaron a toda prisa por el pasillo y empujaron la camilla hasta hacerla desaparecer por las dobles puertas batientes de la sala de urgencias. Me quedé apoyada en la pared, confusa y aturdida. Notaba flojas las rodillas. El bebé que llevaba dentro de mí comenzó a dar patadas y sentí que los ojos se me llenaban de lágrimas. Volví la mirada hacia el banco, los niños estaban sentados muy quietecitos el uno al lado del otro, mirándome con sus grandes ojos llenos de miedo. Les sonreí y fui hacia el banco. Mis rodillas parecían haberse vuelto de gelatina. Los niños se apresuraron a pegarse a mí.

Lakshmnan me rodeó el cuello con sus delgados bracitos.

—*Ama*, ¿ahora ya podemos irnos a casa? —susurró con una vocecita muy rara.

—Pronto —dije yo con un hilo de voz, estrechando su cuerpecito entre mis brazos con tanta fuerza que de los labios del pequeño escapó un gimoteo.

Los niños y yo esperamos durante horas y ya había anochecido antes de que nos fuéramos sin haber tenido noticias. Ayah seguía inconsciente. Una vez dentro del taxi, los gemelos me miraron solemnemente. Anna se quedó dormida chupándose el pulgar y el pequeño Sevenese soltaba burbujitas. Los miré y de pronto entendí lo que había sentido aquella viuda que tiró a sus dieciséis hijos dentro de un pozo antes de saltar a él. Me aterraba pensar que tendría que criar a mis hijos yo sola. Era como ir tambaleándose por un túnel muy negro, con las voces de mis pequeños resonando a mi alrededor.

Les di de cenar y los acosté. Estaba demasiado afectada para comer algo y me senté en mi banco a contemplar las estrellas. «¿Por qué yo? —preguntaba una y otra vez—. Mi queridísimo dios, ¿por qué haces que mi vida siempre esté llena de sufrimientos?» Aquella noche esperé a Mui Tsai y la eché muchísimo de menos cuando no vino.

Cuando los niños despertaron a la mañana siguiente, les preparé el desayuno y volvimos a ir al hospital. Una figura gris con un vendaje muy blanco yacía inconsciente en una cama. Llevé a los niños a casa para darles de comer y, sintiéndome incapaz de enfrentarme al trayecto de vuelta al hospital, me senté y lloré. Aquella tarde llevé a los niños al templo. Dejé al pequeño Sevenese en el frío suelo y luego puse a mis niños en fila delante de mí y rezamos.

—No nos abandones ahora, Ganesha, te lo ruego —supliqué—. Mis hijos son tan pequeños e inocentes... Devuélveles a su padre, por favor.

Al día siguiente tampoco hubo noticias. Ayah seguía inconsciente.

Cuando miraba hacia abajo, veía que alguien había colgado de mis manos las cuentas del miedo y la preocupación. Reflejaban la luz y centelleaban desde lejos. Distraída por su silencioso tintineo, hice lo impensable. Dejé de comer. Me había olvidado de la personita que llevaba dentro. Durante cuatro días hice pasar hambre a mi pobre bebé, que no tenía la culpa de nada. Al quinto día desperté en mi banco, sin saber dónde estaba y con todo el cuerpo dolorido.

Vi cómo mis hijos tomaban su desayuno preferido de puré hecho con raíz púrpura. Cuando estás sola y asustada, ver comer a unos niños es algo que te parte el corazón. Los pequeñines masticaban con las bocas abiertas, haciendo que el puré de color púrpura diera vueltas alrededor de sus lengüecitas rosadas. Un poco más de púrpura goteaba sobre la camisa blanca de Sevenese. Los miré, tan pequeños y faltos de protección, y el miedo hizo que me diera vueltas la cabeza. Al día siguiente cumpliría diecinueve años. Las lágrimas llenaron mis ojos de escozor y volvieron borrosa la conmovedora imagen de mis hijos, su delicioso desaliño y sus minúsculos dientes. A veces una cara se echa a llorar mientras su dueño se mantiene alejado de los demás y hace planes terribles, ve cosas terribles. Eso fue lo que me ocurrió a mí. Vi morir en la lejanía todos aquellos sueños y esperanzas a los que tantos esfuerzos había dedicado. Contemplé cómo la carne se desprendía de mis sueños. Era un espectáculo aterrador. Cuando aparté los ojos de aquella horrible visión, entonces vi a mi destino riéndose burlonamente en un rincón con mis sueños que ya no tenían carne prisioneros dentro de su caja de hierro.

El miedo estalló convirtiéndose en violencia.

Corrí a la sala de oraciones. Metí un dedo tembloroso en el cuenco plateado del kum kum rojo y pinté en mi frente un punto rojo tan grande y tan desigual que casi la cubrió toda ella. «¡Mira, mira! —le grité a la imagen de Ganesha—. Todavía tengo un marido.» Ganesha me devolvió la mirada sin inmutarse. Todos los dioses a los que he rezado hasta allí donde alcanza mi memoria siempre me han devuelto la mirada con exactamente la misma expresión de satisfacción ensimismada que habían lucido durante todos aquellos años, y durante todos esos años yo he tomado aquella media sonrisa por una amable munificencia. Todas las cosas que se habían ido cargando de violencia burbujearon dentro de mi cráneo hasta convertirse en palabras llenas de furia que aparecieron súbitamente en mi lengua.

—Si tienes que hacerlo, entonces llévatelo. Conviérteme en viuda como regalo de cumpleaños —desafié a Ganesha, con la voz incoherente por la rabia mientras mis manos hacían desaparecer el punto rojo que me había pintado en la frente—. ¡Venga, adelante! —chillé salvajemente—. Pero no se te ocurra pensar que ahogaré a mis hijos en un pozo, o que me acostaré y me dejaré morir. Seguiré adelante. Alimentaré a mis hijos y haré algo de ellos. Así que ya puedes seguir adelante: llévate contigo a ese hombre que no sirve de nada. Si ha de ser tuyo, quédate con él.

En el mismo instante en que mi boca se cerraba sobre aquellas palabras tan duras y horribles, y juro que esto es verdad, alguien gritó mi nombre desde fuera de la casa. En la puerta había una señora a la que yo conocía del templo que trabajaba como limpiadora en el hospital. Había venido a decirme que mi marido había despertado. Estaba bastante confuso y aturdido, pero había preguntado por los niños y por mí.

La miré fijamente, sin saber qué pensar. ¿Sería la mensajera del dios? Entonces vi cómo sus ojos subían hacia el borroso manchón de mi frente y me acordé de que llevaba tres días sin bañarme.

—Déjeme darme una ducha rápida —le dije, con mi corazón latiendo muy deprisa.

Hienas que llevaban flores celestiales en sus terribles fauces anduvieron por encima de mí. El dios había respondido a mis plegarias. Me había escuchado. La cabeza me daba vueltas de pura alegría. El dios solo había estado poniéndome a prueba, jugando conmigo igual que yo hacía con mis hijos.

Me eché un cubo de agua fría por la cabeza y, de pronto, no pude respirar. Quizá fuese la súbita conmoción que el agua fría causó en mi cuerpo debilitado o el hecho de que apenas había comido durante cinco días, pero mis pulmones parecieron quedar paralizados. Se negaban a tragar aire. Mis rodillas cedieron, y me caí al suelo mojado mientras mis manos golpeaban apremiantemente la puerta. La mensajera del dios llegó corriendo a ayudarme. Reflejado en sus ojos había horror y no asombro maravillado. Una mujer desnuda horrendamente embarazada que tenía los labios azulados y el rostro crispado en una mueca estaba retorciéndose en el suelo de un cuarto de baño. Lo más extraño es que aunque la claridad deja de existir en ese momento, todavía puedo recordar haber visto cómo los bordes del sari verde lima de la mensajera se volvían de un verde botella cuando entraron en contacto con el agua. Me levantó del suelo con cierta dificultad, jadeando a causa del esfuerzo. Mis miembros mojados no paraban de resbalar entre sus pequeñas manos, escapándosele de los dedos. Pensar que estaba muriéndome me llenó de terror y me apoyé en las grises paredes, boqueando como un pez hasta que los músculos de mi pecho se aflojaron inexplicablemente y las apretadas bandas de acero que me oprimían fueron relajándose. Pequeñas inspiraciones de aire se volvieron posibles. La mensajera cubrió mi cuerpo con una toalla y, poco a poco, aprendí a respirar normalmente como hacen todos los hijos de los dioses. De pronto los niños, confusos y traumatizados, se lanzaron sobre mí entre chillidos y sollozos.

Unos días después llevamos a casa a mi marido y unas semanas más tarde cogió un rickshaw para ir a trabajar. Las cosas fueron volviendo lentamente a la normalidad, excepto por un ligero jadear que oía dentro de mi pecho las noches en que hacía mucho frío.

Cuando nació, Jeyan supuso una terrible sorpresa para mí. Sus ojillos apenas relucían en una cara grande y cuadrada y sus miembros eran terriblemente delgados. Besé delicadamente los párpados cubiertos de rocío de sus minúsculos ojos medio cerrados y esperé que todo fuese lo mejor posible, pero incluso entonces ya sabía que Jeyan nunca llegaría a ser gran cosa. La vida lo trataría con el mismo desprecio que había reservado para su pobre padre. Por aquel entonces yo no sabía que sería el instrumento que utilizaría la vida para atormentar a mi propio hijo. La mente divina había considerado apropiado limitarse a liberar solo algunas palabras, dejando un montón de espacios en blanco entre ellas. Jeyan no habló hasta que ya casi tenía tres años. Se movía igual que pensaba, muy lentamente. Me recordaba a aquellos hijastros míos a los que tan bien había sabido relegar a las profundidades de mi mente. A veces se me ocurría preguntarme con una súbita punzada de culpabilidad si la terrible conmoción que había experimentado en el cuarto de baño, cuando me eché aquel cubo de agua fría por encima de la cabeza, sería la responsable de su estado, o si no habrían sido quizá aquellas cuentas de cristal que me hicieron olvidarme de la comida.

Mohini lo encontraba encantador. Acunaba su oscuro e inmóvil cuerpo en sus blancos brazos y le decía que su piel era tan hermosa como la piel azulada del pequeño Krishna. Él la miraba con ojos llenos de curiosidad. Jeyan era un observador nato. Te seguía con los ojos por la habitación igual que hubiese hecho un gato. Yo me preguntaba qué podía pasarle por la cabeza. A diferencia de mis otros hijos, Jeyan se negaba a sonreír. Hacerle cosquillas solo provocaba cortos ladridos de risa involuntaria, pero el sonreír como un arte se le escapaba.

Ocho meses después de que naciera Jeyan, Mui Tsai tuvo otro bebé. Cuando la Primera Esposa llegó a reclamarlo, el diminuto recién nacido gritó hasta que se le puso toda la cara roja. Su presencia era necesaria para que le hiciera compañía a «su» primer hijo que, dada la ausencia de hermanos y hermanas, estaba empezando a volverse demasiado mimado y travieso para que ella pudiera controlarlo.

Diciembre llegó trayendo consigo no solo sus habituales lluvias de los monzones, sino también un nuevo bebé. La señora Gopal, que estuvo presente en el parto, se mostró muy práctica y decidida. «Más vale que no coma tantas de esas gambas que son tan caras y empiece a ahorrar ahora mismo para la dote de la niña», me aconsejó mientras hacía tintinear las llaves que colgaban de su bata. Mi pobre hija tenía el color y la textura del chocolate amargo. Incluso de bebé, Lalita ya era extraordinariamente fea. Los dioses estaban empezando a volverse bastante descuidados con sus regalos, primero con Jeyan y ahora con aquella pulguita que me miraba con ojos llenos de pena. Eran como los ojos ya medio apagados de una mujer muy vieja y triste, y me miraban como diciendo: «Ah, pobre tonta. Si supieras lo que yo sé...». Era como si mi Lalita ya supiera en aquel entonces que su chato rostro estaba condenado a tropezarse con la infelicidad.

Decidí que mi descendencia ya se hallaba completa. La olla estaba llena y se habían acabado los momentos de descuido en la oscuridad. Los meses no añadieron demasiada carne a Lalita. Miembros delgados hasta el punto de lo demacrado se agitaban apaciblemente alrededor de su cuerpo. Era tan callada como su padre. Nunca fue muy dada a las muestras de afecto, pero creo que quería mucho a Ayah. Lalita veía cómo todo aquello que estaba mal en ella era perdonado de manera incondicional en los ojos de él. Tremendamente tímida e imposible de provocar, vivía en su propio mundo de fantasía. Pasaba horas en el huerto dando la vuelta a las hojas y las piedras, mirando debajo de ellas y susurrándoles secretos a las cosas invisibles que encontraba allí. Cuando creció y sus amigos invisibles la abandonaron, la vida fue muy cruel con ella. Lalita soportó todo lo que esta le arrojaba sin ofrecer ya no solo resistencia, sino sin un solo murmullo siquiera.

Cuando Jeyan tenía un año y medio, se cansó de andar a gatas y quiso ponerse en pie, pero sus delgadas piernas eran demasiado débiles para que pudieran sostener su peso. Mi madre me aconsejó que cavara un hoyo en la arena y lo metiera dentro. Enterrado de aquella manera, poco a poco los miembros de Jeyan irían volviéndose fuertes y resistentes. Cavé un hoyo de medio metro de profundidad al lado de la ventana de la cocina, allí donde podría tenerlo a la vista mientras cocinaba, y por las mañanas metía en él a Jeyan para dejarlo allí tres horas seguidas. Mohini solía sentarse junto a él para hacerle compañía. Sus miembros fueron mejorando lentamente y el hoyo volvió a ser tapado en cuanto pudo sostenerse sobre sus propios pies.

Cuando Lakshmnan y Mohini tenían seis años, empezaron a ir a la escuela. Por la mañana iban a la escuela principal en la que aprendían inglés; por la tarde, a la escuela nativa en la que se les enseñaba a leer y escribir el tamil. Lakshmnan tenía que llevar unos pantalones cortos de color azul marino y una camisa blanca de manga corta; y Mohini, un vestidito azul oscuro con una camisa blanca debajo. Calcetines blancos y zapatos de lona blanca completaban el atuendo. Cogidos de la mano, Lakshmnan y Mohini caminaron junto a mí. Mi corazón se hinchaba de orgullo al verlos llenos de una nerviosa excitación. ¡El primer día en la escuela! Para mí también era el primer día. Nunca había ido a la escuela y me sentía muy feliz de poder dar a mis hijos algo que yo nunca había tenido. Salimos de casa muy temprano y antes de ir a la escuela pasamos por el templo. Aquella fresca mañana, puse sus libros escolares en el suelo junto al altar para que fueran bendecidos. Después Lakshmnan hizo sonar la campana y yo aplasté un coco para pedir la bendición de los dioses.

Yo tenía veintiséis años, y Lalita ya había cumplido los cuatro, cuando llegó una postal de mi tío el comerciante en mangos. Su hija iba a contraer matrimonio y todos estábamos invitados a la boda. Mi marido ya había gastado todos sus permisos y vacaciones y no podía ir. Cogí mis mejores saris, mis joyas y mis zapatillas con cuentas doradas, y a mis hijos y sus mejores ropas.

El mismo reluciente coche negro que nos había traído a Ayah y a mí desde el puerto de Penang llegó a recogernos, pero Bilal ya se había retirado. Otro hombre vestido con un uniforme color caqui nos sonrió con una sonrisa sin dientes, se llevó cortésmente la mano a la gorra y metió nuestro equipaje en el maletero del coche. Yo había llegado allí siendo una niña, pero entonces los cuerpecitos llenos de excitado parloteo que había gestado en mi vientre me rozaban y chocaban conmigo. El pasado rieló brevemente en el fresco aire de la mañana. Me acordé de la dama de los pies deformados y del cortejo de los lavadores de dulang como si ya hiciera toda una existencia de aquello. ¡Cómo había cambiado la vida! ¿Hasta qué punto habían sido generosos los dioses conmigo? Fuera de la tenue burbuja de mis pensamientos, los niños se peleaban entre sí para disfrutar de la ventanilla. Mi mano se extendió automáticamente para apartar de un cachete los dedos con los que Sevenese pellizcaba la oscura carne de Jeyan.

Anna no tardó en estar terriblemente mareada y Lakshmnan, instalado como un rey en el asiento delantero con la ventanilla bajada y el viento soplando en sus rizados cabellos, se volvió para observarla con una mezcla de curiosidad y disgusto. Vi los ojos del chófer clavados en Mohini por el espejo retrovisor y reprimí un bufido de irritación. Tenía que darme prisa en casarla. La responsabilidad de una gran belleza es un peso terrible para la cabeza de un padre o una madre. Mohini tenía diez años y ya atraía demasiadas miradas adultas. A veces pasaba una de mis muchas noches de insomnio preocupándome al respecto. Espíritus amigos aparecían en mi cocina para susurrarme advertencias al oído. Hubiese debido escucharlos. Hubiese debido tener más cuidado y dejar que su piel blanca quedara expuesta al sol para que fuera cociéndola. Hubiese tenido que coger la navaja de afeitar de su padre con mis propias manos para llevarla a su carita.

En la residencia de mi tío me aguardaba una auténtica sorpresa. En primer lugar porque vivía en lo alto de una colina, y generalmente las colinas estaban reservadas a los europeos; y en segundo lugar porque vivía en una casa de dos pisos muy grande, de hecho enorme, de magníficas habitaciones, porches con columnas y un impresionante tejado inclinado. Había sido construida, me explicaría orgullosamente mi tío más tarde, en el estilo regencia inglés de John Nash. Escuché a mi tío con la expresión de respeto impresionado propia de una campesina mientras este me informaba, dándose aires de grandeza, de que las líneas arquitectónicas angloindias de estilo clásico de su hogar iban estrechamente asociadas con el humanismo y los ideales de la posición social, el prestigio y la elegancia.

La tercera y totalmente inesperada sorpresa fue la impresión que tuve enseguida de que la esposa de mi tío, que nunca me había visto antes de aquel día, me odiaba. Lo sentí desde el momento en que abrió la puerta y me sonrió. Mi primera reacción fue no dar un paso más, pero el momento pasó en cuanto mi tío corrió hacia mí y me envolvió en un gran abrazo de oso. Miró a Mohini con incrédula admiración y sacudió la cabeza en satisfecha aprobación al ver lo alto y fuerte que se había puesto Lakshmnan. Pero fue Anna la que hizo que se echara a llorar cuando alzó solemnemente la mirada hacia él. Anna era pequeña para su edad. Tenía unos ojos que te suplicaban que la cogieras en brazos y unas mejillas de manzana que hacían que te entraran ganas de morderla.

—¡Fíjate en su cara! —exclamó mi tío, cogiéndola en brazos y pellizcándole suavemente las mejillas—. Es el vivo retrato de mi madre.

Se secó las lágrimas que se habían acumulado en sus ojos. Luego se arrodilló en el suelo, besó a Jeyan y a Sevenese y nos dijo que entráramos en la casa. No tuvo más remedio que dejar de lado a Lalita, ya que la pequeña se había escondido entre los pliegues de mi sari en un agudo ataque de timidez.

Dentro, el suelo de piedra, los grandes porches y los pronunciados aleros se unían armoniosamente para crear un interior maravillosamente fresco. Mientras miraba en torno a mí, impresionada por la riqueza de la estancia, mis ojos fueron encontrándose con lujosos objetos procedentes de todas las partes del mundo: preciosas figurillas de jade guardadas en armaritos de cristal, magníficos muebles ingleses, exquisitas alfombras persas y soberbios espejos dorados y sillones franceses cubiertos de brocado. Aquel lugar parecía la guarida de un ladrón. Mi humilde tío era realmente muy rico. Caí en la cuenta de que no era un insignificante comerciante de mangos después de todo y más tarde descubrí que había diversificado su actividad comercial hasta hacer que incluyera los lucrativos negocios de la extracción del estaño y el caucho. No era de extrañar que hubiera tantos camiones estacionados delante de la casa.

Mi tía nos llevó a una gran habitación con una puerta que daba a un balcón desde el que se dominaba la preciosa aldea de Minangkabau. Aunque yo sospechaba que mi tía me detestaba en secreto y no se me ocurría ninguna razón para ello, ya estaba entusiasmada con nuestra estancia allí y la gran boda que no tardaría en tener lugar. Estaban invitadas quinientas personas y se había reservado la sala de actos de la aldea. Durante dos días seguidos se había estado cocinando a gran escala en descomunales recipientes de hierro. Cuando entramos en la cocina, vimos que había veintiún pasteles y dulces de distintas clases alineados en grandes bandejas a lo largo de la pared. Muchas señoras vestidas con saris charlaban y cotilleaban entre sí mientras cortaban y freían pastelillos y galletas. Toda clase de verduras burbujeaban y hervían en grandes ollas de hierro. Al bajar la mirada hacia mis pequeños, me horroricé al ver que las manitas regordetas de Sevenese ya estaban introduciendo docenas de hojuelas de azúcar en su boca.

Al día siguiente vestí a mis niños con sus trajes nuevos y en cuanto lo hube hecho me complació mucho que todas las horas robadas a la noche para cortar y dar diminutas puntadas invisibles hubieran terminado encontrando un lugar de descanso tan magnífico. Ver a mis pequeños tan elegantemente ataviados no era algo que me ocurriera con frecuencia. Había vestido a mis tres hijas con el mismo modelo color verde y oro. Anna estaba adorable y Lalita muy mona, pero Mohini era una soberbia sirena de ojos luminosos y llenos de excitación. Cuando bajamos, percibí el estremecimiento de rabia y húmeda envidia que recorrió el maquillado rostro de mi tía y me sentí perversamente orgullosa de que mis esplendorosos niños, tan inocentes y que en esos momentos ya se estaban persiguiendo los unos a los otros, poseyeran semejante poder.

Fue una gran ocasión, una fantástica exhibición de riqueza. El vasto salón de actos del pueblo había sido decorado con los intrincados motivos clásicos kolum, laboriosamente dibujados por mujeres puestas a cuatro patas que habían utilizado una mezcla de agua y fina harina de arroz. Señoras vestidas con caros saris de oro y seda estaban sentadas en abigarrados grupos y cotilleaban por encima del estruendo de los tambores que redoblaban y las trompetas que sonaban bajo un techo del cual colgaban centenares de hojas de cocotero de un color amarillo pálido entretejidas hasta formar un hermoso dosel, así como hojas de mango que ondeaban como pequeñas banderas verdes. Cincuenta plataneros jóvenes cargados de verdes frutos y cortados por la base de sus relucientes tallos se alzaban para flanquear el camino sobre el cual andaría la tímida novia. El novio, apuesto y orgulloso, esperaba inmóvil al final del sendero custodiado por los bananeros. Cuando la novia llegó a la entrada del salón, resplandecía como una diosa llevada en procesión durante una festividad. Que su padre era muy rico estaba fuera de toda duda. Las cadenillas caían de la frente de la joven, colgaban en gruesos cordoncillos dorados alrededor de su cuello y unían entre sí una serie de piedras relucientes para circundar su cintura. Sentado en su estrado, el novio parecía sentirse muy satisfecho de sí mismo.

Después del intercambio de anillos y guirnaldas y de que se hubiera atado la gruesa cadena thali de oro, dieron comienzo los preparativos para el gran banquete al otro extremo del salón. Muchachitos cargados con montones de hojas de platanero se apresuraron a recubrir el suelo del gran salón con largas hileras de hojas verdes. La gente fue entrando por aquellas hileras, se sentó con las piernas cruzadas delante de una hoja de platanero y esperó. Cuando todo el salón estuvo lleno de filas de personas sentadas espalda contra espalda delante de una hoja de platanero, entonces llegaron los sirvientes con recipientes de aluminio llenos de comida que fueron repartiendo mediante cucharones. El estrépito de las voces humanas se extinguió súbitamente y el salón se llenó con los ruidos del comer. Había arroz amarillo, arroz blanco hervido y toda clase de platos de verdura entre los que escoger. Luego se sirvió puré dulce, caserias y ladhus.

En una tienda verde levantada delante del salón se había dispuesto una mesa especial con manteles, flores y platos para los invitados europeos, todos los cuales lucían idénticas expresiones de majestuosa pero inaccesible benevolencia. Me fijé en ellos. Parecían una raza orgullosa que consideraba su presencia como un favor, incluso un acto de caridad. Resultaba fascinante verlos comer con cuchillos y unos utensilios que parecían diminutos azadones.

Fueron muchas las miradas de soslayo dirigidas a Mohini, algunas llenas de admiración o bien envidiosas, otras claramente especulativas que tenían que ver con tejer planes para los hijos que estaban creciendo. Había sido un día muy emocionante lleno de pompa y esplendor, pero al final de la tarde Mohini se puso mala. Corrimos al coche de mi tío, pero cuando llegamos a casa ya ardía de fiebre y gemía con dolorosos calambres de estómago.

Mi tío quería llamar a un médico pero mi tía, su húmedo rostro todavía implacable, chasqueó la lengua con irritación y ordenó a una sirvienta llamada Menachi que trajera un poco de aceite de margosa. Menachi era una anciana flaca y consumida, de estrechos hombros y miembros esqueléticos. La única belleza que conservaba residía en sus oscuros ojos, circundados por gruesas pestañas que subían y bajaban lentamente. Siempre me ha gustado mucho contemplar las caras de las personas ancianas y la de Menachi era excepcional, un auténtico libro con toda una historia que contar. Sus arrugas eran páginas que resultaba fascinante ir pasando. Menachi echó el aceite de margosa en la boca abierta de Mohini poniéndose de puntillas, porque su estatura era casi idéntica a la de ella.

—Por la mañana estará como nueva —dijo mi tía.

Las extravagantes pestañas de la anciana sirvienta descendieron obedientemente hacia el suelo, pero tan pronto como la figura envuelta en oro y púrpura de mi tía hubo salido de la habitación, Menachi se apresuró a ir hacia mí.

—Eso que tiene es mal de ojo, no indigestión —susurró con vehemencia.

Luego me explicó que muchas personas habían estado contemplando la belleza de mi hija y al verla habían llegado a concebir tantas ideas envidiosas que sus malos pensamientos finalmente habían afectado a Mohini. Los ojos hundidos en las cuencas de aquella anciana me apremiaban a creerla. Sus sedosas pestañas aletearon mientras añadía que los ojos de algunas personas eran tan maléficos que podían llegar a matar con una sola mirada. Si admiraban una planta, al día siguiente esta se marchitaba y moría. Ella ya lo había visto antes.

Una mano como una garra se cerró sobre la mía. Era cierto que cuando quería absorber el mal de ojo, la gente pintaba un punto negro en las caras de sus bebés para que este echara a perder su hermosura y protegiera a la pobre criatura indefensa de miradas envidiosas. Pero Mohini ya no era ningún bebé. Perpleja, miré a la anciana sirvienta.

—¿Qué debería hacer?

Menachi salió de la casa y cogió en su mano un pequeño terrón de tierra. Luego fue a dos puntos distintos del recinto de la mansión y recogió otros dos puñados de tierra. Cada vez que cogía uno, murmuraba unas oraciones. Cuando regresó a la casa, añadió a la tierra sal y algunos pimientos secos. Sosteniendo la mezcla en sus manos ahuecadas, hizo que Mohini escupiera tres veces en ella. Mohini, a la que el aceite de margosa no había curado, se apretaba el estómago con una mueca de dolor en la cara.

—Esos ojos, y aquellos ojos, y los ojos de todo el mundo, que han tocado a esta persona, irán a parar al fuego —canturreó la anciana sirvienta mientras encendía la mezcla.

Las tres formamos un círculo alrededor de la mezcla y la miramos arder. Los pimientos y la sal siseaban y crujían mientras iban ardiendo con una límpida llama azul. Cuando el fuego se hubo apagado, la anciana se volvió hacia Mohini y le preguntó qué tal se encontraba.

Para mi inmensa sorpresa, Mohini ya no tenía dolores ni fiebre. Le di las gracias a la diminuta y anciana sirvienta, y ella asintió modestamente.

—Tu hija es una reina. No permitas que muchos ojos indiscretos se posen en ella —me aconsejó mientras su marchita mano acariciaba reverentemente la reluciente cabellera de Mohini.

Era el 13 de diciembre de 1941 y yo estaba haciendo el equipaje para regresar a casa cuando mi tío entró corriendo en nuestra habitación presa del pánico, despeinado y con los ojos desorbitados. Con voz temblorosa, me contó que los japoneses habían invadido Malasia. Mientras estábamos disfrutando del banquete, los japoneses bombardearon a los norteamericanos en Pearl Harbor y luego habían desembarcado en Penang. Al parecer aquellos corpulentos soldados británicos a los cuales siempre habíamos imaginado invencibles habían huido, dejándonos abandonados a un incierto destino. Gotitas de saliva salieron despedidas de la boca de mi tío mientras describía a las multitudes que se habían reunido en un mercado de Penang igual que un rebaño de animales aturdidos. Contó cómo habían alzado la mirada hacia los cielos que acababan de llenarse de pájaros metálicos y habían contemplado con inocente respeto cómo aquellas bestias resplandecientes dejaban caer bombas sobre sus rostros levantados hacia ellas. Sin sospechar nada, porque creían que aquellos aviones eran los poderosos británicos que habían llegado para salvarlos. Luego sus pobres caras habían enloquecido de terror mientras recogían los miembros destrozados de entre los escombros acumulados a su alrededor.

Una guerra. ¿Qué significaría aquello para mi familia? Enseguida vi todas las horribles respuestas a mis preguntas en el rostro aterrorizado y sudoroso de mi tío.

—Pronto estarán aquí. Tenemos que empezar a esconder el arroz, los objetos de valor...

Oímos un rugido en el cielo. No era más que un avión que volaba bajo, pero mi tío se estremeció y dijo, con la voz helada por un terrible presentimiento:

—Ya están aquí.

Los caminos habían quedado bloqueados y no se podía ir por ellos. Los niños y yo tuvimos que quedarnos allí.

La casa de mi tío era hermosa y siempre había buena comida en la mesa, pero yo era la invitada no deseada de mi tía. Mi tío casi nunca estaba en casa, porque corría a una reunión tras otra con aquellos hombres de negocios que podían salir más perjudicados por aquella nueva situación. Durante dos semanas, mi tía fue royendo silenciosamente aquel misterioso odio que sentía hacia mí. No conocer el origen de su hostilidad me dejaba impotente ante ella, pero un día vi la mirada que me lanzaba cuando yo entraba en la cocina y luego oí cómo, volviéndose hacia una sirvienta, observaba en voz alta que algunas personas fingían ir a visitarte un par de días y luego se las arreglaban para quedarse durante meses enteros.

Yo ya tenía hecho el equipaje y estaba lista para partir cuando llegó la noticia de que los caminos estaban bloqueados y nadie podía irse. Mi tía sabía todo aquello. Había visto las maletas hechas. Yo no había planeado la invasión japonesa. Decidí encararme con la mujer de mi tío.

Fui hacia ella.

—¿Por qué me odias? —le pregunté suavemente.

—Porque pediste prestado dinero a mi marido y no pagaste ningún interés —siseó ella ferozmente, acercando su húmedo rostro al mío.

Se aproximó tanto que vi los poros en su piel y la ruidosa insatisfacción que había en la inclinación de sus labios; también olí su codicia.

Mi boca se abrió y se cerró, atónita. Mis ojos llenos de incredulidad se apartaron de aquel feo rostro al que volvía grotesco la ira que rebosaba, alejándose de la boca increíblemente acerezada que todo quería devorarlo y de los feroces ojos pintados de color martín pescador. El calor afluyó a mi rostro como si mi tía me hubiera pillado robando una de aquellas carísimas piezas de exposición que guardaba en una de sus vitrinas cerradas con llave. Mis ojos siguieron desplazándose rápidamente para terminar posándose en la estatua de madera de una danzarina balinesa de tamaño natural. Las delicadas facciones de aquel rostro sonriente habían sido talladas en ébano macizo, con un elaborado tocado incrustado de joyas que era un deleite para la vista y testimonio de la habilidad del artesano que lo había tallado. Pensé en los muchos camiones que había aparcados junto a la casa y en los sacos de arroz que se amontonaban unos encima de otros hasta llegar incluso al alto techo de aquella mansión de estilo clásico anglohindú.

¿Cómo era posible que aquella mujer que vivía en una espléndida casa llena a rebosar de unas riquezas con las que la inmensa mayoría de la gente solo podía soñar, donde todos sus caprichos eran atendidos por innumerables sirvientes, únicamente pensara en algo tan mezquino e insignificante como el interés de un préstamo hecho hacía ya muchos años a una pariente que luchaba por salir adelante? ¿Cuán codiciosa podía llegar a ser el alma humana?

—Me ofrecí a pagar un interés, pero tu marido no quiso que se lo pagara —le dije finalmente.

El calor fue disipándose en mis mejillas. Sentí el frío de la ira y una profunda compasión por mi pobre tío. No le hubiese deseado aquella espantosa criatura a nadie y mucho menos a mi tío preferido. Decidí irme aquel mismo día, incluso si eso significaba tener que regresar a Kuantan andando y con mis niños a la espalda. Quizá no fuese el dinero después de todo. Quizá era el evidente y sincero afecto que mi tío sentía por mis hijos y por mí, pero en aquel entonces yo era muy orgullosa. Sabía que no podía permanecer allí ni un solo instante más de lo estrictamente necesario para hacer los arreglos concernientes a mi regreso. Cuando mi tío regresó, le informé de mi intención y como nada de lo que dijera o hiciera podía hacerme cambiar de parecer, terminó ocupándose de mala gana de hacer las gestiones necesarias para que pudiéramos ir en una embarcación. Aquello significaba emprender un largo y arduo viaje, quizá incluso lleno de peligros, pero yo estaba firmemente decidida. Mi boca se había convertido en una apretada línea recta.

Los niños chillaron de deleite, sin poder contener su excitación ante la perspectiva de hacer un viaje en barco. Su emocionado parloteo se llenó de tigres que rugían y mansos elefantes que utilizaban sus amables trompas para salvarnos. Mis labios apretados no surtieron efecto alguno sobre su entusiasmo. La esposa de mi tío no salió a despedirnos cuando nos fuimos y lo único que supe de ella después fue que los japoneses se habían llevado todas las cosas hermosas que había en su casa. Para aquel entonces mi pobre tío ya había perdido todo su dinero. Había invertido sumas demasiado grandes en el caucho y el precio de este se desplomó. Sumida en la pobreza, su mujer me escribió para reclamarme el interés. Le envié el dinero inmediatamente.

Menachi llegó corriendo para ofrecerme un repelente casero hecho con estiércol de vaca quemado. Empolvé a los niños con aquella ceniza gris y nos pusimos en camino con un hombre contratado por mi tío.

El viaje comenzó en la fétida y mohosa boca de un bosque.

No era el lugar romántico que yo había imaginado. En la opresiva penumbra verdosa había cosas que se enroscaban, crecían y se desperezaban alrededor de nosotros. Gruesas lianas y enredaderas me rozaban ávidamente los hombros, como si anhelaran atravesar mi carne con sus afiladas y pequeñas ventosas. Después de todo, la sangre es el mejor de los fertilizantes.

Los árboles crecían muy rectos hasta llegar a ser tan altos como las columnas que había en la casa de mi tío, elevándose metro tras metro sin liberar una sola rama hasta que alcanzaban la luz y el aire para entonces proyectarse hacia los cielos.

En un momento dado oímos un profundo rugido. La jungla jugó con el sonido, canalizándolo a través de su confusión de lianas y enredaderas hasta volverlo ensordecedor para nuestros oídos. El guía dijo que era el rugido de un tigre y un estremecimiento de miedo recorrió a mi hilera de niños como una ráfaga de viento soplando a través de un campo de espadaña. El hombre disfrutó durante unos momentos de nuestro siseo atemorizado y nuestro sobresalto lleno de horror antes de admitir que el tigre se encontraba demasiado lejos para que debiéramos preocuparnos por él. No apretó el paso y, poco a poco, el miedo a ver destellar franjas negras y anaranjadas entre el verdor fue perdiendo su intensidad inicial.

El aire cargado de humedad se pegaba a nuestra ropa y nuestra piel y nos resecaba la garganta. Era como estar respirando en un baño de vapor. Continuamos adentrándonos cansadamente en el intenso olor a tierra y hojas podridas. Los mosquitos zumbaban con el sonido quejumbroso de un eco infectado fuera del círculo de aroma creado por el repelente para insectos de Menachi. A veces el guía cortaba una rama o una liana, pero por lo demás no encontramos ningún obstáculo a nuestro avance.

No tardamos en llegar a la orilla del río, donde nos esperaba nuestra embarcación.

El río era muy ancho y de rápida corriente. Recé fervientemente al dios Ganesha, aquel que aparta todos los obstáculos. «No dejes que el río se lleve a ninguno de nosotros —le supliqué—. Llévanos a casa sanos y salvos, mi querido dios elefante.» Luego subimos a bordo con mucho cuidado.

Nuestro barquero era un aborigen. Tenía las facciones enormes y bastante feas y una apretada masa de rizos de un marrón teñido de miel cubría su cabeza. Una vida al sol había quemado su piel hasta dejarla de un oscuro color caoba. Una vez que estuvo sentado en su embarcación de madera se convirtió en una parte de ella, dirigiendo aquella vieja y ruidosa chalupa como si fuera una extensión de sí mismo. Su cuerpo era delgado y amenazador, pero tenía un temperamento muy agradable y estaba lleno de buen humor. En un momento dado, mientras intentaba llegar con la mano hasta un gran manojo de plátanos maduros que colgaba sobre las aguas junto a la orilla para así poder cortarlo, la embarcación encalló en el fango. Después de depositar los amarillos frutos en la cubierta, el barquero se sumergió hasta el pecho en aquel líquido rezumante para tirar de la embarcación y empujarla hasta que esta quedó libre. Luego volvió a subir a ella con un salto tan ágil como el de un delfín y sonrió de oreja a oreja, enseñando unas encías de color púrpura.

Era el custodio de muchas historias fascinantes sobre una antigua ciudad jemer sumergida que yacía en las profundidades del lago Cini, donde se hallaba enterrada bajo capas y más capas de légamo. Nos contó con voz melodiosa la leyenda de cómo los habitantes de Jemer habían inundado su propia ciudad para de esa manera contener el ataque, pero luego perecieron en el último encuentro y así fue como dejaron enterrada para siempre su ciudad camboyana.

De aquellos gruesos labios suyos que parecían estar hechos de caucho surgieron misteriosas historias acerca de un monstruo legendario que vivía en el fondo del lago Cini y poseía una cabeza erizada de cuernos tan grande como la de un tigre, así como un descomunal cuerpo ondulante que creaba olas capaces de hacer volcar fácilmente a una embarcación. Nuestro barquero contó a su audiencia de ojos desorbitados que al parecer aquel monstruo subía por el río Cini hasta que llegaba al río Pahang, siguiendo así la misma ruta por la que estábamos viajando en aquellos momentos. Las historias fueron acogidas con gran entusiasmo pero más tarde, cuando llegamos a unas aguas turbulentas que hicieron bambolearse a la embarcación, los niños gritaron con auténtico miedo porque estaban convencidos de que el monstruo realmente se encontraba debajo de nosotros e intentaba asegurarse una buena comida.

Vimos un pájaro de iridiscente plumaje anaranjado e impresionante belleza posado en una rama que contemplaba su propio reflejo en el agua. Pasamos por delante de un gran árbol cuyas gruesas ramas estaban llenas de monitos. El barquero apagó el motor y un silencio que respondía a aquel súbito silencio llegó hasta nosotros. La colonia de monitos del tamaño y el color marrón grisáceo de las ratas se quedó totalmente inmóvil, contemplando cómo nosotros la mirábamos mientras sus muchos ojos relucían como canicas mojadas. Luego un monito se dejó caer al agua con un suave chapoteo y comenzó a nadar hacia nosotros. Otros lo siguieron con más chapoteos suaves y el agua no tardó en llenarse de ellos.

Los niños habían enmudecido de fascinación y un secreto temor. ¿Morderían? ¿Arañarían quizá? Miré al barquero con preocupación y él sonrió tranquilizadoramente. Estaba claro que ya había hecho aquello antes. Sacó un cuchillito de su bolsillo y cortó unos cuantos plátanos de su gran manojo, cubriendo rápidamente el resto con un saco marrón. Después dio un plátano a cada niño.

El primero en llegar a la proa de la embarcación presumiblemente era el líder de la tribu de monitos. Su pelaje mojado se pegaba a su delgado y ágil cuerpo. Unos grandes ojos redondos nos recorrieron rápidamente y con interés. Era indescriptiblemente hermoso. Dos diminutas manos negras se extendieron con gran rapidez para coger el plátano que les ofrecía Lakshmnan y lo pelaron con asombrosa destreza. Tiró la piel al agua y, antes de que se hundiera, por un instante pareció una pálida flor amarilla. El plátano desapareció dentro de la diminuta boca del monito en tres rápidos bocados que fueron velozmente masticados. Acto seguido la mano en miniatura se extendió en busca de más comida, sin que los astutos ojos redondos del monito se apartaran ni un solo instante de nuestras caras. Mohini ofreció su plátano y otro mono que se encontraba más cerca de ella lo agarró rápidamente. Más monos comenzaron a subir a bordo de la embarcación. Pronto todos los plátanos habían desaparecido. Los monitos comenzaron a parlotear y discutir entre ellos mientras formaban una hilera a lo largo de la proa de la embarcación, mojados y llenos de curiosidad. Sus dulces caras contemplaban nuestras manos vacías con pensativa codicia y estuve segura de ver especulación en los ojos de su líder. Era como si supiese que había más plátanos debajo del saco. Más monos llegaban nadando hacia la embarcación. Nadaban en grupos de un gris amarronado que se movían con silenciosa rapidez dentro del agua. De pronto pareció haber centenares de ellos nadando hacia nosotros y súbitamente aquellas inofensivas cositas peludas adquirieron las proporciones de una plaga. Yo era una madre que tenía niños muy pequeños a bordo de aquella embarcación y ninguno de ellos sabía nadar.

—¡Vayámonos! —le grité al barquero.

Sin miedo ni prisa alguna, el barquero volvió a encender el motor y todas aquellas pequeñas criaturas cayeron simultánea y grácilmente en las aguas color hígado. Vimos cómo volvían a tierra firme nadando. No tardaron en desaparecer, ocultas por el verde follaje hasta que reaparecieron de nuevo como flores marrones sobre las ramas extendidas de los enormes árboles. Entonces comprendí la naturaleza profundamente inofensiva de aquellos hermosos monos y me sentí privilegiada por haberlos visto.

Cosa de un kilómetro y medio río abajo después de que hubiéramos dejado atrás a los monos, nos quedamos asombrados. Sin que nosotros nos lo esperáramos, de pronto el río se convirtió en una gran senda de lianas florecientes. Las enredaderas cubiertas de flores descendían hasta rozar las aguas y se extendían sobre los densos árboles que se cernían por encima del río, desplegándose de una manera desvergonzadamente promiscua para envolverlos en intensos tonos lila y crear el más asombroso efecto de túnel. Era como una caverna mágica vista en un sueño. Miraras donde miraras veías por doquier cómo las más hermosas mariposas negras y anaranjadas imaginables, sin que nuestra presencia las inquietase, batían sus grandes alas ribeteadas para alzar el vuelo en nubes de un maravilloso color.

El viaje terminó al fin. Kuantan estaba tan silenciosa que resultaba fantasmagórica. La guerra había llegado. Ayah nos esperaba de pie delante de la puerta con las manos metidas en los bolsillos de sus pantalones. Por el nerviosismo que había en su cara supe que algo iba mal.

—¿Qué ocurre? —pregunté, apartando la presa de monito de Lalita de alrededor de mi cuello y depositándola en el suelo.

—La casa ha sido saqueada —dijo Ayah lúgubremente.

Pasé junto a él y entré en nuestra casa. No quedaba absolutamente nada. Ollas, sartenes, ropas, mesas, sillas, el dinero y las camas de los niños, con sus viejos colchones rellenos incluidos, las flores bordadas que yo había enmarcado después de haberme pasado noches enteras cosiendo: todo había desaparecido. Hasta las viejas cortinas gastadas que yo esperaba tener ocasión de sustituir algún día se habían esfumado. Lo único que nos quedaba eran las cosas que me había llevado conmigo a la boda. Había cogido todas mis joyas, gracias a Dios, cuatro de mis mejores saris y las mejores ropas de los niños. Nuestra casa se hallaba vacía salvo por la pesada cama de hierro y mi banco, que hubiese resultado demasiado complicado llevarse.

Los responsables no habían sido los soldados japoneses. No, ellos llegaron un poquito demasiado tarde y eran excesivamente selectivos en cuanto a lo que se llevaban. Habían sido los trabajadores del camino principal, un contingente de campesinos muy pobres traídos de la India para que llevaran a cabo los trabajos más duros, como tender las líneas del ferrocarril y extraer el caucho de los árboles. En la India eran intocables o pertenecían a las castas más bajas, como la de los conversos al cristianismo. A lo largo de los años los habíamos visto, contemplándolos de soslayo con las expresiones protegidas por nuestra capa de superioridad, mientras se emborrachaban, maldecían y juraban, pegaban regularmente a sus esposas y, al menos una vez al año, sacaban del horno un nuevo pequeño bárbaro descalzo para que entrara corriendo en nuestro limpio y seguro mundo. Ya se habían vengado. Tenían que haber estado vigilando nuestra casa y se dieron cuenta de que Ayah pasaba todo el día fuera, así que cogieron cuanto podía serles útil. Mis ahorros estaban enterrados en una lata y corrí al huerto, sintiéndome muy aliviada al ver que el suelo todavía estaba tal como lo dejé.

ANNA

¿Recuerdos? Sí, tengo recuerdos, pero son vagos y muy lejanos. Son como mariposas, esas diminutas porciones de polvo multicolor que es capaz de volar con las que el niño del tiempo ha estado jugando impulsado por la curiosidad. Nadie osa decirle que no debe tocarlas, porque entonces el polvo se desprende de sus alas y las mariposas se vuelven borrosas y dejan de volar.

Guardo recuerdos de determinados acontecimientos que me parece no pueden haber sucedido. Quizá lo soñé, pero mi memoria contiene una clara imagen de mí misma hecha un ovillo en el regazo de Mui Tsai y mamando de su pecho. Las lágrimas resbalan por el rostro lleno de tristeza de Mui Tsai y caen sobre mis cabellos. Nada semejante pudo haber sucedido jamás, claro está, pero lo vívido de la imagen me ha llenado de confusión en muchas ocasiones.

A la mariposa que tiene las mejores alas, las más grandes de todas, la llamo madre. Durante mi infancia, nuestra madre era una gran luz que brillaba dentro de nuestra casa. Sin duda fue la mayor influencia en nuestras vidas. Al volver de la escuela, desde el momento en que entraba en casa, yo sentía su presencia en el aire. La olía en la comida que había preparado, la veía en las ventanas que había abierto,y la oía en las viejas y dulces canciones tamiles que ella escuchaba en la radio. Antes de que yo fuera lo bastante mayor para ir a la escuela siempre la seguía en silencio por toda la casa, sintiéndome vagamente inquieta ante la visión de aquella espalda que no paraba de moverse. Tan pronto como nuestro padre salía de casa por la mañana, nuestra madre hacía girar el más grande de los diales de la radio para que el puntito rojo se moviera por la opaca esfera amarilla. Mientras se movía, aquel puntito iba creando sonidos fantasmagóricos y llenos de desolación, cortando por la mitad las voces con las que se encontraba por el camino hasta que nuestra madre daba con el hogar apropiado para el puntito rojo y la casa se llenaba de música alegre y voces melosas. Entonces nuestra madre daba comienzo a sus inacabables labores del día.

Nunca podré olvidar aquella vez en que estuvo fuera de casa durante dos días para visitar a una amiga. Fue como si se hubiera llevado consigo la mismísima esencia que componía nuestra familia. La casa se alzaba desierta y silenciosa bajo el sol de la tarde. Cuando volvía a casa de la escuela, me detenía en el umbral y entonces sabía qué era lo que sentiría si nuestra madre muriera de repente. Como si me hubieran dado un puñetazo en el estómago sobre mi uniforme azul, en ese momento me daba cuenta de que en sus fuertes y seguras manos había amor, risa, ropas magníficas, elogios, comida, dinero y el poder de hacer que el sol brillara intensamente en las vidas de todos nosotros. Pero después de que ocurriera aquella cosa terrible, la poderosa voluntad de nuestra madre salió de ella y trajo no cielos luminosos y días soleados, sino oscuras nubes, truenos ensordecedores y terribles tormentas para que nos azotaran con su furia.

La verdad es que nuestra madre se alzaba en el centro de todo como si fuera un enorme roble inglés y todos colgábamos de sus sólidas ramas para girar silenciosamente de un lado a otro, igual que figurillas pintadas en un tiovivo fantasmal. Todos nosotros, sí: papá, Lakshmnan, Mohini, Sevenese, Jeyan, Lalita y yo. Todas las decisiones grandes y pequeñas eran colocadas en una gran bandeja y depositadas ante sus pies; con ese increíblemente rápido y astuto cerebro suyo, entonces nuestra madre escogía basándose en lo que le parecía mejor para nosotros. Ella quería lo mejor de lo mejor, porque nunca se conformaba con otra cosa.

A los quince años, nuestra madre renunció a su vida por nosotros y convirtió esa renuncia en el derecho a vivir a través de nosotros. Canalizaba su intensa energía hacia nosotros, empujándonos hacia límites inalcanzables y queriendo para nosotros aquello que ella nunca había tenido o podido llegar a ser. Había tanto que nunca había tenido, tanto que nunca había podido llegar a ser... Su barrera era nuestro padre. Nuestra madre solía enfadarse con él.

Supongo que eso era debido a que nuestro padre parecía sentirse muy satisfecho con aquel trabajo suyo que era un callejón sin salida, mientras los colegas de su alrededor ascendían y llevaban más dinero a casa. Nuestra madre nunca podría perdonarle aquel bondadoso y compasivo corazón que se negaba a reconocer a los seres humanos como las criaturas corruptas, malvadas y codiciosas que siempre estaban engañando a sus congéneres. Nuestro padre quería ayudar a cada alma viviente que se cruzaba en su camino.

En una ocasión trajo a casa a un amigo que necesitaba pedir prestado algo de dinero. Llegaron con unos pagarés firmados, listos para explicarle a nuestra madre los términos de la devolución del préstamo. Ella estaba tan harta de oír siempre la misma historia que ni se molestó en escucharlos. Cogió los pagarés de las manazas de nuestro padre y, mientras él y su amigo la miraban boquiabiertos de asombro, rompió en mil trocitos aquellas tiras de papel cuidadosamente firmadas y los lanzó al aire. «El dinero de mi marido es para sus hijos. Todo el dinero que tengamos es para nuestros hijos», le dijo a aquel hombre que la contemplaba atónito; acto seguido desapareció en la cocina con una radiante sonrisa.

Era la misma sonrisa que nuestra madre dirigió al director de la escuela, el señor Vellupilai. Él no lo sabía, pero aquella sonrisa ocultaba un temperamento casi obsesivo y tan desesperadamente deseoso de obtener siempre lo mejor que nuestra madre estaba dispuesta a sacrificarnos a todos nosotros en el proceso. Nuestra felicidad parecía carecer de importancia dentro del gran plan. El señor Vellupilai había ido a decirle que Lakshmnan era lo bastante inteligente para poder saltarse Normal Dos y pasar directamente al Nivel Tres, siempre que ella estuviera dispuesta a permitirlo. Nuestra madre contempló a aquel bigotudo caballero mientras este se comía sus bien moldeados bizcochos, asintió cortésmente y se mostró de acuerdo con lo que proponía. Pero tan pronto como la correcta figura del señor Vellupilai hubo desaparecido por el camino principal, entonces nuestra madre mudó la piel y se convirtió en una clase de bestia totalmente distinta. Levantándome del suelo cogida por las axilas, me hizo dar vueltas y más vueltas en una incontrolable excitación. Incapaz de contenerse, me lanzó al aire y me cogió al vuelo, con los ojos chispeando de alegría y los labios curvados en un arco iris invertido que no paraba de reír.

Ser mejor, más inteligente y más osado lo era todo. El fracaso era un perro no lo bastante bien adiestrado que vivía en las casas de otras personas. Cuando fracasábamos en algo, cosa que ocurría con frecuencia, nuestra madre se lo tomaba como una afrenta personal. La triste e innegable verdad era que todos nosotros juntos no podíamos estar a la altura de la capacidad o de la inteligencia que residían en el dedo meñique de nuestra madre. Ninguno de nosotros había sido favorecido con su talento. Con el paso de los años, nuestra madre se convirtió en una mujer muy desgraciada que no encontraba consuelo en nada y que, a su vez, poco a poco fue haciéndonos desgraciados a todos nosotros.

Pero primero deja que te hable de los tiempos felices. Deja que te hable de cómo era todo antes de que el cielo azul se partiera por la mitad, antes de que ocurriera aquella cosa de la que nadie habla, cuando la gente solía admirar la maravillosa habilidad con la que nuestra madre extendía su brazo protector sobre nuestra familia y hacía que todos pareciéramos perfectos. Ya hace tanto tiempo de eso que a veces me pregunto si aquella época realmente existió, pero lo cierto es que sí. Fue antes de la ocupación japonesa, cuando Lakshmnan solía regresar a casa con chocolates envueltos en el áspero papel verde de los campamentos del ejército británico que había cerca de nuestra casa. Hoy en día ni el mejor chocolate suizo puede igualar aquellas sencillas tabletas que mi hermano traía a casa como si fueran premios obtenidos en alguna competición para que mi madre las repartiera a partes iguales entre todos nosotros. Yo tardaba tanto en saborear el cálido aroma de mi trozo de chocolate que este quedaba medio derretido entre mis dedos, antes de que finalmente consintiera en terminar su vida como una suave pasta dentro de mi boca.

—¡Ven aquí, muchacho! —solían decirle a Lakshmnan los corpulentos soldados británicos.

Le revolvían afectuosamente los cabellos y le enseñaban a hablar la clase de inglés que nunca se nos enseñaba en la escuela.

—Maldito imbécil —solía decir Lakshmnan cuando llegaba a casa.

—Malito imbécil —repetía nuestra madre.

—Nooo, maldito imbécil.

—Malito imbécil —decía nuestra madre.

—¡Maldito imbécil! —decía Lakshmnan en voz muy alta y muy clara.

—Malito imbécil —decía entonces nuestra madre y nosotros, que habíamos estado escuchando sin hacer ruido en un segundo término, comenzábamos a oír cómo la irritación iba infiltrándose en su voz.

—Sí, muy bien —convenía finalmente mi hermano.

Recuerdo aquellos momentos como los más felices de toda mi infancia, porque era entonces cuando nuestra madre se sentía más feliz y solía reír con la boca abierta y los ojos resplandeciendo como estrellas que brillan en un cielo nocturno. Lakshmnan era mi guapo hermano mayor y, aun así, seguía siendo la maravillosamente inteligente niña de los ojos de nuestra madre. Por aquel entonces, todo lo que hacía y decía Lakshmnan iluminaba el corazón de nuestra madre con una sonrisa de orgullo y alegría.

Recuerdo el pánico de una tarde en la que los cabellos de Lakshmnan comenzaron a desprenderse a mechones entre las manos de nuestra madre cuando se los estaba untando con aceite. Nuestra madre pasó la mano por los cabellos de su hijo y muchos mechones más se pegaron a sus incrédulos dedos. Súbitas calvas devolvieron desafiantemente la mirada a los formidables ojos de nuestra madre.

—*Aiyoo*, ¿qué es esto? —preguntó ella con voz espantada.

Lakshmnan contempló los mechones caídos sin entender nada. Él también estaba asustado. ¿Sería alguna terrible enfermedad?

—¿Me estoy muriendo? —susurró, con esa increíble habilidad que tienen todos los hombres para exagerar cualquier clase de enfermedad o problema físico.

Mohini se había cruzado de brazos en un gesto lleno de preocupación, Jeyan los miraba en silencio y Lalita se chupaba el pulgar. Nuestra madre bombardeó a Lakshmnan con una rápida serie de preguntas. Algunas breves respuestas más tarde, descubrió que mi hermano había traído a casa el saco de harina ragi llevándolo sobre la cabeza. Nuestra madre cultivaba ragi en el patio trasero de nuestra casa; luego recogía las semillas y después Lakshmnan las llevaba al molino para que las triturasen. Cuando mi hermano había ido a recoger el saco, las semillas de ragi trituradas todavía estaban calientes. El calor del saco era lo que había hecho que los cabellos se le cayeran a puñados. Una vez que la razón culpable hubo sido capturada, estallidos de risa aliviada volaron hacia el sol del atardecer. Nuestra madre alternó la risa con la regañina a las calvas de mi hermano, al tiempo que las cubría de besos mientras este sonreía vacilantemente, no muy seguro de si había hecho bien o mal. Luego nuestra madre nos preparó unos buñuelos rellenos con azúcar moreno y judías verdes. Nos tocaron tres buñuelos por cabeza en vez de solo dos, y a Lakshmnan le tocaron cinco en vez de tres. Esas eran las tardes llenas de sol que recuerdo, antes de que mi hermano echara a perder toda su vida convirtiéndose en un hombre sádico y cruel.

Cada anochecer rezábamos como una familia. Nos poníamos en fila delante del altar que quedaba a la altura de los ojos de nuestra madre, juntábamos las manos y rezábamos fervientemente. Lo único que podíamos ver eran las cabezas de los dioses en las imágenes de vivos colores. Cada uno de nosotros tenía sus preferidos.

Nuestra madre y yo siempre le rezábamos a Ganesha, el dios elefante. Las plegarias de Mohini iban dirigidas a la diosa Saraswathy, porque ella quería llegar a ser muy inteligente y nuestra madre nos había dicho que la diosa Saraswathy era la que regía todo lo referente a la educación. Por aquel entonces Mohini quería ser médico.

Lakshmnan le rezaba reverentemente a la diosa Lakshmi pidiéndole tener grandes riquezas cuando creciese. La diosa Lakshmi era la responsable de conferir la riqueza a sus devotos y en aquella época los prestamistas de dinero solían llevar junto a su corazón una imagen de ella envuelta en una guirnalda. Vestida con un sari rojo dentro de un marco azul, Lakshmi se alzaba en nuestro altar haciendo llover monedas de oro de la palma de una de sus muchas manos.

Sevenese le rezaba a Shiva, porque Shiva era el destructor que había hecho un collar con una cobra negra. También era el más poderoso de todos los dioses. Si uno le rezaba lo suficiente, Shiva podía concederte todo lo que quisieras y una vez concedida esa merced ya nunca podría ser revocada por nadie, ni siquiera por el propio Shiva. Impresionado por aquella información, Sevenese comenzó a rezar a Shiva pidiéndole que lo hiciera objeto de su merced. Comparado con el resto de nosotros, Sevenese siempre fue muy extraño. Nunca olvidaré el día en que entró en casa con un palo muy largo y liso en la mano.

—Mirad todos —dijo.

Tras aflojar un poco su presa ante nuestros ojos, el rígido palo que había estado sosteniendo en las manos se movió y se transformó en una ondulante serpiente marrón. Cuando se sintió lo bastante satisfecho de la conmoción que había causado, Sevenese se envolvió la mano con aquella serpiente tan tranquilamente como si esta fuera un chal y se alejó hacia la casa del encantador de serpientes. Tuvo suerte de que nuestra madre no lo viera.

El pequeño Jeyan le rezaba a Krishna porque Mohini, que tenía muy buen corazón, solía murmurar en sus orejitas que él era tan oscuro y hermoso como el mismísimo Krishna.

No sé a quién le rezaba Lalita. Puede que no tuviese una deidad favorita. Creo que nadie le prestaba demasiada atención y solo Mohini estaba muy pendiente de ella.

Cada anochecer le cantábamos una canción religiosa a la deidad que hubiéramos escogido en aquella ocasión; luego nuestra madre hacía sonar la campanita de bronce, encendía el alcanfor para los dioses y nos frotaba las frentes con cenizas sagradas y un poco de pasta de sándalo fresca. Papá nunca se unía a nosotros en nuestras oraciones. Se quedaba sentado fuera en su sillón de mimbre, fumando su puro. «Dios está dentro de uno», afirmaba.

Cuando pienso en el pasado, a veces podría llorar por aquellos días inocentes en los que nuestro padre era un gigante que podía sostener nuestros traseritos en la enorme palma de su mano y levantarnos en el aire por encima de su cabeza. Allí arriba estaba el mejor lugar del mundo, el más seguro. Pero eso fue antes de que yo empezara a sentir pena por él. Estoy hablando de los días en que un oscuro fuego ardía intensamente en sus ojos mientras veía cómo nuestra madre sonreía de orgullo y alegría, cuando todavía estaba trabajando un trozo de madera para convertirlo en la talla más hermosa que he visto jamás.

Pasé años sentada en el suelo con las piernas cruzadas delante de él, viendo cómo estudiaba su busto durante muchos minutos antes de que por fin estuviera preparado para arrancarle con mucho cuidado una minúscula astilla. Cuando la talla estuvo terminada, todos los que la veían estaban de acuerdo en que era una auténtica obra de arte. Allí había algo más que genio, porque también había amor.

Papá había capturado a nuestra madre tal como ninguno de nosotros la había visto nunca, de la manera en que solo él la conocía: una joven bañada por el sol procedente de una pequeña aldea llamada Sangra, antes de que la vida la hubiese tocado. Entonces un día nuestra madre convirtió años, centenares de horas de minucioso trabajo lleno de amor, en un montón de afiladas astillas en cuestión de minutos. Guardo un recuerdo muy nítido de aquel día en el que su cuerpo lleno de furia destruyó el busto. Cuando nuestra madre hubo terminado con él, había astillas de madera por todas partes.

Cuando pienso en nuestro padre, ahora lo único que siento es una pena muy grande. Porque nuestro padre era la persona más buena que jamás haya andado sobre la tierra, y sin duda la más desgraciada. Antes de que nuestra madre me hiciera sentirme avergonzada de él, cuando era muy pequeña yo le quería muchísimo. Recuerdo que nuestro padre solía regresar a casa con pequeños manojos de plátanos que compraba con su mísera asignación mensual. Era nuestro pequeño ritual. Él se sentaba en su silla del porche e iba pelando los plátanos uno a uno con sus largos y morenos dedos; luego se metía en la boca todas las delgadas tiras amarillas que se podían llegar a arrancar de la parte interior de la piel.

—Es la mejor parte —insistía noblemente, cediéndonos el delicioso fruto amarillo pálido con Mohini, Lalita y yo solemnemente sentadas junto a sus pies mientras él iba repartiendo el plátano.

Por aquel entonces yo no era más que una niña, pero entendía con toda claridad que mi enorme y silencioso padre quería más a mi hermana mayor, tanto y hasta tal extremo que de buena gana habría metido él la mano en el fuego solo con que ella se lo hubiera pedido. Él nos quería a todos, pero a la que quería más era a Mohini. Yo solía preguntarme si no habría alguna pizca de fea rivalidad entre hermanas oculta dentro de mi corazón, pero honradamente no lo creo, porque lo que realmente importaba no era ganarse el amor de nuestro padre. Esa recompensa siempre pertenecía a quien fuera objeto de la atención de nuestra madre.

Vistiendo trajes idénticos, nos alineábamos delante de nuestra madre a la espera de su aprobación. Ella ponía bien un lazo, echaba hacia atrás un mechón de cabellos y nos sonreía a las dos con la misma satisfacción y eso bastaba para asegurarme que me quería lo mismo que a mi hermana. Huelga decir que con el mismo vestido que yo, Mohini tenía un aspecto completamente distinto. La gente solía mirarla mucho, sobre todo los hombres, y lo hacía con miradas que resultaban bastante incómodas. Nadie creía que fuéramos hermanas. Contemplaban el cálido verdor de los ojos de Mohini con asombro y, a veces, con un poco de envidia.

Recuerdo estar de pie junto al espejo mientras nuestra madre se ocupaba de sus cabellos y contemplar cómo los peinaba y untaba de aceite hasta que se convertían en una reluciente serpiente negra que descendía ondulando hasta llegar a la suave protuberancia de su trasero. Yo siempre he tenido el pelo fino y no muy abundante y cuando llegaron los japoneses, me horroricé al ver que nuestra madre extendía la mano hacia las tijeras. Me hizo salir al patio y comenzó a trabajar; cuando hubo terminado, largos mechones de finos cabellos formaban oscuros montoncitos en el suelo. Corrí al espejo con las lágrimas resbalando por mi cara. No me había dejado más de cinco centímetros de cabello. Vestida con unos pantalones y una camisa de chico, me envió a la escuela. Durante los días siguientes me consoló un poco ver que más de la mitad de las chicas de la escuela se habían convertido en chicos.

El señor Vellupilai rehízo obedientemente los registros de las clases para reflejar los cambios. En mi clase, la única chica que continuaba como tal era Mei Ling. Su madre había permitido que siguiera siendo una chica y se convirtió en la favorita de nuestro profesor japonés. Un día, durante el recreo, nuestro profesor la hizo ir a un aula vacía y la violó. Puedo verla ahora, con los labios temblando en su pálido y perplejo rostro mientras salía tambaleándose del cobertizo donde el jardinero guardaba sus herramientas. Su cinturón, hecho de la misma tela que su uniforme, estaba ligeramente torcido. Naturalmente yo ya sabía que ser violada era la máxima catástrofe que podía llegar a ocurrirte, pero no tenía ni idea de lo que llevaba implícito. Recuerdo haber pensado que tenía algo que ver con los ojos, porque aquella mañana los ojos de Mei Ling estaban enormes y un poco amoratados. Durante mucho tiempo, pensé que la violación consistía en que te hicieran daño en los ojos. Por eso no me extrañaba que nuestra madre escondiera a Mohini y sus maravillosos ojos. De hecho, el director de la escuela en persona fue a nuestra casa para aconsejarle a nuestra madre que mantuviera alejada de la escuela a mi hermana.

—Es demasiado hermosa —dijo, tosiendo en un gran pañuelo blanco y marrón.

El señor Vellupilai dijo que él no podía garantizar la seguridad de Mohini con tantos japoneses como había rondando por allí. Entre bocado y bocado de los pastelillos de plátano frito de nuestra madre, le contó que iban a mandar profesores japoneses a la escuela. «Son toscos y vulgares», dijo. El director no tendría control alguno sobre ellos, y después de todo nunca había que olvidar que los japoneses ya habían dejado una estela de violaciones a través de media China. Con Mohini estando en la edad que estaba, concluyó delicadamente el señor Vellupilai repitiendo lo que ya había dicho antes, él no podía garantizar su seguridad. De hecho, sus palabras exactas fueron: «Prefiero no poner a un gato y un plato de leche en la misma habitación, y luego cerrar la puerta».

Nuestra madre no tuvo necesidad de que se le hiciera una segunda advertencia. Como consecuencia de ello Mohini pudo conservar la gruesa serpiente de sus cabellos, pero se convirtió en una prisionera encerrada en casa. Mohini era nuestro secreto. Mi hermana dejó de existir más allá de nuestra puerta. Nunca hablábamos de ella. Era como el arcón lleno de lingotes de oro enterrado debajo de la casa que obliga a mentir a toda la familia para protegerlo. Nadie veía la belleza en que se estaba convirtiendo mi hermana. Mohini ni siquiera podía salir al porche o andar por el patio trasero para respirar un poco de aire fresco. Durante casi tres años, Mohini permaneció tan escondida que hasta los vecinos se olvidaron de qué aspecto tenía. El gran temor de nuestra madre era que alguien pudiera revelar su existencia a los soldados japoneses para ganarse su favor o impulsado por los celos. Eran tiempos difíciles y los amigos escaseaban.

Recuerdo que un día Mohini estaba sentada en los escalones de la puerta trasera mientras nuestra madre le peinaba los cabellos, que caían sobre su espalda como olas de la más pura seda negra. Mientras nuestra madre hacía girar entre sus manos toda aquella seda negra, vi al hijo mayor del encantador de serpientes inmóvil bajo aquel sol abrasador. El muchacho obviamente había estado cazando ratones vivos o pequeñas serpientes para sus cobras, pero en vez de presas se había tropezado con nuestro suntuoso tesoro. Atrapado en la red de su descubrimiento, permanecía inmóvil y paralizado en aquel terrible calor. Sus ropas harapientas y sucias amenazaban con caer de su nervudo cuerpo bronceado, y una cesta cerrada colgaba de su musculosa mano. No llevaba zapatos y no se había lavado el pelo, pero bajo el resplandor del sol sus ojos eran como oscuros pozos sin fondo en su rostro aturdido. El súbito movimiento de mi cabeza atrajo la atención de nuestra madre y su cuerpo giró al instante para ocultar a Mohini.

—¡Vete de aquí! —le ladró secamente al muchacho.

Él siguió mirando durante un momento, hipnotizado por aquellos magníficos cabellos y la blancura de leche de la piel de mi hermana, y luego, tan súbitamente como había aparecido, se esfumó entre la temblorosa calina amarilla del calor. Miré a nuestra madre y vi miedo en su cara. Lo que la llenaba de miedo no era la extraña magia del encantador de serpientes o el despertar del reptil del deseo que había rielado en los ojos del muchacho, sino la rara belleza tan sencillamente presente en el rostro de mi hermana. A decir verdad, Mohini era como un magnífico quetzal que alza el vuelo desde las copas de árboles de treinta metros de altura, circunda los cielos en su canción y luego cae, precipitándose a través del aire, con sus plumas iridiscentes desplegándose como la cola de un cometa. Nuestra madre había sido escogida para ser la propietaria de aquel pájaro resplandeciente. ¿Qué otra cosa podía hacer aparte de enjaular su devastadora belleza? El pájaro de nuestra madre siguió prisionero hasta el día en que se fue volando para siempre.

Con los ojos de mi mente todavía puedo vernos a las dos regresando a casa desde la escuela, vestidas idénticamente y andando bajo el sol la una al lado de la otra mientras comíamos bolitas hechas con virutas de hielo mojadas en almíbar. Teníamos que comerlas muy deprisa o se derretían en nuestras manos. Nunca podíamos decirle a nuestra madre que nos habíamos comido aunque solo fuese una, porque Mohini sufría horribles ataques de asma y se suponía que no debía ingerir nada frío. Por eso solo nos permitíamos disfrutar a escondidas de las bolitas de hielo cuando hacía un calor agobiante. El asma de Mohini era algo muy serio. Cada vez que llovía, o aunque solo cayeran unas gotas, nuestra madre venía a buscarnos a la escuela con un gran paraguas negro y las tres regresábamos a casa juntas, Mohini debajo del gran paraguas negro, yo debajo de un pequeño paraguas de papel marrón encerado que olía intensamente a barniz y nuestra madre bajo la lluvia. Creo que ella disfrutaba secretamente de la sensación de las grandes gotas calientes que caían sobre su cabeza. Cuando llegábamos a casa siempre había zumo de jengibre, recién exprimido y horriblemente acre, esperando en una taza. Entonces nuestra madre hervía un poco de agua y la echaba en la taza que había estado aguardándonos, llenando toda la cocina con los potentes vapores del jengibre. Una cucharada de miel silvestre de color marrón oscuro era disuelta en la repugnante mezcla. Luego nuestra madre entregaba a Mohini la taza de aquel asqueroso líquido y esperaba hasta que esta había quedado completamente vacía. Yo contemplaba con un respeto casi religioso a Mohini mientras la apuraba. La lluvia repiqueteaba y tamborileaba insistentemente en el techo. Creo que en esos momentos yo quería muchísimo a mi hermana.

También me acuerdo de Mui Tsai, la pequeña, dulce y siempre pisoteada Mui Tsai. Creo que se sentía realmente muy unida a nuestra madre, pero ella estaba tan firmemente decidida a que en su lápida imaginaria se leyera *Querida madre* que no podía ver cómo su amiga le suplicaba un poco de amor. Sus ojos estaban clavados en el lejano horizonte, allí donde todos sus hijos eran brillantes ejemplos de una buena educación. ¡Pobre Mui Tsai! Solía parecer triste, pero eso era cuando todavía no la habían destrozado. Sus señoras y el dueño de la casa la rompieron en mil pedazos igual que si fuera un juguete; después de aquello dejó de estar triste. Creo que su mente se dio por vencida. Mui Tsai fue a un sitio en el cual tenía muchos bebés y podía quedarse con todos ellos.

Mis mejores recuerdos de Mui Tsai son su sombra alargada proyectándose en la pared de la cocina de nuestra casa hasta altas horas de la noche, en una cita secreta a la parpadeante y misteriosa luz de la lámpara de nuestra madre. Cada vez que una pesadilla me despertaba de golpe en plena noche, iba sigilosamente a la cocina encaminándome hacia el afable resplandor de la lámpara de queroseno. Allí encontraba a Mui Tsai y a nuestra madre sentadas con las piernas cruzadas y hablando en susurros, o jugando a las damas chinas encima del banco. Yo iba con una sonrisa hacia las manos extendidas de Mui Tsai y me quedaba dormida en su regazo, pero en realidad ella suscitaba en mí la misma disimulada piedad que sentía hacia mi hermana pequeña, Lalita.

Recuerdo el nacimiento de mi hermana pequeña, una criaturita apretadamente envuelta. Tenía unos ojos minúsculos muy juntos en una cara muy ancha y su piel era más oscura que la de cualquiera de nosotros. Nuestro padre tenía que mordisquearle las orejas para hacerla reír. Lalita era muy callada. Porque, verás, era como él. Incluso se parecía a nuestro padre. Nuestra madre admitía con toda franqueza que no quería que ninguno de sus hijos saliera a nuestro padre. Decía que los hijos de su primer matrimonio eran las criaturas más patéticas que hubiese visto jamás. Cuando contempló por primera vez los ojos carentes de brillo de Lalita, pensó que podría cambiarla por mera fuerza de voluntad. Creyó que podría alterar el curso de la naturaleza. Lalita no era más que un bebé y a los bebés se los podía hacer cambiar.

Pero conforme iba haciéndose mayor, mi hermana cada vez se parecía más a nuestro padre. Nuestra madre, desesperada, cogió la costumbre de mecer a mi callada hermana sobre sus piernas extendidas mientras canturreaba «¿Quién se casará con mi pobre, pobre hija?». Si hubieras oído toda la angustia que había en aquellas palabras tan simples, también habrías llegado a la conclusión de que los niños hermosos inspiran orgullo en sus padres mientras que los que son feos despiertan una tremenda oleada de amor protector, una necesidad de compensar el abandono de la sociedad. La naturaleza le había negado la belleza a mi hermana, pero fue nuestra madre la que llevó el amor protector tan lejos que, sin ella quererlo, le negó a mi hermana la oportunidad de contraer matrimonio. Ya sé que no está bien por mi parte, pero no puedo quitarme de la cabeza la idea de que fue a causa de nuestra madre por lo que mi hermana nunca se casó. La voluntad de nuestra madre nunca fue más fuerte que cuando cantaba aquella triste canción, y si ella me oyera decirlo se enfadaría muchísimo. Diría que hizo todo lo que pudo. Nadie podría haberse esforzado más por encontrarle un marido apropiado a mi hermana.

Nuestra madre quizá debería sentirse halagada de ver que la considero lo bastante poderosa para haber alterado el curso del destino de mi hermana con sus cancioncillas.

Mi primer recuerdo completo se remonta a la ocasión en que fuimos a la boda de su tío en Serembán. Durante nuestra estancia, nuestra madre y mi tía abuela discutieron por algo trivial que aun así afectó de tal manera a nuestra madre que tuvimos que volver en una embarcación por el traicionero río Pahang para que no tuviera que pasar ni un minuto más bajo el mismo techo que la esposa de su tío. Lo único que nos dijo nuestra madre durante muchos años fue que la esposa de su tío la odiaba. Nunca llegó a contarnos por qué.

Cuando regresamos a nuestra casa vacía y saqueada, nuestra madre tuvo que gastar más de la mitad de sus ahorros en sustituir todo aquello que nos habían robado. Hay que reconocerle que supo hacer frente a la catástrofe sin perder la calma. Al mediodía ya había ido al mercado y había conseguido hacer acopio de algunas provisiones; luego sustituyó la mayor parte de nuestro mobiliario con lo que les habían robado a otros. A finales de año, el resto de los ahorros de nuestra madre se convirtió en mero papel inútil. Los japoneses hicieron de todos nosotros personas llenas de recursos, pero nuestra madre era una fuerza invencible. Dándose cuenta de que su dinero ya no servía de nada, envió a Lakshmnan, el cual era más ágil que un mono, a la copa del cocotero más alto de nuestro recinto donde él ató su lata de dinero y joyas entre las ramas para mantenerlo a salvo. De vez en cuando Lakshmnan trepaba hasta allí para asegurarse de que su tesoro siguiera estando a salvo. Cubierta de excrementos de pájaro, la pequeña fortuna de nuestra madre permaneció intacta durante años. La llegada de los japoneses convirtió a nuestra madre en una pequeña empresaria, y además lo cierto era que tenía un auténtico don para ello. Vio que ya no había leche condensada y que el puesto de café que había de camino al sitio donde trabajaba nuestro padre solo podía vender café negro sin azúcar. Había un nuevo mercado para la leche de vaca, así que nuestra madre vendió el más grande de sus rubíes y compró algunas vacas y cabras. Cada mañana las ordeñaba antes de que el sol hubiera subido en el cielo y luego Lakshmnan vendía la leche a los cafés del pueblo. Durante el día nuestra madre dejaba reposar la leche para que se convirtiera en yogur y por la tarde las señoras del templo venían a visitarnos con recipientes vacíos para recoger el yogur de nuestra madre rebajado con un poco de agua. Lo llamaban «mour».

Por aquel entonces yo tenía nueve años y recuerdo a nuestras vacas como unas bestias enormes de pesados andares y ubres repletas de leche. Me miraban con unos ojos impregnados de líquida melancolía que, llenándome de culpabilidad, me impulsaban a tratar de hacer amistad con ellas, pero en realidad las vacas eran demasiado estúpidas para que pudieras llegar a hacerte amiga suya. Nunca veías aparecer la luz del reconocimiento en sus ojos y la única expresión que podías sacar de ellos era una triste aceptación. Nuestras vacas estaban resignadas a llevar unas vidas espantosas en condiciones malolientes y siempre había estiércol reseco debajo de sus colas.

Curiosamente, cuando pienso en la ocupación japonesa pienso en nuestras vacas. Recuerdo la manera en que entraron en nuestras vidas con el comienzo de la ocupación y cómo todas fueron vendidas después de que los japoneses se hubieran marchado. Si bien es cierto que nuestra madre también tenía cabras, pavos y gansos, esos animales nunca tuvieron ninguna clase de efecto sobre mí. Lalita alimentaba a los pavos y los gansos con espinacas y judías hasta que se habían puesto lo bastante grandes para que pudieran ser vendidos; luego lloraba cuando nuestra madre los vendía a un comerciante chino que tenía un puesto en el mercado.

Para mí, la ocupación japonesa está relacionada por encima de todo con el miedo y, concretamente, con ese tipo de miedo muy agudo que tiene un olor y un sabor propios, metálicos y extrañamente dulces. Lakshmnan y yo vimos nuestra primera cabeza decapitada un día en que íbamos al mercado. La habían clavado en un palo que pusieron junto al camino, con una hoja arrancada de un cuaderno de ejercicios escolares en la que habían escrito el mensaje «Traidor». Lakshmnan y yo nos reímos de la cabeza. Mientras no estuvimos seguros de que la cabeza fuese real, esta siguió pareciéndonos muy graciosa. ¿Cómo podía ser real aquella cabeza, cuando no había sangre goteando del cuello cortado o del gran corte que atravesaba la mejilla izquierda del hombre? Pero en cuanto nos acercamos un poco más, nos dimos cuenta de que era totalmente real. Las moscas eran reales. Aquel olor dulzón a algo rancio que la envolvía era intenso y persistente. Una clase de miedo que yo nunca había experimentado antes me golpeó el estómago con la fuerza de un puñetazo. Enseguida temí por la vida de nuestro padre, a pesar de que mi hermano me aseguró que los japoneses solo decapitaban a aquellos chinos que sospechaban eran comunistas.

Unos metros más allá, no solo una cabeza sino un cuerpo entero había sido atravesado en un palo que luego habían clavado al suelo. Sentí que los pasos de mi hermano se volvían súbitamente lentos y vacilantes. Sus dedos me apretaron dolorosamente la mano, pero en eso mi hermano es como nuestra madre: le cuesta mucho decir que alguien ha muerto. Los dos apretamos el paso. Ojalá no lo hubiéramos hecho. El chino había parecido un muñeco no muy bien hecho, pero la segunda figura me provocó pesadillas durante muchos años.

Era una mujer. La afirmación de mi hermano de que los japoneses solo les cortaban la cabeza a los chinos comunistas enseguida demostró ser una mentira. El cadáver no solo era de una mujer, sino que además aquella mujer estaba embarazada. Le habían abierto el vientre y un feto púrpura perfectamente formado colgaba obscenamente del agujero. La cara de la mujer era una visión realmente horrible. Sus ojos sobresalían de las órbitas como horrorizados de vernos contemplar su estómago abierto y tenía la boca rígidamente abierta como si se dispusiera a gritar enloquecidamente. Grandes moscas azules zumbaban alrededor del hediondo estómago abierto. Su flácida mano sostenía un cartel en el que se leía: Y ASÍ ES COMO SON TRATADAS LAS FAMILIAS COMUNISTAS. Los japoneses, al parecer, sentían un odio especial hacia los chinos que iba más allá de la guerra. Seguimos andando en silencio.

Después de que le robaran el quinto hijo a Mui Tsai, ella iba por el mundo como un fantasma lleno de amargura. Por dentro estaba herida y sangrando, pero para el mundo exterior era joven y bonita. Para los soldados japoneses era perfecta. Habían encontrado en nuestro pequeño vecindario a la mujer que podía encargarse de atenderlos. ¡Cómo se servían de ella! Hacían cola ante Mui Tsai. La tomaban uno por uno en el suelo de la cocina, en la cama del dueño de la casa, encima de la mesa de palo de rosa del comedor donde comían cada día el señor y la señora. Cada día que iban allí, los soldados esperaban tener su comida encima de la mesa y su sexo con Mui Tsai allí donde diese la casualidad de que se hubieran detenido. Nuestra Mohini y Ah Moi, que vivía en la casa de al lado, le debían su virginidad a ella. Cuando el general Ito y sus hombres entraron en el vecindario, el primer sitio al que acudieron corriendo fue a la casa del viejo Soong. Allí encontraron todo lo necesario para satisfacer sus necesidades básicas. Siempre había comida con la que no estaban familiarizados, pero de la que también disfrutaban muchísimo, así como una hermosa joven para que pudieran hacer lo que les diera la gana con ella. Lo mejor de todo era que aquella joven no era ni la esposa ni la hija de nadie. Como tenían a Mui Tsai, los japoneses no se molestaron demasiado en buscar a las otras hijas cuidadosamente escondidas. Quizá tuvieran alguna idea de en qué lugares del vecindario se hallaban escondidas otras jóvenes utilizables, pero por el momento les bastaba con Mui Tsai.

Nuestra madre y Lakshmnan hicieron un hoyo secreto en el suelo para Mohini y en menor medida, si la ocupación duraba muchos años, también para mí. Si yo hubiera sido un chico entonces habría estado a salvo durante algunos años más, pero con los japoneses nunca se sabía. Nuestra madre decía que la guerra hace salir a la luz al animal que hay dentro de un hombre. El hombre deja en casa su compasión y encontrarse con él en tierra enemiga es como doblar una esquina y ver de pronto los ojos amarillos de un enorme león. Nunca hay ocasión de suplicar o razonar, porque puedes tener la seguridad de que saltará sobre ti. El escondite consistía en un hoyo que había sido astutamente abierto en las tablas del suelo de la casa. Te permitía llegar al terreno que había debajo del suelo elevado de nuestra casa y conducía directamente a un hoyo con espacio suficiente para Mohini, yo y un día quizá incluso Lalita.

Nuestra madre había desmantelado el viejo gallinero, pasado alambre alrededor de los pilotes de nuestra casa y llevado a las gallinas a su nuevo hogar debajo de ella. Se aferraba a la esperanza de que la perspectiva de ensuciarse tocando los excrementos de las gallinas haría que ni siquiera los más devotos servidores del imperio japonés quisieran investigar aquel pequeño espacio que había debajo de la casa. La trampilla estaba tapada por un enorme arcón de madera que la abuela nos había enviado desde Sangra. Cuando el arcón de madera era arrastrado por el suelo hasta dejarlo colocado encima de la trampilla, la entrada quedaba completamente disimulada. Era un escondite muy ingenioso y los japoneses, aunque abrían las alacenas y miraban en los rincones, nunca dieron con él. Quizá tampoco se esforzaron demasiado. Mui Tsai ya había embotado el filo más apremiante de sus necesidades antes de que llegaran a nuestra casa.

En una ocasión, nuestra madre trató de complacerlos dándoles comida. La primera vez que los japoneses se metieron en la boca el alimento ofrecido, lo escupieron de inmediato y luego miraron a nuestra madre con una rabia tan asesina como si les hubiera ofrecido un plato cargado de especias para reírse de ellos. Nuestra madre se inclinó ante ellos y les rogó clemencia. Los japoneses abofetearon su cabeza inclinada. A veces miraban a nuestra madre con expresiones muy extrañas y le preguntaban dónde tenía escondidas a sus hijas. De pie junto a ella con mis ropas de chico, yo la sentía temblar contra mí. Una vez el general Ito llegó a estar muy cerca de descubrir el secreto y volvió a preguntárselo con una sonrisa tan maliciosa que parecía como si uno de nuestros vecinos nos hubiera traicionado. Pero solo estaban poniéndola a prueba y suspiramos con alivio cuando su camión se alejó por el camino principal.

Mohini llenó su habitación secreta con libros y pequeñas almohadas bordadas. La dejó muy bonita, pero teníamos prohibido conversar dentro de ella. Nos pegábamos la una a la otra y así, acurrucadas en el escondite, escuchábamos en silencio el retumbar de pesadas botas que andaban sobre los tablones del suelo. Al principio las dos estábamos muy asustadas en nuestra cavidad secreta, pero con el paso del tiempo nos fuimos tranquilizando y aprendimos a reír, con unas risitas muy suaves amortiguadas por nuestras manos ahuecadas, al pensar en cómo los soldados buscaban inútilmente nuestro escondite por encima de nuestras cabezas. Yo estaba tan orgullosa de nuestro astuto lugar secreto que sabía que los japoneses nunca darían con él, y no me equivocaba.

Fue a nuestro padre al que se llevaron.

El pequeño Sevenese soñó que lo veía caer dentro de un gran agujero en el suelo, con los labios sangrando profusamente. Nuestra madre no sabía cuál podía ser el significado de aquel sueño, pero fue al templo, donó un poco de dinero y dijo unas oraciones.

Dos noches después, ya nos habíamos olvidado del sueño cuando los japoneses llegaron de pronto. Hacía una noche muy oscura. La luna era una delgada astilla en el cielo y los dioses solo habían lanzado un puñado de estrellas al negro vacío. Lo sé porque luego pasé muchas horas contemplando el cielo, sumida en el estupor y protegida por la oscuridad. El vecindario dormía y solo nuestra madre seguía despierta. Estaba sentada en la cocina, cosiendo. El primer ruido de neumáticos rechinando sobre el camino hizo que se pinchara el dedo. Contempló por un instante el puntito rojo que acababa de aparecer en su dedo, pero antes de que los japoneses hubieran detenido sus camiones y saltado de ellos, nuestra madre ya nos había sacado de la cama a Mohini y a mí y nos había metido dentro de nuestro escondite secreto. Luego apagó la lámpara de queroseno y se quedó de pie detrás de las cortinas de la sala. Los japoneses traían linternas y bayonetas y nuestra madre los vio desaparecer dentro de la casa del conductor de camiones.

Unos minutos después salieron de la casa, con el camionero llevado a punta de bayoneta delante de ellos. A la luz de los faros de los camiones, aquel hombre parecía perplejo. Los japoneses subieron su cuerpo medio vestido al camión con un brusco empujón. Un estrépito de gemidos y sollozos salía de la casa del pobre camionero. Los gritos aterrorizados de sus hijos desgarraron la noche. Los soldados estuvieron discutiendo algo entre ellos durante un rato en su lengua gutural. No eran Ito y sus hombres. Ito y sus soldados eran predecibles. Los odiábamos, pero a esas alturas ya se habían convertido en figuras familiares de un terror que podía ser asimilado. Aquellos hombres tenían un aspecto mucho más amenazador. No andaban buscando comida gratis o un par de piernas que se abrieran ante ellos, sino algo mucho más importante que eso. Mientras miraba, nuestra madre vio dispersarse al grupo de soldados y luego dos de ellos echaron a andar hacia nuestra casa. Nuestra puerta delantera tembló bajo el atronar de sus golpes. Nuestra madre corrió a abrir. Los haces de sus linternas brillaron fugazmente sobre su cara antes de que los soldados la hicieran a un lado de un empujón; entonces los haces iluminaron a nuestro padre inmóvil en la puerta del dormitorio. Lo agarraron sin perder ni un instante y lo sacaron de la casa, alejándose con rostros pétreos e impasibles seguidos por los patéticos gritos de nuestra madre.

Mi padre se volvió a mirarnos, pero no se despidió agitando la mano. En su rostro no había emoción alguna. Todavía se encontraba demasiado aturdido.

Estuvieron conduciendo en la noche durante unos cuarenta y cinco minutos. El camionero que estaba sentado enfrente de nuestra padre comenzó a sollozar y él, que solo llevaba una camiseta blanca y los pantalones de su pijama, empezó a temblar en la trasera descubierta de aquel camión. Finalmente los llevaron a una plantación de caucho y, una vez allí, a una elegante casa de estilo colonial. La casa estaba a oscuras y relucía con un fantasmagórico resplandor plateado bajo la luz de la luna. Desde una ventana abierta en el primer piso, una música clásica increíblemente hermosa salía flotando a través de las ondulantes cortinas blancas.

Hicieron bajar a nuestro padre a punta de bayoneta por unas escaleras que conducían a una cámara subterránea. El agua goteaba del techo y se deslizaba por las paredes de aquella mazmorra. Cuando su mano rozó las paredes, nuestro padre descubrió que estaban cubiertas por un aterciopelado musgo verdoso. Los pasillos resonaban con el áspero eco de sus pisadas y sus respiraciones. Los prisioneros avanzaron tambaleándose y tropezando por un largo pasillo; luego fueron empujados al interior de unas diminutas celdas. La puerta se cerró con un seco chasquido detrás de nuestro padre. Sin la tenue luz amarilla de la linterna de su captor, la celda lo sumergió en nubes de negra tinta. Dos puntitos anaranjados aparecieron encima de sus párpados y no hubo alivio alguno en el sonido de aquellas pesadas botas alejándose. Hacía frío y mucha humedad, y nuestro padre se estremeció y escuchó. Oyó botas que se aproximaban con paso rítmico y decidido. Pasaron de largo. Un perro ladró fuera. De algún lugar cercano, llegaba el gotear del agua.

Nuestro padre fue recorriendo a tientas la celda, apoyado en manos y rodillas. Las paredes sin desbastar se descascarillaban bajo sus dedos y el suelo era de piedra sólida. La habitación se hallaba vacía, salvo por él y un súbito movimiento de correteo. Refugiándose rápidamente en un rincón y con la espalda pegada a la pared, nuestro padre contempló la negrura con ojos aterrorizados. Era una rata. Oyó cómo sus garras repiqueteaban sobre el suelo de cemento con un ruidito casi imperceptible. Se le erizaron los pelos de la nuca. Nuestro padre odiaba a las ratas. Podía soportar a las serpientes, tolerar a las arañas, entender la necesidad de que hubiera ranas pegajosas e incluso perdonar la existencia de las cucarachas..., pero odiaba a las ratas. ¡Oh, Dios, y aquella terrible y lisa cola que tenían! Tragó saliva con un nervioso temor. Volvió a oír aquel súbito sonido de correteo y apretó el puño. Los dientes de la rata iban volviéndose cada vez más largos y afilados en la oscuridad. Nuestro padre decidió que dejaría caer con todas sus fuerzas el puño apretado encima de aquel cuerpo blando y caliente. Sí, la sangre repugnante manaría, pero después de aquello él estaría a salvo. Se acordó de que iba descalzo. Volvió a oír botas que andaban por el pasillo. El sonido lo aterrorizó. Sintió que se le secaba la boca.

Nuestro padre no temía a los japoneses. No había nada que temer. Él no había hecho nada malo. Si había alguien que no tuviera nada que temer, era él. Ni siquiera había sucumbido a las reprimendas de su esposa y comprado aquel azúcar blanco del mercado negro que ella tanto quería. Él no tenía miedo.

Lo que sí le daba miedo era la rata. Nuestro padre se repitió una y otra vez que no tenía absolutamente nada que temer. Debía concentrarse en la rata que podía tratar de morderle los dedos de los pies. Creyó sentir una espada hendiendo el aire junto a su cuello y se apresuró a apartar la cabeza. Vio cómo su cabeza salía despedida de la reluciente espada y la sangre manó de su cuello como una lluvia roja. Basta, se dijo a sí mismo en aquella intolerable oscuridad. Hizo desaparecer de su febril cerebro la imagen del rostro amarillo que había empuñado aquella espada invisible.

Entonces oyó con toda claridad gritar a alguien con un ronco alarido que te rompía los tímpanos. Totalmente inmóvil, nuestro padre escuchó en la oscuridad. El sonido no se repitió. Tenía la boca tan reseca que la lengua se le había pegado al paladar. Se apresuró a tragar, pero la saliva se negó a acudir a su garganta. De pronto sintió el roce de un áspero pelaje en su pierna izquierda. Su mano bajó rápidamente y chocó con el suelo de cemento. La rata era muy rápida. El correteo sonó más lejano. La rata se estaba burlando de él.

La puerta se abrió y una intensa luz brilló sobre la cara de nuestro padre, que levantó las manos y se cubrió los ojos con un grito. Aquel súbito resplandor era intolerable, como cuchillos hundiéndose en sus ojos. Sintió miedo. No había habido ningún ruido de botas.

Dos sombras salieron de la oscuridad que había detrás de aquella intensa claridad y aparecieron para flanquearlo. Eran dos jóvenes malayos. Lo ayudaron a levantarse con manos delicadas y suaves. Sus ojos estaban vacíos de toda expresión y suplicarles no hubiese servido de nada. Llevaron a nuestro padre por el oscuro y húmedo pasillo que olía intensamente a orina. Esta vez se dio cuenta de que había muchas puertas cerradas a cada lado del pasillo. La mayor parte del tiempo no oyó nada, pero en un momento dado un profundo suspiro surgió de detrás de una de las puertas. Era el sonido lleno de desesperación de alguien a quien ya no le quedan fuerzas para seguir luchando y que ha perdido toda esperanza.

Un instante después, nuestro padre se encontró solo en una pequeña habitación que estaba casi totalmente desprovista de mobiliario. Oyó girar la llave detrás de él. En la habitación, iluminada por una bombilla desnuda, había una mesa de madera y dos sillas. Encima de la mesa había un vaso vacío y una gran jarra llena de agua. Nuestro padre la contempló como si la visión del agua lo fascinara. Limpia y cristalina, se la veía deliciosa y magníficamente fresca gracias a los relucientes cubitos de hielo que flotaban inmóviles en la superficie. Había algo tan extraño en el hecho de encontrar justo lo que más necesitaba en aquella habitación, vacía y con la bombilla eléctrica desnuda, que de pronto nuestro padre se sintió invadido por una súbita inquietud. Contempló el solitario vaso que había encima de la mesa. Podía limitarse a beber un rápido sorbo y nadie lo sabría, ¿verdad? Recorrió la habitación con la mirada. Las paredes eran gruesas y muy sólidas. Esperó cinco minutos más. Siguió sin llegar nadie.

Cogió la jarra y bebió un trago. El líquido solo reposó un instante en su lengua reseca antes de que se encontrara escupiéndolo. Aquel agua era tan salada que no podía ser bebida. Luego sintió auténtico miedo cuando vio cómo había dejado el suelo. ¿Qué había hecho? Era alguna clase de trampa y él había caído en ella. Probablemente en esos momentos alguien estaba observándolo a través del agujero de la cerradura. Comenzó a temblar de arriba abajo. Apresurada, torpemente, nuestro padre se quitó la camiseta y limpió el suelo con ella. Cuando el suelo estuvo nuevamente seco, volvió a ponerse la camiseta con manos temblorosas. La llave giró en la puerta. La puerta se abrió y un hombre que llevaba una máscara realmente notable entró en la habitación. Nuestro padre quedó tan sorprendido por aquella increíble visión que se le escapó un jadeo ahogado y, sin quererlo, dio un paso atrás. Por aquel entonces él no lo sabía, pero estaba contemplando la perfección de una máscara *noh* japonesa. El hombre llevaba una holgada túnica de mangas excesivamente largas. Cuando movió la cabeza, la máscara pareció cobrar vida. Bajo la luz de la bombilla suspendida del techo, la piel de la máscara era tan suave y lustrosa como la de una muchacha. Nuestro padre contempló la máscara con ojos inexpresivos. Una muchacha o muchacho de impresionante belleza le sonreía con una cálida, limpia e inocente sonrisa. Bajo las cejas que se arqueaban delicadamente sobre las cuencas vacías, los negros ojos del desconocido estaban llenos de vida a pesar de hallarse envueltos en sombras. De pie en el centro de la habitación, nuestro padre sintió que aquella máscara lo intimidaba y lo llenaba de confusión.

—Al ejército imperial lo complace mucho tenerlo aquí como nuestro distinguido invitado —dijo el desconocido enmascarado, hablando muy suavemente y sin levantar la voz.

Durante un embriagador instante de la más perfecta felicidad, nuestro padre estuvo seguro de que todo aquello era un terrible error. El ejército japonés no tenía ninguna razón para darle la bienvenida en calidad de invitado. Él solo era un oficinista insignificante que carecía de la inteligencia necesaria para que lo ascendieran aunque solo fuese una vez en la vida. ¡Pero si había suspendido todos y cada uno de los exámenes a los que se presentó! Podían preguntárselo a su esposa, sus hijos, los vecinos. Se lo dirían enseguida. Era un simple error de identidad. El hombre detrás del que andaba el ejército imperial obviamente era alguien importante que podía ayudarlos con su causa. Nuestro padre abrió la boca para hablar, pero aquel desconocido tan educado señaló la jarra de agua que había encima de la mesa y preguntó, con una ligera sombra de petulancia en la voz, si le gustaría beber un vaso de agua.

Entonces nuestro padre comprendió que aquello no era ningún error.

El desconocido cogió el vaso, lo llenó de agua con mucho cuidado y se lo ofreció a nuestro padre. «Siéntese», lo invitó después mientras le acercaba una de las sillas. La larga manga de seda subió por su brazo para revelar unas manos de una blancura antinatural, como la piel del estómago de un lagarto, y extraña y terriblemente contrahechas. Aquellas manos eran inimaginablemente feas. Las uñas estaban deformadas y... Nuestro padre reprimió un estremecimiento. Nunca había visto nada parecido. Sintió cómo un súbito temor le oprimía el corazón y entonces comprendió la razón de que las mangas de aquella túnica fueran tan largas. Comenzó a preguntarse con horror por qué necesitaba llevar la máscara aquel hombre.

Aquello no podía estar ocurriéndole a él. No era más que una persona normal y corriente sin ninguna clase de ambiciones o filiación política. Se daba por satisfecho pudiendo estar sentado en su porche con un puro encendido, o teniendo en el regazo a sus hijos mientras escuchaba la radio.

La máscara lo contemplaba con una expresión muy agradable. Nuestro padre se sintió todavía más confuso. Una máscara no tenía expresiones. Entonces la máscara flotó hacia él hasta que estuvo a solo unos centímetros de su rostro. Las cuencas vacías y llenas de sombras se convirtieron súbitamente en pozos insondables repletos de una terrible crueldad. Opacos y fríamente divertidos, no se apartaban de él. El destello opaco que relucía en los ojos del hombre enmascarado le dijo a nuestro padre que el hombre ya había hecho aquello muchas, muchas veces anteriormente, y que en cada ocasión había disfrutado mucho haciéndolo. Nuestro padre lo miró con fascinada incredulidad, casi intoxicado por la exquisita belleza de la máscara y la maldad que se ocultaba en los agujeros de los ojos. Los opulentos labios rojos, sensualmente húmedos, ya casi lo estaban tocando cuando el hechizo quedó súbitamente roto y, conteniendo la respiración, nuestro padre se echó hacia atrás, horrorizado. Aquel hombre era el mal encarnado.

—¡Beba, beba! —exclamó expansivamente el desconocido, pero

unos fríos ojos de reptil estaban examinando con fría diversión la camiseta mojada. Nuestro padre sintió que la repulsión le erizaba los pelos de la nuca—. Beba —lo apremió la máscara *noh*, esta vez más insistentemente.

Así que nuestro padre bebió un buen trago de agua salada. El agua abrasó su dolorida y reseca garganta. El hombre enseguida se inclinó hacia delante y volvió a llenarle el vaso. Luego comenzó a hablar. Hablaba en voz muy baja y suave y había momentos en los que nuestro aturdido padre, con su camiseta blanca mojada y el vaso medio lleno en sus manos, tenía que esforzarse para poder oírlo. Lo que le dijo el hombre de la túnica apenas quedaría borrosamente grabado en su memoria. Lo único que recordaría después fue la increíble impresión de que la máscara parecía cambiar. A veces era melancólica y otras parecía irradiar felicidad. En un momento dado se llenó de furia. También se acordaría de la voz. Su misma suavidad inspiraba terror en nuestro pobre padre y, naturalmente, luego recordaría cómo lo apremiaba delicadamente a que bebiera.

Cuando aquella conversación hubo llegado a su fin, nuestro padre ya se había bebido toda la jarra. Sentía dolorosos calambres en el estómago y estaba consumido por una sed abrasadora. Los dos jóvenes malayos volvieron a llevarlo a su celda. Una vez allí, nuestro padre encontró más agua salada y unas frías sobras de arroz con verduras que no sabían a nada. Había transcurrido un día, o quizá más tiempo. Se le habían empezado a agrietar los labios. Un grifo goteaba en alguna parte. Nuestro padre podía sentir su frescor en la boca. En la oscuridad de su celda, pensó en la sangre de la rata. Era líquida, ¿no?

Transcurrió más tiempo y cuando volvieron a buscarlo, dos soldados japoneses lo interrogaron repetidamente acerca de un comunista del cual él nunca había oído hablar antes. Ah Peng, Ah Tong... Todo se confundía en su mente. Nuestro padre dijo que no conocía a ninguno de aquellos hombres. Los soldados comenzaron a abofetearlo.

—Es un hombre, no varios —lo corrigieron, muy enfadados—. No juegues con nosotros.

—Sí, sí, es un hombre. ¡No lo conozco! —gritó nuestro padre con voz llena de dolor.

—¿Estás negando que entró en tu vecindario mientras huía?

—Puede que lo hiciera, pero no fue a verme a mí.

—¿A quién acudió entonces?

—No lo sé.

—Venga, intenta adivinarlo... Ya sabes a quién estamos buscando.

Las preguntas continuaron sucediéndose unas a otras, sin detenerse jamás en su firme convicción de que nuestro padre realmente había dado cobijo a un comunista buscado por los japoneses y de que obviamente estaba mintiendo. Los dos soldados lo golpearon.

«¡Confiesa!», gritó una voz tan cerca de su oído que nuestro padre sintió como si algo estallara en las profundidades de su cabeza, ensordeciéndolo y vibrando incontrolablemente dentro de él. Con su cabeza que aullaba apretada entre las manos, nuestro padre probó suerte con muchas respuestas sin que ninguna de ellas fuese satisfactoria. Los soldados le golpearon los dedos con un palo y le arrancaron trozos de carne de entre ellos. Aquel dolor intolerable hizo que nuestro padre se desmayara. Le echaron un cubo de agua fría en la cara. Cuando volvió en sí, entonces los soldados le arrancaron una uña de la mano. La crueldad era algo que se les daba admirablemente bien. La uña rosada se desprendió del dedo con un chorro de sangre, llevándose consigo un trocito de carne unido a ella. Lo habían hecho todo tan deprisa que nuestro padre necesitó unos segundos para darse cuenta de lo que había ocurrido. Sus ojos desorbitados contemplaron con frenético asombro aquel dedo que había empezado a sangrar. Sí, a él siempre le había costado un poco enterarse de las cosas, pero ¿podía ser aquello alguna clase de broma? ¿Realmente podía estar ocurriéndole todo aquello a él?

Los dos soldados miraron a la enorme y estúpida bestia que se retorcía en el suelo y sonrieron despectivamente. La cegadora intensidad de la agonía inicial fue difuminándose poco a poco hasta convertirse en un doloroso palpitar. Nuestro padre hizo una profunda inspiración de aire y se atrevió a echar otra mirada a su dedo mutilado. La herida tenía peor aspecto de como él la sentía en realidad. El dolor era soportable. Levantó la vista hacia los rostros de los soldados, brutales y quemados por el sol.

—¿El dolor ya casi se ha calmado? —le preguntó el soldado que tenía más cerca, antes de sujetar la mano de nuestro padre con una presa tan firme como la de unas tenazas y sumergírsela en la jarra de agua salada que esperaba junto a él.

Entonces él se puso a gritar como un loco. La agonía no se parecía a nada de cuanto hubiera experimentado jamás. Subía por su brazo igual que una llamarada, estallando en sus nervios con la fuerza de un relámpago.

—No conozco a ese hombre. No conozco a ese hombre. Oh,

dioses, juro que no lo conozco. Oh, Ganesha, protégeme. Por favooor... Sácame de aquí. Llévame lejos de este lugar.

Perdió el conocimiento y cuando volvió en sí, dos jóvenes malayos lo estaban llevando a rastras por un pasillo. Nuestro padre entrevió confusamente a otros dos jóvenes malayos que salían de una de las muchas puertas que había a lo largo del pasillo. Una china desnuda de cintura para abajo se tambaleaba entre ellos. Los cabellos que le llegaban hasta el hombro estaban enmarañados y sucios, y sus ojos vidriosos carecían de toda expresión. Su rostro estaba tan blanco como la tiza bajo la tenue luz del pasillo. Nuestro padre no pudo evitar que su mirada la recorriera de arriba abajo y entonces de pronto comprendió lo que estaba viendo. La mujer sangraba copiosamente. La sangre corría por el interior de sus muslos y manchaba el suelo. Lo primero que pensó nuestro padre fue que le habían hecho daño en sus partes más íntimas, pero luego se dio cuenta de que la mujer estaba menstruando. Curiosamente, que ella no se avergonzara de su propia sangre lo asustó más que nada de cuanto había visto hasta aquel momento. Nuestro padre no pudo contenerse y comenzó a gritar.

—Oh, no, no, qué te han hecho... —sollozó igual que un niño, llorando por aquella mujer como si fuera de su familia.

Pero la mujer siguió andando con el rostro vacío de toda expresión como si la pena que nuestro padre sentía por ella fuera invisible, igual que si fuera una autómata o ya estuviera muerta, yendo hacia la habitación donde esperaba el hombre de la máscara.

Los dos malayos dejaron caer a nuestro padre en el frío suelo de piedra con su dolor abrasador, una jarra de agua salada y la rata como compañía. Nuestro padre se arrastró hasta su rincón, derrotado y exhausto. La cabeza le daba vueltas, girando en apretados y vertiginosos círculos. Al fin entendía por qué los cadáveres repartidos por el pueblo, aquellos cuerpos que iban encogiéndose poco a poco dentro de sus ataduras, tenían los dedos ennegrecidos. El sol de la tarde calcinaba la carne e iba consumiendo la sal que había en las heridas.

Despertó gritando. Le ardía el dedo. El áspero sonido de su propio alarido le resultó irreconocible. Algo le estaba comiendo el dedo. La rata le estaba comiendo la carne. Se apresuró a apartar la mano. Hubo un súbito fogonazo de dolor en la oscuridad, pero la rata estaba tan hambrienta que se negó osadamente a soltar su comida. Nuestro padre se debatió desesperadamente en un frenesí casi histérico, golpeando la mano contra el duro suelo hasta que esta quedó libre por fin y el sonido de correteo se alejó. La mano le palpitaba violentamente. Nuestro padre comenzó a sollozar. La celda olía a su propia orina.

Transcurrieron los días. Nuestro padre perdió el sentido del tiempo. Todo había quedado reducido a un confuso borrón. Se sentía peor que ningún animal metido en una jaula. La mano había empezado a temblarle incontrolablemente. El agua salada había hecho que los labios se le agrietaran y comenzaran a sangrar. Sus dedos se movían sobre las enormes y ásperas costras de sus labios con el horror de alguien que de pronto encuentra sanguijuelas en su cuerpo. Pasó muchas horas yaciendo en la negrura, escuchando cómo la rata correteaba en la oscuridad. Cuando la oía más próxima, daba patadas y puñetazos en el suelo hasta que el sonido se alejaba hacia los extremos de la celda. Le avergonzaba que sus captores pudieran haberlo reducido con tanta rapidez a un estado tan inhumano. Nuestro padre siempre se había tenido a sí mismo por un hombre que valoraba su dignidad por encima de todo, y sin embargo...

Finalmente, un día la puerta volvió a abrirse y nuestro padre fue llevado nuevamente a la habitación del primer encuentro con la máscara *noh* y el mal puro y absoluto que había detrás de ella.

Una jarra de agua lo estaba esperando. Verla hizo que las rodillas se le doblaran de horror y su mano subió instintivamente hacia su boca. Las costras eran enormes y las heridas sangraban constantemente. Cada movimiento que hacían sus labios era insoportablemente doloroso. Nuestro padre se estremeció en lo más profundo de su ser.

El hombre de la túnica entró en la habitación y, yendo hacia la mesa, echó un poco de agua en un vaso. Luego se lo tendió a nuestro padre.

La máscara era una verdadera obra de arte. Comenzaba a parecerse más a alguien que nuestro padre conocía. Quizá se estaba volviendo loco. Su mirada bajó hacia el agua que se le ofrecía. El hielo tintineaba dentro del vaso y el agua tenía un aspecto magníficamente fresco. A nuestro padre le entraron ganas de vomitar. Sacudió la cabeza, sabiendo que sus ojos estaban llenos de la más abyecta súplica.

—No más, por favor —murmuró con los labios rígidos y secos.

Hablar hizo que volvieran a sangrar. ¿Fue cosa de su imaginación? ¿Cómo era posible que una máscara pareciera decepcionada?

—El ejército imperial ya no tiene más necesidad de tus servicios —dijo aquella máscara, que ya había empezado a resultarle familiar, antes de que tomara un sorbo de agua—. Morirás antes del amanecer —anunció con dulzura el atormentador enmascarado y se fue.

Aquella agua no podía tener sal. Nuestro padre se lanzó sobre la jarra y dos soldados incrustaron las culatas de sus rifles en su cuerpo antes de que pudiera llegar a ella.

Esa misma noche, cuatro soldados llevaron a diez hombres hasta un camión. Música clásica que sonaba muy alto llenaba el fresco aire nocturno. Nuestro padre estaba seguro de que quien escuchaba aquella música tan hermosa era el hombre de la piel de lagarto. No había más que ver cómo convertía su brutalidad en un arte para saber que aquel hombre era un auténtico entendido en todas las cosas hermosas. Los hombres fueron subiendo al camión uno por uno. Todos lucían labios ensangrentados en sus caras deshidratadas y resecas. Les temblaban las manos y el miedo y la desesperación desorbitaban sus ojos. El camión lleno de hombres vencidos se alejó de la elegante mansión con las ratas que residían en ella, su enmascarado anfitrión de exquisita crueldad y los jóvenes malayos que aparecían y desaparecían como fantasmas sin hacer nunca el menor ruido. El camionero estaba sentado junto a nuestro padre. Paralizado, tenía los ojos clavados en el vacío. Llevaron a los hombres hasta la selva y se detuvieron en un claro. Los prisioneros se miraron los unos a los otros sintiendo un nuevo miedo. Habían reconocido el olor de los cadáveres pudriéndose. Los soldados les ordenaron que bajaran del camión, pusieron palas en las manos temblorosas de los hombres y luego les ordenaron no que cavaran un largo y profundo agujero, sino que lo llenaran. El agujero era tan profundo y tan negro que los hombres no podían ver los rostros desencajados por el horror ni la carne infestada de gusanos que había en él, pero podían oler el hedor a podredumbre que emanaba de su interior.

Nuestro padre miró en torno a él. La luz de los faros del camión se combinaba con el olor, los horribles pensamientos que pasaban por la cabeza de aquellos hombres, las plegarias murmuradas y la risa enloquecida que se oía de vez en cuando de pura desesperación. Parecían hombres que hubieran sentido el suave y frío aliento de la muerte en sus cuellos. Taparon el agujero. Luego les ordenaron que cavaran otro, de la misma longitud y anchura que el que acababan de tapar. A la luz de los faros, nuestro padre pudo ver que había otros sitios de la misma longitud y anchura que habían sido cubiertos recientemente. Más valía no pensar en ello. Cavaron durante dos horas, quizá más. Era un trabajo lento y agotador, pero ninguno de ellos quería que terminara. Lo más insoportable que había en aquella noche horrible era el miedo a escuchar las palabras: «Basta. Ya es suficiente».

«Pronto estaré muerto», pensó nuestro padre, sintiéndose súbitamente tranquilo.

Luego me diría que vio a la Muerte y que la Muerte estaba tan cerca y era una niña tan adorable que él la atrajo hacia sí y besó en los labios a aquella hermosa niña. «Ven y juega conmigo», lo invitó entonces la niñita.

—¡Basta! Ya es suficiente. Poneos de cara al hoyo —ordenó una voz.

Pronto ya no existiría y pensarlo le resultó extrañamente placentero. Nuestro padre era consciente de que había fracasado en la vida, y en esos momentos la Muerte le había dirigido una preciosa invitación. Hizo sus cálculos. Mohini no tardaría en casarse y yo era lo bastante lista para saber cómo podía llegar a disfrutar de una buena vida. A los chicos les iría estupendamente, claro está. Sintió una leve punzada de dolor por la pobre Lalita, pero su madre, aquel admirable parangón de virtudes que era su esposa, cuidaría de la pequeña.

Moviéndose con paso lento y cansado, los hombres formaron una fila. Algunos de ellos se echaron a llorar y otros comenzaron a suplicar con labios que sangraban copiosamente mientras hablaban. La sangre corría hasta empapar sus barbillas. Los patéticos sonidos que producían parecían llegar desde muy lejos. Los soldados no se dejaron conmover por ellos. Nuestro padre se quedó mirando las pequeñas bocas negras de las ametralladoras japonesas.

Luego me contaría que la niña llamada Muerte realmente tenía los ojos llenos de estrellas e irradiaba el encanto irresistible de un bebé que duerme apaciblemente. La niña miró a nuestro padre y le sonrió.

Una leve sonrisa curvó la boca de nuestro padre. Estaba preparado.

De pronto el aire se llenó de luz y ráfagas de ametralladora. Nuestro padre sintió que le ardía el hombro mientras se desplomaba hacia delante. El hombre que había a su lado se llevó las manos al estómago y cayó encima de él. Juntos, los dos se precipitaron dentro de la fosa para caer en un hediondo amasijo de brazos y piernas. Bajo la fría luz blanca de la luna, nuestro padre vio a unos centímetros de su cara el rostro de nuestro vecino convertido en una horrible máscara que lo miraba fijamente; entonces supo que la Muerte era una niña cruel que no tenía corazón. Otros hombres cayeron encima de él. Nuestro padre sintió las convulsiones y los estremecimientos de los demás mientras jugaban al juego de la Muerte. No emitió sonido alguno cuando sobre su cara goteó sangre caliente. Mantuvo todos sus gritos de terror atrapados en las profundidades de su garganta cerrada y oyó desde debajo de los cadáveres cómo los soldados hablaban a su manera gutural y agresiva. Se inclinaron sobre el hoyo para mirar dentro de él e hicieron unos disparos al azar. Algunos de los cuerpos se sacudieron dentro del hoyo. Nuestro padre abrió la boca, pero únicamente para llenar de aire los pulmones que le ardían. Puede que nuestro padre no fuera un hombre demasiado inteligente, pero al menos conocía el valor del silencio.

Primero los faros se apartaron de la fosa y luego el ruido del pesado camión que se alejaba murió en la noche. Dentro del hoyo de la muerte todo estaba tan oscuro que nuestro padre pensó que nunca volvería a ver luz. Esperó hasta que los estremecimientos cesaron, porque nunca hubiese podido pasar por encima de un cuerpo que sufría. Los otros cuerpos yacían sumidos en el profundo sueño de la muerte. Brazos, piernas y cabezas ejercían una firme presión sobre nuestro padre. Parecía como si quisieran que se quedara dentro de aquella oscura fosa con ellos. Aquella noche, nuestro padre trepó sobre los otros nueve cuerpos. Fue horrible. Finalmente consiguió salir de la tumba. Se sentó cansadamente durante un rato junto a la fosa que él mismo había cavado y miró distraídamente a su alrededor sin ver nada. La luna le sonrió con tristeza y luego oyó los sonidos del bosque por primera vez desde que habían ido allí. El zumbido de los insectos resonaba incesantemente en torno a él. Un mosquito lo picó. Nuestro padre se golpeó el cuello con la mano y luego comenzó a reír enloquecidamente. Aún vivía. Nubes grises daban forma al cielo y soplaba una suave brisa. Nuestro padre sangraba y estaba lleno de heridas, pero había engañado a aquella criaturita encantadora. Había visto el destello de la ira frustrada en sus líquidos ojos. «No te lo tomes así —le dijo entonces a aquella boquita fruncida en un hermoso mohín—. Nueve de cada diez sigue siendo un buen trabajo.»

Volvió a saltar a la fosa para coger un par de zapatos de un muerto y luego comenzó a adentrarse en la noche, sin salir de la selva pero manteniéndose muy cerca de las huellas de neumáticos. Al cabo de uno o dos días esas huellas quizá volverían a conducirlo hasta el pueblo, pero bajo la luz grisácea del amanecer se horrorizó al darse cuenta de que estaba completamente perdido.

Nuestro padre regresó a casa casi dos semanas después de que los japoneses se lo hubieran llevado. Una tercera parte de su volumen había desaparecido. Olía igual que aquel gato del vecino que se había arrastrado debajo de la leña del fuego para morir y luego no fue descubierto hasta que ya había transcurrido una semana. Su cuerpo estaba cubierto de mordeduras y llagas infectadas y aquella oscura piel suya se pegaba a su enorme figura como una goma elástica. Había estado arrastrándose en círculos por la selva, trepando por encima de enormes troncos caídos cubiertos de hongos y musgos viscosos, resbalando y cayendo en el negro barro, e inhalando el rancio olor de las hojas que se pudrían a medio metro por debajo del suelo. Durante todo ese tiempo su sangre había estado alimentando a los enjambres de mosquitos gigantes, sanguijuelas, moscas, pulgas, hormigas aladas y solo el cielo sabe qué otras criaturas había creído apropiado poner Dios en las noches más negras que se puedan llegar a imaginar.

Nuestro padre me contó que durante la noche, las sustancias químicas liberadas por el proceso de la putrefacción convierten las hojas muertas y largos trozos de árboles enteros, ya desenraizados de la tierra y que han ido llenándose de hongos y líquenes en el suelo de la selva, en un extraño e interminable motivo de formas luminosas y fosforescentes. Entonces él se quedaba sentado sin moverse, rodeado por aquella hermosa exhibición de luces que relucían junto a sus pies y paralizado por el miedo, mientras aguzaba el oído esperando oír la pisada de un tigre aunque sabía que las patas almohadilladas del animal pueden andar de puntillas entre la espesura sin llegar a mover ni una sola mata de un helecho. El tigre simplemente aparecería ante él, con sus dientes reluciendo y sus labios tan negros como el alquitrán.

¡Ah, nuestro pobre padre! Su hombro ardía día y noche en aquel calor húmedo, abrasándolo como rojas ascuas que hubieran sido esparcidas encima de la carne desnuda. La herida estaba empezando a oler mal. Nuestro padre se la cubrió con hojas. Cuando llegaba el amanecer de cada día, lamía el rocío de todas las hojas lo bastante lisas y suaves que podía encontrar antes de proseguir su tambaleante avance durante todo el tiempo que fueran capaces de sostenerlo sus piernas. Una vez, bajo aquella claridad moteada por las sombras, estuvo a punto de pisar a un enorme escorpión color azul medianoche mientras este cruzaba tranquilamente por el camino que había estado siguiendo nuestro padre, con su cola envenenada sostenida bien alta por encima de su cabeza.

Nuestro padre apenas si se detuvo.

Un día, cayó un aguacero que convirtió los senderos por los que avanzaba nuestro padre en ríos de barro rojo; otro día, hizo tanto calor que nubes de vapor caliente se elevaron de las hojas que iban descomponiéndose en el suelo de la selva. En un momento dado, nuestro padre se sobresaltó y le invadió el asombro al descubrir gigantescos agujeros en el barro y ver que los troncos más próximos estaban manchados hasta la altura de sus orejas con una negra sustancia viscosa; entonces comprendió que acababa de tropezarse con un sendero de elefantes. Luego estuvo siguiéndolo durante un rato, pero no llevaba a ningún sitio.

Tardó un poco en darse cuenta de ello, pero finalmente comprendió que estaba moviéndose en círculos. La paranoia se adueñó inmediatamente de él. La impresión indeleble de que la selva quería adueñarse de él creció dentro de su desanimado cuerpo. El hambre colectiva de la selva aparecía en cada silueta y en cada forma, e incluso las lianas que colgaban de las ramas de los árboles lo acariciaban con tan ávido anhelo que dejaban húmedos rastros verdosos encima en su cara.

Nuestro padre estaba sentado en un tronco caído, viendo cómo una araña de peludas patas tan grande como la palma de su mano subía lentamente por una liana de aspecto carnoso, cuando sintió un cosquilleo en el antebrazo desnudo. Un gusano estaba bailando encima de él. Cuando miró hacia arriba con ojos llenos de sorpresa, otro gusano cayó junto al primero. Nuestro padre se limitó a contemplar cómo aquellos dos relucientes bichos blancos se divertían sobre su carne hasta que un tercer gusano se unió a ellos. Entonces volvió lentamente la cabeza y aunque había adivinado de inmediato que su hombro lleno de pus era una masa de gusanos que se retorcían convulsamente, verlos hizo que se echara atrás y dejara escapar un siseo de repugnancia y horror. Se dio cuenta de que la mano se le había quedado totalmente entumecida. «Me están comiendo vivo», pensó, hundiéndose en la más negra desesperación.

Después nuestro padre pensó que la dorada y vengativa criaturita de la muerte estaba jugando con él en aquel calor asfixiante, pero en eso se equivocaba: aquella hermosa niña ya había perdido todo interés en él. Los gusanos se limitaron a comerse el pus y la piel muerta, después de lo cual todos ellos se esfumaron dejando un gran agujero limpio en el hombro de nuestro padre. Un faisán revoloteaba entre los helechos gigantes, pero lo hacía pasando tan cerca de sus manos que nuestro padre se lanzó sobre él. Lo que habría hecho con aquel faisán en el caso de que lo hubiera capturado siempre ha sido un misterio para mí, ya que nuestro padre era incapaz de matar a una mosca que le entrara volando en la boca. La pregunta nunca llegó a suscitarse, porque lo único que consiguió con su intento fue caer de bruces sobre aquel fértil suelo negro. Un martín pescador de plumaje intensamente azul con un abigarrado pecho de color naranja pasó rápidamente sobre él en las alturas, pero nuestro padre solo lo vio como un borroso manchón de azul y naranja, ya que para aquel entonces estaba empezando a encontrarse peligrosamente débil y aturdido.

Cuando el paraguas de hojas se hubo adelgazado un poco, mariposas tan grandes como su cara revolotearon alrededor de su cabeza en gráciles círculos y a veces se encontró andando a través de espesas neblinas formadas por moscas de la fruta, agitando apáticamente las manos alrededor de su cara. El hombro todavía le palpitaba violentamente, tenía la boca cubierta de llagas y la piel de su cuerpo se había vuelto dolorosamente viva debido a los centenares de mordiscos y roces con hojas venenosas sufridos. Nuestro padre sabía que no podría continuar durante mucho más tiempo. Siguió adelante, cada vez más débil.

Finalmente encontró huellas, huellas humanas. Los árboles estaban marcados. Lleno de alegría, nuestro padre siguió las marcas y estas terminaron llevándolo hasta un frondoso bosque de plataneros. Mientras se abría paso ávidamente en aquella espesura cargada de fruta, docenas de sanguijuelas cayeron de las magníficas hojas verdes para depositarse sobre su piel. Nuestro padre no supo que las tenía encima del cuerpo hasta que las vio, hinchadas por su sangre y tan gruesas como el dedo medio de su mano, saltar de su piel por decisión propia. Cuando se le terminó la provisión de plátanos, pasó hambre hasta que fue consciente de un súbito olor a mangos. Fue siguiendo aquel intenso aroma hasta que terminó deteniéndose delante de una asombrosa alfombra repleta de frutos maduros, debajo de una colonia de mangos silvestres.

Sentado en la alfombra amarilla, nuestro padre arrancó las pieles con sus dientes y comió diez, quince, puede que hasta veinte de aquellos frutos. Eran tan deliciosos que nada podía compararse con ellos. Tras convertir su camiseta en una bolsa improvisada, luego prosiguió su viaje llevándose consigo dentro de ella todos los mangos que pudo llegar a meter.

Entonces, mágica e increíblemente, la selva desapareció para ser sustituida por hileras simétricas de árboles del caucho. Nuestro padre avanzó como un gato que anda de caza, deteniéndose detrás de cada árbol con el cuero cabelludo erizado porque esperaba ver cómo un soldado japonés saltaba sobre él en cualquier momento. Temía encontrarse con un inescrutable rostro amarillo y una bayoneta profundamente hundida en su estómago encogido. Pero no se tropezó con ninguna bayoneta. Después de haber estado escuchando el incesante zumbido de millones de insectos y los ruidosos chillidos de los pájaros y los monos, la plantación de caucho se hallaba mortalmente silenciosa. Nuestro padre continuó andando hasta que se encontró con un viejo camino de tierra y lo siguió hasta un minúsculo cobertizo en el que dos hindúes estaban procesando manualmente toscas láminas de caucho a partir del látex utilizando para ello el toddy, una bebida alcohólica que se hace a partir de la savia de la palmera. Nuestro padre los llamó a gritos, pero lo único que consiguió salir de sus pulmones fue un débil gemido. Abrió la boca para gritar más fuerte, pero entonces sus piernas simplemente se doblaron y la oscuridad lo engulló.

Aquellos hindúes eran buenos hombres y nos trajeron a casa a nuestro padre. Nunca he visto a nadie comportarse de una manera tan fríamente profesional como lo hizo nuestra madre durante aquellos días. No se sintió ni asustada ni asqueada por el estado de su marido, por todos aquellos olores, cortes, heridas y morados que cubrían la carne desgarrada donde la piel relucía en los sitios que más se habían hinchado. Quemó trocitos de trapos viejos en el hornillo y después utilizó las puntas calcinadas para frotarle todo el cuerpo con ellas. Nuestro padre gimió de alivio cuando el carbón fue infiltrándose en sus llagas. Luego nuestra madre le bañó la cara hinchada con un líquido que preparó a partir de hojas de cocotero machacadas. Le limpió las heridas y se las vendó, y acto seguido se dispuso a remendar a aquel hombre hecho pedazos que no la había reconocido en la puerta de casa.

Nuestro padre pasó semanas yaciendo en la gran cama de hierro, una forma encogida y cubierta de tintura de yodo. Su piel se había ensuciado con el color terroso de la enfermedad y estaba empapada por la transpiración. Pedía agua constantemente, incluso en sueños. El único nombre que acudía a sus labios era el de nuestra madre y la única persona a la cual reconocía cuando entreabría los ojos era a ella. A veces extendía la mano para tocar el rostro de Mohini y entonces lágrimas silenciosas resbalaban por su cara. Sus labios, que habían parecido irreparables, curaron muy deprisa. Pero su cuerpo, asolado por la malaria, se revolvía en la cama como si el cese de la guerra que estaba librándose en su mente no fuera a ser posible jamás.

—¡Quitadle la máscara! ¡No le deis mi quinina! —gritaba en pleno delirio—. Deprisa, cierra las puertas. Esconde a los niños —balbuceaba—. ¡Están todos muertos en el fango! —chillaba, estremeciéndose con tal violencia que la gran cama temblaba.

El primer sábado después de que él hubiera vuelto, nuestra madre regresó del mercado y desenvolvió encima de la piedra de trinchar que había fuera de la cocina un paquete hecho con un manojo de hojas de papaya color verde oscuro. Dentro había un trozo espantosamente rojo de carne de cocodrilo.

—Es buena para curar las heridas —dijo—. Vuestro padre es un hombre tan largo que necesita mucho para volver a llenarse.

Cocinó la carne de cocodrilo con hierbas y luego yo contemplé cómo iba dando a nuestro padre aquel caldo de color púrpura con una cuchara. Los trocitos que le resbalaban por el mentón los iba recogiendo ella con la cuchara. Cada día, y así durante muchos días, nuestra madre desenvolvió paquetes hechos con hojas de papaya y cocinó la reluciente carne roja que contenían.

Pasaba día y noche sentada junto a la cabecera de la cama. A veces reñía a nuestro padre y en otras ocasiones le cantaba canciones que yo nunca le había oído antes. Puede que sí que lo quisiera después de todo y quizá lo único que ocurría fuese que ella era un poco arisca y difícil por naturaleza. Puedo verla ahora, una figura sentada junto a la cama con la oscura forma de nuestro padre yaciendo en ella y rodeada por las sombras del atardecer. Apoyada en el quicio de la puerta, con la planta de mi pie izquierdo descansando sobre la pantorrilla de mi pierna derecha mientras escucho con respetuoso asombro aquellas melodiosas cancioncillas que no sabía que anidaran dentro de ella, recuerdo haber pensado que nuestra madre era como el océano. Era tan profunda y estaba tan llena de cosas desconocidas que yo temía no poder llegar nunca al fondo de ella. Me hubiese gustado ser un arroyo que iría creciendo hasta convertirse en un río que, con el paso del tiempo, algún día terminaría llegando a desembocar en ella.

Un día nuestro padre se incorporó en la cama y pidió un plátano.

Todos hicimos corro a su alrededor, fascinados, para contemplar cómo comía por sí solo. Nuestro empurpurado padre era un héroe. Solo era capaz de esbozar la más tenue de las sonrisas y esta desaparecía apenas había llegado. Pidió a Lakshmnan que le trajera a la cama aquel bloque de madera tan especial que había estado tallando durante tantos años. Luego comenzó a tallar una máscara. Un delicado rostro de increíble belleza, con las cejas arqueadas y labios carnosos y sensuales, fue cobrando forma muy, muy despacio. La máscara, impecablemente pulida y suavemente sonriente, quedó encima de la cama y nuestro padre la miraba mucho. Entonces una noche nos despertaron unos feroces rugidos y un ruido de golpes. Fuimos corriendo a la habitación de nuestro padre y nos lo encontramos de pie en el centro de ella, fláccidamente apoyado en el pesado mortero de madera de nuestra madre. La máscara, hecha añicos, yacía en fragmentos en el suelo. Nuestro padre nos contempló por unos instantes, mirándonos casi como si no nos reconociera, antes de caer al suelo entre sollozos.

Al día siguiente, yo estaba de pie en el umbral viéndolo comer sopa de cocodrilo cuando nuestro padre me dijo que entrara. Alisó el espacio que había junto a sus caderas y, subiéndome a la cama, yo apoyé con mucho cuidado la cabeza en su barriga. Después él comenzó a contarme la historia de su terrible prueba. Cada palabra se me quedó grabada a fuego en la memoria. Después de todo, era a mí a quien había escogido nuestro padre para contarle su increíble historia. Después de eso fue mejorando rápidamente y no tardó en estar andando por la casa, pero a partir de aquel momento comenzó a olvidar muy deprisa todos los detalles que había dejado grabados para siempre en mi memoria. Con el paso de los años, nuestro padre ya solo recordaba la máscara o a la hermosa niña de la muerte de una manera muy vaga y confusa.

JEYAN

Para fortalecer mis débiles e insignificantes piernas, a Mohini se le asignó la tarea de llevarme a pasear por los bosques que había detrás de nuestra casa, arroyo arriba; ocasionalmente, incluso llegábamos tan lejos como el cementerio chino que había al otro lado del camino principal. Andábamos cogidos de la mano, con mi hermana moviéndose ruidosamente en un par de aquellos zuecos de madera roja ridículamente incómodos que tan de moda se habían puesto entre las mujeres chinas por aquella época y yo calzado con aquellos sólidos zapatos míos por los que nuestra madre había pagado sus buenos dineros. En uno de aquellos paseos, un fragmento de luz azul que relucía en la corriente del arroyo atrajo la mirada de mi hermana. Se metió en el arroyo, zuecos de madera roja incluidos, y regresó con los ojos brillantes y un cristal fabulosamente azul apretado entre los dedos. Aquello fue el comienzo de la época más feliz de mi vida, un tiempo durante el cual el suelo se convirtió en un útero cristalino de infinita fertilidad. Encontrábamos piedras de asombrosa belleza por todas partes: en el barro, a lo largo de las cunetas del camino, debajo de las casas de la gente, en las orillas cuando nuestra madre iba a comprar pescado y entre las rocas que había cerca del mercado. Luego las limpiábamos cuidadosamente y una vez a la semana se las llevábamos al profesor Rao.

El profesor Rao era un conocido de nuestro padre y un gemólogo de cierta fama. El profesor nos había enseñado manuscritos impresos ya un tanto amarillentos, papeles importantes que él había escrito para la Sociedad de Gemología de Londres. Era un hombre de aspecto majestuoso y todo un estudioso de la historia hindú en cuya cabeza crecían cabellos del blanco más puro imaginable. Su hijo, del cual se sentía muy orgulloso, estaba estudiando medicina en Inglaterra.

Siempre que surgía la ocasión de hacerlo, el profesor Rao enviaba a su hijo con devoto celo paternal manojos de plátanos verdes todavía por madurar a través de amistades y conocidos. Solía leernos cartas escritas por un muchacho jovial y brillante en la que este le agradecía los magníficos plátanos amarillos. Habían madurado a la perfección, se entusiasmaba el joven.

Fue el profesor Rao quien primero nos enseñó a ir por el mundo con un trocito de pedernal guardado en nuestros bolsillos. Cada vez que encontrábamos una roca o una piedra, lo primero que hacíamos era golpearla con el pedernal y si la roca cedía, eso significaba que se la podía pulir con un estropajo de acero hasta dejarla muy brillante. De esta manera, Mohini y yo llenamos casi hasta el borde una caja de madera, que en el pasado había contenido naranjas, de piedras y rocas de muchos colores magníficamente pulimentadas. A mis ojos infantiles la caja cerrada que guardábamos debajo de nuestra casa les parecía el más extravagante de los tesoros, digna de compararse incluso con la colección profesional de rocas, cristales, fósiles y gemas que tenía el profesor Rao.

Estaba a la altura de sus medias secciones de geodas cortadas y pulimentadas, unos discretos huevos de roca cuyos gruesos caparazones exteriores consistían en capas y más capas de dibujos en remolino creados por el rápido enfriamiento de la corteza y en cuyo interior había gloriosas cavidades repletas de los cristales más intensamente purpúreos imaginables. Estaba a la altura incluso de su cueva de amatista de casi un metro, dentro de la cual cabía fácilmente mi cabeza entera. Estaba a la altura, de eso yo tenía la más absoluta seguridad, de su desusadamente enorme lingam, una turmalina negra en forma de falo a la que los hindúes rendían culto por considerarlo el símbolo del gran dios Shiva. También estaba a la altura, pensaba yo, de aquella roca ambarina suya con su insecto atrapado vivo en su interior. Tampoco me había olvidado de tomar en consideración el factor de mórbida fascinación existente en el dramático emborronamiento que se había producido alrededor del insecto durante las convulsiones de su agonía.

Estoy tumbado en una alfombra de hojas verdes y amarillas en nuestro jardín trasero sin sentir ninguna envidia de las conchas paua del profesor Rao, sus moluscos gigantes y su árbol de coral, con sus preciosos abalorios todavía colgando de él. Pero cuando contemplo el contenido de nuestra caja, ahora, me entran ganas de llorar. Lo único que puedo ver es una caja llena de rocas polvorientas. Es un triste recordatorio de tiempos inocentes, una época feliz en la que nos pasábamos horas debajo de la casa, sacando brillo a una piedra con mucho cuidado para descubrir sus interioridades de un intenso color anaranjado. Fue una época tan fugaz y delicada como las alas de una mariposa, de un improbable azul cerúleo sobre tonos topacio, sobre el color zafiro que reposa en mi palma llena de deleite.

Cada semana dejábamos nuestras zapatillas fuera de la casa del profesor Rao y subíamos el corto tramo de peldaños que conducía a su cueva de Aladino. El profesor nos recibía en el umbral vestido con su *dhoti* blanco, las manos unidas como un capullo de loto en la forma más noble de la bienvenida, los ojos enriquecidos por mil virtudes y la pisada del dios, ceniza sagrada con la que se había dibujado la forma de una U, en su despejada frente.

—Entrad, entrad —nos decía, claramente complacido de ver a su audiencia.

Una vez dentro de su fresca casa, nosotros abríamos nuestros puños firmemente apretados y le ofrecíamos piedras calientes para que las examinara. El profesor tomaba solemnemente nuestras piedras en sus pinzas y las iba examinando una por una mediante una lupa de mano. Aunque no me cabe duda de que lo más frecuente era que Mohini y yo le entregáramos basura, el profesor Rao siempre colocaba nuestras piedras con meticuloso cuidado en una bandeja especial antes de entrar en el cuarto donde se guardaban las oscuras botellas de venenos que él utilizaba para identificar rocas y minerales. Luego sacaba de allí las botellas, etiquetadas con calaveras y tibias cruzadas que nos emocionaban y adquiridas a proveedores especializados que traían productos de ultramar, y derramaba cuidadosamente una gota de líquido incoloro encima de nuestras ofrendas. Nosotros mirábamos sin pestañear. Como era de esperar, después de unos momentos fascinantes, nuestras piedras siseaban, echaban humo y solían volverse pecosas o destellar con los colores más lustrosos imaginables.

Después su esposa, una mujer de expresión hosca, nos servía un té muy dulce y su excelente bizcocho recubierto con gelatina. Dentro de su cocina ella solo escuchaba frívolas canciones de amor tamiles, pero en la sala el profesor Rao no permitía que el aire se llenara con nada que no fuese la sombría música clásica del estilo thiagaraja. Mientras mordisqueábamos la rebanadita de bizcocho, el profesor abría su caja plateada con sus pequeños compartimientos. Hojas de betel, lima recortada, nuez de areca, coco aromático, cardamomo, clavos de especia y semillas de anís y azafrán reposaban en su interior.

Era puro yoga, la exquisita manera con la que el profesor iba pellizcando cantidades exactas de cada uno de los ingredientes y sus largos dedos de pianista doblaban la reluciente hoja verde hasta darle una forma piramidal, para luego cerrarla atravesándola con un solitario clavo de especia.

Con la hoja de betel en su boca, el profesor hacía cobrar vida al apuro de una ostra irritada o a la burbujeante existencia del magma a centenares de kilómetros por debajo de nuestros pies, llevándonos bajo la corteza terrestre en la que los diamantes habían vivido durante millones de años. Su voz educada y suave nos conducía al interior de grandes salas decoradas con el mármol verde de Esparta, el mármol amarillo de Namibia y los frescos obra de Meleagro y Antímenes. De los grandes muros colgaban lámparas de aceite perfumado y guirnaldas hechas con violetas y hojas aromáticas. Allí el profesor Rao nos señalaba a un decadente anfitrión romano que había escogido deliberadamente servir una extraña colección de platos por la mera razón de que eran raros y caros, y él era todo un entendido en gastronomía que nadaba en la riqueza. Los esclavos disponían encima de una larga mesa de banquetes las bandejas de plata llenas de currucas, loros, tortugas, pichones, flamencos, erizos de mar, marsopas, lenguas de alondra, úteros de cerdas estériles, pezuñas de camello, crestas de gallo, cabritillo estofado, ostras hechas a la barbacoa y tordos sobre los que se había derramado una yema de huevo.

—Mirad —decía el profesor Rao—, comen con los dedos. Exactamente igual que nosotros.

Muy impresionados, nosotros veíamos cómo los músicos, los poetas, los comedores de fuego y las jóvenes bailarinas iban sucediéndose unos a otros hasta que finalmente se había terminado de consumir el segundo plato y el orgulloso anfitrión alzaba una copa incrustada de amatistas, gritando: «¡Que dé comienzo el simposio de la bebida!». Mientras él hacía tal declaración, un esclavo dejaba caer un trozo de amatista dentro de la copa de plata de cada invitado, porque en griego *amethystos* significa «no intoxicado» y los romanos siempre recurrían a todos los trucos posibles cuando se trataba de prolongar una fiesta.

A través de los ojos del profesor Rao observamos a los eunucos de la corte de antiguas dinastías chinas mientras estos prestaban idéntica atención a la labor de encontrar una afluencia constante de muchachas que servirían de concubinas y la tarea de preparar la comida de su emperador para luego servirla en cuencos de jade que mantendrían intacto el vigor de su amo.

Después de tomarnos el bizcocho, los dos seguíamos al profesor Rao hasta su vitrina de cristal. El profesor hacía correr las puertas a lo largo de sus ranuras y entonces otro mundo se abría ante nosotros.

—Y ahora, vamos a ver... ¿Todavía no os he enseñado mi cangrejo de piedra? —nos preguntaba el profesor, depositando acto seguido en nuestras manos infantiles el considerable peso de un gran cangrejo fosilizado en el que cada uno de sus detalles había sido preservado para siempre.

Los tesoros que el profesor Rao guardaba en su vitrina de cristal iban saliendo de ella uno por uno para exhibirse y hacer piruetas ante nosotros. Llenos de asombro, deslizábamos los dedos a lo largo de la madera petrificada, las piezas de azabache y los rosarios hechos con lágrimas de Shiva, aquellas cuentas de rudraksh que son de un marrón rojizo. Admirábamos el nítido color amarillo del carey de las tortugas y, en otras ocasiones, el colmillo de un mamut fosilizado o el marfil en estado natural del hipopótamo y la morsa.

El profesor desenvolvía con mucho cuidado redondas piedras negras que habían sido abiertas como si fueran una nuez para revelar en su negro interior fósiles de amonites de mar hechos un ovillo que se habían ido cerrando sobre sí mismos igual que un secreto. Las había encontrado en las laderas del Himalaya.

—No hubo ninguna cordillera de montañas hasta que la India terminó desgajándose de un inmenso continente llamado Gondwana y chocó con el Tíbet, haciendo que el lecho marino fuera subiendo cada vez más —nos decía, explicando así el misterio de la existencia de los amonites de mar tan arriba de la ladera de una montaña.

Para mí, sin embargo, la máxima gloria que coronaba la colección de cristales del profesor Rao siempre fue un cráneo de cristal de los indios cherokees. El profesor Rao nos contó que los indios cherokees creían que aquellas calaveras suyas cantaban y que las lavaban regularmente con sangre de gamo antes de utilizarlas como un oráculo o con propósitos curativos. Era un objeto realmente hermosísimo, con muchos prismas de color dentro de él. Esporádicamente, cuando los colores del cráneo empezaban a oscurecerse, el profesor lo dejaba enterrado en la tierra durante toda una noche y lo exponía a la intemperie cuando estaba cayendo una tempestad o había luna llena.

Con cada una de aquellas visitas, el profesor depositaba en nuestra mano derecha un trozo distinto de cristal y luego nos decía que pusiéramos suavemente nuestra mano izquierda encima de él.

—Cerrad los ojos y dejad que vuestro corazón le susurre al cristal que lo ama —nos aconsejaba.

Yo sostenía el cristal de la manera solicitada y cerraba los ojos; entonces mi mente de mono corría instantáneamente hacia la última rebanada de bizcocho recubierto con gelatina que todavía quedaba por comer mientras esperaba impacientemente a que llegara el momento en que el profesor nos diría que abriéramos los ojos.

—¿Qué habéis visto? —nos preguntaba entonces con gran excitación.

Yo no habría visto nada más que manchones verdes sobre la pantalla anaranjada de mis párpados pero Mohini, emocionada por la experiencia, comunicaba fogonazos de luz, una inmensa alegría que corría por sus venas como agua de lluvia y viscosas algas marinas creciendo sobre su cuerpo. A veces mi hermana tenía la impresión de que la piedra que había en su mano palpitaba, respiraba y se movía.

—¡Son los recuerdos atrapados en el cristal! —exclamaba triunfalmente el profesor Rao.

Una semana, el profesor tuvo una sorpresa para nosotros. El pequeño cúmulo de cristales de cuarzo que Mohini había sostenido en sus manos la semana anterior había desarrollado un arco iris en la punta de uno de sus cristales. Contemplamos con asombro aquel arco iris perfectamente formado. ¿Era realmente posible que Mohini hubiera hecho que ocurriera aquello?

—Sí, desde luego que sí —dijo el profesor Rao, que estaba radiante—. A veces la piedra es como un niño que se ha conmocionado por algo. Tú la has tranquilizado y la piedra ha respondido a ti.

A partir de entonces, el profesor le pedía a Mohini que tocara el cristal y jugara con él cada vez que íbamos a visitarlo. De todos los cristales que tenía, aquel era el único que había florecido en un arco iris.

En nuestra última visita a su casa, unas semanas antes de que los japoneses invadieran Malasia, el profesor Rao abrió una cajita de cerillas y dentro de ella, colocado encima de un lecho de algodones, había lo que parecía una enorme gota de un aceite transparente e intensamente verdoso. El profesor Rao tomó la gota sólida en sus manos, la sostuvo delante de la luz y juró que era la esmeralda más perfecta que hubiera visto jamás. No tenía precio. Incluso sin estar tallada, sus dimensiones y su belleza eran tan evidentes que el trabajador que había sacado la piedra del suelo se la tragó para poder llevársela de allí sin que se la encontraran encima.

—Es mi vida —dijo orgullosamente el profesor Rao, pero cuando volvió a guardarla dentro de su modesta casita su tono se volvió desusadamente suave—. Siempre me recuerda tus ojos, Mohini, mi querida niña, y cuando algún día te cases con mi hijo esta piedra será tuya.

El profesor tenía razón en lo de la esmeralda. Se parecía mucho a los ojos de mi hermana. Todavía guardo recuerdos de sus ojos, incluso de la época en que yo era un bebé. Gemas relucientes, gemas que reían. ¡Cómo solía reír Mohini!

Recuerdo verla bailar.

Yo acostumbraba a sentarme para verla bailar bajo la luz de la luna. Me sentaba en el taburete de ordeñar de nuestra madre mientras las vacas dormían en el granero y contemplaba a Mohini, tan diferente bajo la mirada plateada de la luna, tan hermosa. Miraba sus magníficos ojos, extraños y muy largos enmarcados por los gruesos ribetes negros creados por el generoso uso del kohl de nuestra madre.

«*Tai tai, taka taka tei, taka, taka…*» La voz clara y suave de Mohini solía resonar como las palmadas de los niños pequeños. Mi hermana arqueaba su cuerpo, moviéndose rápidamente con las manos extendidas en la oscuridad como los pálidos estómagos de las truchas de río cuando salen saltando de un arroyo negro y entonces sus talones golpeaban el suelo, siguiendo el ritmo junto con aquella voz que era como dar palmadas. Las ajorcas de sus tobillos canturreaban suavemente en la noche plateada.

«*Tai, tai, taka taka tei, tei…*», canta mi hermana mientras sus dedos se despliegan como abanicos. Sus manos vuelan en la noche para recoger frutos encantados. Mohini los acaricia suavemente, los dispone con mucho cuidado dentro de una cesta hecha de oro tejido y luego se los ofrece a la Gran Diosa del cielo. Después las puntas de sus dedos se extienden hacia abajo para tocar sus propios pies y estos, como la más delicada cola de ardilla, rozan, ondulan y se mueven hacia delante pintando una imagen en el suelo. Un orgulloso pavo real, un tigre que ruge, un tímido gamo. Siempre está demasiado oscuro para que se pueda ver. Los ojos de Mohini se vuelven velozmente de un lado a otro, dirigiéndose hacia la izquierda, hacia la derecha y nuevamente hacia la izquierda. La imagen ya ha quedado completada. Los pies de Mohini se mueven y los talones golpean el suelo, moviéndose rápidamente en un grácil círculo alrededor de la imagen que ella ha dibujado. Y yo sé que cuando el círculo haya quedado completado, entonces el viaje de Mohini llegará a su fin.

«*Ta dor, ta dor, ta dor, ta ta…*» Veo cómo mi hermana alza ambos brazos hacia la luna y da vueltas cada vez más y más rápidas, con las campanillas de sus tobillos tintineando frenéticamente hasta que termina cayendo al suelo, mareada y sin aliento. Entonces Mohini inclina su rostro resplandeciente hacia mí, con el resto de su cuerpo como suaves curvas extendidas en el suelo, y exige saber si por fin está mejorando en algo.

Por alguna extraña razón en esos momentos mi hermana me recuerda a Siddhi, esa hembra maravillosa que encarna el irresistible atractivo de los poderes místicos, tan hermosa y tan extravagantemente codiciada por todos los dioses y, a pesar de ello, también tan despreciada y rechazada por ellos.

Durante esos segundos irreales, mientras estaba engañado por la luz de la luna y el éxtasis de su danza, yo olvidaba que lo que yacía jadeando en el patio trasero no era un misterioso ser celestial sino mi hermana, la persona más valerosa que conocía. Mohini era valiente de una manera en que no lo eran otras personas, de una manera que nuestra madre consideraba era una debilidad y nuestro padre pensaba indicaba un corazón delicado y lleno de bondad. ¿Cómo puedo llegar a explicar la intensidad del fuego que comenzaba a arder en mi hermana cuando veía cometer una injusticia? Si te hablo de la cena del cumpleaños de nuestra madre, entonces quizá lo entenderás. En aquella ocasión, nuestro padre había ahorrado un año entero de su patética asignación para obsequiar a su esposa con un banquete digno de una reina y sus hijos.

Nuestra madre se hubiese negado a permitir semejante extravagancia en el caso de que la hubiera conocido de antemano, pero mi padre había hecho sus planes en secreto. Lo había encargado todo con mucha antelación, pagando el banquete en cuotas lamentablemente pequeñas mucho antes de que llegara el cumpleaños de nuestra madre. Toda la familia tomó asiento alrededor de una enorme mesa circular. Los primeros en aparecer fueron los cangrejos al chili, seguidos por el cordero cocinado en leche de cabra, los cremosos fideos laksa, el plato de pescado *char kue teow* sazonado con especias, el calamar sambal que despedía el intenso olor del belacán, las castañolas en pasta de jengibre, los palitos de caña de azúcar envueltos con pasta de gambas y así sucesivamente hasta que la mesa entera quedó cubierta de comida humeante.

—Feliz cumpleaños, Lakshmi —susurró nuestro padre. Había una sonrisa en su cara.

Nuestra madre se limitó a asentir. Quizá se sintiera complacida porque nos sonrió, pero entonces un gemido hizo temblar el aire en cuanto comenzó a llenar un cuenco con arroz frito para Lalita. Una vieja mendiga se lamentaba ruidosamente mientras un tendero intentaba echarla de allí golpeándole las piernas con una escoba. Así era como se hacían las cosas en aquella época: si querías mantener alejados a los mendigos, tenías que pegarles.

Todo el mundo se volvió a mirar, algunos con tristeza y otros sintiéndose aliviados de que aquella vieja maloliente no pudiera acercarse a nuestra mesa y echar a perder sus delicados apetitos. Pero no fue eso lo que hizo Mohini. Con los ojos rebosando de lágrimas, se levantó de un salto y corrió hacia el tendero.

—¡No te atrevas a pegarle a la abuela! —gritó.

Sorprendido por la visión de aquella muchacha que volaba hacia él en semejante estado de ira, la escoba del tendero se quedó inmóvil en el aire. La vieja, más que acostumbrada a que le pegaran, dejó de chillar y su fláccida mandíbula se aflojó todavía más para dejarla totalmente boquiabierta. Mohini rodeó la cintura de la mendiga con los brazos y la trajo a nuestra mesa. Para que comiera con nosotros. En aquel entonces, mi hermana todavía no tenía ni diez años.

La presencia de Mohini impregna incluso mis recuerdos más tempranos. Yo levantaba la vista desde el agujero cavado en el suelo donde nuestra madre me metía cada día para fortalecer mis piernas y veía a Mohini en toda una miríada de poses distintas. Representando historias en las que ella sola interpretaba a todos los personajes. Corriendo de un lado a otro, haciendo muecas y cambiando de voces mientras revoloteaba a mi alrededor como una alegre mariposa. Entonces, parecía como si Mohini solo tuviera tiempo para mí. Mi hermana tenía que haber mirado dentro de mis ojitos suplicantes y haber sabido, sin ninguna necesidad de que se lo dijeran, que no habría amor alguno para la pobre y fea criatura que tenía ante ella, que dentro de mi boca no había ninguna de todas esas cosas bonitas con las que se dota a todos los niños para que puedan ganarse aunque solo sea el perezoso contacto de una lengua. Mi hermana asumió la responsabilidad de quererme lo mejor que pudiera.

Lo hacía cada mañana cuando la casa por fin se había vaciado de gente después de que nuestro padre se hubiera ido a trabajar, Anna y mis hermanos se hubieran marchado con rumbo a la escuela y nuestra madre se hubiera ido al mercado con Lalita a remolque de ella. Nuestra madre siempre tenía que llevarse consigo a Lalita, porque de otra manera la pequeña simplemente se desintegraría en un confuso montón caído sobre el suelo y luego lloraría hasta que nuestra madre volviera a casa como si lo que se había perdido con su ausencia fuera mucho, mucho más que un mero viaje al mercado. Por eso cada mañana yo me encontraba sentado, con las piernas cruzadas dentro de un retazo de tenue claridad solar junto a la ventana de la cocina, mientras Mohini tiraba de mis cabellos y los iba anudando en una serie de ricitos al mismo tiempo que me contaba historias sobre el gran Krishna, el dios azul.

—Cuando Krishna era pequeño y estaba sentado fuera de casa —me decía—, su madre lo vio comerse un puñado de arena y corrió hacia él para abrirle la boca y limpiársela de arena. Pero cuando su hijo abrió la boca, entonces su madre encontró el mundo entero dentro de ella.

Yo permanecía sentado, con los dedos de Mohini en mis cabellos y su cálido aliento encima de mi cabeza, y envidiaba a un niño travieso y debidamente querido que robaba la leche con la cual iban a hacer la mantequilla, escondía las ropas de las doncellas que habían ido a bañarse para gastarles una jugarreta, mataba a una cobra enorme con sus manos desnudas y sostenía en alto el monte Govardhan para que proporcionara cobijo a un rebaño de vacas de una terrible tormenta que había sido enviada por un celoso dios Indra. Soñaba con mirar desde la ventana de un palacio para ver a una generación entera de *gophis*, aquellas hermosas doncellas de blanca piel que recogían lotos en un estanque verde mientras cada una rezaba en secreto para poder casarse conmigo. Soñaba con una boda que terminaría uniéndome a la más hermosa de todas las *gophis*, aquella a la que llamaban Ratha.

—Un día tu Ratha vendrá a ti, suave y delicada como la flor del árbol de la mostaza, y yo pondré en su frente la pasta de madera de sándalo y el kum kum —bromeaba Mohini.

En ese momento yo siempre ponía la cara de pena requerida, pero la creía con todo mi corazón.

Esos son mis recuerdos más felices. ¿Qué otra cosa queda por recordar que no sean los años pasados a merced de crueles maestros? Mis maestros me sujetaban los cuadernos de ejercicios a la espalda durante el recreo, para así poder compartir con toda la escuela hasta dónde llegaba mi tontería. Me daban en los nudillos con la regla y mis trabajos salían volando por la puerta porque consideraban que no valían nada. Para ellos la extensión de mi estupidez parecía ser inimaginable. Me llamaban de todo y me expulsaban a un rincón de la clase. En los campos de juegos, niños a los que yo nunca había visto enseguida empezaban a canturrear «*Kayu balak, kayu balak*» en cuanto me veían llegar. «¡Leño, leño! ¡Eres más duro de mollera que un trozo de madera!»

Oh, cómo lloraba yo porque mis pobres orejas carecían de párpados.

Estaba tan desesperado que me humillaba a mí mismo para tratar de ganarme el derecho a recibir una palabra amable, un saludo o una conversación durante los descansos. Llevaba de buena gana las bolsas escolares de otros, iba alrededor del patio caminando hacia atrás para su cruel diversión y ladraba igual que un perro. Pero con el tiempo descubrí que la amistad no puede ser adquirida de esa manera, así que aprendí a sentarme solo al final del campo de juegos, dando la espalda a los niños que reían y con mis ojitos vueltos hacia el camino mientras mi lenta boca masticaba mi comida.

«*Kayu balak, kayu balak*», le cantaban a mi espalda los niños, sintiéndose muy felices.

Los maestros siguieron maltratando y despreciando mi caligrafía, pero yo no podía controlar aquella mano mía que se había convertido en madera. Las lágrimas manaban de mis párpados esculpidos, pero los rostros enfurecidos de los maestros se negaban a ablandarse. ¿Cómo podía contarles que cuando abría un libro para leerlo, peces de tinta azul nadaban sobre las blancas aguas de mi página de tal manera que no podía distinguir las palabras con claridad? ¿Cómo podía ir sumando los números de la manera apropiada si estos hacían piruetas y jugaban a ser monos araña a través de la hoja? Por la misma regla de tres, ¿cómo podía aunque solo fuese empezar a hablarles de mi mano de madera?

Muchos años después de que los japoneses hubieran destrozado nuestras vidas y se hubiesen ido, me pregunté si no me habría quedado dormido encima de una esterilla de relucientes hojas en el huerto de atrás y soñado un cuadro de Basohli tachonado de fragmentos de alas de escarabajo que destellaban como esmeraldas. ¿Podía ser que realmente hubiera existido una época tan gloriosa y civilizada dentro de mi historia? Fui a visitar al profesor Rao. El profesor apareció en la puerta, casi calvo, con las manos unidas para crear una arrugada flor de loto y frágil, muy frágil. Yo lo recordaba más resplandeciente, mucho más grande y sonriendo extáticamente.

—Papá Rao —dije, retrocediendo inconscientemente a mi recuerdo infantil.

Él sonrió con tristeza. Su mano se extendió para acariciar mis cabellos, untados con aceite y peinados hacia atrás para apartarlos de mi frente.

—Los rizos... —lamentó.

—Eran ridículos. Obra de Mohini... —murmuré yo.

Sus mejillas parecieron hundirse.

—Claro —convino el profesor con voz apagada mientras me conducía al interior de la casa.

El lugar estaba silencioso, más pequeño y extrañamente muerto. Ni siquiera se escuchaba el sonido de aquellas canciones de amor pegajosamente dulzonas que salían flotando de la cocina. Podía oír a la esposa del profesor yendo y viniendo por otra parte de la casa, sus movimientos pesados y laboriosos.

—¿Dónde están la caverna de cristal, las geodas, los cuadros? —pregunté de pronto.

El profesor Rao levantó la mano derecha y luego volvió a dejarla caer inútilmente junto a su cuerpo.

—Los japoneses... se lo llevaron todo. Hicieron falta tres de ellos para cargar con mi caverna de cristal.

—¿Hasta su cangrejo de piedra?

—Hasta mi cangrejo de piedra, pero mira: no tocaron mi lingam. Los muy brutos no se dieron cuenta de lo que valía —dijo el profesor, yendo hacia la densa piedra negra para acariciar su curvatura.

Un pensamiento me pasó por la cabeza de repente.

—¿Ha regresado su hijo? —pregunté.

—No —dijo él, tan abruptamente que supe que una catástrofe inimaginable había tenido lugar—. ¿Escuchamos un poco de thiagaraja? —propuso, volviéndose muy deprisa para que yo no pudiera ver el dolor absoluto que se había adueñado de su anciano rostro.

El primer sonido lleno de pureza surgido de las cuerdas de la veena hizo que el profesor Rao apoyara la cabeza en las manos. Lágrimas silenciosas cayeron sobre su *dhoti* blanco, volviendo transparente la tela de tal manera que su pobre piel morena se hizo visible a través de ella.

—¡Papá Rao! —exclamé yo, sintiéndome muy afectado por la visión de sus lágrimas.

—Chist, escucha —dijo él con un hilo de voz.

Aquella vez no hubo bizcocho recubierto de gelatina o té dulce. Permanecí rígidamente sentado en mi asiento hasta que la última nota de la raga de Bhairav hubo llegado a su fin y el profesor Rao se recuperó lo suficiente para alzar la cabeza y sonreírme temblorosamente. Cuando me levanté para irme, el profesor puso su preciado lingam en mi mano.

—No —dije yo.

—Pronto estaré muerto —dijo él—. Nadie más lo amará de la manera en que lo harás tú.

Lleno de tristeza, regresé a casa con la piedra negra. Los japoneses no la habían querido. No habían sido capaces de ver la belleza que encerraba. El lingam era una cosa rechazada, igual que yo. Me metí debajo de nuestra casa y me senté encima de la caja llena de aquellas piedras amorosamente pulidas que no valían nada y pensé en la boca temblorosa de papá Rao; entonces llegaron las lágrimas. Sostuve el lingam negro en la palma de mi mano derecha, con la izquierda cubriendo ligeramente la suave punta redondeada. Luego cerré los ojos y, por primera vez, mi corazón murmuró apasionadamente: «Te amo, cristal».

Durante un rato solo hubo la pantalla anaranjada de mis párpados con los familiares borrones verdes encima de ellos hasta que, de pronto y sin que mediara ninguna advertencia previa, se produjo un fogonazo, como el sol reflejándose en el agua sobre los rabillos de mis párpados. En ese momento sentí cómo mi corazón, que hasta entonces había estado luchando y debatiéndose, respiraba profundamente y se calmaba un poco. De pronto alguien que comprendía la misma esencia de mi ser me rodeó con sus brazos y comenzó a mecerme. Una sensación de paz se adueñó de mí. La piedra me reconfortaba y, poco a poco, comprendí que mi destino nunca había sido el de nacer como un ser humano. Hubiese podido ser feliz siendo una roca. Hubiese podido sentirme satisfecho siendo un enorme peñasco en la cima de una montaña, o un simple cúmulo de cristales luminosos bañados por la fría luz del sol en lo alto del monte Everest.

Hubiese permanecido inmóvil muy por encima del mundo, siempre inconmovible y seguro en mi valía, contemplando año tras año las inútiles idas y venidas de la equivocada raza humana. En mi mano de granito hubiese llevado un reloj de madera y los días y las noches habrían transcurrido mientras las manecillas inmóviles de mi reloj permanecían paralizadas, pero no soy un cristal reluciente o una roca que se alza en lo alto de un hermoso risco. Eso es algo que veo inmediatamente en el rostro de mi madre. Mi destino no es ser admirado por la humanidad de tal manera que ponga sus vidas a mis pies para así poder llegar a conocerme, para que pueda descansar durante algún tiempo en lo alto de mi pico. No soy más que un estúpido cuya cara cuadrada ha sido tallada a partir del granito inmóvil. La risa y las pasiones de otras personas son una fuente de envidia dentro de mi corazón solitario.

Contemplo con gran atención la cara de mi reloj de madera y la gente desfila a mi alrededor, moviéndose con una vertiginosa velocidad. Cuando levanto la vista, el recolector de almas ya ha estado allí, todas las personas a las que quiero han desaparecido para siempre y nuevas personitas han brotado de la nada como semillas que crecen del suelo. Cuando me miras, lo único que ves es a un hombre atrapado en un trabajo insignificante. Pero procurad no compadeceros de mí, porque al igual que la tierra yo viviré más allá de todas las inútiles idas y venidas del hombre. Ya lo veréis.

SEVENESE

Hasta que no descubrí el amor secreto que Raja, el hijo del encantador de serpientes, sentía por mi hermana no me di cuenta por primera vez de lo hermosa que era Mohini. Estábamos en 1944 y yo tenía once años. Fui a casa, corriendo tan deprisa que el viento pasaba silbando junto a mis oídos y los faldones de mi camisa blanca aleteaban locamente alrededor de mi cuerpo. Pasé a la carrera junto a nuestro padre, que dormitaba en el porche con la boca entreabierta, y me dirigí a la cocina. Mohini levantó los ojos de un cuenco de puré de chapatti marrón y me sonrió. Yo contemplé el estallido de estrellas que estaba teniendo lugar en sus ojos. Sí, Mohini era una criatura realmente espectacular. Caer en la cuenta de que mi hermana no era simplemente la mano que disponía ordenados montoncitos de distintas clases de curry alrededor del arroz en mi plato o el contacto considerablemente más delicado (el otro era, claro está, el de la fuerte y áspera mano de nuestra madre) que administraba el odiado ritual semanal del baño de aceite fue toda una revelación para mí.

Contemplé las motitas de distintos tonos verde y marrón que relucían en sus hermosos ojos, y sentí cómo un cálido resplandor iba creciendo en mi interior cuando pensé en lo bien que encajaba con mis planes aquel totalmente inesperado sesgo amoroso de las cosas. Hasta puedo recordar cómo junté las manos y dirigí una plegaria al dios, agradeciéndole que hubiera hecho que mi hermana fuera lo bastante hermosa para atraer la atención de Raja, porque hasta allí donde llegaba mi memoria Raja era alguien a quien yo idolatraba y del que anhelaba ser su amigo.

Para otros, su hosca cara y su figura siempre en movimiento encarnaban los extraños e inexplicables ruidos y gritos que salían de la casa del encantador de serpientes en plena noche. Se hablaba de magia negra y actos maléficos, e incluso se decía que eran fantasmas y espíritus que habían vuelto de entre los muertos. La gente temía a Raja y su padre, pero yo no les tenía ningún miedo. Desde el día en que descubrí que la calavera sonriente que había en su casa le pertenecía, me sentí obsesionado por la necesidad de saber más cosas. Yo llevaba años jugando con Ramesh, su hermano pequeño, mientras contemplaba la inalcanzable y alta figura de Raja en la lejanía. Todo lo que estaba relacionado con él era una fuente de intensa curiosidad y misterio, desde sus fuertes miembros del color de la arcilla hasta sus ropas cubiertas de costras de tierra, pasando por el bronce sin lavar de sus rizos y ese peculiar pero no desagradable olor a animal salvaje que emanaba de su cuerpo en tangibles oleadas. Naturalmente, la terrible historia del pequeño Raja de rizados cabellos masticando trocitos de cristal en la plaza del mercado tan vívidamente recordada por nuestra madre lo elevaba hasta cimas inimaginables de oscuros poderes.

Yo lo contemplaba desde lejos con ojos llenos de respeto mientras Raja se ocupaba de las colmenas que había detrás de su casa. No me gustan nada las abejas y nunca podré olvidar el día en que Ah Kow, que vivía en la casa de al lado, le tiró una piedra a una de las colmenas y todo el enjambre alzó el vuelo en una oscura nube enfurecida y rugió como una cascada. Incluso los soldados japoneses con sus largos fusiles esperaban fuera de la casa cuando iban a recibir sus botellas de miel gratis. Raja, sin embargo, no mostraba ninguna vacilación o temor alguno cuando metía la mano dentro de las colmenas que zumbaban y les robaba sigilosamente a las abejas su preciada miel. A veces estas le picaban, pero Raja siempre extraía sin inmutarse sus negros aguijones de su cara que ya comenzaba a hincharse. En una ocasión, llegó al extremo de lucir un enjambre entero en su cara como si fuera la más repulsiva barba negra y amarilla que se pueda llegar a imaginar.

Todo ello para el inmenso placer de mi persona.

Antes de que Raja entrara en mi vida, yo era un joven explorador de día, un ladrón de fruta durante la noche y un terrorista de pandilla juvenil en determinados fines de semana. El hermano de Raja, Ramesh, Ah Kow y yo pertenecíamos a un grupo de chicos que entraban corriendo en los huertos frutales de otras personas y escenificaban terribles peleas con pandillas rivales. Ahora me resulta increíble pensar que llegáramos a librar aquellas batallas armados con cadenas de bicicleta, palos y piedras. Nos reuníamos en los alrededores de la vieja plaza del mercado y cargábamos contra el enemigo gritando frenéticamente, lanzando piedras y agitando cadenas de bicicleta. También solíamos derramar una considerable cantidad de sangre, hasta que las amas de casa chinas horriblemente peinadas y vestidas con *samfus* que les sentaban fatal salían corriendo de sus casas, maldiciendo y blandiendo escobas. Nos daban en la cabeza con ellas y, de vez en cuando, conseguían agarrar por la oreja a aquellos de nosotros que estábamos demasiado concentrados en la pelea. Que las amas de casa chinas te agarraran por la oreja era mucho peor que recibir cien golpes en la cabeza asestados por la cadena de bicicleta de alguien. El insulto máximo llegaba cuando se inclinaban hasta quedar muy cerca de nuestras orejas y, con toda la potencia de sus toscas voces carentes de toda instrucción, gritaban: «¡Demonios, demonios, pequeños demonios que siempre estáis causando problemas! ¡Espera a que se lo cuente a tu madre!». A los demás no nos quedaba otra opción que deponer al instante nuestros feroces fruncimientos de ceño y miradas amenazadoras para salir huyendo en todas direcciones lo más deprisa posible. Eran muy divertidas, aquellas peleas, por muy separadas unas de otras que estuvieran.

Habitualmente nos conformábamos con entrar sigilosamente en los huertos de sandías y llevarnos las mejores y más grandes de ellas. Cargábamos con el enorme fruto verde oscuro hasta llegar a un lugar seguro, y una vez allí nos atracábamos con su roja carne hasta quedar tan hartos que ya no podíamos movernos. Entonces nos tumbábamos en el suelo, con los brazos y las piernas bien extendidos, como si fuéramos estrellas de mar encalladas, y le gemíamos al cielo azul. Una vez estábamos robando sandías de un campo cuando un hombre a medio vestir salió corriendo de un sucio cobertizo que llevaba mucho tiempo sin usarse. Amenazándonos con el puño, gritó: «¡Eh, cerdos codiciosos! ¡Volved aquí!». Uno de los chicos de nuestro grupo soltó un chillido de horror al darse cuenta, por primera vez, de que el campo de sandías que habíamos estado saqueando era el de su tío. Este nos persiguió durante una buena distancia, soltando juramentos y maldiciéndonos en chino.

A veces nos metíamos en los huertos frutales, trepábamos a los troncos y nos sentábamos entre las ramas a comer rambutanes y mangos dulces hasta que terminábamos vomitando. No pasó mucho tiempo antes de que uno de los dueños de aquellos huertos comprara un gran perro guardián de color negro. He de decir que aquel animal poseía un ladrido realmente feroz, pero nosotros dejamos caer encima de su blando hocico tal lluvia de fruta todavía por madurar que el perro salió corriendo con el rabo entre las patas y su roja lengua ondeando como la punta del chal de una mujer. Después de aquello ya no volvió a aparecer nunca más por allí. Solo cuando nos enteramos de que alguien había envenenado al infortunado animal caímos en la cuenta de que otros estaban haciendo lo mismo que nosotros.

Un mínimo de una vez a la semana nos escondíamos detrás de la enorme y vieja panadería china que había en el centro de la ciudad, con la esperanza de poder robar aquellos pegajosos bollos rellenos de coco rallado que habían sido hervidos en melaza. Mientras los conductores de las furgonetas cargaban sus vehículos con suministros para todos los cafés de la ciudad, nosotros nos apresurábamos a coger enormes puñados de la mercancía. Los bollos todavía estaban maravillosamente calientes cuando nos los metíamos en la boca. Fue durante una de aquellas osadas incursiones cuando al fin llegamos a entender por qué el café que había al lado de la panadería vendía el pollo con arroz más barato que había en todo Kuantan. Allí podías llegar a disfrutar de una comida muy satisfactoria por solo veinte centavos. Día y noche había gente sentada a las mesas redondas del local llenándose el estómago. Escondidas detrás de los cubos de la basura, vimos jaula tras jaula de pollos muertos y enfermos procedentes de todas las granjas que había en los alrededores de la ciudad. Pollos con aspecto de sentirse muy desgraciados mantenían los ojos medio cerrados, y pollos medio muertos de hambre que apenas tenían plumas se bamboleaban de un lado a otro y andaban tambaleándose como borrachos sobre los cadáveres que cubrían el suelo de las jaulas. Un joven chino con un labio leporino los mataba, para después meterlos en una gran olla de agua hirviendo de la que luego los sacaría para desplumarlos hasta dejarlos pelados y meterlos acto seguido en un recipiente cuadrado de latón. De vez en cuando, un cocinero malhumorado vestido con una camiseta blanca y unos pantalones cortos de color negro salía del local rascándose y maldiciendo. Tras fumarse un cigarrillo, cogía un puñado de pollos desplumados sujetándolos por sus arrugados cuellos y volvía a su cubículo de la cocina. Del restaurante propiamente dicho nos llegaban ruidosas carcajadas y los gritos de la gente pidiendo que les trajeran más de aquel delicioso pollo con arroz.

En otras ocasiones nos dedicábamos a recorrer los callejones tratando de sorprender en plena acción a una de las prostitutas pintarrajeadas que menos dinero cobraban por sus servicios. Muchas de ellas eran feas y de expresión adusta. Permanecían inmóviles formando abigarrados corros en las entradas de los callejones, con sus ojos llenos de amargura que ya lo habían visto todo y sus ávidas bocas fruncidas en un mohín que no tenía nada de natural. Apoyadas en las sucias paredes de las callejas más estrechas de la parte baja de la ciudad, fumaban un cigarrillo tras otro y nos tiraban piedras con una sorprendente ferocidad si nos pillaban fisgando.

El sexo era una auténtica curiosidad para nosotros, pero solo hubo una ocasión en la que Ramesh y yo consiguiéramos llegar a presenciar el acto propiamente dicho. Ya era muy tarde y ella era muy joven. Su boca era de un rojo brillante y sus cabellos eran tan negros como el ala de un cuervo. Ramesh y yo nos escondimos detrás de aquellos malolientes cubos verdes de la basura llenos hasta rebosar de desperdicios medio podridos y contemplamos con ojos desorbitados al hombre y a la muchacha. El hombre parecía estar regateando e incluso llegó a dar unos pasos alejándose, pero entonces ella sonrió, extendió una mano muy blanca y lo miró tímidamente. Él sacó dinero del bolsillo de su camisa y lo puso en la mano extendida de la muchacha. De pronto los dos estuvieron enzarzados en pleno acto sexual. Todo fue más bien sórdido y muy alejado del fascinante espectáculo que yo había imaginado. El hombre se bajó los pantalones y dobló las rodillas de tal manera que estos, convertidos en un manojo de tela, quedaron atrapados detrás de sus piernas. Sus manos estrujaron violentamente la suave y blanca carne de las nalgas de ella. Sin preocuparle que su flaco trasero lleno de arrugas estuviera colgando fuera de sus pantalones para que todo el mundo pudiera verlo, el hombre enterró la cara en el hombro izquierdo de la muchacha y comenzó a embestirla enérgicamente. Cada vez que se metía dentro de ella con una nueva sacudida, la muchacha gritaba extasiadamente: «*¡Wah, wah, wah!*». Pero en su rostro empolvado y pintado de rojo, sus ojos vidriosos habían girado hacia arriba. Mirando hacia lo alto, aquellos ojos se alejaban entonces de las alcantarillas malolientes y los hierbajos de un verde rojizo que intentaban crecer en las grietas que había junto al bordillo, de los cantos de los escalones de piedra medio rotos, de la pintura que iba desprendiéndose de las paredes y de las ventanas concienzudamente cerradas que le decían que ella era una ramera. Iban incluso más allá de las tejas llenas de musgo para terminar centrándose en un retazo de cielo del anochecer coloreado de un mandarina orgásmico. En la cara de la joven no había emoción, placer o aburrimiento algunos. Lo único que había era una boca muy roja que gritaba: «*¡Wah, wah, wah!*».

Una pequeña serpiente se desprendió de su piel dentro de mis pantalones y fue creciendo rápidamente hasta ponerse muy gruesa y dura. En cuanto el hombre que gruñía hubo terminado, recuperó sus pantalones grises de la parte de atrás de sus rodillas, volvió a meterse dentro de ellos con una sorprendente celeridad y desapareció en la dirección opuesta. La muchacha sacó de su bolso un sucio pañuelo arrugado y se limpió rápidamente. Había mucha habilidad en el movimiento de su muñeca. No llevaba nada de ropa interior. Sus partes íntimas eran un triángulo blanco y plano y estaban cubiertas de rizado pelo negro. Luego se alisó su corto vestido de estilo occidental, se echó los negros cabellos por encima del hombro y se alejó contonéandose, andando sobre unos tacones muy altos. Ramesh y yo oímos cómo el repiqueteo de aquellos tacones resonaba ruidosamente en el callejón desierto hasta que la muchacha fue engullida por una de las anónimas puertas traseras.

Tengo la seguridad de que mi primer encuentro con el sexo surtió un profundo efecto sobre mí. Imbuyó mi idea del sexo con el sabor equivocado. El aburrimiento vacío y los rojos labios de aquella muchacha siguen ondulando ante mis ojos como un espejismo en el desierto. Ahora me arrastro hacia él reptando sobre mis manos y mis rodillas, solo para encontrarme en el callejón equivocado, en la habitación de hotel equivocada, con la prostituta equivocada. Soy consciente de que lo que me atrae y me excita es el hastío de la prostituta. El gran premio consiste en la capacidad de llevar la animación a una cara aburrida y eso es lo que ha estado impulsándome durante años. Incluso después de que yo hubiera comprendido la verdad acerca de sus almas cansadas, continué viviendo para la fantasía que aquella boca roja había creado hacía ya tantos años en el callejón, pagando el doble si ellas conseguían mostrar una apariencia de placer y si no preguntaban cuánto rato más íbamos a estar juntos. Ellas, ese inagotable ejército de faldas cortas y suaves muslos, nunca cometían un solo error y exhibían un repertorio realmente admirable de convincentes gemidos, quejidos surgidos de lo más profundo de la garganta y jadeos agónicos. Sí, he malgastado mi vida en los burdeles buscando a la muchacha del callejón, pero ¿no es extraño que todavía pueda verla tan claramente después de todos estos años? La veo con las puntas de sus tacones afilados como estiletes enterradas para siempre en una piel de papaya podrida, una nube de moscas de la fruta alertadas por su paso alzándose hacia sus tobillos y sus rodillas doblándose ligeramente. «*¡Wah, wah, wah!*», grita una vez más mientras sus ojos giran hacia arriba para encontrarse con el cielo del anochecer. Entonces, en mi fantasía, ella me mira directamente a los ojos y gime con sorprendido placer.

Cada dos semanas por la tarde, Ramesh y yo nos poníamos nuestro uniforme malva de jóvenes exploradores junto con su inconfundible pañuelo e íbamos a la escuela. Allí se nos enseñaba obediencia, cómo ayudar a los demás y la importancia de ser trabajadores y de portarse bien. Luego nos entregaban unas tarjetas rectangulares de trabajo de color azul en cuyo anverso estaba impreso el escudo de la escuela. A continuación se nos dividía en grupos de dos y se nos enviaba a los distintos barrios acomodados que había alrededor de la escuela. Una vez allí llamábamos a las verjas y a sus puertas principales y, con una radiante sonrisa, preguntábamos a coro: «Tiíta, ¿tiene algún trabajo para nosotros?». Invariablemente lo tenían. Lavábamos coches, limpiábamos garajes, cortábamos el césped, podábamos los setos, barríamos las cunetas y recogíamos la basura en montones que luego quemábamos. Después presentábamos nuestras tarjetas, las hacíamos firmar y se nos pagaba o cincuenta centavos o un ringgit. Se suponía que al final del día debíamos entregar el dinero al jefe de exploradores, pero Ramesh y yo teníamos dos tarjetas por cabeza y de esa manera nos quedábamos con un ringgit por cada uno que entregábamos.

En aquella época podías comprar los cigarrillos de uno en uno. El tendero te miraba de arriba abajo, pero normalmente siempre pensaba primero en el negocio. Con tal de que se le diera el dinero, se guardaba sus opiniones para sí mismo y mantenía ocupado su ábaco. Al principio íbamos furtivamente al claro del bosque que había detrás de la casa de Ramesh para lanzar centenares de anillos de humo al aire húmedo y escuchar el ruido que hacían los pequeños jabalíes salvajes cuando correteaban de un lado a otro entre los arbustos, pero luego poco a poco fuimos haciendo acopio de valor y nos trasladamos a la ciudad. A última hora de la tarde nos sentábamos en una larga fila junto al camino cerca del cine, con las piernas colgando sobre la enorme alcantarilla de los monzones que corría a través de toda la ciudad mientras fumábamos y mirábamos pasar a las chicas. Cuando soplaban los vientos del monzón y las intensas lluvias caían durante varios días seguidos, cosas muy extrañas pasaban flotando por las aguas: un búfalo muerto que se mecía rígidamente, una gran serpiente que era arrastrada por la corriente a pesar de la furia con que se debatía, una mecedora de junco medio aplastada, ratas que nadaban furiosamente al estilo perro con la cara llena de calma, botellas, excrementos y, un día, lo que se convirtió en la muñeca favorita de Lalita. De unos treinta centímetros de longitud, tenía una rizada cabellera amarilla, bonitos ojos azules y una boquita de plástico pintada de un rosa pálido. Alguna niña europea malcriada debía de haberla echado al agua en una rabieta. Las lluvias de diciembre todavía tenían que llegar, así que cuando la muñeca pasó flotando con la mirada fija de sus redondos ojos clavada en las aguas que corrían suavemente, la cogí y la llevé a casa, donde Lalita extendió los brazos con la incredulidad iluminando sus pupilas.

Con todo, también debería decir que fumar junto a las alcantarillas encerraba mucho más peligro que las reuniones en los bosques. Nuestra madre tenía espías por todas partes y podías estar seguro de que cualquier mujer que llevara un sari comunicaría el menor incidente contándolo con una gran cantidad de detalles añadidos. Yo ya había presenciado el efecto que tuvo una de las escapadas de Jeyan. ¡Pobre chico! Cuando él llegó a casa, nuestra madre ya echaba chispas. Pero lo más lamentable de todo es que Jeyan casi nunca hacía nada malo. Una vez al año resume la frecuencia de sus travesuras, pero al pobre desgraciado siempre lo pillaban.

De vez en cuando fingíamos estar enfermos para saltarnos la escuela e ir al cine. Una vez, mientras estábamos haciendo cola para ver una película nueva que al parecer era bastante osada, nos sorprendió ver al director de nuestra escuela escondiéndose detrás de una columna con sus ojos saltones lanzando miradas llenas de suspicacia en todas direcciones. El director era un hombre tan increíblemente pulcro y melindroso que uno se lo imaginaba sintiendo náuseas ante sus propias excreciones. Nos habríamos agachado, salido corriendo o hecho lo que fuese de no ser porque vimos la entrada verde claro para la sesión matinal de *Vimochanam* (Los males del beber en exceso) colgando flácidamente de sus dedos sudorosos. El director no estaba allí para caer sobre nosotros después de todo. Incómodamente atrapado en su camisa blanca rígidamente almidonada y sus anticuados pantalones negros, exudaba incomodidad por cada uno de sus estrictos poros respetuosos de la ley. El espantoso e hilarante momento en el que nuestras miradas tenían que cruzarse llegó al final. El director se quedó totalmente paralizado salvo por el tic atemorizado en un lado de su cara que hacía que su bigote temblara frenéticamente. Aferrando su entrada, desapareció súbitamente en la penumbra del vestíbulo. Pasé varios días preguntándome si se lo diría a nuestra madre, pero al parecer la vergüenza siempre sabe cómo entendérselas con la indignación.

Pero algunos días nada podía disipar el viento del aburrimiento que soplaba a través de aquella diminuta ciudad nuestra en la que nunca parecía ocurrir nada. Cuando limitarse a ir al río que había al otro lado de la ciudad para ver cómo los hombres de cuerpos desnudos atrapaban cocodrilos y tortugas no era suficiente, comenzábamos a sentir sed de sangre y utilizábamos nuestros tirachinas para cazar lagartos. El mejor tirador que había entre nosotros era Ismail, el hijo pequeño de Minah. Su pasión por matar a los lagartos de color gris pálido ya se había vuelto legendaria. Como buen musulmán, Ismail había asumido la tarea de matar a todos los lagartos que le permitiera su habilidad. Después de todo, había sido un lagarto quien reveló el escondite del profeta Nabi Muhammad a sus enemigos cuando destruyó las telas que una devota araña había tejido cuidadosamente sobre la boca de una cueva para ocultar el hecho de que el profeta había entrado en ella. Cuando Ismail se detenía a encender un cigarrillo al final de una de sus sesiones de muertes, ya había acumulado ante él una grotesca pila formada por no menos de quince lagartos. Tumbado a la sombra del árbol angsana mientras contemplaba trozos de cielo azul a través de las hojas, yo envidiaba secretamente el montón de Ismail y me concentraba en pensar cómo podía incrementar el mío. Nunca llegó a pasarme por la cabeza la idea de que a miles de kilómetros de allí, los soldados nazis estaban igualmente concentrados en pensar cómo incrementar horripilantes montañas de judíos muertos, famélicos y desnudos, cuya piel brillaba como el hueso pulimentado. Tumbado a la sombra en aquellas calurosas tardes la guerra parecía estar muy lejos, pero cuando llegó, lo hizo tan de repente que realmente no hubo tiempo de prepararse para ella.

El 7 de diciembre de 1941 los japoneses desembarcaron en Penang.

Después de haber visto películas sobre bombas «Made in Japan» que se caían a trozos con un suave chasquido y habernos burlado de la idea de que unos soldados que tenían las piernas arqueadas y los ojos demasiado bizcos pudieran llegar a dar en el blanco cuando disparaban, su absoluto control de la situación nos dejó estupefactos. ¿Quiénes eran aquellos enanos asiáticos capaces de hacer que los poderosos británicos salieran huyendo en la noche? Entonces los japoneses llegaron a Kuantan. Después de la voz grave y sonora, el magnífico uniforme de majestuosos colores y las botas impecablemente lustradas del hombre blanco, el primer soldado japonés era una tosca figurita vestida con prendas que no eran de su talla. Tenía un rostro amarillo de campesino, llevaba una puntiaguda gorra de tela con un gran par de alas laterales que le colgaban encima del cuello y de su cinturón colgaban una cantimplora y un pequeño recipiente con arroz, pescado salado y semillas de soja. Al final de sus cortas piernas había un par de botas de lona con suela de goma cuya puntera estaba dividida de tal manera que el dedo grande del pie quedaba en una sección separada de los otros dedos, y el extremo de las perneras de sus pantalones era introducido dentro de aquel calzado astutamente adaptado. Así preparado para el horror de las fangosas condiciones tropicales, el soldado japonés se alzaba ante nosotros como el héroe vencedor. En nuestra loca y romántica juventud, su rifle y la larga bayoneta que lo remataba se nos antojaban su única característica redentora.

«Pero si se parecen a ti», le murmuré con incredulidad a Ah Kow la primera vez que vi a un grupo de ellos en la ciudad. Ramesh asintió, pero Ah Kow ya estaba contemplando a los soldados con odio en sus ojillos. Cuánta razón tenía al sentir odio, porque los japoneses acabaron con su familia. Los vimos marchar camino arriba hasta que se perdieron de vista, hombres sacrificables vestidos con uniformes sacrificables que al hablar producían toscos sonidos guturales y se desabrochaban desvergonzadamente los pantalones en lugares públicos para dar salida a chorros de orina dorada. ¿Cómo era posible que aquellos hombres hubieran vencido a los británicos? Después de todo, los británicos eran las personas que vivían en las mejores casas con criados y chóferes para que los sirvieran, y comiendo únicamente platos selectos con trozos de carne roja comprados a los vendedores que podían guardarlos en frío. Sus hijos, demasiado superiores por naturaleza para el sistema educativo local, tenían que ser enviados a la madre patria después de que se hubieran quemado bajo nuestro sol hasta ponerse morenos. ¿Cuántas veces había recogido yo hojas en sus patios traseros, con la cabeza humildemente inclinada mientras escuchaba disimuladamente a sus privilegiados hijos reír y hablar con ese acento suyo, tan peculiar pero también tan superior?

«Bueno, ¿se puede saber cómo te llamas?», preguntaban llenos de curiosidad, con sus pestañas del color del agua sucia y sus ojos más azules que el cielo. Nunca había habido ninguna duda de que eran los hijos del pueblo más grande del mundo, con el mayor imperio que la historia hubiera conocido jamás. Para la mente colonizada, servir a semejante raza era todo un honor y parecía pura y simplemente imposible imaginárselos siendo aplastados por un pueblo asiático con una misión tan limitadamente feudal como la de los invasores japoneses. Su misión se reducía a algo tan poco elaborado como el deseo de entregar Singapur a su emperador en calidad de regalo de cumpleaños el 15 de febrero de 1942, y Malasia era una cesta llena de material en bruto con la que se habían encontrado por el camino.

La guerra, aparentemente, había terminado antes de que empezara, pero aquello solo fue el principio de la opresión cotidiana, la miseria y la indecible crueldad de la ocupación japonesa que luego se prolongarían durante los tres años y medio siguientes.

Volvimos de Serembán para regresar a un hogar que había sido saqueado hasta dejarlo totalmente vacío, salvo por la gran cama de hierro de nuestros padres y el pesado banco de la cocina. Todo lo demás había desaparecido. No había ni siquiera una esterilla sobre la cual dormir. Los ocho pasamos una noche muy incómoda apretujados en la gran cama. Despertamos al amanecer y todavía recuerdo haber ido corriendo al mercado entre la oscuridad con Lakshmnan y nuestra madre, las bocas de sacos vacíos apretadas en nuestras manos.

El mercado estaba irreconocible. Lejos de ser una escena de guerra, se hallaba tan repleto de mercancías como si se estuviera celebrando un mercado dominical. Lugareños que estaban acostumbrados a regatear orgullosamente el precio de los cachorros, los gatos y las aves de corral se apresuraban a coger frascos de encurtidos, mermeladas y pepinillos. Ancianas chinas se peleaban entre sí por latas de sardinas, carne para asar y patatas enlatadas, y discutían encarnizadamente por botes de remolacha, sacos de azúcar, manzanas y peras enlatadas, zumos de fruta embotellados, suministros médicos y ropa robada de los hogares y los almacenes que habían sido abandonados por los británicos. Llenamos nuestros sacos hasta que ya no cabía nada más en ellos. Luego agrandamos el agujero del suelo en el que enterrábamos nuestro jengibre para que se mantuviera fresco y escondimos nuestra nueva despensa en él.

Aquello fue antes de que la primera oleada de soldados llegara en camiones descubiertos, amenazando con la pérdida de cabezas como un castigo apropiado para el grave crimen del saqueo. La medida era muy dura, pero resultó efectiva al instante. Las cabezas clavadas en postes son muy difíciles de superar en lo que respecta a su efectividad disuasoria, pero el nuevo decreto hizo que surgiera un problema. ¿Cómo esconder aquellas cosas que era evidente que no te pertenecían, pero se hallaban amontonadas unas encima de otras hasta llegar al tejado? Grandes hogueras de puro pánico ardieron día y noche durante más de una semana. Los saqueadores de las grandes casas europeas amontonaron neveras, ventiladores eléctricos, tostadoras, relucientes pianos y juegos enteros de enormes muebles en una gran pila delante de sus casas de cañizo que ni siquiera estaban preparadas para ofrecer electricidad, y luego le prendieron fuego con una cerilla. Vimos cómo sillas, alacenas, mesas, alfombras persas enrolladas y camas ardían con un deslumbrante llamear anaranjado escupiendo cientos de chispas. Para nuestra madre aquello fue una bendición encubierta. Ella y Lakshmnan recorrieron las áreas donde vivían los sirvientes de las grandes casas europeas y recogieron de las hogueras todavía no encendidas todos los muebles que quería nuestra madre.

La ocupación japonesa hizo que todas las cosas cambiaran drásticamente en nuestro vecindario. Las chicas se convirtieron de la noche a la mañana en chicos y las que tenían cierta edad se esfumaron. Nuestro padre perdió su trabajo, Ismail perdió a su padre y Ah Kow perdió a su hermano cuando este se pasó al Partido Comunista malayo. Fue a vivir con la gente de las colinas, como se los conocía, en un campamento llamado Plantación Seis cerca de Sungai Lembing, donde la ocupación principal parecía consistir en organizar emboscadas a pequeña escala contra las patrullas japonesas.

Los japoneses no perdieron el tiempo. Se dispusieron a hacernos entrar a marchas forzadas en su cultura, su moral y su muy ajena forma de vida. Como si ponerse firmes y cantar su himno nacional cada día antes de que saliera el sol, hacer ejercicio u obligar a los niños a que aprendieran el japonés, pudieran hacer aparecer en nosotros el amor a su feísima bandera (a la que enseguida empezamos a llamar «la compresa usada») o a su lejano emperador. Asombra pensar que no cayeran en la cuenta de que si nos inclinábamos ante la visión de un uniforme japonés en la calle, no lo hacíamos por respeto sino impulsados por el miedo a que nos cruzaran la cara de una bofetada. Cuando íbamos a la escuela, cada día pasábamos por delante de un centinela que nos miraba hoscamente, con su rostro que nunca sonreía hinchado por lo importante que se sentía. Era obvio que no había nada que le gustara más que poder castigar a quien no se inclinara satisfactoriamente ante el símbolo del emperador. ¡Larga vida al emperador! Autobuses que iban de un lado a otro con un soldado japonés de pie encima del techo hacían llover folletos de propaganda sobre las cabezas de la gente en las calles.

Escondidos detrás de los cubos de la basura, ya no oíamos hablar a las prostitutas cuando no tenían nada más que hacer, sino el aterrador retumbar de pies mientras personas que corrían entre jadeos eran perseguidas a plena luz del día por los callejones de las peores zonas de la ciudad.

Mientras estábamos en la escuela, de vez en cuando oíamos llegar aviones que volaban bajo y de pronto la sirena comenzaba a sonar. Entonces todos nos tirábamos al suelo y nos quedábamos allí hasta que la sirena callaba y las luces volvían a encenderse. Recuerdo que en una ocasión vi cómo una bomba hacía pedazos a una vaca. Tenía los ojos vidriosos fijos en la nada y a su rígido cuerpo hinchado le faltaba un gran trozo. Nos tapamos la nariz y fuimos hacia ella hasta que estuvimos lo bastante cerca para poder ver la enorme mordedura que dejaba al descubierto la totalidad de su estómago. Las moscas zumbaban e Ismail vomitó cerca de la vaca, pero los demás quedamos fascinados por su destrucción.

Hay momentos de nuestra existencia que siguen viviendo para siempre y la primera vez que Raja se dignó dirigirme la palabra fue uno de esos momentos. Una negra sombra cayó sobre mí bajo la intensa luz del sol. Cuando levanté la vista, Raja estaba contemplándome mientras yo atendía sentado en el suelo a mis palmas y mis rodillas que sangraban. Con el sol detrás de él, Raja parecía un miembro de una raza superior de guerreros. Sus largos y rectos dedos goteaban tinta amarilla. Se arrodilló junto a mí, esparció su líquido en mis rodillas y mis manos heridas y el dolor que las aguijoneaba desapareció. Sus fuertes manos me pusieron en pie.

—Así que tú eres el chico que vive en el número tres —dijo.

Yo nunca lo había oído hablar anteriormente. Su voz era grave pero suave. Asentí, sintiéndome atónito e incapaz de hablar. Aquel era el muchacho que nadaba intrépidamente por el río al otro extremo de la ciudad, allí donde cazaban los enormes y sonrientes cocodrilos que tenían las fauces llenas de dientes de marfil. Durante las estaciones secas en que el río se volvía de color marrón y el barro iba secándose en su piel, Raja volvía a casa luciendo sobre su cuerpo motivos de polvo amarillo como sacados de un mapa que hacían que su piel casi pareciera la de una serpiente.

Sus labios se curvaron en una lenta sonrisa. Recuerdo que entonces pensé que Raja era una criatura tan salvaje como aquellas cobras negras a las cuales domaba y encantaba para hacerlas bailar. Cuando lo mirabas a sus jóvenes ojos veías que estos eran como espejos helados, pero si te atrevías a mirar realmente dentro de ellos entonces podías ver los antiguos fuegos ardiendo en sus profundidades. Yo creía haber mirado lo bastante dentro e imaginaba haber visto todo lo que había que ver. Todavía siento no haber mirado más de cerca. Allí donde otros encontraban terribles hogueras capaces de destruirlo todo que eran alimentadas por cosas oscuras e innombrables, yo solo veía una llamita amiga que iba arrastrándose lentamente hacia mí. Codiciaba el peligroso mundo de Raja con el mismo e intenso anhelo con que el agua desea ser horizontal. Era un mundo apasionante en el que una segunda oportunidad era como una mágica ilusión creada por un largo y negro enemigo escondido entre la hierba. Raja era un hechicero de las artes negras y justo la clase de animal al que yo anhelaba emular.

—¿El encantador de serpientes es mordido alguna vez por sus propias serpientes? —le pregunté en una ocasión.

—Sí —dijo él—. Cuando quiere que lo muerdan.

Yo solía sentarme a verlo comer. Raja comía igual que un lobo, con los hombros encorvados hacia delante y un duro brillo de sospecha en los ojos, y sus afilados dientes se clavaban en su comida. Muy pronto, y para gran irritación de nuestra madre, yo también empecé a comer de aquella manera. La mayor debilidad de nuestra madre siempre fue que no tenía sentido del humor en absoluto. En cuanto volvía a casa de la escuela, yo engullía mi comida a toda prisa y luego iba corriendo a la casa del encantador de serpientes. Raja nunca asistía a la escuela, porque nunca había ido allí y nunca había querido poner los pies en ella. Era salvaje de pies a cabeza. No había en él nada que fuera suave y delicado, excepto su prohibido amor secreto hacia mi hermana. Que estaba totalmente prendado de ella era evidente. Al igual que las serpientes mortíferas a las cuales encantaba, Raja pasaba horas arrastrándose silenciosamente sobre su estómago entre los arbustos que crecían detrás de nuestra casa con la esperanza de entrever a Mohini, porque anhelaba ávidamente hasta la más pequeña brizna de información acerca de ella. Lo que comía, lo que hacía, lo que decía, cuándo dormía, qué la hacía reír, cuál era su color preferido. Cada una de las palabras que salían de mis labios era devorada con una embarazosa codicia. Cuanto más hablaba yo, más profundamente se hundía Raja en el pozo del amor. Su cara se derretía ante mis ojos como las velas que nuestra madre hacía con cera de abeja y que ardían en nuestra casa. Una sonrisita se infiltraba en su rostro carente de toda educación y sus rectas cejas color bronce descendían ligeramente sobre sus ojos oscuros. Raja no sabía leer ni escribir y siempre vestía harapos, pero una pasión al rojo vivo burbujeaba peligrosamente dentro del duro caparazón de su cuerpo.

Por aquel entonces yo era joven y no sabía nada del amor. La pasión de Raja solo era el puente que me permitiría llegar a estar más cerca de él. No veía que hubiese mal alguno en alentar lo que me parecía era una ternura más bien conmovedora hacia mi hermana, y lo único que yo podía ver era el incremento en mi propia estatura que ello provocaba. El destino, pensaba yo, me había ofrecido un interesante asidero sobre Raja. Una parte de mí tenía que saber que no era posible matrimonio alguno entre la Mohini de nuestra madre y mi héroe vestido de harapos, pero en mi defensa también debo decir que era imposible que un niño supiese que el amor podía resultar tan peligroso. Yo no tenía ni idea de que pudiera llegar a matar.

Raja hacía que las penalidades cotidianas y el puro y simple aburrimiento de la ocupación japonesa desaparecieran. Cambió toda la textura de mi infancia. Sentados encima de troncos debajo del inmenso árbol neem cubierto de musgo, él y yo intercambiábamos historias. Raja se inclinaba hacia delante y escuchaba con gran atención las mías, y acto seguido me contaba las suyas. Las historias que vivían dentro de su rizada cabeza eran de la clase más sorprendente que puede llegar a haber, porque eran historias africanas. Raja me hablaba de ancianos de ondulados cabellos que anunciaban su presencia ante la puerta de la choza del médico brujo diciendo que estaban allí para comer cabra negra, de ancianas que podían echarse arena en los ojos abiertos y de pollos que absorbían los espíritus malignos que habían estado viviendo dentro de un hombre.

—*De 'wo afokpa. Me le bubu de tefea n'u oh* —me decía. «Quítate los zapatos, porque estás profanando el área mágica.»

Yo contemplaba su cara, absorto en el mágico poder de una lengua extranjera. Pasaba horas sentado descalzo, con la mirada clavada en los ojos relucientes de Raja mientras escuchaba su voz grave y suavemente letal. Raja sacaba del aire inmóvil de la tarde temibles genios tan inmensamente altos que sus cabezas desaparecían entre las nubes; de pronto, otro día sonreía afablemente y tejía un mundo en el que un palo entregado por una mantis religiosa y puesto dentro de una vasija de barro cocido podía convertirse en una hermosa niñita. A veces yo cerraba los ojos y entonces la voz de Raja hacía que cuerpos de ébano reluciente corrieran hacia el abrasador sol africano o brillaran con el azul de la medianoche entre los árboles plateados por la luz de la luna. Contemplaba sus pies cubiertos de polvo descalzos sobre la arena y cuando mis ojos subían lentamente entonces veía muchos rostros feroces, hundiéndose al unísono en un abrevadero de madera para beber profundamente una leche que la sangre de los toros había vuelto rosada. De los labios de un marrón rojizo de Raja iba surgiendo el espectáculo de la circuncisión pública y extraños ritos de iniciación en los que muchachos y vírgenes núbiles danzaban, dando vueltas cada vez más y más rápidas alrededor de un fuego vudú de llamas anaranjadas, hasta que terminaban saliendo de sus propios cuerpos y se veían a sí mismos tomar a todos los demás y ser tomados a su vez por ellos.

De la misma manera en que una alacena vacía acepta las pertenencias de otras personas, yo fui recibiendo de buena gana muchas antiguas historias acerca de leones que se convertían en hombres, serpientes sagradas enviadas a los sueños de los enfermos para que lamieran sus heridas y los curaran, y la calavera Musakalala que hablaba. Pero creo que mi historia preferida siempre ha sido la de Chibindi y los leones. Deja que piense por un instante para así poder volver a paladear el sabor de un tiempo ya muy lejano, un sabor que he olvidado desde entonces y que todavía anhelo.

Hace muchos años, debajo de un árbol neem que ya no existe porque lo talaron para poder construir un gran hotel internacional con piscina, restaurantes y un club nocturno en el sótano donde hay toda una hilera de magníficas prostitutas sentadas a lo largo de la barra, Raja apareció ante mis ojos como Chibindi, el Grande, un cazador cuya canción mágica era capaz de amansar a los leones salvajes.

—*Siinyaama, oomu kuli masoonso, siinyama* —decía. «Oh, tú que comes carne, en esta bolsa solo hay hierba seca, oh tú que comes carne.»

Debajo del árbol neem y rodeándonos por todas partes, los leones que hasta entonces habían estado gruñendo de pronto se quedaban inmóviles y luego comenzaban a danzar al mágico son de la melodía de Raja. Avanzaban y retrocedían haciendo gráciles piruetas sobre sus patas traseras, con sus colas ondulando de un lado a otro mientras hacían girar sus cuerpos en súbitas contorsiones, asintiendo y sacudiendo las cabezas. Los grandes gatos ronroneaban de puro placer. Hubiesen hecho pedazos a Raja de no ser por la magnífica y potente voz con la cual cantaba su canción. Su voz iba subiendo más y más y los grandes gatos se contorsionaban y hacían girar cada vez más deprisa sus cuerpos leonados.

Chibindi batía el suelo con su pie mientras cantaba. Sosteniendo las manos delante de él a la altura de los hombros, las movía arriba y abajo como si animara a toda una manada de leones que estaban danzando sobre sus patas traseras a que se movieran cada vez más deprisa. Los terribles leones no tardaban en olvidar su avidez por la carne del hombre.

El mero hecho de acordarme de Chibindi trae consigo recuerdos. Son recuerdos llenos de tristeza. Pero así puedo ver a Raja de pie debajo del árbol neem, batiendo el suelo reseco con su pie mientras sus brazos se agitan locamente, y sé que él me ha perdonado.

Un día, y nunca me he sentido más emocionado que en aquel momento, Raja accedió a enseñarme aquellos secretos del encantador de serpientes que eran transmitidos únicamente de padre a hijo a través de las generaciones. Fue como un sueño hecho realidad. De pronto me encontré envolviéndome el cuello con serpientes igual que el gran Shiva. El veneno, aprendí, era la cosa más preciosa con que contaba el hombre y el miedo era la cosa más preciosa con que contaba una serpiente. El miedo es el olor que está buscando la serpiente cuando su lengua sale velozmente de la boca para oscilar de un lado a otro; la serpiente solo atacará cuando huela el miedo. Raja me dijo que ya hacía mucho tiempo que él se había sacado el miedo del interior de su ser, dándole dientes afilados y unas soberbias y largas garras, frotando la rapidez en sus gruesos miembros y haciendo que el miedo esperara junto a él.

—Esta noche habrá luna llena —me dijo una tarde—. La luz de la luna excita a las serpientes y hace que salgan a bailar. ¿Nos vemos esta noche en el cementerio chino? —preguntó, con sus ojos jóvenes y viejos interrogándome, observándome y poniéndome a prueba.

Las primeras veces sacudí la cabeza apenadamente, deseando con todo mi anhelante corazón poder ir allí. Incluso una sola vez, me decía a mí mismo, sería suficiente. Raja tenía mucho que enseñarme, tantísimas cosas que mostrarme... Pero siempre estaba el espectro de la sombra alargada de nuestra madre, esperando en la cocina como un tigre agazapado hasta que las primeras luces del alba iban infiltrándose lentamente por las ventanas abiertas. La manera en que apenas dormía nunca dejaba de asombrarme. Creo que nuestra madre nunca llegó a dormir más de dos o tres horas en una noche. Sin embargo una tarde me limité a asentir debajo del árbol neem y las palabras «De acuerdo, esta noche en el cementerio chino» aparecieron en mi lengua.

Luego resultó sorprendentemente fácil salir por la ventana de mi dormitorio, bajar hasta un barril estratégicamente colocado y alejarme sin hacer ningún ruido. Raja estaba esperando entre las sombras en la casa del encantador de serpientes. Cuando pasaba por delante de él, una mano surgió repentinamente de entre las sombras y me atrajo hacia la oscuridad. Raja se llevó el dedo índice a los labios.

Él era mi tabú, pero yo era su secreto.

Un intenso y penetrante olor a cebollas trituradas emanaba de su oscura forma. Raja se movía sin producir ni tan siquiera el susurro del aire contra sus ropas, porque no llevaba camisa. La piel de Chibindi relucía como arcilla roja barnizada bajo la pálida luz de la luna. Un amuleto dorado en forma de cuerno colgaba del cordel amarillo que rodeaba su cuello. Relucía en la noche y yo sabía que había sido hecho para la cobra que escupe. La cobra que escupe busca el destello del ojo de su enemigo, para así poder lanzar su mortífero veneno directamente dentro de él y cegarlo mientras ella se mantiene a una distancia segura. Un amuleto que reluce y centellea distrae la atención de la cobra y entonces esta lo que hará será escupir al amuleto en vez de al ojo.

La mano de Raja sostenía un palo con la punta bifurcada y un saco de yute. Yo estaba muy emocionado y la sangre palpitaba en mi cuello. ¿Qué aventuras me esperaban?

—Quítate la camisa y los pantalones —me susurró Raja, poniendo la boca muy cerca de mi oreja.

Luego sacó de una lata oxidada una mezcla de la que emanaba un olor muy acre, aquel horrible hedor que yo había notado antes. Raja recubrió rápidamente mis miembros desnudos con aquel puré suyo que tenía la consistencia del yogur y estaba muy frío encima de mi piel desnuda. Sus ásperas manos eran firmes y seguras de sí mismas. Recuerdo haber pensado que lo único suave y delicado que había en él era su amor, como el blando centro de un caramelo hervido.

—Las serpientes no soportan este olor —explicó, y yo sentí el roce caliente de su aliento en mi piel.

Permanecí inmóvil mientras Raja iba sometiéndome a sus cuidados.

—El cementerio es el mejor lugar para atraparlas —me dijo en voz baja.

Muchas serpientes iban al cementerio en busca de los cerditos y las aves que los chinos dejan encima de las tumbas como ofrendas para apaciguar a sus antecesores. Como se creía que comer los alimentos ofrecidos a los muertos traía muy mala suerte, ni siquiera los borrachos o quienes eran muy pobres iban al cementerio a robar el suculento banquete allí disponible. Las serpientes se daban un festín y terminaban poniéndose muy grandes y cebadas. Raja me habló en un susurro lleno de excitación de una hermosa cobra a la que casi había conseguido atrapar la última vez que estuvo allí. Era la más grande que hubiese visto jamás. Tenía que haber sido un espécimen realmente notable, porque aquella noche estaba haciendo que los ojos de Raja ardieran con una súbita pasión. Volví a vestirme a toda prisa y empecé a preocuparme, pensando en nuestra madre y en el olor increíblemente intenso que en esos momentos me cubría desde la cabeza hasta los pies.

—¿Cómo es que tú no te has frotado el cuerpo con esta cosa maloliente? —susurré, arrugando la nariz en una mueca de disgusto.

Raja rió suavemente y luego se frotó vigorosamente las manos con algunas hojas estrujadas.

—Porque quiero que las serpientes vengan a mí.

Tomamos por un atajo que había en la parte de atrás de su casa, cruzando el campo y yendo a través de la pequeña selva en la que yo había pasado horas practicando el arte de soplar anillos de humo perfectos hasta que hubimos dejado atrás la hilera de tiendas. El cementerio se extendía sobre colinas dormidas. Cuando todavía estábamos bastante lejos de él, la visión de aquellos montículos cubiertos de hierba iluminada de un verde pálido que se recortaban contra el cielo nocturno y estaban salpicados por lápidas blancas ya me llenó de un extraño presentimiento, pero aun así fui siguiendo las confiadas zancadas con las que el cuerpo de Raja avanzaba en silencio a través de la alta hierba.

Bajo la luna llena, los redondos pomelos parecían ojos fantasmagóricos dispersos entre las lápidas. El aire estaba impregnado por el olor a flores frescas depositadas en las tumbas, pero aquella fragante atmósfera se hallaba muy cargada y permanecía extrañamente inmóvil. No había nada que se moviera. Desde aquella noche siempre he pensado que un cementerio malayo o cristiano pueden ser un sitio lleno de paz durante la noche, pero que un cementerio chino es un asunto completamente distinto. Lejos de ser un lugar de reposo, el cementerio chino es un sitio en el que espíritus que todavía se sienten dominados por los deseos terrenales esperan a que sus familiares acudan y les quemen casas de papel con mobiliario, sirvientes y grandes coches con matrícula aparcados fuera incluidos. A veces, los chinos llegan a quemar imágenes hechas con papel de una esposa favorita o una concubina suntuosamente ataviada y cubierta de joyas que sostienen fajos de falso dinero para gastar. Aquella noche yo era consciente de su presencia por todas partes; sabía que los ojos inquietos de aquellos espíritus impacientes y hambrientos iban siguiéndome con un celoso anhelo. El vello de mi nuca se erizó separándoseme de la piel y de pronto una pequeña araña llamada miedo que hasta aquel momento había estado durmiendo despertó y comenzó a arrastrarse lentamente a través de mi estómago.

Las tablillas cubiertas de escritura china y las fotos en blanco y negro de los muertos parecían relucir con una blancura antinatural encima del oscuro follaje. Un niñito de ojos húmedos me miró con tristeza cuando pasamos junto a su tumba. Una mujer joven de labios delgados y crueles sonrió invitadoramente y un horrible viejo pareció gritarme silenciosamente que lo dejara dormir en paz. Mirara donde mirara, veía rostros muy serios que me miraban hoscamente a su vez. Nuestras pisadas apenas hacían ruido en aquella atmósfera inmóvil y sibilante. Miré a Raja.

Sus hombros se habían puesto rígidos a causa de la tensión, pero sus ojos permanecían alerta y brillaban en la noche. El palo con la punta bifurcada que llevaba en la mano iba sondeando el suelo por delante de él, susurrando a través de los matorrales. En un par de ocasiones, Raja me señaló un cuerpo que reptaba o una cola que desaparecía súbitamente entre la espesura. ¡Por todos los dioses, aquel lugar estaba lleno de serpientes! Entonces Raja se detuvo de pronto a poca distancia del tronco de un enorme árbol.

—Ahí está —susurró.

Volví temerosamente los ojos hacia la dirección que estaba siguiendo su mirada. En el suelo, una cobra que era un auténtico monstruo se hallaba enroscada alrededor de las raíces expuestas de un gran árbol. Su grueso cuerpo relucía en la noche plateada como un cinturón pulimentado y extremadamente caro. Entonces aquel cinturón tan ancho siseó y luego fue desenroscándose lentamente.

—Ahora puedo atraparla, pero antes quiero enseñarte algo —dijo Raja, inclinándose muy despacio hasta quedar de rodillas.

Yo tragué saliva detrás de él y di un cobarde paso atrás, listo para salir huyendo.

La serpiente era consciente de nuestra presencia. Comenzó a mover lentamente su lustroso cuerpo alejándolo de nosotros, las escamas rozándose sin que llegaran a hacer ningún ruido en su delicada precisión y con los músculos moviéndose firmemente por debajo de su piel sin que cometieran error alguno. De pronto vi sus fríos ojos observándonos entre las escamas negras que se movían. El impulso de echar a correr fue tan fuerte que tuve que apretar los dientes y cerrar el puño para no cubrirme de vergüenza.

Raja sacó del bolsillo de sus pantalones un minúsculo frasquito y fue extendiendo lentamente el contenido por sus manos. El olor era dulcemente aromático. Luego comenzó a canturrear muy despacio. La cobra se irguió súbitamente, como si solo entonces percibiera un peligro mortal.

Yo me quedé helado.

Los soberbios y robustos miembros de Raja relucían ante mí. Cada uno de los átomos que vivían dentro de su cuerpo acababa de quedarse inmóvil. Estaba escuchando. Entonces todo él, hasta su misma piel, se convirtió en una extensión de su oreja. Un silencio de muerte pareció descender sobre el cementerio. Pasado un rato solo estábamos Raja, la serpiente y yo, y lo único que se movía era la boca de Raja. La cobra desplegó su capuchón, alzó la cabeza en el aire y se quedó tan inmóvil como si se tratara de una escultura de madera asombrosamente bien tallada. Sus ojos relucían con un destello muy, muy intenso entre las sombras de los árboles. Ominosos y vigilantes, aquellos ojos clavaron en Raja su mirada que no pestañeaba. Raja dejó de cantar y se puso en pie moviéndose muy, muy lentamente. Fue hacia la cobra y extendió la mano.

Yo permanecía inmóvil, fascinado y conteniendo la respiración. El reluciente capuchón negro se aproximó a la mano extendida de Raja. «Se ha vuelto completamente loco», pensé, mas para mi inmenso asombro entonces la cobra primero sacó su lengua bífida y luego restregó su cabeza contra la mano igual que hubiese podido hacerlo un gatito medio dormido, para acto seguido ir enroscando poco a poco su grueso cuerpo alrededor de la mano de Raja. La serpiente fue subiendo en una danza llena de sensualidad por su mano hasta quedar a la altura de los ojos de Raja. Se miraron el uno al otro. Raja también se había convertido en una escultura de madera. Transcurrieron segundos, tal vez minutos. Ni un solo músculo se movía. El tiempo se había detenido. El mundo había dejado de girar para que Raja pudiera tener a la joya de sus serpientes. He vivido muchos años desde aquella noche, pero sigue siendo la cosa más asombrosa que he visto jamás. Aquella noche, Raja realmente fue el dueño y señor de todo.

Entonces Raja se movió como un oscuro fogonazo que se desplazara con la celeridad del rayo y la cobra, sobresaltada, se meció hacia atrás y abrió una boca color rojo oscuro. Pero Raja ya estaba sujetando su cabeza por los lados con la presa inamovible de su mano. Yo podía ver los relucientes colmillos de la cobra y el líquido incoloro que goteaba de ellos. La criatura engañada comenzó a debatirse furiosamente. Raja mantuvo su cabeza por encima de la suya igual que si aquella fuera un trofeo mientras inspeccionaba a su larga captura. El grueso cuerpo de la cobra se retorcía y chocaba inútilmente con la alta y esbelta forma de Raja. Luego la serpiente, que no dejaba de debatirse, fue a parar al interior del saco, donde se calmó al instante.

—Me quedaré esta cobra para mí. Es demasiado larga para que quepa dentro de una cesta y demasiado pesada para llevarla al mercado —dijo Raja con una gran satisfacción en su voz, que en esos momentos sonaba llena de justificada bravura. ¡Cómo lo envidié aquella noche!—. Ven, tenemos que devolverte a la cama.

Cruzamos la selva andando con paso rápido y decidido. Cuando los bosques hubieron quedado detrás de nosotros, Raja se volvió hacia mí.

—¿Se lo dirás? ¿Le dirás a Mohini que he domado al rey de todas las serpientes? —preguntó, con un callado orgullo temblando en su voz.

—Sí —mentí yo, sabiendo que nunca le contaría mi aventura a nadie de mi familia.

Si lo hiciese, quedaría inmediatamente aprisionado en casa por siempre jamás. Se me obligaría a pasar todo el día en la cocina pelando patatas o trinchando cebollas.

Me había comprometido y aquello era algo que ya no tenía remedio. Había dejado atrás las tardes pasadas debajo del árbol neem escuchando historias, porque eso era para los niños. El torrente de adrenalina que había inundado mi cuerpo mientras contemplaba cómo Raja y aquella serpiente monstruosa se miraban el uno a la otra bajo la luz de la luna era adictivo. Yo quería más. El hermano de Mohini tenía que merecerse algo más. Supliqué, seduje, soborné.

—Enséñame algo más —imploré, y fui implacable en mis esfuerzos—. Los japoneses no tardarán en irse y entonces Mohini irá andando al templo. Puedo preparar un encuentro accidental —prometí, faltando a la verdad mientras veía cómo el negro que había en los ojos de Raja se convertía en ascuas abrasadoras—. Nuestro padre escucha la BBC y dice que los alemanes ya han perdido la guerra. Los japoneses pronto se habrán ido. Ya casi han perdido la guerra.

Raja me miró sin decir nada y algo pasó velozmente por su rostro lleno de reserva; por un instante pareció como si supiera que mis promesas eran falsas y mi amistad carecía de todo significado, pero luego sus ojos volvieron a quedar vacíos e inexpresivos.

—Sí —concedió—. Te enseñaré más cosas.

Me llevó hasta la casa abandonada y medio en ruinas que había al otro extremo de la selva. La puerta podrida se abrió de par en par cuando Raja la empujó con la mano. Dentro hacía frío y todo estaba oscuro, pero reinaba el silencio. Daba la impresión de que la selva estaba infiltrándose lentamente en el interior de la casa para adueñarse de ella. Raíces del color de la arena se habían abierto paso a través del suelo de cemento y la vegetación de la selva ya había empezado a crecer en las grietas de las paredes. El techo estaba lleno de agujeros, y raíces de un rosa pálido asomaban de las esquinas medio rotas para descender en grandes espirales, pero en el centro de la habitación una solitaria bombilla desnuda colgaba de las vigas de madera con una presencia impecablemente fantasmagórica. Me estremecí bajo la camisa y en ese momento me alegré de que Raja estuviera conmigo.

Nos sentamos con las piernas cruzadas en el suelo resquebrajado entre las gruesas raíces y Raja sacó una botellita de una pequeña bolsa de tela que llevaba atada a la cintura. La descorchó y un penetrante olor aromático salió inmediatamente de ella. Yo arrugué la nariz en una nueva mueca de disgusto, pero Raja me aseguró que solo era jugo de raíces y cortezas de árbol y que un sorbo de él me mostraría otro mundo. Luego comenzó a edificar una precaria pirámide de hierbas y madera en el centro de la casa abandonada. Cuando hubo conseguido prender una pequeña hoguera amarilla con las ramas resecas, se volvió hacia mí y me ofreció la botellita. No había expresión alguna en su rostro. Yo estaba seguro de que se trataba de alguna clase de prueba y sabía que titubear hubiese revelado mi duda y mi miedo. Cogí la botellita de su mano y bebí un buen sorbo. La mezcla marrón era espesa y aceitosa en mi boca. El vello se erizó en mis brazos.

—Mira el fuego —me ordenó Raja—. Mira el fuego hasta que el fuego te hable.

—Vale. —Contemplé las llamas hasta que me ardieron los ojos. El fuego siguió obstinadamente mudo—. ¿Cuánto rato tengo que seguir haciéndolo? —pregunté finalmente mientras las lágrimas empezaban a nublarme la vista.

—Mira el fuego —dijo Raja, hablándome casi al oído.

Pude oler aquel peculiar olor suyo a animal, el aroma de algo que vive de su ingenio en la espesura salvaje.

Ya estaba empezando a sentirme un poco mareado de tanto mirar las lenguas de color naranja y amarillo que danzaban en la hoguera, pero cada vez que quería apartar la mirada, una voz llena de firmeza me ordenaba que mirara el fuego.

Entonces el interior de mis ojos comenzó a arder lentamente mientras el fuego se volvía azul. Los bordes llameaban con un resplandor verdoso y el centro ardía con el color turquesa del unifome que llevaban las chicas de la escuela secundaria.

—El fuego es verde y azul —dije.

Mi voz sonaba lejana y totalmente distinta a la mía y mi lengua se había vuelto gruesa y pesada en la boca. Parpadeé rápidamente unas cuantas veces. El fuego ardía con un intenso resplandor azul.

—Ahora mírame —me ordenó Raja.

Su voz sonaba igual que un susurro o un siseo. Mi cabeza giró lentamente sobre mi cuello y mis pesados ojos se posaron en mis manos. Con algo que se aproximaba a un tranquilo asombro, me di cuenta de que la piel de mis manos se había vuelto transparente. Podía ver cómo la sangre palpitaba y corría por mis venas. Me miré las manos con ojos llenos de perplejidad y luego me fijé en el suelo. Estaba moviéndose.

—Eh... —dije con voz pastosa, volviéndome para mirar a Raja.

—Es magnífico, ¿verdad? —sonrió.

Asentí, devolviéndole la sonrisa. Yo tenía once años y las raíces secretas y la corteza de árbol me habían llevado más arriba que una cometa. Entonces me di cuenta de que Raja estaba cambiando. Escruté su cara.

—¿Qué está ocurriendo? ¿Qué aspecto tengo? —preguntó Raja ansiosamente.

Sus ojos ardían con un fuego febril bajo la claridad de las llamas de la pequeña hoguera. Parecía un animal salvaje.

Parpadeé y sacudí la cabeza, no muy seguro de qué era lo que estaban viendo mis ojos. Contemplé la hoguera. Volvía a arder con un resplandor amarillo, pero entonces sentí un súbito impulso de extender la mano y tocarla, sostenerla entre mis dedos y entrar en ella. «Si fuera mayor —pensé— podría estar de pie dentro del fuego.» El pensamiento me asustó y, moviéndome con una frustrante lentitud, volví a dirigir la mirada hacia Raja. La neblina que había emborronado los límites de mi campo visual tardó unos momentos en desaparecer.

En mi cabeza fueron cobrando forma nuevos pensamientos y de pronto las palabras salieron de la nada. Eran mías y, sin embargo, ¿cómo era posible que yo las hubiese pronunciado?

—¿Puedo tocar el fuego? —pregunté, asombrándome a mí mismo con aquella pregunta.

—No mires más el fuego. Dime qué aspecto tengo —insistió Raja—. ¿Parezco una serpiente? —preguntó.

¿Sonaba esperanzado? Me sentí muy confuso y me pregunté si ganaría puntos diciéndole que sí. Sacudí débilmente la cabeza y esta se balanceó encima de mi cuello como si fuera un globo lleno de agua. Todo mi cuerpo había empezado a arder con una serie de nuevas y extrañas sensaciones. La sangre palpitaba en mi piel de una manera que no resultaba del todo desagradable. Cuando cerraba los ojos, un súbito estallido de color aparecía a través de mis párpados cerrados. Los hermosos colores del arco iris surgían de la nada y se iban fundiendo entre sí para formar incontables motivos distintos.

Sonriendo, abrí los ojos y entonces vi a Raja de pie ante mí. Sus ojos relucían intensamente y sus dientes parecían largos y feroces. Había algo salvaje y desconocido en su cara. Durante un rato, lo único que pude hacer fue contemplar atónito aquella súbita transformación y luego me apresuré a cerrar los ojos. Ya no me sentía excitado, sino lleno de un oscuro presentimiento. El agua chocaba suavemente con las paredes de aquel globo en el que se había convertido mi cabeza. Necesitaba pensar, pero sentía la cabeza muy pesada debido a toda aquella agua que se agitaba suavemente dentro de ella. Raja se estaba convirtiendo en una criatura aterradora. Lo que había dentro de él ya no era Chibindi el Grande, aquel domador que hacía danzar a los leones, sino algo malvado y horrible que yo era incapaz de reconocer y que nunca había llegado a sospechar que existiera. ¡Pobrecita Mohini!

—¿Qué aspecto tengo? —volvió a preguntar Raja.

Su voz también había cambiado. Yo ya la había oído antes en el cementerio, entre las nudosas raíces de un gran árbol y el silencio de las tablillas de piedra blanca. Aquella voz era un siseo muy tenue.

—No pareces una serpiente, no —balbuceé con una lengua que se había vuelto gorda y perezosa. Estaba demasiado asustado para mirarlo directamente, y el corazón me retumbaba dentro del pecho—. Quiero irme a casa.

—No, todavía no. El efecto no tardará en desaparecer y entonces podrás irte a casa.

Empecé a temblar de miedo. Raja y yo no hablamos. Yo no me atrevía a hacerlo. Podía sentirlo respirando junto a mí, pero mantuve los ojos clavados en aquel suelo que se movía. Era como si el cemento fuese un delgado paño de algodón y un millón de hormigas estuvieran moviéndose por debajo de él, agrupándose y yendo de un lado a otro. Sentía junto a mí el calor que emanaba de Raja, pero me negué a volver la cabeza y ver qué bestia se encontraba sentada a mi lado. Cualquiera que fuese la droga que se había adueñado de mí, lo podía todo. ¡Menudo viaje! No existía otra realidad que lo que yo pudiera ver y sentir en aquel momento. Demasiado pequeño para darme cuenta de que estaba sufriendo alucinaciones, contemplé el suelo con ojos llenos de horror. Una vida entera transcurrió conmigo sentado allí sin moverme, mientras mi corazón latía tan frenéticamente como un tambor africano a la espera de que aquella peligrosa criatura saltara sobre mí en cualquier momento.

Finalmente Raja habló.

—Vámonos —dijo con voz átona. Parecía decepcionado—. Venga, vamos.

Miré su cara, aquellos muertos ojos tan planos en su rostro ligeramente triangular y, sí, parecía una serpiente. Raja se había convertido en una serpiente. La poción que habíamos consumido lo había convertido en una serpiente. Me toqué la cara para averiguar si yo también me había convertido en una serpiente. Mi cara se movió debajo de mis manos y grité, horrorizado. Mis dientes comenzaron a castañetear en mi boca entumecida. Yo también me estaba convirtiendo en una serpiente y entonces los pensamientos más extraños imaginables invadieron mi mente. Raja me había llevado hasta allí para convertirme en una serpiente, porque así podría tenerme metido dentro de una cesta y hacerme bailar al son de su estúpida flautita. Sollocé impotentemente y las lágrimas resbalaron por mi rostro a cámara lenta con un ruidito lejano que parecía no terminar nunca.

Cuando vi el rostro de Raja muy cerca de mí, cerré los ojos y comencé a rezarle a Ganesha. Un instante después, la voz de Raja resonó en mi oído.

—La magia es demasiado fuerte para ti —dijo—. No te preocupes, dentro de unos minutos todo volverá a ser normal. Ven, regresaremos juntos. Fuera ya está oscureciendo.

Abrí los ojos, sintiéndome muy sorprendido. Raja no me había hecho ningún daño. Confuso y aturdido, vi cómo apagaba el fuego y venía hacia mí para ayudarme a levantarme. Fuimos andando juntos, yo me apoyaba pesadamente en su brazo. Me negaba a mirarlo.

—El aire fresco te sentará bien.

La voz de Raja todavía sonaba tan áspera como el papel de lija, pero una vez que salimos del cementerio comencé a sentirme mejor. Me notaba más a salvo. Anochecía y había gente que paseaba lentamente, riendo y hablando en voz baja. Sus voces parecían muy lejanas.

—Dentro de un rato todo habrá vuelto a la normalidad, así que no te preocupes. Ponte recto y anda como un hombre. Mantén alta la cabeza.

Finalmente llegamos a nuestro pequeño vecindario. Pensar en nuestra madre esperándome en casa me llenaba de terror, porque ella enseguida vería que mi estado no era normal. Nuestra madre vería moverse mi piel y se pondría pálida.

En el jardín amurallado del viejo Soong, Mui Tsai estaba encendiendo una hoguera. Se disponía a quemar todas las hierbas y las hojas muertas y el viejo Soong estaba de pie junto a ella con sus manazas apoyadas en las caderas observándola como un cocodrilo sonriente, su larga boca abierta y llena de dientes. Miré aquella hoguera que era tan grande como una pira funeraria y, de pronto y sin que hubiera pensamiento consciente alguno por mi parte, eché a correr hacia la pira. Corrí como el viento. Yo era una limadura de hierro que se precipita hacia un gigantesco imán. Mui Tsai me miró, boquiabierta y confusa. Pensé que parecía un conejo asustado. Riendo, corrí hacia aquel hermoso fuego con las manos extendidas y el fuego extendió las suyas y me llamó. En la hoguera, las lenguas anaranjadas que devoraban hojas muertas eran una atracción superior a mí.

El primer estallido de calor purificador chocó con mi cuerpo mientras yo me apresuraba a saltar dentro del fuego, pero en vez de hallarme en el centro de mi dueño y señor, lo único que conseguí fue encontrarme súbitamente tendido en el suelo con Raja encima de mí y los latidos de su corazón golpeándome el esternón. Alcé la mirada hacia sus ojos relucientes y el triángulo de aquel rostro mutante en el que ya no podía ver absolutamente nada que me resultara familiar, y supe que le había dado un susto de muerte.

—Basta —siseó Raja—. Intenta comportarte como una persona normal.

No había nada que decir. Yo no había conseguido llegar a los pies de mi dueño y señor.

Raja me llevó hasta los escalones de mi casa y se fue. Nuestra madre salió de casa y yo la miré asombrado. Era bellísima, una tigresa de lo más peligrosa con unos indescriptibles ojos del color amarillo del ámbar pulimentado. Y estaba furiosa. No conmigo, sino meramente furiosa en general. Lo vi en sus ojos encendidos.

—¿Qué ha pasado? —gruñó, bajando por los escalones tan deprisa como una gata que se lanza al ataque.

Cuando me tocó quise encogerme sobre mí mismo, tan potente era la energía que emanaba de su cuerpo. De fondo podía oír la voz casi histérica de Mui Tsai contándole mi salto al interior de las llamas. Sentí los ojos de nuestra madre mirándome, contemplando mi piel que se movía. Dentro de la casa, Mohini estaba escondida detrás de las cortinas. Era como una gata, hermosamente suave, perfectamente blanca y con grandes ojos verdes. Había algo tan benigno y extrañamente seductor en ella que quise extender la mano y acariciarla. Ya estaba claro por qué Raja la amaba tan profundamente. Fruncí el ceño al comprender las implicaciones de la transformación de Raja. ¡Una serpiente y una gata en la misma habitación! Nunca hubiese debido darle ánimos. Abrí la boca para advertir a nuestra madre, pero entonces el rostro nervioso y preocupado de Lalita se acercó al mío. En su mano, sostenida muy cerca de su cabeza, estaba la muñeca que yo había salvado de las lluvias del monzón. Contemplé la muñeca con ojos llenos de curiosidad. Parecía extrañamente dotada de vida. De pronto la muñeca me guiñó astutamente un ojo, abrió la boca y baló igual que una cabra. Un grito de horror subió a mi garganta, pero lo que finalmente salió de ella fue un gran chorro de aire y entonces una nube de puntitos negros apareció en mi campo de visión. Eran como esa especie de puntitos de tinta que se ven en las viejas fotografías o los que aparecen en un espejo viejo cuando el cristal se va nublando y termina llenándose de manchitas. Poco a poco, los puntos se fueron haciendo cada vez más y más grandes. Entonces aparecieron más puntos, como un borrón de tinta que se fue extendiendo hasta que todo mi mundo se volvió negro. Después de eso ya no recuerdo nada más, pero nuestra madre me contó que gritaba como un poseso pidiendo un espejo. Dijo que me debatía salvajemente, retorciéndome con toda la fuerza de un hombre adulto para entrar en la casa y así poder mirarme a un espejo.

Pasé dos días enfermo. A nuestra madre le dijeron que me frotara la cabeza con una pasta de especias y guindillas que me aclararía los pensamientos. Cuando estuve mejor, ya no podía soportar ver a la muñeca de mirada fija e inmóvil de Lalita. Sentía que sus ojos, lejos de estar ciegos, escondían un mal muy antiguo. Cada vez que la miraba la veía viva y observándome, con su boca que empezaba a curvarse para balar igual que una cabra. Extendía la mano hacia ella para tocarla queriendo cerciorarme de que no era más que una muñeca, solo para retroceder lleno de asco. Su piel tenía la textura de aquellos muertos que los japoneses habían clavado en palos o dejado suspendidos cabeza abajo en las encrucijadas. Lo sé porque en una ocasión, después de que hubiera sido desafiado hasta que no pude seguir soportando la provocación, acepté tocar uno de ellos. La piel del muerto estaba fría y cedía ligeramente bajo mis dedos. Pensar en mi inocente hermana durmiendo junto a aquella cosa monstruosa hizo que me entraran náuseas. Cuando me encontré mejor, tiré la muñeca a una alcantarilla de los monzones que había en el otro extremo de la ciudad y luego contemplé cómo la rápida corriente se la llevaba hasta que solo fue un puntito rosado y amarillo en la lejanía. Volví a casa para encontrarme con una desconsolada Lalita y pasé horas fingiendo ayudarla a buscar la muñeca. Luego le eché la culpa a Negrito, el perro de la casa de al lado.

Después de aquel incidente tuve mucho cuidado. Había visto una vez a Raja de una manera que no podía olvidar. Se había terminado fingir que las personas que iban a ver a su padre, con la boca fruncida en expresiones retorcidas, y luego salían de su casa sujetando paquetes envueltos en tela y luciendo una expresión esperanzada en el rostro, no existían. Se había terminado fingir que aquellos abultados paquetes rojos y negros que se llevaban contenían esencia de manzanas o granadas de color rosado, en vez de los horribles fragmentos sacados de todos aquellos viajes de medianoche a las tumbas anónimas para poder castigar a un amante o destruir a un enemigo. Comencé a evitar a Raja.

Entonces llegó el día en que Raja acudió a verme y me pidió un mechón de los cabellos de Mohini. Durante unos segundos preciosos lo único que pude hacer fue contemplar su rostro inescrutable mientras sacudía torpemente la cabeza; luego me fui corriendo. Yo ya sabía qué hechizos podían llegar a hacer aquellas personas con un mechón de cabellos. Comencé a tener miedo de Raja. No podía olvidar los ojos relucientes en aquel rostro triangular que me miraban, me miraban y me miraban.

Así que empecé a observar a Mohini. Cada día volvía corriendo a casa de la escuela y examinaba cuidadosamente a mi hermana. Su sonrisa, sus palabras, sus miembros: todo tenía que ser observado minuciosamente para asegurarse de que no había tenido lugar ningún sutil cambio durante mi ausencia. La culpabilidad y la preocupación me estaban volviendo loco. Un desconocido de ojos febriles y acosados me devolvía la mirada desde el espejo. En la escuela, incluso había dejado de percibir el repugnante sabor del aceite de castor que me echaban por la garganta. No sentía ningún deseo de volver arrastrándome a mi vieja pandilla, así que cuando estaba en la escuela permanecía sentado en mi dura silla de madera y contemplaba con ojos vacíos de toda expresión cómo un maestro tras otro terminaba su clase y salía por la puerta. Cuando sonaba el último timbre del día, yo salía corriendo del aula. En cuanto había terminado de examinar a Mohini buscando señales de no sabía qué, me sentaba y esperaba a que llegara la noche.

Cada día al anochecer, cuando el sol se había ocultado detrás de las tiendas y la amenaza de los soldados japoneses ya había quedado alejada por aquella noche, nuestra madre permitía que Mohini saliera a caminar un rato por el huerto de atrás. Era el momento favorito del día para mi hermana: el crepúsculo, cuando el cielo todavía estaba teñido por melancólicos tonos malva y púrpuras de un matiz irreal justo antes de que los mosquitos comenzaran a mostrarse demasiado codiciosos en lo tocante a su piel. Mohini iba siguiendo las hileras de hortalizas de nuestra madre y a veces llenaba un plato con flores de jazmín para el altar de oraciones cogiéndolas del arbusto de jazmín que siempre estaba creciendo al final del huerto. Era su querido paseo por el mundo exterior, pero yo sabía que aquel era el momento más temible de todos. Porque tumbado sobre la barriga entre los arbustos estaba Raja, observándome, observándola, observándonos. Por eso aprendí a montar guardia velando por Mohini. Aprendí a quedarme de pie junto a la puerta de atrás y preocuparme, observándola andar entre la penumbra hasta que ella regresaba a casa y cerraba la puerta. A veces incluso andaba junto a ella, manteniéndome tan cerca de mi hermana y lanzando a los arbustos unas miradas tan llenas de preocupación que, conmovida por mi interés, Mohini me revolvía los cabellos y alisaba el fruncimiento de ceño que había aparecido en mi frente.

—¿Qué es esto? —solía preguntar con ternura mientras sus dedos acariciaban los profundos surcos surgidos en mi frente.

Pero naturalmente yo nunca pude explicárselo. Sabía que nuestra madre tenía planes, grandes planes, para la joya de la familia. Estaba planeando un gran matrimonio con una gran familia y por esa razón «aquello» se convirtió en mi grillete secreto. Yo mismo lo había puesto en mi pierna y ahora tenía que cargar con él. «Aquello» era lo que yo sabía se escondía inmóvil entre los silenciosos arbustos.

Quería hablarle a Mohini de las cobras. Quería contarle lo que yo sabía, lo que había visto. Quería advertirla de que aunque las cobras son unas criaturas fascinantes ella debía tenerles mucho miedo, porque una cobra no reconoce a ningún amo. Danzará para ti si le gusta la canción y beberá la leche que dejes cada día junto a su cesta, pero no reconoce lealtad alguna. Nunca debes olvidar que, en última instancia, una cobra jamás traiciona su propia naturaleza y por razones que solo ella conoce, cualquier día puede volverse contra ti y clavar sus colmillos envenenados en tu carne. En mi cabeza de niño, Raja era una gran cobra negra. Quería hablarle de él a Mohini. Pensaba constantemente en sus ojos, reluciendo gélidamente en su cara. Raja pretendía tener a Mohini o hacernos daño. Yo estaba seguro de eso.

Un día, cuando volvía corriendo a casa de la escuela, me encontré a Raja esperándome apoyado en la pared de la casa del viejo Soong. Raja desenvolvió un paquete de tela negra y sacó una pequeña piedra roja que destellaba bajo la luz del sol. Cuando me la puso en la palma de la mano, advertí que era extrañamente pesada y que estaba tan caliente como un huevo de gallina recién puesto.

—Tengo un regalo para tu hermana. Ponlo debajo de su almohada como una hermosa sorpresa —me dijo Raja con aquella voz aterciopelada que yo había aprendido a odiar.

Tiré a la arena la piedra extrañamente caliente y salí corriendo todo lo deprisa que pude. Raja no me siguió. Yo podía sentir sus ojos ardiendo en mi espalda. Cuando llegué a los escalones de nuestra casa, me volví y vi que Raja todavía estaba de pie junto a la pared de ladrillos rojos, mirándome. No había ira alguna en su rostro. Levantó la mano y me saludó. Pasé todo aquel día sintiéndome lleno de miedo. ¡Cómo echaba de menos los días en que Raja había sido un valiente guerrero llamado Chibindi!

Aquel anochecer vi inclinarse a Mohini para coger algo de entre la hierba, algo que relucía suavemente en la oscuridad. Petrificado, grité y fingí caerme. Mi hermana acudió corriendo. Quejándome como si sufriera grandes dolores, le pedí que me ayudara a entrar en la casa. Mohini se olvidó de aquel objeto que relucía en el suelo. Más avanzada la noche, salí de la casa andando de puntillas. No había luna y apenas si podía distinguir el objeto tirado sobre la hierba. Me incliné para cogerlo y entonces los pies descalzos de Raja entraron en mi campo de visión. Me incorporé lentamente, temiendo lo que encontraría ante mí.

—Dámela —me ordenó Raja, hablando en un tono duro y carente de toda emoción.

La sangre se heló en mi cuerpo.

—Nunca —dije, pero para mi disgusto la voz me sonó débil y asustada.

—La tendré —prometió Raja y, dándose la vuelta, desapareció entre la oscuridad.

Escruté ansiosamente aquella noche negra como la tinta, pero Raja se había ido igual que el viento, llevándose su desespero consigo.

Aquella noche soñé que estaba escondido detrás de unos arbustos viendo cómo Mohini andaba por la orilla de un río. Pájaros multicolores cantaban en los árboles y Mohini reía ante las travesuras de unos monos descarados con los rostros ribeteados de plata. La vi ponerse a cuatro patas sobre la orilla y apartarse la pesada cabellera de la cara con una mano para beber como una gatita. A unos metros de ella había una forma en el agua, un par de terribles ojos amenazadores que la observaban sin parpadear. Era un cocodrilo. Yo les tengo mucho miedo a los cocodrilos. Lo más aterrador de ellos es que cuando les miras a los ojos nunca puedes saber si están muertos o si están vivos, porque sus ojos siempre tienen la misma expresión vacía. Eso hace que te preguntes si no habrán venido a este mundo a través de otra puerta.

Fingiendo ser un tronco inofensivo, el cocodrilo fue flotando silenciosamente hacia Mohini hasta que, sin que mediara la más leve advertencia previa, pretendió cerrar sus poderosas mandíbulas en la cabeza de mi hermana. Quería arrastrarla a las aguas con un súbito chapoteo. Yo quería advertir a mi hermana de la misma manera en que había querido hablarle de las cobras negras, pero no conseguía acordarme de su nombre. El monstruo abrió su enorme boca. Corrí hacia la orilla gritando, pero el cocodrilo ya había metido la cabeza de Mohini entre sus dientes amarillos sin ninguna dificultad. Me detuve en la orilla, vestido con mis pantalones cortos y paralizado por una mezcla de horror e incredulidad, y contemplé la salvaje lucha que estaba teniendo lugar en el río. La bestia desapareció en las aguas llevándose a mi hermana con ella. Mohini ya no estaba allí. Las aguas se fueron calmando. El río se había alimentado. Desde la otra orilla, el rostro distorsionado de Raja gritaba palabras mientras corría hacia las aguas infestadas de cocodrilos, pero hablaba en ese lenguaje de los sueños que yo no puedo entender mientras estoy dormido y que luego no puedo oír cuando estoy despierto.

Desperté con un sobresalto, sudando y tan asustado que el corazón me retumbaba en el pecho y sentía un nudo que me oprimía la garganta. Mis hermanos dormían apaciblemente junto a mí. Ellos no habían estado jugando con el mismísimo diablo. Nervioso y preocupado, fui a la cama de las chicas para mirar a Mohini mientras dormía. Pasé suavemente los dedos por la delicada piel de su brazo. Estaba caliente.

La voz ligeramente exasperada de nuestra madre llenó mi cabeza.

—Una vez, cuando Mohini tenía ocho años, vuestro padre y yo nos peleamos y como luego no nos hablábamos, entonces él le pidió a Mohini que le hiciera un café. Yo fui a la cocina y vi cómo Mohini ponía nueve cucharadas de café por una de azúcar. Luego me escondí detrás de la alacena y vi cómo vuestro padre se bebía hasta la última gota de aquel café sin cambiar de expresión, de tanto que quiere a vuestra hermana.

La pena y la vergüenza se adueñaron de mí. Yo había traicionado a Mohini, contando sus secretos y echándolo todo a perder. Toda la culpabilidad que yo era capaz de sentir estaba reservada para mi hermana dormida. La desesperación de Raja no me conmovía en lo más mínimo. Me preparé una cama en el suelo junto a Mohini. Había decidido que a partir de aquel momento la protegería con mi vida. Algo horrible estaba a punto de ocurrir, pero yo no permitiría que pasara. Yací totalmente inmóvil, contemplando el techo y escuchando la respiración de mi hermana. Un animal gritó en la lejanía. El sonido era notablemente humano. Transcurrió mucho tiempo antes de que la rítmica respiración de mis hermanas fuera tranquilizándome poco a poco hasta que por fin volví a conciliar el sueño. Lo último que pensé fue que debería contárselo a alguien.

LAKSHMI

Lo primero que hicieron los soldados japoneses cuando llegaron a nuestro tranquilo vecindario fue pegarles un tiro a los perros del viejo Soong. En un momento dado eran un frenesí de feroces ladridos y al siguiente, en medio de un estruendo como si alguien estuviera lanzando fuegos artificiales, sus enormes cuerpos se desplomaron. La sangre roja desapareció rápidamente en la gravilla negra y blanca.

—*Kore, kore!* —gritaron los soldados, sacudiendo las puertas cerradas y golpeándolas ferozmente con las culatas de sus rifles.

Yo los contemplaba desde detrás de las cortinas con un nudo de tensión oprimiéndome el estómago. El escondite de Mohini era muy astuto, pero aun así estaba petrificada por el temor de que la encontraran. El salvajismo de los soldados japoneses estaba más allá de toda comprensión. Todos habíamos visto los cuerpos empalados desde la ingle hasta la boca, como cerdos listos para ser asados, colocados a lo largo de las calles. Sabíamos de las ejecuciones que habían tenido lugar en Teluk Sisek allá por el camino que llevaba a la playa, donde los japoneses habían matado a la gente y la habían hecho pedazos. Veías una mano temblorosa, luego un pie que se sacudía frenéticamente, quizá el resto de un brazo caído, una pierna que sangraba y, finalmente, la cabeza condenada. Incluso sabíamos lo de la esposa del almacén frigorífico de la ciudad que, sola y a la luz de la luna, había ido a recoger los trozos de su marido para poder darle un entierro apropiado. Los japoneses eran así, crueles y bárbaros.

Acurrucados debajo de la ventana, mi marido, Lakshmnan y yo vimos aparecer la tímida figura de Mui Tsai en la puerta principal.

—*Kore, kore!* —le gritaron los soldados.

Mui Tsai corrió a abrir las puertas. Los soldados terminaron de abrirlas con un brusco empujón y se quedaron mirando a Mui Tsai con los ojos entornados. ¡Ah, esa mirada! Sentí estremecerse a Mui Tsai desde donde yo la estaba observando. Se inclinó ante los soldados y estos hablaron en un lenguaje agresivamente alto y horrible. Luego entraron en la casa, pasando por encima de los perros muertos sin prestarles ninguna atención. Estaban hambrientos, muy hambrientos. Recorrieron la casa consumiendo lo que les apetecía y llevándose todo aquello que fuera lo bastante pequeño para poder cargar con ello. Sabían que al cabo de unos días probablemente estarían luchando en las selvas de Java o en los pantanos ponzoñosos de Sumatra.

Buscaban joyas, plumas estilográficas y relojes. El dueño no estaba en casa, pero los soldados cogieron sus caros relojes colocados junto a la cabecera de la cama y se los pusieron en muñecas que ya estaban llenas de ellos. Luego pusieron la punta de una de sus largas espadas en el suave vientre de la señora de la casa y señalaron las vitrinas vacías. Al principio ella fingió no saber a qué se referían, pero entonces ellos hundieron un poquito más la punta de su espada en su mimada carne. Sollozando, la señora de la casa le gritó a la cocinera que fuera a desenterrar las figurillas de jade de debajo del rosal. Los soldados parecieron alegrarse mucho de aquel descubrimiento. Luego señalaron la caja de palo de rosa. Los sirvientes se apresuraron a abrirla y los soldados parecieron quedar especialmente complacidos con los palillos de marfil para comer.

Los extranjeros también deseaban azúcar. Hicieron signos y emitieron sonidos guturales. La señora de la casa frunció el ceño y las sirvientas la miraron impotentes. Entonces aquellos seres sucios y sin afeitar agarraron por los cabellos a la aterrorizada cocinera, maldijeron ruidosamente y la abofetearon. Luego comenzaron a volcar todos los recipientes. ¡Qué extraordinaria impaciencia la suya! Finalmente de una jarra volcada salieron granos blancos. «Aaah, el azúcar...» Los soldados dejaron de volcar recipientes.

Se acercaron mucho a la señora de la casa. Ella contuvo la respiración. Los soldados emanaban el nauseabundo hedor de los cuerpos sin lavar que han estado combatiendo, una pestilencia imposible de olvidar. Hedían como personas que no tuvieran alma. Volvieron a hacer sus toscos signos. La señora de la casa los miró tan pálida como un fantasma, pero lo que los soldados deseaban era que se les encendiera una hoguera en el jardín de atrás. Querían cocinarse su propia comida. «Madera para el fuego.» Las sirvientas corrieron a buscarla. Los extranjeros se quedaron fuera, con sus armas despreocupadamente dejadas en el suelo, esperando a que su banquete al aire libre estuviera preparado mientras la aterrorizada servidumbre del viejo Soong los contemplaba en silencio. Los extranjeros comieron como perros hambrientos. Luego se fueron.

Los vimos ir hacia la casa de Minah.

La vimos abrirles la puerta de su casa murmurando «*Ya allah, ya allah*», vestida con aquella holgada prenda blanca como un sudario que es típica de su religión. No era su hora de las oraciones, pero Minah llevaba aquella especie de mortaja para ocultar sus magníficas curvas. Solo su rostro asustado quedaba visible, un pequeño círculo lleno de miedo. Sus cinco hijos hicieron corro alrededor de ella y miraron a los hombres mientras estos registraban su mísera casa. Los soldados hicieron un movimiento circular con los dedos alrededor de sus muñecas y sus cuellos. Minah los entendió. Estaba preparada y les entregó un pañuelo atado en un nudo. Dentro había una vieja cadena, un anillo todavía más viejo y dos ajorcas que se habían deformado ligeramente al doblarse. Los soldados se lo tiraron todo a la cara, muy disgustados. No se quedaron mucho rato. Verás, todavía no te he contado que antes de que se fueran de la casa del viejo Soong los soldados tumbaron encima de la mesa de la cocina a la pobre Mui Tsai a la que nadie quería y luego, haciendo cola de una manera inesperadamente ordenada, se sirvieron de ella hasta que todos hubieron quedado satisfechos.

En la casa del chino que vivía al lado, los soldados rompieron un espejo y se llevaron tres cochinillos. Los dos hijos mayores habían salido corriendo por la puerta de atrás. Entraron en nuestro patio trasero y corrieron como una exhalación a través de los campos, desapareciendo en la pequeña selva.

El corazón ya se me había hecho un nudo en la garganta cuando las duras botas de los soldados subieron nuestros escalones de madera, y lo sentí palpitar de miedo. Los japoneses irrumpieron por nuestra puerta igual que un huracán. ¡Vaya, pero si vistos de cerca eran diminutos y amarillos! Apenas si le llegaban al pecho a mi marido. Alzaron la mirada hacia su negra y fea cara. ¡Qué ojos tan duros e implacables tenían! Como aquellos elefantes a los que se enseñaba a hacerle la reverencia al sultán en los gloriosos días del imperio mongol, todos nos apresuramos a inclinarnos al unísono ante ellos. Los soldados fueron de un lado a otro de nuestra casa hasta que los tablones del suelo temblaron bajo sus pasos. Abrieron las alacenas, levantaron las tapas de las cajas y miraron debajo de las camas y de las mesas, pero no encontraron a mi hija. En el patio trasero abrieron el gallinero, les rompieron el cuello a las aves que no paraban de chillar y luego, sujetando tres o cuatro pollos por el cuello, señalaron el cocotero. Lakshmnan se apresuró a trepar por él. Los soldados bebieron la dulce agua del coco y luego tiraron la cáscara al suelo. Antes de irse de nuestro vecindario, arrancaron de sus goznes las impresionantes puertas de hierro negro del viejo Soong y se las llevaron consigo. En aquellos tiempos, los japoneses codiciaban el hierro. La mayoría de las casas perdieron sus puertas y todo el miedo que antes les habían tenido a los ladrones, porque los japoneses castigaban los crímenes más insignificantes con la tortura y la decapitación. Nunca había habido menos crímenes. De hecho, durante todo el período de la ocupación japonesa nadie se molestaba en cerrar sus puertas cuando salía de casa. No, no me envidies nuestras vidas libres de crímenes porque al final aquellos perros nos las hicieron pagar con sangre. Eran arrogantes, groseros, crueles e implacables, y los odiaré con la ira de una madre mientras viva. Escupo sobre sus feas caras. Mi odio es tal que no olvidaré, ni siquiera en mi próxima vida. Me acordaré de lo que le hicieron a mi familia y los maldeciré una y otra vez para que llegue el día en que puedan saborear toda la amargura de mi dolor.

Tan pronto como llegaron, los japoneses prohibieron cualquier clase de saqueo a los lugareños. Dos hombres acusados de ello fueron vendados, les ataron las manos a la espalda y los llevaron a la plaza donde cada martes se celebraba el mercado nocturno. Quienes pasaban por allí fueron conducidos a la plaza por los soldados igual que si fuesen ovejas hasta que se hubo reunido a un número apropiado de espectadores. Acto seguido un oficial japonés le cortó la cabeza primero a un hombre y luego al otro, limpiando cuidadosamente la hoja de su espada con un trozo de tela después de cada ejecución. El oficial no tuvo ni una sola mirada para la cabeza que rodaba por el suelo, con la boca abierta en un grito silencioso mientras esparcía sangre sobre la arena, o para el espectáculo realmente aterrador del cuerpo decapitado retorciéndose en el suelo mientras chorros de sangre manaban de su cuello y sus piernas se sacudían espasmódicamente. Se limitó a contemplar a la silenciosa multitud de horrorizados espectadores y luego inclinó la cabeza en una silenciosa advertencia.

Con su mensaje rápidamente establecido, los japoneses se dedicaron a pasarlo bien a gran escala. No solo saqueaban las casas que visitaban, sino que también las profanaban. Nunca preguntaban y nunca daban ninguna clase de compensación, limitándose a alargar la mano para coger cualquier cosa que desearan: tierras, coches, edificios, bicicletas, pollos, cosechas, alimentos, ropa, suministros médicos, hijas, esposas, vidas.

Al principio yo no los maldecía. La brutalidad de los japoneses no llegaba a afectarme y enseguida aprendí a pasar por alto las cabezas cortadas que iban dejando por ahí. Su propaganda imperialista ni siquiera llegaba a ser una molestia. ¿Qué podía importarme a mí que los japoneses hubieran prohibido llevar corbata en público? Comprendía que la guerra siempre traía consigo horribles atrocidades, así que me limité a decidir que no permitiría que una raza tan sucia y fea me venciera en un juego que yo conocía tan bien. En aquella época yo era muy arrogante. Sabía cómo sacar comida para mis niños del mismísimo aire si llegaba a ser necesario. Me dije confiadamente que también sobreviviría a aquello. Mi marido perdió su empleo en cuanto se inició el nuevo régimen japonés, por lo que también perdimos nuestro derecho a las preciosas cartillas de racionamiento. Las cartillas de racionamiento significaban arroz y azúcar. Pasamos a ser considerados como personas que no tenían ninguna utilidad y en las que el régimen prefería no malgastar sus limitados recursos. De pronto tuve ocho bocas que alimentar y ningún ingreso. No disponía de tiempo para quejarme y gemir o para apreciar las miradas de compasión que me lanzaban aquellas señoras del templo cuyos maridos habían conseguido conservar sus trabajos.

Vendí algunas joyas y compré las vacas. Estas hicieron que mi vida se volviera más dura, pero nunca hubiésemos podido sobrevivir sin ellas. Cada mañana, tanto si llovía como si iba a hacer sol, yo me sentaba en un taburete al aire libre cuando todavía estaba oscuro y las ordeñaba. Las tiendas y los cafés nos pagaban en billetes japoneses adornados con imágenes de cocos y plataneros. Pasaban nerviosamente de mano en mano porque aquellos billetes-plátano, como los llamábamos, no tenían números de serie y valían un poco menos a cada mes que transcurría. El tabaco valía más que el papel moneda japonés. Algunas personas convertían su dinero en tierras y joyas lo más pronto posible, pero aquello difícilmente podía ser una opción en nuestra casa cuando, tal como estaban las cosas en esos días, yo apenas tenía lo suficiente para alimentar a nuestros hijos.

Sin las cartillas de racionamiento, el arroz solo podía ser adquirido en el mercado negro a precios exorbitantes. El arroz se volvió raro y precioso. Los vendedores se acostumbraron a humedecerlo para incrementar su peso y así obtener un precio mejor. La gente guardaba cada grano como si fuese un tesoro y lo reservaba para las ocasiones especiales, como los cumpleaños y las festividades religiosas. La mayor parte de la semana comíamos tapioca. Aquellos fueron los días en que mandaba la tapioca. La veías por todas partes, cocida hasta hacer panes y procesada para convertirla en fideos. Incluso las hojas podían ser hervidas y comidas. La labor cotidiana de cortarla, hervirla y cocinarla salvó nuestras vidas, pero yo la encontraba insoportable y terminé odiándola. Durante años he intentado convencerme de que me gustaba la tapioca, pero lo cierto es que odiaba su sabor viscoso y resbaladizo. El pan hecho con tapioca era como goma. Rebotaba en la mesa y cuando estaba entre los dientes siempre se estiraba. Los fideos de tapioca eran terribles. Pero todos nos los comíamos.

Intenté cultivar todo aquello a lo que podía echar mano. Incluso probé suerte con la cúrcuma, que por alguna extraña razón solo daba frutos marchitos y extrañamente mal formados. A finales del primer año de ocupación, sin embargo, ya había trabado amistad con la señora Anand. Su marido trabajaba en el Departamento de Control de la Alimentación y se las arreglaba para traer del norte de Malasia arroz procedente de las raciones del ejército japonés. Yo escondía aquellas raciones ilegales de arroz en las vigas de nuestro techo. Nuestras vacas y mi huerto nos mantuvieron a salvo de la severa escasez de alimentos que se cebó en todo el estado de Pahang. La hambruna llegó a ser tan severa que finalmente, en mayo de 1942, el gobernador propuso a la gente que comiera dos veces al día en vez de tres. Quizá no sabía que las personas ya estaban consumiendo solo dos comidas al día complementadas con un poco de tapioca.

Cualquier cosa importada pasó a ser tan valiosa como el polvo de oro. Antes de la ocupación yo siempre había lavado el cabello de los niños con unas semillas especiales que traían de la India y que venían atadas en manojos. Mantenías en remojo durante unas horas aquellas duras semillas marrón oscuro y luego las hervías y las triturabas. El espeso líquido marrón oscuro resultante del proceso era el champú ideal, porque te dejaba limpio el cabello hasta que crujía. Tuve que improvisar y comencé a lavarles la cabeza a mis hijos con semillas de soja trituradas. Durante la ocupación japonesa, yo preparaba mi propio jabón con hojas, corteza de árbol, canela y flores. Nos limpiábamos los dientes con el dedo índice untado de carbón de leña finamente triturado y, en algunas ocasiones, con sal. Luego comenzamos a utilizar como cepillos de dientes los suaves tallos de las hojas del árbol neem. Yo hacía mi propio aceite de coco, ya que en 1945 el precio de una lata de aceite de coco se puso por las nubes llegando a subir de seis a trescientos quince ringgits. La gente vendía diez huevitos por noventa ringgits. Pero ¿qué era eso comparado con el precio de un sarong, el cual se había incrementado desde un ringgit con ochenta céntimos a nada menos que mil ringgits? Intenté hacer tela a partir de hojas de piña y corteza de árbol, pero era muy áspera y solo podía ser utilizada para los sacos.

Las hojas de afeitar llegaron a ser tan apreciadas que todo el mundo solía afilar una y otra vez las hojas viejas que ya no cortaban, apretándolas contra el interior de un vaso y deslizándolas de un lado a otro. Los vehículos de motor desaparecieron, excepto aquellos que eran utilizados por los militares y los civiles japoneses más importantes. Unos japoneses que lucían cintas azules enseguida tomaron prestado el coche del viejo Soong. Los taxis quemaban leña o carbón de encina. El ejército japonés se había reservado casi todas las medicinas y suministros hospitalarios para su propio uso y tuvimos que recurrir a la medicina tradicional. La segunda esposa del chino que vivía en la casa de al lado casi perdió la pierna cuando intentó curarse un profundo corte que se había hecho empleando un emplasto preparado con piña y plátanos medio podridos. La herida se puso azul y comenzó a desprender un intenso olor a podrido y poco faltó para que se le declarara una gangrena.

El agua de las cañerías fue empeorando continuamente a medida que se iban agotando las sustancias químicas empleadas para tratarla. A veces, diminutos gusanos de un color cremoso se retorcían en el agua que bebíamos como si estuvieran sufriendo terribles dolores.

Después de que los japoneses mataron de un tiro al marido de Minah, tuve que ir allí para ser la portadora de la mala noticia. Minah se desmayó en la entrada de su casa. Verla sufrir de aquella manera me dio tanta pena que me arrodillé junto a ella y acaricié sus finos cabellos de un negro azulado. La lisa curva de su mejilla me rozó la mano. Minah hubiese podido tener el admirable cutis de un bebé, pero se había quedado sin dinero. Ahora ya solo tenía algunos pollos, un huerto de hortalizas y cuatro joyas viejas.

—Todo irá bien, no llores —mentí.

Ella se limitó a sacudir la cabeza y siguió sollozando suavemente.

Minah ya apenas si conseguía salir adelante cuando un jeep verde del ejército se detuvo delante de su puerta un anochecer. Un japonés con aire elegante y vestido de civil bajó rápidamente del jeep y entró en la casa de Minah. Después de aquello, el japonés solía aparcar el vehículo enfrente de su casa. Un día Minah envió a sus cinco hijos a la casa de su hermana, que vivía en Pekan. Le dijo a Mui Tsai que allí había escuelas mejores. A partir de ese momento, el japonés que iba en el jeep comenzó a pasar la noche en casa de Minah. Unas semanas después se fue a vivir allí. Yo dejé de visitar a Minah y ella dejó de hablarnos. Quizá se avergonzaba de haberse convertido en la mantenida de un oficial japonés. La vi algunas veces fuera de su casa. Había empezado a llevar vestidos occidentales y *cheongsams* cuando ella y el japonés salían por la noche. También usaba cosméticos y se pintaba las uñas. De hecho, parecía una estrella de cine. Sus preciosas pantorrillas relucían por la abertura lateral de su *cheongsam* cuando subía al jeep moviéndose con delicada elegancia. Me di cuenta de que yo tenía un nuevo problema. ¿Y si Minah sacrificaba a Mohini a cambio de un trozo de tierra, una casa mejor, un anillo de diamantes o un saco de azúcar?

Un día Minah y yo nos encontramos en la calle. Era inevitable que aquello terminara ocurriendo, pero que sucediese en presencia del japonés sí que era inesperado. Cuando doblé la esquina, Minah y el oficial estaban bajando del jeep. Comencé a aflojar el paso con la esperanza de que entrarían en la casa antes de que yo llegara hasta ellos, pero Minah se detuvo y me esperó y él esperó junto a ella. Sonreí. Afablemente, porque ahora los temía a los dos. Mina también era el enemigo. Mi secreto dependía del eslabón más débil y en esos momentos lo tenía delante de mí.

—Hola —me saludó Minah, tan hermosa como siempre.

—Hola. ¿Qué tal estás?

—Oh, muy bien —dijo ella, sonriendo.

Sus labios estaban pintados de rojo y llevaba colorete en las mejillas, pero sus ojos seguían estando llenos de tristeza. Unos brazaletes de jade verde oscuro exquisitamente tallados tintinearon en sus brazos como una cortés advertencia.

—¿Qué tal están tus niños? —pregunté, no ocurriéndoseme ningún otro tema de conversación.

—Son muy traviesos y nunca quieren aprender nada en la escuela —replicó ella modestamente—. ¿Y qué tal les va a tus cinco maravillosos hijos?

Mis labios fueron curvándose lentamente en una sonrisa llena de gratitud. Mi secreto estaba a salvo con ella, al menos por el momento. Yo tenía seis hijos y Minah lo sabía. Acababa de callarse la existencia de Mohini porque el oficial estaba delante. Me di cuenta de que

Minah había preparado aquel encuentro para que yo pudiera dormir en paz.

—Todos están bien. Gracias por preguntarlo —dije y seguí mi camino.

Minah y yo nos habíamos comprendido la una a la otra. Cuando me volví a mirar, ella y el oficial estaban entrando en la casa. El brazo de él rodeaba la cintura de Minah.

Transcurrió un año de ocupación japonesa. Mientras nadaba y se balanceaba igual que Tarzán de las lianas que crecían a lo largo del río Kuantan, Lakshmnan hizo amistad con un muchacho aborigen. Los aborígenes son los mejores cazadores y rastreadores que puedas llegar a encontrar. Nadie conoce la selva mejor que ellos y saben cómo observarte y seguirte durante días enteros sin que tú llegues a enterarte de su presencia en ningún momento. El muchacho enseñó a Lakshmnan cómo hacer una cerbatana y cazar con ella y mi hijo no tardó en familiarizarnos a todos con un nuevo mundo culinario.

Lakshmnan regresaba a casa trayendo consigo unos lagartos muy largos y feos que, de hecho, una vez cocinados tenían un sabor bastante delicado. Comimos jabalí, gamo, ardilla, tapir, tortuga, pitón recién muerta, carne de tigre con su intenso sabor y, en una ocasión, incluso elefante. Lakshmnan nos contó cómo los hombres de la tribu de su amigo el aborigen volvían a su aldea después de la caza, una procesión ensangrentada que se tambaleaba bajo los enormes trozos de carne que iban goteando sangre encima de sus hombros. Ni mi marido ni yo fuimos capaces de comer la carne de elefante, en mi caso porque tenía demasiada fe en mi dios elefante, pero le pedí a Ganesha que me perdonara y se la serví a los niños. La carne era bastante áspera y todavía conservaba trozos de su gruesa piel de un marrón grisáceo, pero los niños dijeron que no estaba del todo mal. Un día Lakshmnan volvió a casa con una cría de mono colgada del hombro y el viejo Soong, que había estado mirando desde su ventana, nos envió a su cocinero para que nos preguntara si queríamos venderle la cabeza con el cerebro intacto.

El viejo Soong le abrió el cráneo al monito, echó coñac del mercado negro dentro de él y luego se comió el contenido con sus palillos. Aquella misma noche hizo acudir a Lakshmnan a su casa y le dijo que lo recompensaría generosamente si le traía los genitales de un tigre o un oso. Un mes de alquiler a cambio de ellos, dijo. Comerlos confería la inmortalidad.

En la escuela se obligaba a los niños a aprender japonés y fue gracias a ellos como aprendí a decir «*Domo arigato*». Siempre que los soldados me pedían algo, fuera lo que fuera, yo asentía inmediatamente y recitaba mi agradecimiento en su idioma insoportablemente gutural. Enseguida pude ver que les complacía que me hubiera tomado la molestia de aprender sus sonidos. Me creían dócil. No veían mi miedo. Yo los temía hasta cuando estaban sujetando a una gallina que no paraba de chillar, con toda una nube de plumas volando alrededor de ellos. Me acordaba de que se habían llevado a mi marido, que le dispararon y lo dejaron por muerto. Ni siquiera la afirmación de Mui Tsai de que los japoneses estaban convencidos de que el arroz blanco hervido sin sal y adornado con azúcar era un plato exquisito bastaba para disipar el recelo instintivo que sus malévolos ojillos suscitaba en mí.

No había que provocarlos.

Eso era algo que yo sabía en lo más profundo de mi corazón. Lo que había que hacer ante su presencia era inclinarse inmediatamente y bajar los ojos. A veces el general Ito, que siempre era el primero en servirse de Mui Tsai y podía hablar un pésimo inglés, me torturaba preguntándome dónde estaban escondidas mis hijas. Yo sabía que él no tenía ni idea de la existencia del escondite, pero sus ojos estaban tan llenos de astucia que temblaba como una hoja con solo pensar en la suave piel de Mohini debajo de sus pies.

Me dije a mí misma una y otra vez: «Cuando todos se hayan ido lo celebraré. Ahora bajaré los ojos y les daré los cocos más jóvenes y tiernos de mi árbol». Había oído las historias de cómo los japoneses cortaban el árbol entero porque no había nadie disponible en la casa que les cortara algunos cocos. Solo por esa razón, yo hacía que Lakshmnan cortara cada día los mejores cocos antes de que se fuera a la escuela. Apenas los japoneses llegaron a nuestra casa y señalaron el árbol, yo salí corriendo inmediatamente con los frutos jóvenes. Los japoneses los abrieron cortándolos con sus bayonetas. Los observé disimuladamente mientras el jugo salía gorgoteando de sus bocas, bajaba por las robustas columnas de sus odiosos cuellos y manchaba sus uniformes con un tono de marrón más oscuro. Les deseaba todo el mal del mundo. Los odiaba, pero mi verdadero miedo era mucho más profundo que un cocotero cortado o el descubrimiento de las joyas que había escondido lo más arriba posible entre las hojas que se mecían. Temía que los japoneses osaran enfrentarse a las aves que cacareaban y al suelo cubierto de excrementos de pollo y de gallina y miraran debajo de la casa. Temía que se llevaran a mi hija.

Aquel pensamiento solía mantenerme despierta durante la noche. Cada vez que veía correr libremente a la joven china de la casa de al lado, con sus cabellos cortados hasta dejarlos tal como los llevaban los soldados y los pechos tan apretadamente vendados bajo la camisa de chico que se la veía más plana que una tabla de planchar, me preocupaba por Mohini. Los cabellos de mi hija me parecían simplemente demasiado hermosos para que pudiera cortárselos y sabía que aunque vendara sus pechos en flor y cortara su maravillosa cabellera, su cara era imposible de pasar por alto. Los pómulos, los ojos, la preciosa boca: todo aquello la delataría inmediatamente.

Lo único que podía hacer yo era mantenerla escondida.

Estaba sola contemplando las estrellas tan lejanas cuando Mui Tsai levantó la tela protectora contra los mosquitos y entró en mi cocina. Hacía mucho tiempo que no me visitaba y yo la había echado terriblemente de menos. Mui Tsai se dejó caer en el banco junto a mí, moviéndose con la torpeza de una niña. En la mano llevaba un pegajoso pastelillo marrón. Era la festividad de los dioses chinos, un momento en el que los dioses menores y los espíritus visitaban todas las casas chinas que hay en el mundo y luego volvían al cielo llevándose consigo las historias de las malas acciones. Para sobornarlos, los que vivían en la casa preparaban aquellos pastelillos pegajosos y dulzones que luego hacían que a los dioses y los espíritus les resultara imposible decir cosas desagradables acerca de los hogares que habían visitado.

Mui Tsai sabía que a mí me encantaba comer la dura corteza que recubría el pastelillo.

Apoyando la barbilla en las manos, me contempló con expresión muy seria. Fue entonces cuando me sorprendí al ver las muchas sombras que había en sus ojos.

—¿Qué tal estás? —me preguntó.

Seguía siendo la mejor amiga que yo tenía.

—Muy bien. ¿Y tú?

—Estoy embarazada —anunció ella bruscamente.

Abrí mucho los ojos.

—¿Esperas un hijo del amo?

—No, el amo ya nunca me visita. No ha venido a verme desde que llegaron los soldados japoneses, porque teme contraer alguna enfermedad. Ahora mi cuerpo le da asco. Se muestra muy frío y grosero conmigo, pero lo prefiero así.

—Oh, Dios —dije yo, sintiéndome muy conmovida.

Los infortunios de Mui Tsai parecían no terminar nunca y pensé que realmente debía de haber nacido bajo una estrella que traía mala suerte.

—Sí, el bebé es de alguno de ellos —dijo Mui Tsai sin inmutarse. Todas las sombras que había en sus ojos se movían igual que viejos fantasmas dentro de una casa encantada. Vi cómo se agazapaban para luego volver a incorporarse.

—¿Qué vas a hacer?

—La señora de la casa quiere que me libre de él —se limitó a decir ella, y luego se encogió de hombros con una curiosa despreocupación—. Y de todas maneras, ¿cómo puedo quedármelo? ¿Y si es hijo del que se orina dentro de mí después de que haya terminado de plantar su semilla?

—¿Qué?

Mui Tsai me miró con una sonrisa torcida. Algo extraño ocurrió en sus ojos.

—¿Sabes dónde puedo conseguir que me hagan un aborto?

—No, claro que no.

Mui Tsai nunca había llegado a explicarme qué era lo que le hacían exactamente los soldados y yo nunca le había preguntado al respecto.

—Oh, bueno, estoy segura de que la señora de la casa lo sabrá.

No había absolutamente nada que yo pudiera hacer para ayudarla. Badom había muerto hacía dos años.

—Oh, Mui Tsai, ten mucho, mucho cuidado, por favor. Esas cosas son tan peligrosas...

Mui Tsai rió tranquilamente. Las sombras que había en sus ojos parpadearon y murieron.

—Me da igual. ¿Sabes qué es lo más extraño de todo? Últimamente no paro de oír a un recién nacido llorando en la habitación contigua. Cuando voy allí, el bebé que lloraba ya no está.

La miré con ojos llenos de preocupación, pero ella volvió a reír con un sonido que no podía ser más áspero y seco. Me dijo que no estaba asustada, porque solo era el fantasma de su primer bebé que la llamaba. Después jugamos unas cuantas partidas de damas chinas. Las gané todas y ni siquiera tuve necesidad de hacer trampas. Mui Tsai tenía la mente en otro sitio.

Unos días después, una ambulancia entró en nuestro vecindario con la sirena conectada. Se detuvo delante de la casa del viejo Soong y dos asistentes vestidos de blanco salieron de ella y entraron corriendo en la casa. Al principio pensé que estaban allí por el viejo Soong, pero era por Mui Tsai. Corrí hacia la ambulancia y entonces vi algo que nunca olvidaré. El pálido rostro de Mui Tsai estaba desencajado por el dolor y tenía los ojos tan vidriosos como si estuviera a punto de perder el conocimiento. Tendida en la camilla, su mano no paraba de moverse espasmódicamente como si estuviera intentando apartar el estómago de su cuerpo. Una espesa sangre negruzca había manchado su *samfu*, y sus pequeños pies estaban cubiertos de trozos esponjosos de sangre purpúrea. La señora de la casa corría detrás de la camilla, declarando en malayo a los auxiliares que había encontrado a Mui Tsai en ese estado y que hasta aquel momento ni siquiera había tenido idea de que la joven estuviera embarazada.

Mui Tsai miró a través de mí sin verme, tan desgarrada por el dolor que ni siquiera me reconoció. Grandes gotas de sudor perlaban su frente y se revolvía de un lado a otro en una terrible agonía. Le toqué la mano. Estaba fría como el hielo. Asustada, intenté retenerla, pero la mano se me escapó de entre los dedos con una súbita convulsión. Los hombres vestidos de blanco me hicieron a un lado impacientemente y Mui Tsai fue subida al interior antiséptico de la furgoneta. Su estado parecía muy grave. Me pregunté si se estaría muriendo. Las puertas de la ambulancia se cerraron con un golpe seco. Miré a la señora de la casa, que se había quedado de pie junto a la ambulancia con sus ojos llenos de desinterés en su flácida cara. Aquella boca que antaño había sido tan intrigantemente altiva se había vuelto simplemente hosca y malhumorada. Quise ir hacia ella y tirarla al suelo de un empujón, pero aquello hubiese significado que ella me habría visto. Entonces hubiese dejado de ser una de las inquilinas invisibles. Habríamos podido perder nuestra casa, mi huerto. Dándome la vuelta envaradamente, volví a entrar en mi casa.

Mui Tsai regresó una semana después. Solía pasar muchas horas del día sentada sola debajo del árbol assam. A veces yo la veía reseguir cuidadosamente con el dedo las líneas de la superficie de la mesa de piedra y en otras ocasiones se limitaba a mirar el vacío. Cuando salí de casa y fui hasta la puerta para hablar con ella, Mui Tsai me miró desde su asiento bajo la sombra igual que si yo fuera una desconocida. Verla derrotada por un esfuerzo tan simple como habría sido levantarse y aproximarse hasta la verja, hizo que sintiera lágrimas silenciosas corriendo por mi cara. Comprendí que mi presencia la ponía nerviosa. Pero cuando Anna fue hasta la puerta, entonces Mui Tsai se levantó y se dirigió con pasos cojeantes hasta la verja y, entrelazando sus dedos con los de mi hija, le habló suavemente en chino, una lengua que Anna no entendía.

Antes de que continúe con mi historia, primero debería contarte que un viejo adivino que había hecho un alto para beber algo en Sangra le habló de mí a mi madre. Por aquel entonces yo era un bebé que andaba a gatas por el suelo. El adivino me cogió en brazos y luego estudió durante largo rato mi rostro inocente. Me vio gorgotear y soltarle burbujitas. Mientras todos esperaban que el futuro saliera en tropel de su boca, el adivino acarició su larga barba gris con una mano que más parecía una nudosa rama de árbol que una extremidad humana y finalmente declaró que Dios ponía una selva dentro de cada cabeza humana. A algunas las llenaba con criaturas amables y delicadas, gamos de hermosos ojos y gráciles impalas, mientras que en algunas ponía monos parlanchines y dentro de otras sabios búhos que cabeceaban solemnemente o zorros taimados y veloces. Pero Dios, en Su sabiduría, había puesto dentro de mi cabeza feroces tigres que merodeaban entre mis pensamientos.

Las personas que han llevado una vida llena de santidad no tienen ninguna razón para contar su historia, pero aquellas que han herido con sus garras a sus seres queridos tienen que justificarse a sí mismas. Por eso te lo cuento todo, para que así puedas aprender a hacer las cosas de manera distinta a como las hice yo.

La guerra ya casi había terminado y en mayo de 1945 nos llegó la noticia de la derrota y la rendición de Alemania. El 6 de agosto, los norteamericanos bombardearon Hiroshima. La BBC difundió la noticia de que Japón había sufrido los efectos de una poderosa nueva arma de radiación. Toda la ciudad había sido destruida por una hermosa nube en forma de hongo. El 15 de agosto, el emperador japonés anunció su rendición a sus súbditos. Oímos la noticia casi inmediatamente en las emisiones de las naciones aliadas. Abundaban las historias de soldados japoneses que, impulsados por la desesperación, habían puesto fin a su vida haciéndose el haraquiri con dagas. A veces algunos de ellos aparecían mostrándose abatidos y confusos, pero eso no impedía que otros soldados irrumpieran en las fiestas de los entusiasmados habitantes de la zona para pegar y humillar a quienes estaban tomando parte en las celebraciones. La guerra había terminado, pero los soldados japoneses todavía lo controlaban casi todo en las calles. Nosotros éramos gentes tranquilas y calladas por naturaleza y estábamos decididos a mantener la cabeza baja hasta que llegaran los británicos. Yo seguía secando la ropa de Mohini encima del fuego en la cocina tal como había hecho durante los últimos tres años. Hasta que todos los bastardos amarillos se hubieran ido, nadie debía saber que mi hija existía. Aquella mañana yo había ido al templo para agradecer a Ganesha que hubiera sido tan clemente con mi familia. Habíamos salido de la experiencia intactos y sin sufrir ningún daño y, de hecho, esta nos había hecho más fuertes. Miré por la ventana y me maravillé de mis hijos. Lakshmnan y Mohini estaban moliendo harina. Anna estaba desplumando un pollo con una vaga expresión de repugnancia fija en el rostro. Era aquella clase de día desusadamente apacible en el que incluso puedo recordar lo que estaba pensando. «Cualquier día se nos volverá vegetariana», pensé. Jeyan estaba jugando con Lalita en el escondite secreto de Mohini y los gansos se peleaban en el patio. Sevenese estaba fuera de casa en una reunión de los jóvenes exploradores a la que había sido obligado a asistir por su supervisor. Yo estaba friendo espinacas en ajos y polvo de curry.

Las gotitas de agua atrapadas en las hojas de las espinacas lavadas siseaban furiosamente en el aceite caliente y recuerdo con toda claridad haberme sentido muy satisfecha y feliz con mi suerte. Los japoneses no tardarían en irse y entonces las cosas podrían volver a ser tal como habían sido antes. Mi marido podría volver a trabajar, los niños regresarían a la escuela para que volvieran a enseñarles lo que era más apropiado que aprendieran y yo me concentraría nuevamente en la tarea de ahorrar dinero para las dotes de mis chicas. Para Mohini no me haría falta mucho, pero no cabía duda de que Lalita iba a necesitar más. Planeaba unos buenos matrimonios para mis hijas. Mis hijos tenían por delante una vida magnífica. Lo primero que haría sería vender aquellas condenadas vacas, porque daban demasiado trabajo.

Dejé que las espinacas se frieran un poco más. Mientras cortaba a lo largo una berenjena, absorta en mis propios pensamientos, oí el chirriar de unos neumáticos. Aquel chirriar era un sonido que yo había aprendido a temer y que solo podía significar una cosa. Mi cuchillo quedó suspendido en el aire por un instante, liberado de la presa súbitamente aflojada de mis dedos, antes de que me levantara de un salto y corriera hacia la ventana delantera. Dos jeeps llenos de silenciosos soldados japoneses estaban entrando por nuestro camino de tierra. El corazón comenzó a palpitarme en el pecho como un animal asustado. Llena de pánico, llamé a gritos a los niños. Abrí la trampilla y Anna, que era la que la que se encontraba más cerca, entró corriendo en el escondite. «¡Japoneses! ¡Deprisa, Mohini!», grité mientras volvía corriendo a la ventana. Los soldados ya se estaban dividiendo en parejas que subían por el sendero que llevaba a nuestra casa. Di la espalda a sus hoscos rostros amarillos y vi que Lakshmnan y Mohini entraban corriendo sin aliento en la sala. Mohini conseguiría llegar al agujero justo a tiempo y entonces Lakshmnan podría cerrar la trampilla detrás de ella y Anna. Me volví y vi que dos soldados empezaban a subir por nuestros escalones. Sabía que el de la cinta azul era el coronel Ito.

«¡Venga, Mohini!», le oí sisear apremiantemente a Lakshmnan. Pude oír el miedo que había en su voz y supongo que ese mismo miedo fue el responsable de lo que ocurrió a continuación. Mientras tiraba de su hermana, Lakshmnan perdió el equilibrio y cayó por el hueco de la trampilla. Las pesadas botas negras ya estaban al otro lado de la puerta. En vez de llamar, los japoneses siempre daban patadas a las puertas. En esa fracción de segundo, Mohini tomó una terrible decisión. Decidió que ya era demasiado tarde para sacar a su hermano del escondite y que no había espacio suficiente para que ella también se metiera en él, así que aquella chica estúpida hizo lo impensable. Cerró la trampilla y puso el arcón encima del agujero. Cuando me aparté de la ventana, vi a Mohini de pie delante del arcón.

Yo había mantenido a mi hija dentro de casa durante tanto tiempo que había dejado de verla tal como realmente era, y ya había olvidado cómo solían reaccionar las personas ante ella. En aquel momento mis ojos se desorbitaron de terror, porque de pronto vi a Mohini con la mirada llena de lujuria de un soldado japonés. Era una ninfa deliciosa, la encantadora Mohini de las leyendas reencarnada. La pobreza de cuanto la rodeaba solo servía para ensalzar aún más su casi increíble hermosura. Bañada por el sol, el miedo volvía todavía más luminosos los enormes ojos verdes de Mohini. Los años pasados sin salir de casa habían hecho que el color caramelo de su cutis adquiriese el tono cremoso teñido de rosa de la magnolia. Su boca perpleja, ligeramente entreabierta, era como un maduro fruto rosado de piel delgada e indefensa. Sus dientes de un blanco perlino relucían. La vieja blusa que llevaba le quedaba realmente demasiado ceñida al pecho, pero en aquel entonces se necesitaban sumas inimaginables de dólares-plátano para comprar ropa, y después de todo los únicos ojos que veían a Mohini eran los de los miembros de su familia. Cada vez que el miedo la hacía jadear, la tela subía y bajaba sobre sus pechos en flor con un impulso tan sugerente que me dolía verlo. Mis ojos descendieron hacia la esbelta cintura y se detuvieron en un estómago dejado al descubierto por dos botones perdidos hacía ya mucho tiempo. La vieja falda, con su tirilla consumida por la podredumbre, casi se transparentaba a la luz que entraba por la ventana que había detrás de ella. Los muslos de Mohini atrajeron mi mirada: lisos y suavemente redondeados, infantiles pero, oh, tan atractivos. La verdad era que Mohini se había convertido en una diosa de catorce años. Para los japoneses sería el mayor trofeo imaginable. Sacudí la cabeza con incredulidad. No, no, no. Era mi peor pesadilla hecha realidad. No podía creer que estuviera sucediendo. ¿Cómo era posible que aquello estuviese ocurriendo precisamente en aquel momento? La guerra había terminado. Casi lo habíamos conseguido. Paralizada en un trance del más puro horror, lo único que podía hacer era mirar.

La puerta se abrió de golpe y cuatro botas negras entraron atronadoramente en aquel súbito silencio de muerte. El tiempo fue deteniéndose cuando mis ojos se volvieron lentamente hacia los animales vestidos de marrón. Sí, yo sabía qué era lo que iba a ver. Los japoneses se habían quedado inmóviles y contemplaban con incredulidad a mi pequeña. Nunca olvidaré cómo sus negros ojillos normalmente opacados por una malvada dureza comenzaron a relucir con el súbito brillo de la codicia, como el chacal que se encuentra con un búfalo entero muerto cuando ha pasado toda su vida creyendo que los ojos, las entrañas y los testículos desdeñados por el león eran un banquete. Aunque cierre los ojos, todavía puedo recordar ese alfilerazo de luz que relució en las pupilas de los japoneses ante la súbita visión de la carne fresca.

Un instante después, uno de ellos ya estaba cruzando la habitación. Era el coronel Ito. Su mano implacable sujetó por la barbilla a mi delicada flor que tenía una rosa aplastada por boca y le hizo volver la cara primero hacia un lado y luego hacia el otro, como si estuviera cerciorándose de que sus ojos no lo habían engañado. Luego dejó escapar un extraño sonido gutural. Su manaza descendió hacia la garganta de Mohini y, rodeándole el cuello, un dedo acarició suavemente la piel de la base de este. Con un rápido movimiento, aquella mano que era como una serpiente amarilla se deslizó detrás de la cabeza de Mohini y rompió la banda de goma que sujetaba su cabellera. Una sedosa oleada de magníficos cabellos se esparció alrededor del rostro de Mohini y entonces oí el súbito siseo con que el coronel Ito contuvo la respiración. La admiración con que estaba contemplando aquel tesoro tan inesperadamente aparecido en sus manos era aterradora. El miedo había paralizado a Mohini. Vi tensarse el cuello del coronel y cómo, poniendo una mano sobre el final de la espalda de Mohini, la apremiaba a avanzar.

—Ven —ordenó ásperamente.

Di un paso adelante.

—¡Esperad, esperad! Esperad, por favor —exclamé.

Sin que mediara ninguna advertencia, la punta del cuchillo del japonés quedó apoyada en el diminuto espacio íntimo que había entre mis pechos. ¡Qué deprisa se había movido! Lo miré boquiabierta.

—Muévete —ordenó fríamente.

—Esperad, no lo entendéis... No es más que una niña.

El japonés me miró con una diversión teñida de superioridad.

—Es hindú. No es china. Los soldados japoneses solo toman a las chicas chinas. No la toméis, por favor, por favor... —le balbuceé incoherente, desesperadamente, a aquel feroz rostro bigotudo.

—Muévete —repitió él y vi cómo sus ojos iban hacia la punta de su cuchillo.

Una brillante mancha roja estaba extendiéndose por mi blusa, porque la punta de su cuchillo ya se había incrustado en mi carne. Contemplé aquel rostro inexpresivo. Sin embargo, yo conocía a ese hombre. Hacía tres años que conocía al coronel Ito. Le había dado mis mejores pollos y mis cocos más jóvenes.

Caí de rodillas y comencé a suplicar.

—Por favor, honorable coronel, dejad que cocine para el ejército imperial. Tengo buena comida, muy buena comida...

De pronto pude oler la humareda asfixiante de las espinacas que estaban quemándose en la sartén. Vi cómo los labios del coronel se fruncían en una mueca desdeñosa. Lloré. Yo conocía a aquel hombre. ¡Eran tantas las veces que me había preguntado con frío humor negro dónde escondía a mis hijas! Le rodeé las piernas con los brazos y se las apreté.

Había disgusto en el rostro amarillo del coronel cuando me pateó el estómago. El dolor fue como una explosión. Caí, aferrándome con las manos el estómago atrozmente golpeado. El coronel tiró de Mohini, arrastrándola hacia la puerta sin ninguna clase de miramientos. Incorporándome sobre las manos y las rodillas, aullé como una loba en una noche de luna. El coronel no debía salir de mi casa con mi hija. De pronto, no había nada más importante que evitar que el coronel Ito saliera por la puerta. Mi boca se abrió y las palabras salieron de ella, unas palabras que ahora desearía con todo mi corazón no haber pronunciado jamás.

—Sé dónde podéis conseguir una virgen china, carne que nunca ha probado las manos de un hombre —jadeé frenéticamente, horrorizada ante lo que estaba haciendo y aun así sin que pudiera parar de hablar.

Los hombros del coronel se envararon, pero siguió andando hacia la puerta. Estaba interesado.

—Es exótica y hermosa —añadí yo—. Por favor —sollocé—. Por favor...

No podía permitir que el coronel saliera por la puerta.

Se detuvo. El pez tomó entre sus fauces el cebo plateado. Aquel rostro amarillo se volvió hacia mí y dos ojos malévolos me contemplaron con expresión inescrutable. El coronel soltó a Mohini. Una extraña sonrisa hendió su rostro implacable. Estaba esperando a ver qué hacía yo. Llamé a Mohini con un gesto de la mano y mi hija corrió tambaléandose hacia mí. Me levanté y le apreté las manos, estrechándola contra mi pecho. Mohini tembló en mi abrazo como un pequeño pájaro minah moribundo. «¡No lo hagas! ¡Eso no está bien!», gritó la sangre que palpitaba frenéticamente en mis sienes.

—La puerta de al lado —sollocé—. En la casa de al lado tienen a una chica escondida detrás de la alacena.

El coronel se inclinó rígidamente en una burlona reverencia. Tragué saliva, tratando de hacer bajar el nudo de miedo que se me había formado en la garganta. Una mirada malévola y helada pasó velozmente por los ojillos en forma de almendra del coronel. Me estremecí y enseguida supe que había sacrificado en vano a la pobre Ah Moi. El coronel se dirigió hacia mí y me empujó tan salvajemente que choqué contra la pared. Caí al suelo y vi cómo el coronel cogía de la mano a Mohini y salía a la deslumbrante claridad del sol. Oí sus pesadas botas resonando ruidosamente en el porche. Toda la casa vibraba y crujía bajo el retumbar de sus botas claveteadas, un sonido horrible que ha estado presente en mis pesadillas desde entonces. Por un instante permanecí inmóvil a cuatro patas en el suelo, paralizada por el horror: el coronel Ito se había llevado a Mohini después de todo. Luego me incorporé y eché a correr. Salí al porche y bajé los escalones de madera, cubiertos en esos momentos de las señales dejadas por las botas embarradas de los japoneses, que yo había fregado aquella misma mañana. Con los brazos extendidos ante mí, corrí descalza por el sendero lleno de piedras. Los muy bastardos ya estaban lo bastante cerca para que pudiera tocarlos. Mohini estaba subiendo a uno de los jeeps en los que se habían presentado. Llegué hasta él e incluso pude tocarlo, pero tan pronto como mis palmas temblorosas rozaron el metal caliente del jeep este cobró vida con un rugido y aquellos bastardos que reían se alejaron entre una nube de polvo, con sus neumáticos chirriando sobre el camino. La carita ovalada de Mohini se volvió para mirarme. Mi hija no había hecho ni un solo ruido y ni una sola palabra había salido de sus labios. Mohini no había dicho absolutamente nada, ni siquiera «¡Sálvame, madre!» o «¡Ayúdame!».

Los perseguí, ya lo sabes. Los perseguí hasta perderlos de vista; entonces no me detuve ni caí al suelo y lloré. Lo que hice fue dar media vuelta como uno de esos juguetitos mecánicos que fabrican en Taiwán y regresar por donde había venido.

Dejé huellas ensangrentadas sobre mis escalones de madera. Las plantas desgarradas de mis pies anduvieron por la casa y entraron en la cocina para ir hacia el hornillo. Saqué del fuego las espinacas ennegrecidas y humeantes. Es un olor muy desagradable, el del chile y las espinacas quemadas. Podía oír cómo unos profundos suspiros resonaban dentro de mí. ¡Ah, el bambú de mi corazón! Tuve que pasar un buen rato de pie delante del hornillo de la cocina sin hacer otra cosa que escuchar aquel bambú.

—¿Cuándo cantarás para mí? ¿Cuándo oiré tu canción? —le susurré, pero lo único que hizo él fue suspirar más fuerte.

Entonces decidí tomar un poco de té. Me obsequiaría a mí misma con una taza de té que tuviera azúcar de verdad. Hacía tan solo una semana le había comprado una minúscula cantidad del precioso azúcar a una amiga que trabajaba en el Departamento de las Aguas, y decidí tomar un poco. El té con melaza simplemente no era lo mismo. Yo llevaba tres años anhelando tomar un té con el hermoso azúcar blanco, pero siempre me había negado ese placer. Los niños estaban primero. Sí, los niños siempre habían estado por encima de todo.

Llené una tetera con agua, la puse a hervir y luego fui echando hojas de té en un gran tazón azul. Mientras contemplaba las hojas de té, se me ocurrió pensar que parecían un montón de hormigas negras. Cuando les eché encima el agua caliente, entonces parecieron hormigas muertas, muertas. Puse una tapadera encima del tazón y oí unos sonidos insignificantes, llenos de desesperación pero muy tenues. Alguien me estaba llamando. De hecho, más de una voz me estaba llamando. También oí un ruido de golpes sordos. Decidí no hacerles caso. Busqué el azúcar, incapaz de recordar dónde lo había escondido. Llena de confusión, me senté en mi banco. Fuera empezó a llover.

—La niña seguramente se mojará toda. Dentro de un rato trituraré un poco de jengibre para ella. Su pobre pecho es tan delicado... —me murmuré suavemente a mí misma.

Luego subí las rodillas hacia mi mentón hasta que debí de parecer una pelotita toda apretada y comencé a mecerme atrás y adelante, atrás y adelante, canturreando una vieja canción infantil que mi madre solía cantarme. No hubiese debido dejarla sola allá en Ceilán. ¡Pobre madre! Perder una hija es insoportable. No, no pensaría en el azúcar perdido. Era más fácil conformarse con cantar y mecerse. Canté las mismas cuatro frases una y otra vez.

El tiempo tuvo que transcurrir y de vez en cuando me parecía oír ese mismo ruido insistente de niños que daban golpes, lloraban y me llamaban a gritos. También parecía como si las llamadas estuvieran volviéndose cada vez más desesperadas, convirtiéndose en aterrorizados gritos de súplica, pero aquellos extraños sonidos eran tan tenues y sonaban tan lejanos que me atuve a mi primera decisión de no hacerles caso y concentrarme en el dolor que sentía dentro de mi cráneo. La cabeza me palpitaba tan violentamente como si un martillo estuviera golpeándome las sienes. Parecía como si estuviera nadando en un mar de dolor y solo aquel continuo movimiento de mecerme podía aliviarlo un poco.

Mucho tiempo después, un sonido cercano logró abrirse paso a través de mi capullo de dolor. Entornando los ojos para protegerlos de la luz del atardecer, me volví y vi que mi marido estaba de pie en la entrada de la cocina. Su ancha cara negra se veía horrible, e inmediatamente sentí un odio y una rabia como nunca había conocido antes. ¿Cómo se atrevía a dejar que nos las viéramos con los soldados japoneses mientras él estaba sentado con aquel viejo guardia de seguridad sij, cotilleando delante del edificio del Banco Comercial? Mi marido había tenido la culpa de todo. Una negra furia creció dentro de mí y fue adueñándose de todo mi ser hasta que no vi nada. Sin pensar en lo que hacía, de pronto me encontré levantándome del banco y corriendo hacia él, gritándole salvajemente a la expresión de estúpida perplejidad que había en su fea cara. El tamborileo que resonaba dentro de mi cabeza se había vuelto tan intenso que aunque vi moverse los labios de mi marido, no oí los sonidos que sin duda tuvieron que salir de ellos. Mis dedos entraron en contacto con sus grandes pómulos y clavé mis cortas uñas en su carne, reluciente debido a la capa de sudor que la cubría, y luego las hice bajar lo más enérgicamente que pude a lo largo de toda su cara. Al principio mi marido se quedó demasiado estupefacto para reaccionar, pero cuando yo aullé y volví a levantar las manos entonces él me las sujetó en una presa tan fuerte como la de unas tenazas.

—Lakshmi, para —dijo, y yo contemplé con una extraña fascinación su mejilla arañada y la sangre que manaba por su cara y empapaba el cuello de su camisa—. ¿Dónde están los niños? —preguntó luego, hablándome en voz tan baja que tuve que levantar la vista apartándola del cuello de su camisa para mirar aquellos ojillos asustados.

—Se han llevado a Mohini —le dije hablando muy despacio.

Entonces mi ira se disipó tan súbitamente como había llegado. Me sentía perdida y anhelaba un marido que me librara de mis cargas durante una hora, alguien que hiciera que todo volviese a estar como era debido.

Los agujeros de la nariz de mi marido se dilataron como los ollares de un enorme animal presa de un súbito dolor y de pronto lo tuve arrodillado ante mí.

—No, no, no —boqueó, mirándome a los ojos con incredulidad.

Yo bajé la vista hacia él y no sentí pena ni dolor alguno. No, mi marido nunca asumiría las responsabilidades, ni siquiera por una hora. Luego se levantó, moviéndose tan despacio como un viejo que estuviera muy enfermo y fue a apartar el arcón. Los niños salieron corriendo del escondite, llorando, para lanzarse a los enormes brazos de su padre. Él los reunió a todos junto a su descomunal cuerpo y lloró con ellos. Vi a mis niños mientras me lanzaban miradas llenas de miedo y se pegaban a su padre, incluso Lakshmnan. Los niños son tan traidores...

—Les hablé de Ah Moi en la casa de al lado —dije y vi cómo la espalda se ponía rígida.

—¿Por qué? —me preguntó él, hablándome en un susurro lleno de perplejidad mientras me miraba con una expresión de horror traicionado como si yo acabara de apuñalarlo por la espalda.

Así que mi marido no me conocía después de todo. La sangre continuaba corriendo por sus oscuras mejillas y goteaba encima del cuello de su camisa.

—Porque pensé que así podría salvar a Mohini —respondí lentamente.

Una lágrima se me escapó y resbaló por mi cara. Sí, solo en aquel momento comprendí lo que había hecho. Sin embargo, ¿acaso obraría de otra manera en el caso de que tuviera la ocasión? Si hubiera sabido regatear con un poco más de astucia, si Mohini hubiera corrido a los campos y se hubiera escondido entre los arbustos, si Lakshmnan no se hubiera caído dentro del escondite. Si, si, si...

—Oh, Dios, oh Dios mío, ¿qué has hecho? —murmuró mi marido. Volvió a abrazar a nuestros niños que seguían aferrándose a él y luego dijo—: Iré a la casa de al lado y si todavía no es demasiado tarde, intentaré avisarlos... Pero si ya es demasiado tarde, entonces no quiero que nadie vuelva a mencionar esto nunca más.

Los niños asintieron vigorosamente, con los ojos desorbitados por el miedo. Mi marido salió corriendo de la casa. Nosotros esperamos en la cocina. Ninguno se movía y todos nos mirábamos los unos a los otros como desconocidos que estuvieran en dos bandos separados. Entonces Sevenese entró corriendo en la cocina; la reunión de los jóvenes exploradores ya había terminado. Sus ojos ardían de furia. Tenía que haber visto las pisadas ensangrentadas que yo había dejado en los escalones.

—¿El cocodrilo se ha llevado a Mohini? —jadeó.

—Sí —dije yo, porque lo único que estaba haciendo mi hijo era llamar a las cosas por su nombre.

—Tengo que encontrar a Chibindi. ¡Ahora solo él puede ayudarla! —gritó Sevenese desesperadamente antes de salir de la casa como una exhalación.

Ayah apenas tardó en regresar. Había llegado demasiado tarde, porque los soldados japoneses ya habían vuelto a por Ah Moi. Aquella noche, Lakshmnan se fue de casa. Lo vi ir hacia la selva en la que solía desaparecer Sevenese cuando se marchaba con aquel repugnante hijo del encantador de serpientes. Lakshmnan regresó a la noche siguiente, sucio y cubierto de morados. No preguntó por su hermana. Sabía por mi cara que los japoneses no la habían traído de vuelta. No me dejó abrazarlo. Entonces no lo supe, pero ese fue el día en que perdí para siempre a mi hijo. Puse un plato de comida delante de él. Lakshmnan lo contempló durante lo que a mí me pareció una eternidad como si se estuviera librando una guerra en su interior. Luego se lanzó sobre él y comió como si hiciera semanas que no veía comida, devorándola igual que un animal medio muerto de hambre. De pronto vomitó violentamente en el mismo plato. Después alzó la mirada hacia mí, con la barbilla y la boca manchadas por trozos de comida a medio digerir, y aulló:

—Puedo sentir el sabor de lo que está comiendo Mohini. Es amargo, tan amargo... Mohini quiere morir. Lo único que ella quiere es morir, *ama*. Que alguien la ayude, por favor, por favor...

Mientras yo lo contemplaba con expresión horrorizada, Lakshmnan se hizo un ovillo en el suelo a mis pies y comenzó a gimotear con un estridente hilo de voz. Hasta aquel momento yo nunca me había dado cuenta de qué era lo que compartían realmente mis gemelos durante todas aquellas pausas suyas absolutamente silenciosas en las que no había ninguna necesidad de las palabras. ¿Qué sonidos, qué olores, qué pensamientos, qué emociones, qué dolor, qué alegría compartían? El tiempo fue transcurriendo lentamente, con mi hermoso hijo gimoteando a mis pies sin que yo pudiera moverme.

Ya hacía mucho tiempo que Lakshmnan se había despojado de la piel de la infancia y luego había asumido de tan buena gana el manto de la hombría que yo había dejado de verlo como un niño. Mi hijo se levantaba antes de que el sol hubiera aparecido por encima del horizonte para llevar a los cafés de la ciudad los cubos tapados de leche recién ordeñada y regresar con los fajos de billetes-plátano. Conducía a las vacas hasta los campos para que pastaran y cortaba la hierba alta para su cena; dos veces a la semana las llevaba al pequeño río para bañarlas y luego limpiaba el establo. Cazaba para su familia y lavaba la ropa, que yo había metido en remojo la noche anterior en el agua sobrante del arroz hervido mezclada con cenizas que empecé a utilizar cuando ya no hubo manera de encontrar más jabón. Lakshmnan había hecho todo el trabajo de un hombre, pero en realidad no era más que un muchacho. Yo no podía soportar verlo así. Me arrodillé junto a él.

—No ha sido culpa tuya —dije mientras le acariciaba los cabellos.

Pero dentro de su cabeza un millar de voces acusadoras siseaban que era Lakshmnan quien había hecho aquello, que era él quien había permitido que los perros japoneses se llevaran a Mohini. Intenté abrazarlo, pero mi hijo no me veía arrodillada allí junto a él con las lágrimas resbalando por mi cara. Lakshmnan no sentía el roce de mi mano. Se apretó las mejillas con los puños cerrados hasta que su cara pareció una máscara llena de agonía y gritó, pero aun sí las voces acusadoras se negaron a irse. «Fue Lakshmnan quien lo hizo, fue Lakshmnan quien lo hizo...»

Yo podía sentir las miradas llenas de perplejidad que mis otros hijos nos lanzaban desde la puerta, limpios y a salvo en su pena y su comprensible tristeza. Pero Lakshmnan se encontraba atrapado en su terrible culpa. Había querido a Mohini por encima de todo y aun así era el responsable de su vergüenza. Si no hubiera sido tan torpe. Si hubiera salido corriendo del escondite apenas entró en él. Si, si...

¿Quién se casaría con ella ahora? Nadie. Ahora estaba marcada por unas cicatrices que ya nunca desaparecerían. Mohini se había convertido en un artículo echado a perder. ¿La dejarían embarazada los japoneses? La que había sido el orgullo y la alegría de nuestra familia pasaría a ser despreciada y todos murmurarían acerca de ella. La flor que con tanto mimo habíamos cuidado estaba destruida. Los ojos que yo había lavado en una solución de té para sacar a relucir su auténtica nitidez habían quedado heridos para siempre. ¿Realmente había pasado los tres últimos años prisionera en su propia casa para aquello? En la mente atormentada de Lakshmnan, Mohini había quedado congelada en aquel momento de pánico y elección. La culpa, y Lakshmnan lo sabía, era de él.

—Los japoneses la traerán de vuelta —le dije suavemente, hablándole desde tan cerca de sus labios que podía sentir su rancio aliento—. Mohini no está muerta. La traerán de vuelta.

De pronto Lakshmnan se calló. Sus puños apretados se apartaron de sus mejillas y me miró a los ojos por primera vez. Lo que vi en sus ojos centelleantes todavía me obsesiona, porque vi una tierra ennegrecida, barrida por el viento y llena de desolación. Mohini se había ido y se había llevado consigo los frutales, las flores, los pájaros, las mariposas, el arco iris, los arroyos... Sin ella, ahora el viento aullaba a través de los flacos tocones en que se habían convertido los árboles. Cuando los japoneses se llevaron a Mohini, también se habían llevado consigo una parte de Lakshmnan. Y aquella parte era la mejor, con mucho. Lakshmnan se convirtió en un extraño dentro de mi casa, un desconocido con algo cruel y adulto acechando en el erial de sus ojos. De hecho, él veía en mis ojos lo mismo que yo veía en los suyos. Lo que veíamos era una malvada serpiente llena de un terrible poderío que nos apremiaba a hacer lo impensable. Cuando sepas lo que he hecho pensarás que no valgo nada, pero no pude resistirme a la voluntad de aquella serpiente.

Durante los tres días siguientes, mi marido permaneció inmóvil junto a la radio con la esperanza de oír noticias. Cambió ligeramente de sitio su silla para poder ver el camino a través de la ventana de la sala. Durante esos tres días, yo no comí nada. Contemplaba plato tras plato de tapioca hervida, coloreada por la crema y ligeramente reluciente, sumida en un profundo estupor. Lakshmnan se despertaba más temprano de lo habitual, cumplía a toda prisa con sus obligaciones y luego se sentaba en los escalones a contemplar el camino principal, con sus anchos hombros tensos por la espera. No le hablaba a nadie y nadie se atrevía a hablarle. Los niños me miraban con los ojos muy grandes y llenos de miedo mientras yo fingía estar ocupada. Solo cuando el hijo de la noche entraba corriendo en mi día, con sus pies ennegrecidos por los pecados de aquella jornada, podía yo cerrar la puerta de la cocina y tenderme encima de mi banco para contemplar impotentemente la noche malaya negra como la tinta. Me negaba a pensar en el destino de mi hija. Me negaba a pensar en manos nervudas oscurecidas por el sol y ensuciadas por el sabor metálico de los rifles, en aquellas bocas voraces y aquellas ávidas lenguas. Y en el hedor que despedían aquellos soldados. Oh, Dios, cómo me esforcé por no pensar en aquel hombre que había orinado dentro de Mui Tsai. Lo que hacía era permanecer inmóvil escuchando los ruidos nocturnos, los grillos, el zumbido de los mosquitos, la llamada de las pequeñas criaturas salvajes y el susurro de las hojas mecidas por el viento, con la esperanza de poder oír a mi Mohini.

La tarde del tercer día, los japoneses devolvieron a Ah Moi. Sangraba, estaba llena de moretones y apenas si podía caminar, pero estaba viva. Lo sé porque yo estaba de pie a medio metro de la ventana, entre las sombras, y vi cómo su madre destrozada por la pena salía corriendo de la casa y se ponía a gritar en cuanto vio a la frágil figura encorvada sobre las manos de los dos soldados que la sostenían. Los soldados tiraron a la joven a los pies de su madre y se fueron. La familia entró a Ah Moi en la casa. El miedo hizo presa en mí. ¿Dónde estaba Mohini? ¿Por qué no la habían devuelto? Hubiese debido salir corriendo y exigir saberlo.

«Quizá la devolverán mañana», me dije mansamente.

Aquella noche intenté mantenerme despierta, pero no tardé en sucumbir a una extraña letargia y me quedé dormida en la cocina. El mío fue un sopor inquieto lleno de extraños sueños y desperté muchas veces sintiéndome acalorada y sedienta. Nerviosa y trastornada, comencé a recorrer la casa incesantemente, yendo de una habitación a otra entre balbuceos mientras mis ojos miraban en todas direcciones. Abrí una ventana y contemplé la noche. Todo se veía y se oía normal. Había grillos en los arbustos y las tristes notas de la flauta procedentes de la casa del encantador de serpientes. Los mosquitos zumbaban. Cerré la ventana y fui a echar una mirada a los niños. Me parecieron unos desconocidos. Hacía demasiado calor.

El agua fresca corrió por mi cuerpo en una gran cascada y chocó ruidosamente con el suelo de cemento, inundando todo el cuarto de baño y creando olas enanas que rebasaron el pequeño reborde levantado en el umbral para luego correr pasillo abajo. Me detuve en el pasillo inundado y, sintiéndome ligeramente mejor, decidí que me prepararía un tazón de té bien fuerte. Si mi marido estaba despierto, también podía prepararle uno a él. Entré en el dormitorio, con el sarong mojado subido hasta las axilas y atado por encima de mis pechos.

Ayah estaba sentado en la cama con la cabeza entre las manos y levantó la vista en cuanto me oyó entrar. Encima de la cama había un vestidito verde. Fui hacia allí y toqué la tela sedosa. Estaba fresca entre mis dedos. Yo había cortado uno de mis mejores saris para coser aquel vestido y sin embargo luego había olvidado haberlo hecho. Había sido en otra vida, durante la fiesta de las luces que llamamos el Divali, cuando vestí a Mohini de verde para que el color hiciera juego con sus ojos. En ese momento me acordé de las lámparas que yo había colocado alrededor de la casa y la recordé a ella llevando el vestido. ¡Dios, qué pequeña era Mohini entonces! Hasta el sacerdote del templo le había pellizcado la mejilla con admiración. Miré a la figura encorvada y vencida que seguía sentada en la cama, sumida en un profundo estupor.

—¿Dónde encontraste esto? —pregunté, consciente de lo acusadora que sonaba mi voz.

No había ni una sola cosa dentro de mi casa cuya existencia yo no conociera. Sabía dónde estaba todo, y aun así mi marido había conseguido mantener cuidadosamente escondido aquel vestido durante todos aquellos años.

—Lo estaba guardando para la hija de Mohini —susurró él.

En algún lugar de mi ser se agitó una sensación de vacío tan inmensa que me era sencillamente imposible admitir su existencia, porque otorgar validez a aquel vacío me habría ido encogiendo hasta dejarme convertida en nada. Sin decir nada, saqué algo de ropa de la alacena y salí del dormitorio. El bienestar que me había imbuido el baño tonificante desapareció. Mi marido acababa de abrir su dolor ante mí como si fuera un gigantesco y grotesco abanico hecho de discordantes pinceladas de rojo y amenazadores tonos negros. Yo hubiese debido tratar de consolarlo, pero como aquello no formaba parte de mi naturaleza lo que hice fue comenzar a sentir celos. El amor de mi marido me parecía más puro y elevado que el mío.

Preparé el té y me senté a mirarlo hasta que se hubo quedado frío. Todo mi ser deseaba salir corriendo de la casa, tomar por asalto la guarnición japonesa y exigirles que pusieran en libertad a Mohini, pero lo único que podía hacer era quedarme sentada como una anciana impotente que recuerda el pasado. Me acordé de cuando llevé a mis hijos a un templo chino el día en que se celebraba el aniversario de Kuan Yin. Allí, entre caballos de papel tan grandes como los de verdad, una enorme estatua de la Diosa de la Misericordia con sus habituales túnicas ondulantes y relucientes urnas de bronce llenas de gruesas varitas rojas de incienso chino, quemamos las mucho más delgadas varillas de incienso verde, resmas de papel coloreado y unos banderines que pretendían simbolizar la riqueza y la prosperidad. Parecía como si hubiese sido ayer cuando mis hijos habían formado una silenciosa fila de relucientes cabecitas negras llenas de curiosidad, con sus manos regordetas sujetando los banderines cubiertos de caracteres chinos escritos a mano que deletreaban sus nombres. Uno por uno, los vi quemar solemnemente su banderín dentro de un recipiente acanalado de cinc. Encima de ellos se balanceaban gruesos faroles rojos mecidos por la brisa de las primeras horas de la mañana. Después, cada uno de nosotros dejó en libertad a un pájaro enjaulado al que un asistente del templo vestido de blanco había pintado un puntito rojo en su diminuto cuerpo, para que de esa manera nadie se atreviera a atraparlo o comérselo. Yo me había quedado de pie allí, rezando por mis niños mientras ellos veían volar libremente a los pájaros con expresiones fascinadas del más puro y hermoso deleite en sus rostros. «Mantén a salvo a mis hijos, protégelos y bendícelos, mi queridísima diosa Kuan Yin», supliqué, pero recuerdo que cuando nos estábamos yendo del templo volví la mirada hacia el rostro sereno y distante de la diosa y pensé que Kuan Yin no me había oído.

Fuera podía oír a los hermanos de Ah Moi arrastrándose por el interior de las alcantarillas mientras buscaban cucarachas entre la oscuridad. Llevando velas, cada noche recorrían las alcantarillas del vecindario en busca de cucarachas a las que meter dentro de una botella para luego alimentar con ellas a las aves de su corral por la mañana. Sus voces susurrando en chino hicieron que dejara de pensar en el pasado.

—*Wah*, mirad lo grande que es ese diablo.

—¿Dónde? ¿Dónde?

—Al lado de tu pierna, cabeza de chorlito. ¡Rápido, atrápala antes de que se meta dentro de ese agujero!

—¿Cuántas tienes ahora?

—Nueve. ¿Y tú?

Sus voces y el ruido de succión que hacían sus zapatillas dentro de las alcantarillas mojadas fue perdiéndose en la lejanía. Intenté sentirme indignada por la idea de aquellas manos tan jóvenes curvándose encima de aquellas criaturas repugnantes entre la suciedad, pero durante la ocupación japonesa las cosas eran así. El grano escaseaba y las aves de corral que eran alimentadas con una dieta de jugosas cucarachas crecían más deprisa.

Volvía a tener calor. Me eché agua helada en la cara y volví a calentar el té que se había enfriado. Después de eso tuve que quedarme dormida encima de mi banco en algún momento, porque desperté de repente. Había dejado la lámpara encendida. El reloj de la cocina decía que eran las tres de la madrugada. Lo primero que recuerdo es que experimenté una sensación de paz. Aquel palpitar constante que retumbaba dentro de mi cabeza había desaparecido. Llevaba tantos años viviendo con él día y noche que su repentina y total ausencia me resultó un poco extraña. Me llevé las manos a las sienes de puro asombro. Mientras estaba sentada allí maravillándome de aquello que todos los demás dan por hecho, mi marido entró en la cocina. Sus anchos hombros estaban encorvados por la derrota y el blanco de sus ojos relucía húmedamente en la penumbra.

—Se ha ido. Por fin se ha ido. Ya no pueden hacerle más daño —dijo con voz entrecortada.

Mi marido era un hombre tan bueno que no podía negarle a Mohini la blanca paz que sin duda estaba aguardando a su pequeña alma inocente. Había tristeza en aquellos gigantescos ojos de tortuga ribeteados de piel dura como el cuero. Luego se volvió sin decir palabra y se fue. Mi palpitante dolor de cabeza cayó nuevamente sobre mí con una ferocidad aún mayor que antes mientras veía alejarse la espalda de mi marido.

Enseguida lo entendí todo. Mohini había estado en la casa. Su presencia me había despertado y luego le había hablado a su padre. Quizá habían estado hablando en su pequeña lengua privada. Nuestra hija había venido a despedirse. Y yo ya no necesitaba esperar más, porque sabía qué era lo que había sucedido. Supongo que lo había sabido desde el momento en que los bastardos japoneses devolvieron a Ah Moi a su familia. Por eso yo no había salido corriendo de casa para preguntar por Mohini. Ya sabía lo que había sido de ella. La había perdido para siempre. Sentí cómo aquella serpiente monstruosa, negra y horriblemente decidida a vengarse de la que te he hablado antes, se desenroscaba dentro de mí y siseaba ferozmente.

La señora Metha de la Asociación Ceilanesa me hizo una visita para ofrecerme sus condolencias. Durante un buen rato yo permanecí atrapada en la más absoluta inmovilidad, contemplando su fea boca y el tachón de metal mate que adornaba el lado derecho de su torcida nariz.

—Solo los buenos mueren jóvenes —proclamó piadosamente la señora Metha.

Nada más oírla hablar, me sentí dominada por un súbito e incontenible deseo de abofetearla. Podía verme a mí misma levantándome y dándole tal bofetada que la cara de la señora Metha giraba sobre su flaco cuello hasta quedar vuelta del revés. El impulso era tan fuerte que tuve que ponerme de pie. Le ofrecí un poco de té.

—No, no, no se moleste —se apresuró a decir ella con sus ojos muy alerta, pero yo ya le había dado la espalda.

Pensé que la odiaba. También pensé que la reconocía. La señora Metha era aquel cuervo envidioso acerca del que me había advertido mi madre, el que se bebía las lágrimas de otras personas para que sus plumas se mantuvieran negras y relucientes y que se posaba en el árbol más alto para así poder ser el primero que veía llegar al cortejo fúnebre.

Fui a la cocina y preparé té. Le eché mi última y preciosa reserva de azúcar. Cuando el té estuvo listo, probé un poquito con una cucharilla y me pareció que estaba perfecto. Sabía que la señora Metha se bebería hasta la última gota. Dejé el tazón de té encima del banco y entonces pensé en aquel vestidito verde extendido sobre la cama. Durante unos momentos, me permití el lujo de ser débil y las lágrimas que habían estado esperando enseguida ardieron dolorosamente en mis ojos, resbalaron por mis mejillas y cayeron dentro del tazón de té. Porque verás, las únicas lágrimas que el cuervo envidioso nunca debe beber son las de una madre apenada. Las lágrimas de una madre son tan sagradas que al cuervo le está prohibido beberlas si no quiere que sus plumas vayan perdiendo el brillo al ser consumidas por la enfermedad, haciéndolo perecer en una lenta y dolorosa agonía. Yo estaba en lo cierto acerca de mi té —la señora Metha se lo bebió todo—, pero me equivocaba en lo tocante a ella. Aquel día cometí un error. La señora Metha no era el cuervo acerca del cual me había prevenido mi madre, porque volvió muchas veces con muchas ofertas de ayuda. Murió hace poco y mientras yacía en su lecho de muerte, tan fea como siempre, lamenté lo que había hecho. Entonces incliné la cabeza y le susurré mi pecado al oído. Pareció como si el cuerpo marchito de la señora Metha se estremeciera levemente, pero cuando sus ojos se encontraron con los míos estaban sonriendo. Luego murió sin decir una sola palabra más.

Yo había pensado que Ah Moi no tenía por qué ser ningún peso sobre mi conciencia, pero no sería así porque menos de una semana después, la figura encorvada de su padre ya estaba conduciendo el carro de bueyes por delante de nuestra casa con el cuerpo de su hija en él envuelto en una esterilla de hojas de cocotero. Me quedé de pie detrás de la cortina y los observé igual que la negra cobra que se esconde en un rincón secreto de la selva, viendo cómo la apenada madre se daba de cabezazos en las columnas de piedra igual que habría hecho después de depositar a su hijo muerto ante el altar del gran Shiva. La pobre Ah Moi se había ahorcado de las vigas de su casa. Había muerto de vergüenza.

El viejo Soong la enterró en una tumba sin lápida no muy lejos de allí. Ayah fue a ofrecer sus condolencias después de su extraño y mísero entierro, pero yo no me sentí capaz de encararme con la Primera Esposa. Incluso desde nuestra casa podía oír sus espeluznantes alaridos, tan tenues y estridentes como los de un perro devorado por el dolor.

Yo también había perdido a una hija. Si se hubiera visto en la misma situación, sabía que la Primera Esposa hubiese hecho exactamente lo mismo que hice yo. El amor de una madre no reconoce ley ni límite alguno, y no se inclina sino ante sí mismo. Ese amor se atreve a todo. Por aquel entonces yo era incapaz de darme cuenta de que había obrado mal. Me negué a llorar a Mohini como hubiese sido apropiado. Lo que hice fue permitirme creer que lo que más lamentaba era no haber sido yo la que había conservado aquel vestidito verde. Hubiese debido ocurrírseme que había que conservar aquel vestido verde y de vez en cuando lo buscaba como si fuera la llave secreta de todo. Incluso ahora sigo buscándolo y aunque no puedo encontrarlo, sé que mi marido todavía lo conserva porque cree que Mohini regresará algún día. Lo tiene escondido en algún lugar muy secreto, lejos de mis ojos entrometidos, mi corazón celoso y mis pensamientos manchados.

SEGUNDA PARTE

EL AROMA DEL JAZMÍN

LALITA

La historia de nuestra familia puede dividirse en dos épocas distintas: antes de que muriera Mohini y después de que muriera Mohini, porque con su muerte nuestro padre, nuestra madre y Lakshmnan cambiaron y se convirtieron en personas irreconocibles. Incluso se los veía distintos. Yo nunca hubiese creído posible que las personas cambiaran tan drásticamente en una tarde. Las personas, pensaba yo, eran objetos sólidos..., y sin embargo eso fue lo que hicieron. Toda mi familia cambió hasta volverse irreconocible en una cálida tarde hace ya mucho tiempo.

Lo más extraño de todo es que ni siquiera puedo recordar aquel día decisivo. De hecho, ni siquiera puedo acordarme de Mohini. Quizá estoy furiosa con ella, con ese espíritu infortunado que cambió todas nuestras vidas mediante el simple hecho de irse. Ya sé que eso es injusto. Los japoneses se la llevaron por la fuerza apuntándola con sus rifles, pero aun así otra parte de mí quiere acusarla por no haber sido corriente como lo eran todos los demás. Sé que eso también es injusto. Mohini no escogió su aspecto.

A veces la recuerdo como el aroma del jazmín en la mano de nuestra madre. No pongas esa cara de que no entiendes nada, porque tiene su explicación. Mohini murió hacia el final de la ocupación japonesa y durante esta nuestra madre tenía vacas. Se levantaba a las cuatro de la madrugada para ordeñarlas antes de pasar a despertarnos, oliendo con todo el aroma de la leche de vaca. Tan pronto como los japoneses se vieron obligados a hacer las maletas, nuestra madre vendió todas las vacas. Ya no se levantaba a las cuatro de la madrugada, porque después de aquello se levantaba más tarde y lo único que hacía antes de despertarnos era llenar una bandeja con flores de jazmín para el altar de oraciones. Mi percepción infantil recuerda el aroma de las flores de jazmín en sus dedos como un vestigio dejado por la marcha de Mohini. ¡Cómo odio el olor del jazmín! Hiede a muerte.

Cuando hago un auténtico esfuerzo por visualizar a mi hermana, la recuerdo únicamente tal como está en la única y preciosa fotografía que tenemos de ella. Nuestra madre la guardó durante muchos años en una bolsita de seda, hasta que un día Sevenese llevó la fotografía a la tienda del viejo Chin Teck en Jalan Gambut e hizo que la enmarcaran en un marco de madera negra y dorada. Nuestra madre descolgó la mejor labor de punto hecha por la aguja de Anna, unos pavos reales bordados que danzaban en el verdor de un campo lleno de flores anaranjadas, de la pared de la sala y colgó la fotografía en su lugar. Había sido tomada justo antes de que empezara la guerra y en ella toda la familia había sido retratada vistiendo sus mejores galas, aunque no puedo recordar el trayecto al estudio o ni siquiera haber posado para que nos la hicieran. La fotografía es un testamento en blanco y negro a mi mala memoria.

Nuestra madre lleva la gruesa cadena thali de oro con la que se casó y el famoso pendiente de rubí que vendió al comienzo de la ocupación japonesa. Está sentada y mira fijamente el objetivo de la cámara, negándose tozudamente a sonreír. Un hermoso orgullo ilumina su rostro. No es ninguna gran belleza, pero es consciente de su buena suerte. Nuestro padre está de pie, enorme y alto con una camisa de manga corta que es una obra maestra del más meticuloso planchado. Ligeramente encorvado, sonríe tímidamente a la cámara y aun así te das cuenta de que tu mirada no ha conseguido llegar a encontrarse del todo con la suya. La barbilla de Lakshmnan sobresale hacia delante y saca pecho como un petirrojo. En su mirada hay la misma osada cualidad que se halla presente en la de nuestra madre. Mi hermano ya ha comprendido que está destinado a grandes cosas. Anna ha entrelazado sus regordetas manos delante de ella en un gesto indescriptiblemente encantador y lleva sus zapatos rojos preferidos. Creo que me acuerdo de aquellos zapatos. Tenían una hebilla reluciente en el lateral.

El pelo de Jeyan ha sido minuciosamente rizado por Mohini, pero tiene los hombros muy flacos y sus oscuros ojos ya están opacados por la derrota. Sevenese sonríe enseñando todos los dientes con las manos metidas en sus holgados pantalones cortos heredados. Un brillo de traviesa despreocupación ilumina sus ojos. Parece un golfillo callejero al que aquel día hubieran vestido para que pudiera pasar por uno de los hijos de nuestra madre. Luego me veo a mí misma. Estoy sentada en el regazo de nuestra madre, con una mirada de aturdida perplejidad en mis ojitos somnolientos. Examino mi propia imagen en busca de pestañas y no consigo encontrar ninguna. Luego contemplo mi boca, ligeramente entreabierta, y enseguida queda claro que se me ha negado incluso la belleza pasajera de la infancia.

Entonces la mirada busca un lugar en el que descansar y se siente atraída hacia Mohini. Su imagen ofrece el reposo definitivo, pero se niega a sostener la mirada del espectador y ha vuelto la cabeza para mirar a Lakshmnan en vez de a la cámara. Incluso vista de perfil, enseguida resulta patentemente obvio que Mohini es hermosa y diferente. Sorprendida en movimiento y a través del mismo acto de no mirar a la cámara, de algún modo Mohini se vuelve más viva y real que cualquiera de las otras personas congeladas en el retrato. Es extraño pensar que todos estamos vivos y ella no. Ahora Mohini solo vive en nuestra imagen inmóvil.

Antes de que llegara aquella época en la que el olor del jazmín me despertaba cada mañana, Lakshmnan era mi héroe. Los soldados extranjeros le habían enseñado a decir: «¡Eh, chico!». Y eso era lo que solía llamarme él, en inglés y siempre con voz risueña. ¡Siempre parecía tan enorme y robusto! Lo recuerdo descamisado y descalzo, con sus jóvenes y fuertes músculos ondulando bajo el sol mientras sacude enérgicamente toda nuestra colada. Gotitas de agua que relucían en el aire solían volar alrededor de él como si Lakshmnan fuera alguna clase de dios de las aguas. Mi mente todavía lo ve sacudiendo nuestra ropa sucia sobre la lisa piedra del patio trasero de casa. Joven, vibrante, terriblemente apuesto y con un brillante futuro teñido por los colores del arco iris aguardándolo en la lejanía, las gotitas de agua llenas de sol siempre están revoloteando en torno a él. Yo estoy sentada en el huerto de nuestra madre y no puedo apartar los ojos del mítico dios de las aguas. Contemplo la astuta habilidad con la cual sabe hacer que el sol coloree la espuma del jabón: verde, rojo, amarillo, azul...

Asimismo también lo recuerdo en la pesada piedra de moler. Cada mañana, mi hermano trituraba las especias que daban sabor a lo que comeríamos durante aquel día. Convertía puñados de especias secas en pequeños montículos de cálidos colores hechos de chile, comino, hinojo, cilantro, cúrcuma, fenogreco y cardamomo que luego presentaba a nuestra madre en una bandejita de plata como si aquellas húmedas montañitas de amarillos, verdes, naranjas, rojos oscuros y tonos de la tierra fueran un regalo.

¿Por qué no puedo recordar nada más? ¿Por qué no me acuerdo de las cosas que Anna y Sevenese sí pueden recordar?

Nuestra madre siempre termina enfadándose conmigo, pero no puedo evitarlo. Para mí el pasado no consiste en grandes acontecimientos, sino en las cosas cotidianas como volver a casa de la escuela y verla sentada en el banco de la cocina, con las piernas cruzadas mientras va trenzando guirnaldas de flores de vivos colores para adornar las imágenes de todos los dioses que hay en nuestro altar. Ningún incidente sobresale por su propio mérito y solo recuerdo las cosas que veía todos los días. Las guirnaldas de muchos colores enrolladas encima de una bandeja de plata que hay junto a ella. Los mangos siameses en forma de S que ella solía meter en el arroz para que maduraran más deprisa. Las deliciosas horas que yo pasaba absorta en el contenido del arcón de madera de nuestra madre. Hecho de sólida madera negra y con gruesas asas de bronce, aquel arcón fue el objeto más fascinante de mi infancia porque en su interior abundaban los tesoros de nuestra madre. Dentro de él había saris de seda de brillantes colores que ella siempre decía algún día pertenecerían a mis hermanas y a mí. Yo pasaba los dedos por aquella fría y suave tela y trataba de imaginar cuáles de aquellos saris serían míos algún día. Sabía que los verdes estaban destinados a Mohini, porque nuestra madre decía que el verde nunca era más feliz que cuando se encontraba sobre la piel de Mohini. Dentro del arcón también estaban los papeles más importantes de nuestra madre, así como fajos de cartas de la abuela atados con cordeles de rafia. Después de que los japoneses se hubieran ido, la caja de chocolates en la que nuestra madre guardaba sus joyas bajó de lo alto del cocotero y encontró su correspondiente lugar dentro del arcón de madera. Una vez abierta, la caja de chocolates era fascinante: rubíes, zafiros y piedras verdes relucían y destellaban como si se alegraran de ver la luz del día y quisieran poder tocar la piel humana.

Guardo recuerdos sorprendentemente cristalinos de plantas, insectos y animales. Hermosas hojas de color púrpura que pueden conservar en sus superficies una gota de agua como un diamante que centellea, o pasar horas fuera de casa sentada al sol fascinada por las hormigas. ¡Qué criaturas más asombrosas son las hormigas! Adelante y atrás, adelante y atrás con cargas muchas veces más grandes que sus propios cuerpos, ya encantadores de por sí. Si me estaba muy, muy quieta durante el tiempo suficiente, entonces una libélula podía posarse sobre mí. Las libélulas son unos seres muy hermosos, con diáfanas alas que llevan el arco iris dentro de ellas. Sus grandes y cálidos ojos, que parecen una bola de cristal con el punto negro en su interior, siempre me hacen sentir muy humilde ante ellas. Me preguntaba qué les parecería yo a las libélulas mientras las observaba comer docenas de mosquitos y zancudos. Sus patas me hacían cosquillas en la piel y lo más sorprendente de todo es que pueden emprender el vuelo saliendo despedidas hacia atrás. A veces aterrizaban súbitamente en mis manos grandes escarabajos con duras alas negras y cuernecitos curvados, pero de todos los insectos que reposaban sobre mis manos extendidas para alzar la mirada hacia mí desde allí y contemplarme como asombrados por mi presencia, mis preferidos eran los saltamontes. Yo miraba sus rostros inmóviles y me parecían pensativos e incluso un poquito tristes. A veces deliciosos cardadores con un montón de pies de los que no tenían ninguna necesidad subían por mis manos, o típulas medio borrachas se estrellaban contra mis faldas para luego perderse aturdidamente en el viento. Una vez estuve observando a un murciélago que llegó volando al árbol del mango durante el crepúsculo. Colgado cabeza abajo de una delgada rama, trituró entre sus fauces la cabeza totalmente pelada de una cría de pájaro.

Pero de todas las criaturas que hay en el mundo, mis preferidas eran las gallinas que vivían debajo de nuestra casa. Les tenía un gran afecto cuando eran pequeñas, vaporosas y amarillas; luego me sentía orgullosa de ellas cuando se convertían en cacareantes gallinas de ojos como cuentas. Solo yo era lo bastante pequeña para torcer el cuello y entrar en su hogar debajo de la casa. Allí siempre estaba oscuro y olía a moho, pero aquel lugar resultaba maravillosamente fresco y tenía el aroma a plumas de las gallinas escondido en el olor a amoníaco de sus excrementos. Ellas formaban corro a mi alrededor sin dejar de cacarear, haciendo que me fuera imposible dar otro paso sin aplastarlas con mis sandalias de goma. Apenas me detenía, las gallinas se apelotonaban en torno a mí agitando sus alas, saltando por el aire y, a veces, chillando impacientemente mientras esperaban a que esparciera su comida para que así pudieran picotear el suelo en un codicioso ataque de pánico. Yo las miraba comer, incesantemente entretenida hasta que tenía que hurgar en sus cajas y encontrar los huevos que a veces contenían una yema doble. Nuestra madre nunca permitía que las chicas de la familia comieran aquellos huevos curiosamente deformados, porque se creía que comerlos podía hacer que tuvieras gemelos en el futuro.

Con el que debía tener cuidado era con el gallo. Nuestro gallo era una criatura magnífica, pero yo creía que estaba loco sin remedio. Sacudía la cabeza de un lado a otro y permitía que su peculiarmente deslumbrante ojo amarillo fuera siguiendo la trayectoria de mis sandalias de goma de un intenso color azul. A veces las perseguía y las atacaba, expulsándome de debajo de la casa sin que hubiera ninguna razón para ello. Yo solía sentarme encima de una piedra junto a los soportes de nuestra casa y me preguntaba qué podía haber hecho para que siempre estuviera tan enfadado. Aun así, quería mucho a aquel gallo.

Unos días después de que muriera Mohini, nuestra madre fue inclinándose lentamente hacia un lado hasta que su cabeza quedó apoyada en el regazo de Anna mientras las dos estaban sentadas en el banco de la cocina. Recuerdo haberla mirado con sorpresa. Nuestra madre nunca se apoyaba en nadie. Anna siguió mirando hacia delante y sus manecitas regordetas quedaron flácidamente posadas sobre la cabeza de nuestra madre.

—Ahora que Mohini se ha ido, tengo que librarme de todas esas apestosas gallinas que hay debajo de la casa —dijo nuestra madre con voz átona y seca.

Yo la miré horrorizada, pero nuestra madre hizo honor a su palabra y las gallinas fueron sacrificadas una detrás de otra hasta que no quedó ninguna. El alambre que había formado su gallinero fue quitado de alrededor de los soportes de la casa y se limpió el suelo. Todas las apestosas gallinas de plumas relucientes desaparecieron.

Guardo muy buenos recuerdos de nuestro padre, claro está. Solía sentarme a verlo comer sandías en el porche. Era capaz de hacer que una tajada le durase tanto tiempo que yo podía llegar a quedarme dormida mirándolo comer. Una por una, las semillas iban cayendo sin hacer ningún ruido sobre su mano izquierda desde la comisura de sus labios. Naturalmente, eso era antes de que nuestro padre perdiera el gusto por la vida y comenzara a vagar sin rumbo por la casa, yendo de una habitación a otra como si hubiera extraviado algo.

En sus buenos tiempos, nuestro padre era un verdadero artista. Talló un precioso busto de nuestra madre, dándole lo que yo imaginaba era el aspecto que ella debía de haber tenido antes: antes de él, antes de nosotros, antes de la multitud de decepciones que fueron cayendo incesantemente sobre su vida. Nuestro padre consiguió captar aquellos ojos suyos iluminados por una risueña inteligencia y su sonrisa llena de insolente despreocupación. La sorprendió en un momento anterior a aquel en el que todos terminamos logrando enjaularla con nuestra estupidez, nuestra torpeza y nuestra falta de su fácil habilidad para hacer las cosas. Todo fue culpa nuestra. La convertimos en una tigresa inquieta que paseaba nerviosamente por su jaula noche y día mientras les gruñía ferozmente a sus captores, que éramos nosotros. Cuando nuestra casa fue saqueada mientras estábamos asistiendo a aquella boda en Serembán, el busto desapareció junto con todo lo demás hasta que la esposa del encantador de serpientes lo vio en el mercado. Un hombre acababa de sacarlo de un saco y se disponía a venderlo por un solo ringgit. La esposa del encantador de serpientes lo compró y lo trajo de vuelta para nuestra madre. El busto rescatado volvió a estar en la vitrina de exhibición de nuestra madre hasta que Mohini murió. Entonces nuestra madre lo sacó de ella e hizo astillas aquel objeto tan hermoso. Ni siquiera con eso se sintió satisfecha, porque luego recogió los trozos en un montón que quemó en el patio de atrás. El sol se estaba poniendo y nuestra madre permaneció inmóvil bajo la luz del crepúsculo dándonos la espalda a todos nosotros, con las manos apoyadas en las caderas mientras contemplaba el humo negro que iba elevándose del montón de astillas de madera. Cuando su busto hubo quedado reducido a un montículo de cenizas, nuestra madre regresó a la casa. Ninguno de nosotros se atrevió a preguntarle por qué lo había hecho.

Cuando yo era pequeña, nuestra madre y yo solíamos ir andando al mercado cada mañana. Para que no nos aburriéramos, nuestra madre se inventó un juego. Se convirtió en Kunti, una anciana narradora que vivía en una pequeña aldea de Ceilán, y yo fui mágicamente transformada en Mirabai, una hermosa niña que vivía en un bosque secreto con una bondadosa familia de gamos.

«Ah, mi querida Mirabai, estás aquí...», canturreaba nuestra madre con voz pensativa como si realmente fuera terriblemente anciana. Luego me cogía de la mano y me contaba las historias más maravillosas imaginables sobre sopladores de conchas con turbante salidos de otra época. Me hablaba de Rama y sus arcos mágicos, y Sita llorando dentro de su círculo encantado. ¡Cómo contenía yo la respiración, temiendo el momento en el que Sita, incapaz de resistirse a los gamos, sale del círculo para caer en los malévolos brazos de Ravana, el rey demonio de Lanka! También me hablaba de la cola del dios mono, que crecía, crecía y crecía. Había historias milagrosas acerca de una estatua sagrada del dios elefante que tenía cinco cabezas y que el sacerdote de un templo encontró en un cauce reseco junto a la aldea de nuestra madre en Ceilán.

De todas las historias que llegó a contarme, mis preferidas siempre fueron aquellas que hablaban de los naga babas, unos ascetas desnudos y embadurnados de cenizas que recorren las áridas laderas del Himalaya con la esperanza de tropezarse con el gran Shiva sumido en la meditación. Yo nunca me cansaba de oír hablar de los naga babas que vivían en el mundo de nuestra madre, con sus inmensos poderes y sus terribles ritos de iniciación. Me encantaba oírle contar historias sobre los años pasados en frías cavernas contemplando los muros de piedra y los terribles meses transcurridos en los abrasadores desiertos. A veces pienso que las historias de nuestra madre son lo que mejor recuerdo de mi infancia.

Por las tardes me sentaba junto a sus piernas mientras ella convertía las telas y los paños en ropa para todos nosotros con su máquina de coser Singer. Recuerdo cómo contemplaba el movimiento de las piernas de nuestra madre mientras accionaba el pedal. Las ruedas giraban cada vez más deprisa conforme la hambrienta máquina engullía metro tras metro de tela. Cuando fui un poco mayor, solía apoyar la barbilla en la lisa superficie metálica de la máquina de coser y entonces me preocupaba que esta pudiera comerse accidentalmente los dedos de nuestra madre. Durante mucho tiempo me ponía nerviosa cada vez que contemplaba los ávidos y afilados dientes de la máquina, pero parece ser que nuestra madre era demasiado lista para ella.

También recuerdo el olor acaramelado del azúcar derritiéndose en la mantequilla aclarada que habíamos echado en nuestra gran olla de hierro. Aquellos eran los buenos viejos tiempos en los que nuestra madre me sentaba encima del banco con unas pasas junto a mis piernas cruzadas y luego se disponía a preparar el kaseri amarillo para la hora del té. Nuestra madre sabía preparar el mejor kaseri que se haya hecho jamás, con pasas bien gordas y dulces nueces de anacardo escondidas dentro. Otra cosa que me encantaba era verla preparar alvas, primero por la manera en que sostenía firmemente la negra olla de hierro sujetándola por las asas y removía la mezcla hasta que el aceite salía de ella y se volvía tan transparente como el cristal coloreado. Luego extendía la cristalina mezcla anaranjada encima de una bandeja y la cortaba con un cuchillo bien afilado dándole forma de diamantes. Mientras todavía estaba caliente, nuestra madre iba sacándola de la bandeja y me dejaba coger todos los pedazos que no habían logrado adquirir una forma de diamante perfecta. Por eso incluso ahora que soy adulta sigo sintiendo una extraña afición por el alva, cuando todavía está caliente, y por los pedazos que no han quedado del todo perfectos. Igual que una máquina del tiempo, el alva me lleva de regreso a aquellas tardes en las que nuestra madre y yo estábamos solas y éramos felices en la cocina. Nuestro padre estaba en el trabajo y todos los demás se encontraban en la escuela. Supongo que Mohini también estaba en casa. Mi hermana pasó todo el tiempo que los japoneses estuvieron en el país escondida dentro de la casa.

Después de que Mohini se hubiera convertido en menos que un recuerdo, a veces yo me imaginaba que había visto sus delicados pies desapareciendo más allá de un umbral. Estaba segura de haber oído los hermosos sonidos de las campanillas que siempre llevaba en los tobillos, pero cuando doblaba la esquina corriendo nunca había nadie. No guardar ningún recuerdo de ella solía llenarme de una terrible tristeza. Lucho con mi memoria tratando de sacarle algo. ¿Me lavaba el pelo? ¿Me hacía sentar en el escalón de la cocina y untaba mi cuerpo con aceite las tardes de los viernes? ¿Verdad que solía cogerme en brazos y hacerme cosquillas hasta que yo chillaba de risa? ¿Acaso no ayudaba también a remover la mezcla del azúcar para hacer el alva? ¿No es cierto que su blanca mano sacaba más pasas del cuenco de mezclar y las esparcía a mis pies cuando nuestra madre nos estaba dando su estricta espalda? Sin embargo solo puedo ver a nuestra madre inclinada sobre el hornillo encendido, removiendo la mezcla de azúcar y manteca de leche de búfala con la cuchara de madera mientras se concentraba en que fuera perfecta.

Ni siquiera cuando pienso en todos nosotros de pie delante del altar de oraciones consigo recordar realmente a Mohini. Puedo ver a nuestra madre, rezando con una devoción tan intensa que las lágrimas escapaban de sus párpados cerrados y le temblaba la voz mientras entonaba sus cánticos de alabanza. Nuestra madre creía que si encendía la lámpara de aceite, quemaba el alcanfor, rezaba cada día sin falta y ponía ceniza en todas nuestras frentes, podría protegernos a todos y así mantenernos a salvo de todo mal. Hasta puedo oír dentro de mi cabeza a Lakshmnan cantando con su voz firme y poderosa, la vocecita de Anna y la voz hermosamente aguda de Sevenese, que parecía más la de un pajarito cantando por la mañana que la voz de un muchachito. Incluso puedo recordar las canciones siempre desafinadas entonadas por Jeyan y de las que Lakshmnan no podía evitar burlarse entre risitas. Pero no puedo recordar la voz de Mohini, si es que realmente estaba allí. ¡Pues claro que estaba allí! Mohini estaba de pie junto a Lakshmnan, con los cabellos mojados cayéndole por toda la espalda.

Me dicen que al menos debería recordar cómo ayudaba a Mohini a preparar pepinillos, cuando les metíamos cincuenta limas verdes hasta que estaban a punto de reventar debido a la sal de roca y luego los guardábamos en un recipiente de cristal, con la tapa apretadamente enroscada, que dejábamos debajo del banco durante tres días hasta que los pepinillos parecían corazones abiertos con un cuchillo. Después sacábamos todos los pepinillos del recipiente y los alineábamos cuidadosamente encima de grandes hojas de nuez de areca, para que fueran secándose al sol hasta que se ponían de un marrón amarillento y quedaban tan duros como la piedra.

—¿No te acuerdas de cómo todos nos sentábamos en el escalón de la cocina para ir metiendo cincuenta limas frescas en el recipiente lleno de las limas marrones ya endurecidas, hasta que los dedos nos dolían? —me preguntan con incredulidad—. ¿Es que ya no te acuerdas de cómo nuestra *ama* solía añadir al recipiente una mezcla de hinojo y guindillas bien trituradas? ¿Y acaso no mirábamos todos mientras Mohini cambiaba la tapa del recipiente y la iba enroscando hasta dejarla todo lo apretada que podía?

Yo los miro estúpidamente. Al principio, cuando la marcha de Mohini todavía estaba tan afilada como una navaja, yo solía descolgar su foto de la pared para contemplar cómo ella rehuía mi mirada. ¿No podría ser que meramente la haya borrado de mi memoria? No, eso es imposible. Sin duda no soy tan poderosa. Pero entonces, ¿por qué no puedo acordarme de ella igual que hacen todos los demás? No conservo absolutamente ningún recuerdo de aquella tarde en que dieron con ella y se la llevaron, y ni siquiera puedo acordarme de aquellos tres días infernales en los que nadie sabía si Mohini estaba viva o muerta.

Quizá era demasiado pequeña. O puede que ese extraño sueño en el que nuestro padre va al cobertizo con techo de cinc construido para albergar a las vacas, con los hombros encorvados y el rostro desenfocado por un monstruoso dolor, no sea un sueño después de todo. Quizá simplemente fuera un acontecimiento demasiado complejo para que pudiera ser recordado por una niña, ella misma paralizada por la conmoción y tan asustada que ni siquiera se atrevía a respirar debajo de la casa mientras tenía las manos llenas de suaves polluelos amarillos.

Qué absolutamente inmóvil se había quedado aquella chiquilla cuando vio cómo su padre apoyaba la frente en la vaca a la que habían puesto de nombre Rukumani y sollozaba, con un dolor tan terrible que en su pequeño corazón de niña ella supo que ya nunca podría volver a ser el de antes. La niña hubiese tenido que morirse. Sabía sin necesidad de que se lo dijeran que de todas maneras a ella nadie la quería tanto, porque seguro que su padre nunca hubiese llorado de aquella manera por ella. Se sintió tan rechazada por aquel sufrimiento suyo y tan implicada en él que a sus atónitos ojos de pronto este le pareció demasiado lejano y carente de palabras, demasiado enorme para que fuera posible llegar a hacerle frente. Ella no tenía ningún derecho a ocupar un poco de espacio en el escondite de Mohini. Sin hacer ningún ruido, la niña vio llorar con tanta tristeza a su padre que hasta las vacas se removieron nerviosamente en el cobertizo haciendo sonar sus cencerros, y aun así él siguió llorando como un bebé.

Yo tenía diez años cuando murió Mohini y parece como si luego nuestro padre hubiera pasado muchos años encogido en su asiento durante horas con la mirada ausente. Al principio pensé que si le llevaba mis cortes, morados y golpes, nuestro padre les cantaría a mis miembros heridos con esa voz suya realmente horrible tal como siempre había hecho antes. Entonces yo me echaría a reír y tanto su dolor como el mío desaparecerían silenciosamente por la puerta trasera, porque él siempre solía bromear diciendo que ni siquiera la peor de las penas podía soportar lo mal que cantaba. Pero cuando yo me ponía a su lado sujetándome el miembro herido, él acariciaba distraídamente mis ralos cabellos y sus ojos seguían fijos en la lejanía. Puede que allí, demasiado alejada en el horizonte, Mohini estuviera inmóvil llamándolo. Finalmente llegó un momento en el que yo ya era demasiado mayor para que me cantaran, y él nunca volvió a cantar.

Por aquel entonces mi hermano Sevenese todavía era muy pequeño, pero todos sus extraños poderes ya se hallaban presentes dentro de él. La noche en que murió Mohini, mi hermano la vio. Despertó oyendo un sonido de campanas. Se incorporó en la cama, súbitamente arrancado de un profundo sueño. Allí, entre espejos y otros objetos que relucían acá y allá en la noche bañada por la luna, Mohini era una aparición tan sólida y real como él. Sorprendido, Sevenese la miró. Mohini estaba muy blanca y muy hermosa. Vestida con las mismas ropas que llevaba cuando salió de la casa, era una presencia instantáneamente familiar y querida. Todo en ella parecía cálido, real y cotidiano. Su hermana estaba allí de pie, mirándolo. No había ni una sola señal en su cara o en su cuerpo que Sevenese pudiera ver, y hasta sus cabellos relucían pulcramente peinados. Entonces Mohini le sonrió con dulzura.

—¡Oh, qué bien! —exclamó él, sintiéndose lleno de alivio y alegría—. No te han hecho daño.

La vio andar con aquel suave tintineo suyo hasta la otra cama en la que Anna y yo seguíamos estando dormidas. Dijo que Mohini nos acarició suavemente los cabellos y luego se inclinó para besar nuestros rostros dormidos. Nosotras ni despertamos ni nos movimos. Sevenese siguió mirando a Mohini con una creciente confusión. Allí estaba ocurriendo algo muy raro que él no podía entender. Entonces Mohini fue hasta el otro lado de su cama y besó a Jeyan, respirando suavemente, y luego se quedó inmóvil durante un buen rato mirando a Lakshmnan, tan agotado por la preocupación y la espera que se hallaba muerto para el mundo. Finalmente se inclinó sobre él con una expresión de profunda piedad y besó cariñosamente a su hermano gemelo; sus labios permanecieron durante unos instantes sobre la mejilla de Lakshmnan como si no quisieran separarse de ella.

—Le espera una vida tan dura... Tenéis que tratar de guiarlo, aunque me temo que quizá no os escuche —murmuró extrañamente. Luego clavó la mirada en el rostro perplejo de Sevenese—. Abre tus oídos a mi voz, pequeño centinela mío, y así quizá podrás oírme. —Luego dio media vuelta y se fue con el sonido de unas campanillas que tintinean suavemente.

—¡Espera! —gritó Sevenese, extendiendo el brazo hacia ella.

Pero Mohini siguió andando hacia la oscuridad sin volverse. El suave tintineo de sus campanillas se desvaneció por el pasillo que llevaba a la cocina. Pensando que lo había soñado todo, Sevenese se levantó de la cama y fue a la cocina iluminada por la lámpara en la que nuestra madre estaba contemplando la noche, con los hombros encorvados por la derrota. Por una vez las manos de nuestra madre estaban vacías y reposaban en su regazo, vueltas hacia arriba con aire impotente. Por sí solo, eso ya llenó de confusión a mi hermano y lo dejó muy preocupado. Las manos de nuestra madre siempre estaban ocupadas cosiendo, remendando, limpiando las anchoas, sacando los pequeños insectos negros de nuestro arroz, escribiendo cartas a su madre, triturando el dahl o haciendo algo.

—¿Mohini ha venido a casa, madre? —le preguntó.

—Sí —dijo ella con tristeza sin dejar de contemplar el cielo nocturno. De pronto volvió la cabeza hacia él para mirarlo con súbita curiosidad. Sus ojos no eran más que agujeros negros en su cara, que se había vuelto flácida e inexpresiva—. ¿Por qué lo preguntas? ¿Acaso la has visto?

Sevenese la miró.

—Sí —dijo, súbitamente asustado.

Una vocecita susurró dentro de su cabeza que ya nunca tendría que temer que Raja se llevara a Mohini. Ya nunca tendría que reprocharse que su egoísmo lo hubiera impulsado a convertir un enamoramiento adolescente en una incontrolable obsesión. Los japoneses habían resuelto su problema por él.

Justo después de que terminara la ocupación, ocurrió una cosa muy curiosa. Los japoneses estaban abandonando sus almacenes llenos de tesoros y propiedades confiscadas. Durante la ocupación no habían dispuesto ningún barco que estuviera libre para llevar a su tierra aquello que no era esencial con vistas a la guerra, y una vez vencidos se vieron obligados a irse de nuestro país con las manos vacías. La esposa del encantador de serpientes acudió corriendo a nuestra casa para hablarnos de un gran almacén junto al mercado cuyas puertas acababan de ser forzadas.

—¡Deprisa! —gritó—. El almacén entero está lleno de mercancías y ahora todo el mundo se está cargando de bolsas de azúcar, sacos de arroz y toda clase de cosas.

—Ve allí ahora mismo —le dijo nuestra madre a nuestro padre—. Todo el mundo está saqueando el almacén que hay junto al mercado. Ve a ver si tú también puedes hacerte con algo.

Nuestro padre se cambió el sarong por un par de pantalones mientras nuestra madre se removía nerviosamente y mascullaba con voz llena de impaciencia.

—¡Date prisa! —le gritó a nuestro padre mientras este se alejaba montado en la bicicleta.

Nuestro padre pedaleó todo lo deprisa que pudo, pero cuando llegó al almacén ya era demasiado tarde y todo había desaparecido. Se había cruzado con una procesión de gente que llevaba grandes cajas y enormes sacos, pero más allá de las puertas del almacén abiertas de par en par ya solo había polvo, montones de desperdicios en el suelo y una vasta sensación de vacío. Nuestro padre fue con su bicicleta hasta el centro del almacén vacío y recorrió el lugar con la mirada. Pensó abatidamente en la afilada lengua y las manos expectantes de nuestra madre, pero cuando estaba saliendo del almacén montado en su bicicleta, vio una caja oblonga que estaba casi escondida detrás de la puerta. Era evidente que se había caído del saco de alguien. Nuestro padre cogió la caja y le sorprendió descubrir que era bastante pesada. Subiendo rápidamente a su bicicleta, regresó a casa.

—¿Eso es todo? —exclamó nuestra madre, mirando con desilusión la caja que había en las manos de él.

El encantador de serpientes y su hijo habían sido lo bastante afortunados para regresar a casa con una gran bolsa de azúcar y un saco de yute lleno de arroz. Nuestra madre sacudió aquella caja de madera y todos oímos un sordo entrechocar en su interior. Lo que fuera que contuviese estaba muy bien envuelto y la caja de madera había sido cerrada con clavos. Lo meticuloso del empaquetamiento indicaba que dentro de ella había algo que se salía de lo corriente. Nuestra madre abrió la caja con un cuchillo mientras todos hacíamos corro a su alrededor, llenos de curiosidad. Lo primero que tocó su mano fue una fría suavidad. Una muñequita de jade, tan magníficamente hecha que oí jadear a nuestra madre, yacía en sus manos. La sacó de la caja y la piedra traslúcida relució con un magnífico resplandor verde oscuro. La muñequita tendría solo unos quince centímetros de longitud. Sus largos cabellos se curvaban alrededor de sus caderas y había una expresión apacible en su rostro. Ninguno de nosotros había visto jamás una belleza tan exquisita. En el pequeño pedestal de oro sobre el que se alzaba había una inscripción tallada en chino. El silencio se adueñó de la casa. De pronto a nuestra madre se le había puesto un color muy raro.

—Se parece a Mohini —dijo Sevenese en un tono demasiado alto.

—Sí que se le parece —convino nuestra madre con una voz terrible.

En aquel momento pensé que era porque los horribles japoneses se habían llevado a nuestra Mohini y nos habían dado un pequeño juguete a cambio. Nuestra madre nos dejó tocar la muñequita a todos antes de ponerla en la vitrina familiar donde antes había reposado el busto de ella. La muñeca pasó a vivir dentro de nuestra vitrina de exhibición junto a mi colección de alegres pájaros que servían como limpiadores de pipas y las intrincadas piezas de coral que Lakshmnan había ido recogiendo de la playa. Transcurrirían muchos, muchos años antes de que yo llegara a saber que la inscripción describía a la muñeca como Kuan Yin, la Diosa de la Misericordia, y que era una pieza de la dinastía Ching que tenía más de doscientos años de antigüedad. Aquella información carecía de importancia para nuestra madre, ya que en cuanto sus ojos se posaron en la muñeca enseguida había sabido lo que era y lo que significaba para ella. Nuestra madre vio surgir los vapores del horror y presenció la desaparición de todas sus esperanzas.

Dentro de su cabeza, nuestra madre vio con la claridad del cristal a aquel temible adivino chino y recordó las palabras que tanto se había esforzado por olvidar. «Ten mucho cuidado con tu primogénito. Es tu enemigo de otra vida que ha regresado para castigarte. Conocerás el dolor de enterrar a una hija y atraerás hacia tus manos un objeto ancestral de gran valor. No te lo quedes y no intentes obtener ningún beneficio de él. Su lugar está en un templo.» Pero si entregaba la estatuilla a un templo, eso significaría que creía en aquel maldito adivino y sus descabelladas predicciones. Sí, ella había perdido a una hija, pero eso era algo que también les había ocurrido a millares de personas. Era una de las cosas que hacía la guerra: mataba a tus hijos. El adivino no podía, no debía ser creído. Lakshmnan, su primogénito y su hijo preferido, no era un enemigo. Nuestra madre se negó a creerlo incluso cuando sostuvo la estatuilla de jade verde muy cerca de su cara y esta le susurró: «Ten mucho cuidado con tu primogénito». Pensó que si la ponía al fondo de la vitrina, detrás de los corales y de aquellos pájaros multicolores que servían como limpiadores de pipas, entonces bastaría con la fuerza de su voluntad para que el adivino se hubiera equivocado. Pero la voluntad de nuestra madre terminó consumiéndola y su primogénito la destruyó.

Recuerdo haberle oído decir a nuestra madre que Lakshmnan había empezado a rechinar los dientes mientras dormía después de que Mohini muriera. De pronto comencé a tenerle miedo. No sé de dónde sale el miedo, pero Lakshmnan me aterra. No es que me haya pegado o hecho algún daño, que le haya visto agujerear la pared de un puñetazo en un arrebato de ira o hacer alguna de las otras cosas de las que siempre se están quejando Anna o nuestra madre. Pero de pronto en mi mente Lakshmnan ya no está sacudiendo la ropa contra la piedra, con las gotitas de agua que destellan en el aire volando como diamantes alrededor de él, sino que se ha convertido en un asura enfurecido, uno de los crueles gigantes que rigen el otro mundo. Siento su ira bajo su piel, tan cerca de la superficie que el más leve arañazo podría hacer que manara de ella como un incontrolable torrente de rostro enrojecido. Ni siquiera recuerdo cuando dejó de llamarme «¡Eh, chico!», de esa manera tan elegante que tenía antes.

Después de que los japoneses se hubieran ido mis padres me enviaron a la escuela, pero siempre fui una estudiante del montón. Mi mejor amiga era Nalini. Nos conocimos cuando las chicas chinas de nuestra clase se negaron a sentarse junto a nosotras y se quejaron a los maestros de que si teníamos la piel tan oscura era porque siempre íbamos muy sucias. Cuando los maestros las obligaron a sentarse con nosotras entonces se quejaron a sus madres, quienes fueron a la escuela y exigieron que a sus hijas se les permitiera sentarse lejos de las chicas hindúes. «Las chicas hindúes tienen piojos en el pelo», aseguraron tan altiva como falsamente. Así fue como Nalini y yo terminamos sentándonos juntas. Ambas éramos morenas y más bien feas, pero ella era mucho más pobre porque yo tenía algo de lo que Nalini carecía: yo tenía a nuestra madre.

Para mí, nuestra madre es una mujer maravillosa. Sin ella, ninguno de nosotros estaría aquí hoy. Lamento profundamente mi incapacidad de hacer que se sienta orgullosa de mí. De buena gana me convertiría en esa prolongación de ella capaz de triunfar en la vida que tanto se esforzó por hacer de todos nosotros. ¡Cómo me hubiera gustado haber figurado en la imagen que nuestra madre tenía en la cabeza! No me cuesta nada imaginármela: es la fiesta de cumpleaños perfecta en una casa preciosa. Puede que sea el cumpleaños de uno de los hijos de Lakshmnan y todos estamos entrando por el camino que lleva a su casa dentro de nuestros caros coches. Todos llevamos una ropa magnífica, con nuestros maridos y esposas sonriendo a nuestro lado y nuestros hijos corriendo alegremente hacia su sonriente abuela para lanzarse a sus brazos. Los brazos de ella están abiertos para recibir a los muchos diminutos cuerpos con sus hermosas ropas. Después Lakshmnan inclina el metro noventa de su cuerpo y besa cariñosamente en la mejilla a nuestra madre. La esposa de Lakshmnan sonríe con indulgencia en un segundo término. Junto a ella hay una mesa llena de presentes vistosamente envueltos y un delicioso despliegue de comida.

A veces me pregunto por qué Anna rechaza esa imagen. ¿Por qué siente ese desprecio tan cuidadosamente escondido hacia nuestra madre, solo por el mero hecho de que ella sí la desea? Yo la anhelo con todo mi ser. Anna se comporta como si nuestra madre hubiera echado a perder a toda la familia, y eso no es verdad.

La esposa de Lakshmnan acusa a nuestra madre de ser una araña viuda negra. Dice que para evitar ser devorado por ella, cada mes nuestro pobre padre trae a casa un sobre marrón lleno de dinero. Sí, puede que nuestra madre sea una araña. Ha pasado toda su vida tejiendo a partir de la nada comida, las ropas más exquisitas, amor, educación y cobijo para todos nosotros. Yo soy la hija de la araña, así que no puedo evitar considerarla hermosa. He pasado toda mi vida intentando hacer feliz a nuestra madre. Porque cuando nuestra madre es feliz y se siente contenta, entonces toda la casa se alegra, las paredes sonríen, las cortinas ondulan alegremente, las fundas azul claro de los cojines del sofá ríen bajo los rayos de sol que entran por las ventanas abiertas y la llama de los quemadores de la cocina danza de puro deleite. Mientras miro a nuestra madre, cosas que parecen extrañas antenas están desplegándose dentro de mí en un súbito deseo de ser como ella, por mucho que yo sepa que es a nuestro padre a quien me parezco.

No me viene a la cabeza ni un solo problema que haya conseguido derrotar alguna vez a nuestra madre. Ella los toma en su mano sin miedo y con una inmensa facilidad, como si solo fueran pañuelos que necesitan ser doblados. De vez en cuando hay lágrimas que derramar, pero a estas también se las puede hacer desaparecer con un poco de limpieza. Cuando se fueron los japoneses, nuestro padre tenía cincuenta y tres años. Todavía había siete bocas que alimentar en la casa; por eso nuestra madre y yo subimos a un autobús y fuimos al despacho que el señor Murugesu ocupaba en el hospital, una espaciosa y soleada estancia de paredes encaladas y con unos grandes ventanales detrás de su escritorio lleno de papeles. El señor Murugesu nos recibió como si fuéramos unas visitas muy importantes a las que le parecía un honor tener ante él.

—Pasen, pasen —nos invitó afablemente.

Enseguida te dabas cuenta de que el señor Murugesu era un hombre decente. Sus ventanales daban a una bonita plaza y un pasillo cubierto corría por el centro del jardín y unía dos edificios. Enfermeras y médicos conversaban en el pasillo o andaban por él. Pájaros minah descansaban en los árboles y dos chicos jugaban a las canicas. Fuera todo parecía invitar a pasárselo bien, pero dentro del despacho nuestra madre estaba llorando. El señor Murugesu se había encogido visiblemente en su asiento. Nuestra madre se secó los ojos con uno de los enormes pañuelos de nuestro padre y suplicó implacablemente al señor Murugesu que le diera algún empleo a este.

—Fíjese en lo pequeña que es la menor de mis hijas —imploró mientras su cara se volvía hacia mí—. ¿Cómo voy a vestirlos y darles de comer a todos? —le preguntó al perplejo señor Murugesu.

Unos cuantos minutos más de aquello y de pronto el señor Murugesu se levantó de un salto como si su asiento se hubiera vuelto súbitamente demasiado caliente para que pudiera seguir sentado en él.

—No se preocupe, no se preocupe —tranquilizó secamente a nuestra madre, poniéndose bien las gafas mientras abría un cajón situado a su izquierda—. Dígale a su marido que venga a verme. Estoy seguro de que encontraremos algo para él en el departamento de contabilidad. Ya hablaremos de cuál será su sueldo cuando venga aquí.

Nuestra madre dejó de llorar y se lo agradeció profusamente. La gratitud brotó de ella en enormes y cálidas oleadas para envolver al pobre señor Murugesu.

—Ha sido un placer —farfulló este—, ha sido un placer.

Luego sacó de su cajón una latita cuadrada y una vez que la tuvo en las manos sus ojos comenzaron a perder aquella expresión entre aturdida e impotente. La abrió y me ofreció su contenido. Dentro de la latita había una selección de pastelillos hindúes, glaseados con azúcar e iluminados por el resplandor de la tentación. Cogí un ladhu. «Gracias», dije tímidamente. El pastelillo era bastante grande y pesaba mucho en mi mano. El aroma del azúcar y el cardamomo subía hacia mi cara en seductoras oleadas. El señor Murugesu ya se había recuperado del todo y en esos momentos lucía una sonrisa de deleite en su rostro benévolo.

—No te lo comas o le dejarás perdido el despacho al señor Murugesu —me aconsejó nuestra madre con su voz del «no te atrevas a hacerme quedar mal delante de un desconocido».

—No, no, deje que la niña se lo coma ahora —insistió el señor Murugesu con su aguda voz llena de felicidad.

Mordí la redonda bola de un intenso color rojo y amarillo. Suaves migajas cayeron al instante sobre mis elegantes ropas de «salir de casa» y rodaron sobre el impecable suelo gris del señor Murugesu. Recuerdo haber alzado disimuladamente los ojos hacia nuestra madre para encontrarme con su mirada llena de irritación. Sus pestañas todavía estaban mojadas, pero a esas alturas todas las lágrimas ya habían quedado pulcramente dobladas dentro del pañuelo blanco de nuestro padre.

La guerra había terminado y había mucho de lo que alegrarse. El viejo Soong iba a cumplir sesenta años. La Tercera Esposa había decidido organizarle una fiesta de cumpleaños. Un adivino había pronosticado que aquel podía ser el último cumpleaños para el viejo Soong, por lo que se decidió que sería una celebración capaz de rivalizar con cuantas se hubieran hecho hasta entonces. Todas las esposas y los hijos se hallarían presentes. La cocinera llevaba días poniendo en remojo, rellenando, atando, marinando, cociendo y friendo toda clase de exquisiteces que luego guardaba en recipientes herméticos. Mui Tsai limpiaba, sacaba brillo, lavaba y ayudaba en la cocina. Toda la casa había sido adornada con banderolas rojas pintadas con lemas especiales en los que se pedía todavía más prosperidad.

Hasta la Tercera Esposa pasaba una gran parte de su tiempo en la cocina probando, dando consejos y riñendo. La cocinera había preparado el plato preferido del dueño de la casa, carne de perro, de tres maneras distintas. En una había añadido polvo de diente de tigre para que Soong conservara el vigor, en otra había añadido polvo de cuerno de rinoceronte para darle vitalidad sexual y en la última había añadido raíces aromáticas para la longevidad. Había un reluciente cochinillo glaseado que sujetaba una hermosa naranja entre sus fauces, e incluso había un plato de jabalí barbudo. Para dar inicio al banquete habría dos tipos de sopa, la de aleta de tiburón y la de nido de golondrina.

Todo estaba preparado. Hasta Mui Tsai había recibido un nuevo traje de color ciruela para aquella ocasión tan especial.

El día acordado, los invitados comenzaron a llegar. Bajaron de sus enormes y relucientes coches, con su prosperidad evidente en su corpulencia. Magníficamente vestidos, entraron riendo en la casa del viejo Soong. Mui Tsai se había pasado por nuestra casa aquella mañana y en sus cansados ojos brillaba una excitación que nuestra madre dijo no haber visto en ellos desde hacía mucho tiempo.

—Hoy mis hijos estarán aquí y los veré a todos —le había susurrado Mui Tsai a nuestra madre.

Iba a ser una ocasión tan grande que todo el vecindario salió a sus porches a mirar. Desde el nuestro yo podía ver a Mui Tsai entrando y saliendo de la cocina como una exhalación sin quitarle el ojo de encima a los invitados que iban llegando, esperando impacientemente tener ocasión de ver a sus hijos. Pasado un rato llegó la Primera Esposa. Con los años había engordado y los deditos de dos niños pequeños rodeaban sus regordetes dedos índice extendidos. Eran los hijos de Mui Tsai. Vestidos de manera idéntica, ambos llevaban trajes chinos de color rojo llama en los que había bordadas aves del paraíso. Manteniéndose muy erguidos y orgullosos junto a la Primera Esposa, miraban en torno a ellos con ojos llenos de curiosidad. Pude ver a Mui Tsai de pie junto a la puerta de la cocina, súbitamente paralizada por la visión de su segundo y su tercer hijo. Entonces llegó la Segunda Esposa trayendo consigo a los otros dos niños. Llevaban trajes de seda azul y no paraban de empujarse el uno al otro.

Un entrechocar de címbalos dio comienzo a la danza del león. Seis hombres metidos en un gran traje de león de vivos colores hicieron piruetas y danzaron ante una fascinada audiencia.

Después de que se les hubiera dado de comer, se permitió que los niños salieran a jugar. Mientras todo el mundo estaba dentro comiendo, vi cómo Mui Tsai salía sigilosamente de la casa para ver jugar a sus hijos y se acercaba todo lo que se atrevió a ellos. Luego se quedó muy quieta mirándolos. Los niños corrían de un lado a otro agitando palos que pretendían ser rifles. Tal vez fueran los británicos victoriosos, porque en cuanto se dieron cuenta de que Mui Tsai los estaba mirando la señalaron y, gritando en chino, cogieron guijarros y puñados del camino de acceso a la casa y bombardearon con ellos a su enemiga japonesa, que era Mui Tsai. Vi cómo se ponía rígida del susto.

—¡Eh! —gritó nuestra madre desde el porche de nuestra casa. Poniéndose las zapatillas, corrió hacia la casa del viejo Soong—. ¡Eh, no hagáis eso! —gritó muy enfadada, pero su voz se perdió entre la emoción del cruel juego de los niños y sus propios chillidos y gritos de victoria.

Entonces la Segunda Esposa apareció en la puerta principal y dijo algo en un tono tan seco que todos los niños bajaron la cabeza, súbitamente avergonzados. Nuestra madre se detuvo. Los niños fueron corriendo hacia la Segunda Esposa y le pidieron disculpas besándole la mano. Ella les dijo algo más en un tono no tan seco como antes y los niños corrieron hacia el otro lado de la casa, donde los esperaba una selección de pasteles nyonya que habían sido traídos especialmente desde Penang. La Segunda Esposa volvió a entrar en la casa sin dirigir una sola mirada a la figura inmóvil de Mui Tsai, que parecía haberse vuelto de piedra.

Vi cómo nuestra madre llamaba dulcemente a Mui Tsai desde la valla.

Mui Tsai fue hacia ella andando como en sueños. En su frente había un pequeño corte del que manaba lentamente un hilillo de sangre.

—De pequeña yo solía tirarles piedras a todas las perras embarazadas que veía en el mercado —murmuró—. A veces incluso les tirábamos piedras a los mendigos que acudían a nuestras casas. Este es mi castigo.

—Oh, Mui Tsai, lo siento tanto... Ellos no lo saben —dijo nuestra madre, consolando a la pobre muchacha.

—Y nunca lo sabrán. Pero mis niños tienen muy buen aspecto, ¿verdad? Les brillan los ojos y algún día heredarán todo aquello que pertenece a mi dueño.

—Sí, lo heredarán.

Nuestra madre se dio la vuelta sintiéndose muy triste y entró en casa por la puerta de atrás. Aquella fue la última vez en que vio a Mui Tsai. De pronto ya no estaba allí y en su lugar había otra Mui Tsai que hacía su trabajo sin una sola sonrisa y sin mostrar la más leve inclinación a hacer amistad con sus vecinos. Durante un tiempo nadie supo qué le había sucedido a nuestra Mui Tsai o dónde se encontraba. Entonces un día la cocinera del viejo Soong respondió a la pregunta de nuestra madre haciendo que su dedo índice describiera un movimiento circular en su sien.

AYAH

Ocurrió hace muchísimo tiempo y ahora regresar a ese tiempo que estuvo tan lleno de esperanza resulta horriblemente doloroso. Por aquel entonces yo era un hombre joven y no me parecía que hubiera nada de malo en ganarse a una novia con un ramillete de mentiras. Pero lo he pagado muy caro, y sin embargo no cambiaría ni un solo instante de mi vida con tu abuela.

Ni un solo instante.

No se me permitió ver a la novia hasta el día de la boda. Cuando oí que los hombres que tocaban el tambor aceleraban su ritmo, supe que eso significaba que ella se estaba acercando. Incapaz de esperar ni un solo instante más, alcé los ojos para ver la cara de mi nueva novia y entonces, cuando vi a tu abuela, no pude creer en mi buena fortuna. La única aspiración secreta que he abrigado jamás era la de ver una caverna de hielo. En aquel momento tuve ante mí a una joven de inimaginable belleza y lo que por fin veía a mi alcance era mucho mejor que mi sueño más loco.

Ella levantó la vista mientras yo la estaba mirando pero como yo era tan enorme y feo, la primera emoción que acudió al rostro de tu abuela cuando nuestros ojos se encontraron fue el horror. Por un instante miró desesperadamente en torno a ella, como una pequeña cierva asustada a la que la red de un cazador acaba de atrapar durante la noche.

Se la veía indefensa y si hubiera seguido así entonces yo habría cuidado de ella con tanto cariño y ternura como hice con mi primera esposa, pero mientras la contemplaba tuvo lugar una maravillosa transformación. Su espalda se irguió de pronto y sus ojos se volvieron altivos y desafiantes. Era como ver a una cierva convertirse en una enorme y hermosa tigresa; mi pequeño e insignificante mundo fue vuelto del revés sin ninguna advertencia previa. Sentí que mi estómago comenzaba a caer dentro de mí para resbalar rápidamente hasta el fondo de mi cuerpo. «¿Quién eres tú?», murmuró mi perplejo corazón dentro de mi cuerpo. Allí mismo y en aquel preciso instante, me enamoré de ella con un amor tan profundo que todos los órganos se removieron dentro de mi cuerpo.

Nada más verla supe que aquella joven nunca podría ser meramente alguien que se ocupara de mis dos hijos o la compañera de mi vejez, sino la mujer que me convertiría en una marioneta suspendida de un hilo. Con una sola de sus blancas manos, ella ya había hecho cobrar vida a mis miembros hasta entonces inmóviles. ¡Ah, y qué movimientos tan exquisitos ejecutaban estos bajo su osada mano! Aquel día pensé haber tomado la luna entre mis manos y fue solo muchos, muchos años después cuando comprendí que lo que había tocado era el reflejo de la luna en un cubo de plástico azul. La luna está fuera de mi alcance. Siempre lo ha estado y siempre lo estará. Fue el paso del tiempo lo que terminó revelándomelo.

Todavía puedo recordar mi noche de bodas como si fuera el más hermoso de los sueños súbitamente hecho realidad. Fue como descubrir que te han salido un par de alas, o encontrarte con que de pronto tienes en las manos algo de tantísimo valor que toda tu patética vida cambia para siempre. Pero no con la felicidad, sino con el miedo. El miedo de perderlo, claro está. Además, yo sabía que no me lo merecía, porque aquellas alas habían sido obtenidas a través del engaño. Pronto incluso el reloj de oro, aquel objeto tan admirado por su belleza y por la posición social que indicaba, dejaría de estar allí. Solo era un préstamo del mismo amigo que me había dejado el coche y a Bilal, el chófer. En mi corazón culpable yo ya la amaba. Profundamente. Hubiese hecho cualquier cosa por ella, hubiese ido a cualquier sitio. Se me partía el alma solo de pensar en el día en que ella llegaría a despreciarme. Pani, aquella vieja bruja, había engañado a la madre de mi novia con cuentos de riquezas en los que solo una mujer de buen corazón podía llegar a creer. Sin embargo, ¿cómo podía condenarla por ello, cuando su red de mentiras había atrapado a tan rara mariposa? Me engañé a mí mismo diciéndome que llegaría el día en que se podría convencer a mi rara mariposa de que me amara. Los años, pensé, me librarían de mi ignominia. Los años transcurrieron y no, ella no aprendió a amarme. Pero yo fingí ante mí mismo que, a su propia e inimitable manera, aquella mariposa tan especial sentía algo por mí.

Mi novia-niña era tan diminuta que podía abarcar su cintura con mis manos. No había manera de hacerle el amor sin hacerle daño. Cuando estuvo segura de que me había dormido, aquella oscura noche salió sigilosamente de la casa para bañarse en el pozo de un vecino. Cuando regresó, pude ver que había estado llorando. A través de la negra rendija que había entre mis pestañas, vi cómo me miraba. Lo que vi en las emociones que cruzaron velozmente por su joven cara fue la esperanza de una niña y los miedos de una mujer. Moviéndose tan lentamente como si estuviera obrando en contra de su voluntad, pero aun así se sintiera impulsada por una inocente curiosidad, me rozó la frente con una mano vacilante. Su mano estaba fría y húmeda. Luego me dio la espalda y enseguida se quedó dormida, igual que una niña. Todavía recuerdo la sensación de la curva de su espalda mientras dormía. Contemplé su delicado subir y bajar, mirando aquella piel tan suave como si hubiera sido tejida con el más fino hilo de seda, mientras las historias que solían contar las ancianas de mi aldea cuando yo era un muchacho iban volviendo a mi mente. Pensé en aquel solitario viejo de la luna que entra en las habitaciones de las mujeres hermosas y se acuesta a dormir junto a ellas. Mi esposa era tan bella que aquella noche vi cómo la luz de la luna entraba por las ventanas abiertas y se acostaba suavemente sobre su rostro dormido. Hermosa como una perla, parecía una diosa bajo aquella pálida luz.

Mi primera esposa había sido la persona más buena que se pueda llegar a imaginar. Era tan cariñosa y tenía tan buen corazón que un adivino había predicho que no estaba destinada a vivir mucho tiempo en este mundo. Yo la había querido mucho, pero desde el momento en que los ojos de Lakshmi desafiaron a los míos en la ceremonia nupcial, quedé apasionadamente enamorado de ella. Sus sagaces y oscuros ojos habían destellado con un fuego que me abrasó el estómago, pero me habían tomado por un imbécil y supongo que en realidad eso es lo que soy. De niño ya era torpe y siempre me costaba mucho entender las cosas. En casa me llamaban la mula lenta. Lo que quería por encima de todo era protegerla y cubrirla con todas las riquezas que le habían sido prometidas a su madre, pero yo no era más que un oficinista. Era un oficinista sin perspectivas y sin ahorros que no poseía nada de valor. Hasta el dinero que gané antes de mi primer matrimonio había tenido que ser gastado para pagar las dotes de mis hermanas.

Cuando vuestra abuela y yo regresamos a Malasia, ella solía llorar hasta bien entrada la noche cuando me creía dormido. Yo despertaba durante la madrugada y la oía llorar suavemente en la cocina. Sabía que echaba de menos a su madre. Durante el día siempre podía mantenerse ocupada con su huerto y sus tareas domésticas, pero de noche la soledad iba creciendo dentro de ella.

Una noche no pude seguir soportándolo por más tiempo. Me levanté de la cama y fui a la cocina. Tumbada en el suelo como si fuera una niña, mi esposa yacía con la frente apoyada en sus antebrazos cruzados. Contemplé la curva de su cuello y de pronto me sentí invadido por un repentino e intenso deseo. Quería tomarla en mis brazos y sentir su suave piel apoyada en la mía. Fui hasta ella y le puse la mano en la cabeza. Ella se incorporó con un siseo de terror, llevándose la mano derecha al corazón. «¡Oh, qué susto me has dado!», dijo con voz acusadora. Luego se echó un poco más hacia atrás y me contempló con una mirada expectante. Sus ojos relucían con un brillo líquido, pero había cerrado la cara igual que si fuese un cajón. Yo contemplé durante unos momentos su obstinada inmovilidad y su gélido y tenso rostro; luego me di la vuelta sin decir nada y regresé a la cama. Ella no quería ni mi amor ni a mí, porque los encontraba aborrecibles a ambos.

Por la noche a veces extendía la mano hacia ella en uno de mis sueños y ella, incluso estando dormida, gemía y se volvía de espaldas. Entonces yo volvía a saber que amaba en vano. Mi esposa nunca llegaría a amarme. Renuncié a mis hijos por ella y sin embargo incluso ahora, después de todo lo que ha sucedido y de todo lo que he perdido, sé que no cambiaría absolutamente nada.

El día en que nació Mohini fue el más grande de mi vida. Cuando la vi por primera vez llegué a sentir una punzada de dolor, como si alguien hubiera metido la mano dentro de mi cuerpo y me hubiera estrujado el corazón. La miré con incredulidad y una palabra me vino al cerebro de pronto. «Nefertiti», murmuré.

Nefertiti..., la hermosa ha llegado.

Mohini era tan perfecta que lágrimas de incrédula felicidad llenaron mis ojos ante el hecho de que yo, de entre todas las personas, hubiera sido responsable de producir aquella maravilla. Contemplé su diminuta carita dormida, acaricié sus lisos cabellos negros y supe que era mía. Ahora, como un presente para ti... un corazón humano... el mío. Vuestra abuela la llamó Mohini, pero para mí ella siempre fue Nefertiti. Así era como pensaba yo en ella. En mi mente Mohini era una ilustración en un viejo libro sánscrito de mi padre. Alzándose tan sinuosa como una diosa serpiente con sus largos y negros cabellos, su mirada de soslayo inspira en igual medida tanto el miedo como el placer. Sus pies que no conocen la prudencia danzan alegremente sobre los corazones de muchos hombres. Osada, orgullosamente, Mohini disfruta de su corrupción. No, no, mi Nefertiti era como el más inocente de los ángeles. Una flor que se abre.

Yo tenía treinta y nueve años y entonces pasé revista a mi vida, llena de un fracaso tras otro y que nunca había servido de nada, y supe que si no conseguía superar jamás otro examen en la oficina, si nunca hacía nada más, aquel momento inapreciable en el que la comadrona me había entregado a mi Nefertiti, apretadamente envuelta en un sarong viejo y oliendo a mirra, sería más que suficiente.

Conforme fueron transcurriendo los años, descubrí que cada vez me costaba menos soportar las miradas despectivas llenas de superioridad que me lanzaban quienes habían estado por debajo de mí cuando superaban sus exámenes y se convertían en mis superiores. Uno a uno, todos fueron dejándome atrás sin variar nunca su expresión ligeramente despectiva y ligeramente compasiva, y sin embargo yo era feliz. Los niños habían empezado a aparecer y cada uno era algo especial. Yo volvía a casa en bicicleta con el viento en mis cabellos, pedaleando tan deprisa como podía con un manojo de plátanos o el cuarto de una nanjea atado a los manillares, y algo tenía lugar dentro de mí apenas entraba en nuestro callejón. Entonces reducía la velocidad para poder volver a contemplar la casa en la que vivía mi familia. Dentro de aquella casita que no tenía nada de particular estaba todo lo que yo había querido en la vida. En su interior había una mujer asombrosa y niños que me hacían contener la respiración y que eran una parte de Lakshmi y, para mi incesante alegría, una parte de mí.

Entonces llegaron sin avisar para llevársela. Así fue como mataron a la niña que con tanto mimo habíamos cuidado durante años. ¡Oh, estas lágrimas estúpidas! Después de todo aquel tiempo, aquella noche insoportable en que ella vino a mí. Fijaos en estas lágrimas estúpidas, se niegan a dejar de caer. Soy como una vieja. Esperad, dejadme sacar el pañuelo. Dadme un momento, porque no soy más que un viejo estúpido.

Recuerdo haber estado sentado en mi dormitorio con las luces apagadas y mi cuerpo ardiendo por la fiebre. El terrible golpe de que se la llevaran me había causado un acceso de malaria. Solo había la tenue luz de la media luna suspendida en el cielo. La noche era cálida y hacía un rato había oído bañarse a Lakhsmi. Recuerdo que yo estaba rezando, mi aliento entrecortado y abrasador. Yo nunca solía rezar. Acusé a los dioses de pura y simple codicia. «Es bien cierto —pontifiqué solemnemente— que rezamos pidiendo más.» Luego sostuve que cualquier petición de alcanzar la iluminación seguía siendo un deseo egoísta incluso en el nivel más noble de esta, pero lo cierto es que yo era demasiado perezoso para dar gracias por la buena fortuna que me había caído del cielo. «Los dioses están dentro del corazón», dije. Creía ser un buen hombre y eso era más que suficiente. Después de que mi hija viniera al mundo yo había dado por hecho que nací con toda una guirnalda de cosas buenas, pero aquella noche me sentía inquieto y lleno de oscuros presentimientos. Alcé las manos y llamé a los dioses, tal como hacen todos los despreciables seres humanos cuando se ven acosados por la necesidad. «Ayudadme, dioses —recé—. Devolvedme a mi Nefertiti.»

Dentro de mi cabeza no había paz. Un millón de visiones deseaban entrar en ella, retorciéndose y dando vueltas con sonrisas grotescas y ojos llenos de maldad. Todas estaban inacabadas y a medio hacer. Cerré los ojos para alejar aquellas visiones abrasadoras y, de pronto, vi escapar a Mohini por una puerta cuya cerradura no funcionaba del todo bien. Puede que yo estuviera teniendo alucinaciones, pero lo cierto es que la vi correr por un largo pasillo, con los pies descalzos y el crujido asmático que resonaba dentro de su pecho como único sonido. Mohini pasaba corriendo ante grandes ventanales que tenían los postigos cerrados. En el pasillo había un último tramo que terminaba en una puerta que había sido dejada tentadoramente entornada. Lo vi todo, el rostro de mi hija desencajado por el miedo y luego la esperanza que lo iluminaba de pronto mientras corría hacia la puerta abierta. Entonces vi a los guardias. ¡Cómo se reían!

Se rieron en su pálido y jadeante rostro. Todo había sido una treta.

Cogí una manta y me envolví en ella. Tenía frío, muchísimo frío.

Vi cómo una mano, gruesa y carnosa, le apretaba la barbilla a Mohini y una brutal lengua roja salía de la nada para lamerle los párpados. La vi caer al suelo, boqueando desesperadamente en busca de aire. Entonces me llamó: «Papá, papá...». Pero yo no podía ayudarla. Temblando en mi cama, la vi ponerse azul y vi cómo intentaban meterle agua por la garganta. Mi hija tosió y se atragantó. Los soldados retrocedieron, confusos e impotentes, y la contemplaron morir. Ah, el frío en mi corazón...

Vi a mi hija que yacía en un agujero con los ojos cerrados, pero de pronto los abrió y me miró. La vi vestida con el sari de su madre e inmóvil en medio de la selva esperando que llegara el momento de casarse, pero sus cabellos sin adornar caían sobre sus hombros como los de una viuda que llora su pérdida. Era como una pesadilla.

—Es la fiebre. No es más que la fiebre...—me apresuré a murmurar en mi almohada empapada mientras mis dientes castañeteaban frenéticamente.

Sosteniéndome la cabeza entre las manos, me mecí de un lado a otro para que todas las imágenes que había dentro de mi cabeza se volvieran borrosas y desaparecieran lentamente, hasta que en su lugar solo hubiera una acogedora oscuridad. Seguí meciéndome sin parar hasta que todas las imágenes se volvieron borrosas y fluyeron unas dentro de otras igual que la sangre.

—Oh, Nefertiti —murmuré con voz entrecortada—. No es más que la malaria. Es la conmoción, solo eso...

El frío me estaba volviendo loco. Mi impotencia me llenaba de ira y me odiaba a mí mismo. Mi hija estaba sola y asustada. Si yo hubiera estado en casa en vez de estar sentado delante del banco, compartiendo un puro con aquel viejo guardia sij...

La culpa. Nunca podré explicarte cómo pesó sobre mí aquella noche. ¿Por qué, por qué, por qué había tenido que salir yo de la casa precisamente aquel día? Golpeé la pared con mi frente una y otra vez. Quería morirme.

Todo era obra de la hermosa niña mimada de la muerte, la que vi aquella noche iluminada por la luna cuando yo había salido de aquella fosa llena de muertos hacía ya algunos años. Ahora estaba muy enfadada conmigo porque yo me había negado a tomar parte en su pequeño juego. «Tómame. Ven y tómame —le supliqué a aquella niñita tan vengativa—. Pero a ella devuélvela, devuélvela, devuélvela.»

Canté mantras vagamente recordados de mi infancia. Si lo deseaba lo bastante. Si rezaba con suficiente fe. Si iba al templo y hacía el voto de ayunar durante treinta días, me afeitaba la cabeza y el día de Thaipusam me la cubría con un *kavadi*, ¿regresaría entonces mi hija?

Hundido en mi negra desesperación, tuvieron que transcurrir unos momentos antes de que pudiera darme cuenta de que se me había despejado la cabeza. Ya no tenía frío, y el terrible dolor había desaparecido súbitamente del interior de mi corazón. Levanté la cabeza. La habitación seguía estando iluminada por la luz azulada de la luna, pero algo había cambiado. Confuso, miré en torno a mí y me sentí súbitamente invadido por una sensación de paz y calma. Todas mis preocupaciones, miedos e insignificantes inseguridades desaparecieron de pronto. La sensación era tan hermosa que pensé que me estaba muriendo. Entonces lo comprendí. Era ella, al fin libre. Le dije que fuera feliz. Le dije que yo cuidaría de su madre, que siempre la querría.

Entonces la sensación desapareció tan repentinamente como había llegado y todo el dolor de la pérdida de mi hija volvió de golpe. ¡Qué terriblemente cegadora era aquella pérdida! Me apreté el pecho con las manos y la habitación oprimió mi cuerpo nuevamente helado como si lo encerrara en un ataúd de madera.

Mi pobre vida se extendía ante mí, larga, aburrida y estéril. Mi corazón ya no era algo que estuviese entero en mi pecho, sino una masa de rojos jirones. Las cintas rojas volaban dentro de mi cuerpo y se enredaban con los otros órganos que había en mi interior para agitarse impotentemente. Incluso ahora están atrapados entre las ramas de mis costillas o yacen aplastados entre mi hígado y mi riñón, o hasta se han enroscado alrededor de mis intestinos. Tiemblan y se estremecen como rojas banderas de la derrota y el dolor. Mi hija solo había sido un sueño.

Al principio yo podía ver ese mismo dolor al rojo vivo en mi esposa y en los ojos de mi hijo mayor, pero luego su dolor se convirtió en otra cosa, en algo malsano que yo no podía entender. Miraba a Lakshmi a los ojos y algo parecido al odio salía reptando de las profundidades de estos. Mi esposa se volvió malhumorada y cruel y mi hijo mayor se convirtió en una pesadilla. Un nuevo torrente de odio solía brillar en su cara cuando su madre le pedía que le echara una mano a Jeyan con las matemáticas. Apretaba los dientes y luego miraba a su hermano pequeño con expresión asesina, esperando a que el pobre muchacho cometiera un error para así poder tener el placer de golpearle la cabeza con una regla o de pellizcarlo hasta que su piel de un marrón oscuro se volvía gris. Su veneno seguía sin verse satisfecho. Una vez que había empezado, podías ver cómo libraba una dura guerra consigo mismo para detenerse.

Un día traté de hablar con él. Le pedí con un gesto de la mano que se sentara a mi lado, pero él se quedó inmóvil ante mí, alto y fuerte y con sus miembros robustos y llenos de vida. No era un reflejo de mí. Todos mis hijos son un rechazo de mí. Si el pobre Jeyan es como yo, entonces sin duda no ha sido por elección suya. A mi manera lenta y torpe, estuve hablando durante demasiado rato. Mi hijo mayor me contemplaba desde lo alto de su despectiva estatura con una expresión hosca y distante. Ni una sola palabra salió de sus labios. No hubo explicaciones, excusas o la menor sensación de pena.

—Ella se ha ido, hijo —dije finalmente.

De pronto pasó por su cara tal expresión de vergüenza y dolor que por un instante pareció un animal herido que ha caído en una trampa. Abrió la boca como para tragar aire, pero lo que entró por ella fue un espíritu. Lo que se tragó fue un espíritu enfurecido y turbulento que causó la transformación más impresionante imaginable. Mi hijo se estaba preparando para golpearme, a mí, a su padre. Sus hombros se tensaron y sus manos se convirtieron en dos rígidos puños, pero entonces Lakshmi entró en la habitación antes de que el animal pudiera lanzarse sobre mí. Otra asombrosa transformación tuvo lugar y aquella rabia incontrolable salió huyendo de su boca abierta. Bajó la cabeza, sus hombros se encorvaron y sus puños se abrieron como los de un muerto. Mi hijo temía a su madre, porque comprendía instintivamente su poder. Aquel monstruo incontrolable tenía una dueña y señora, que era su madre.

El pasado es como un lisiado sin brazos ni piernas pero con ojos taimados, una lengua vengativa y una memoria muy larga. Me despierta por la mañana con una espantosa burla que resuena en mi oído. «Mira —sisea—, mira lo que le has hecho a mi futuro.» Con todo yo sigo de pie detrás de la puerta, esperando a que Mohini entre corriendo por ella. «Papá —exclama—, creo que he encontrado una malaquita verde.» Mi corazón hecho jirones lleva veintitrés años haciendo esto. Cada anochecer, cuando ella no entra corriendo por la puerta, entonces el crepúsculo parece volverse un poco más oscuro y apagado, la casa un poquito más ajena y desconocida, los niños parecen estar un poco más lejos y Lakshmi un poco más enfadada. Fue la guerra. Le arrebató muchas cosas a todo el mundo, no solo a mí.

No soy un hombre valiente y todos saben que no soy inteligente. De hecho, ni siquiera soy un hombre interesante. Me paso el día entero dormitando sentado en mi porche, soñando y contemplando la nada, pero por Dios, cómo odio a los japoneses. Los malvados rostros amarillos, las impasibles ranuras negras a través de las que la vieron morir. Basta con que oiga hablar su lengua para que me sienta dominado por una rabia asesina. ¿Cómo pudo crear Dios a un pueblo tan cruel? ¿Cómo pudo permitir que se llevaran a la única cosa de valor que he tenido jamás? A veces no puedo dormir porque estoy demasiado ocupado pensando en las distintas torturas que les infligiría. Trozo a trozo, voy colgando sus miembros de los árboles. O les doy a comer un puñado de agujas, o quizá ofrezco a las plantas de sus pies la amistad de una pequeña hoguera. ¡Ah, el olor de los dedos de sus pies mientras se van quemando! Sí, esos pensamientos demoníacos me mantienen despierto. Doy vueltas y más vueltas en mi gran cama y entonces mi rara mariposa resopla con irritación. Eso es lo que nos hizo la guerra. Hizo que comenzáramos a desear aquello que no nos pertenece.

LAKSHMI

La lluvia que cayó el anochecer del viernes dejó empapada a Anna. El sábado ya tenía un principio de resfriado. La acosté, le froté el pecho con bálsamo de tigre, le di a beber café caliente en el que había batido un huevo y la envolví en mantas, pero el domingo su pecho ya estaba lleno de flemas. Cuando oí los inicios de aquel terrible cascabeleo, me asusté mucho. Anna estaba mostrando los primeros signos de la enfermedad que había hecho que Mohini no pudiera soportar su espantosa prueba con las bestias japonesas, porque de otra manera los soldados nos habrían devuelto su cuerpo maltratado tal como hicieron con Ah Moi. Corrí a la casa del viejo Soong.

—La rata de los ojos rojos —le dije con voz entrecortada a su cocinera—. ¿Dónde puedo conseguirla?

La rata de ojos rojos embarazada llegó dentro de una jaula. Ayah ni siquiera quiso mirarla. Intentó persuadirme, pero mi decisión ya estaba tomada.

—Se tragará ese animal —dije secamente, mis ojos tan duros como el pedernal.

Anna contempló la rata con ojos llenos de miedo.

—*Ama*, la verdad es que creo que hoy me encuentro mucho mejor —anunció, sonriendo alegremente.

—¿De veras? Bueno, pues entonces ven aquí —dije yo sin inmutarme. Le puse la cabeza en el pecho y oí aquel horrible cascabeleo—. Sevenese, machaca un poco de jengibre para tu hermana —ordené.

Anna regresó al dormitorio con los hombros caídos. ¿Por qué todos se comportaban como si yo estuviera haciendo algo que les haría daño? Quería que mi hija volviera a encontrarse bien y lamentaba con todo mi corazón no haberle dado la rata recién nacida a Mohini.

Si no hubiese escuchado los argumentos paranoicos de mi marido, en esos momentos Mohini quizá estaría viva. La rata ya casi estaba a punto de dar a luz. Lo principal era tragarse la cría nada más nacer, justo después de que se le hubiese quitado la placenta. Observé a la madre con mucha atención. Ella solía mirarme con sus astutos y relucientes ojillos mientras correteaba de un lado a otro dentro de su jaula. Me pregunté si la rata sabía que yo quería a sus bebés. Mantuve muy limpio el suelo de la jaula.

La rata dio a luz. Antes de que tuviera tiempo de empezar a lamer a sus bebés con esa lengua suya portadora de enfermedades, saqué de la jaula a una diminuta rata de un rosado rojizo no más grande que mi pulgar. La ratita hizo un movimiento realmente minúsculo con sus patas y me apresuré a limpiarla con un paño. Anna me estaba mirando con una expresión entre alarmada e incrédula y retrocedía. La seguí hasta que se detuvo detrás de la cama.

—No puedo, *ama*. Por favor —susurró.

Metí en la miel la cabeza de aquel minúsculo ratoncito.

—Abre la boca —ordené.

—No, no puedo.

—Lakshmnan, trae el bastón.

El bastón llegó en cuestión de momentos.

Anna abrió la boca. Estaba muy pálida y el horror le había vidriado los ojos.

—¡*Ama*, se mueve! —exclamó de pronto—. Sus patas se están moviendo —añadió después y su boca se cerró con un chasquido.

—Abre la boca ahora mismo —le ordené—. Tiene que ser tragada inmediatamente.

Anna sacudió la cabeza y se echó a llorar.

—No puedo —sollozó—. Todavía está viva.

—¿Por qué tengo unos hijos tan desobedientes? Todos los chinos se curan a sí mismos de esta manera. ¿Se puede saber por qué te pones así? Todo esto es culpa de vuestro padre, porque os malcría de tanto mimaros. Muy bien. Lakshmnan, ven aquí con el bastón.

Lakshmnan se aproximó a nosotras. Levantó la mano derecha y su hermana entreabrió la boca con un gemido. La agarré por la barbilla.

—Ábrela más —ordené.

Su boca se abrió un poquito más y metí a la diminuta rata dentro de ella. Pensé que si se la metía todo lo garganta abajo que pudiera, entonces a Anna no le costaría tanto tragársela; pero vi que las patas de la ratita le estaban arañando la lengua y un instante después Anna ya había cerrado los ojos y la cara que yo estaba sujetando con mi mano se convirtió en un peso muerto debajo de mis dedos. Anna se había desmayado. Yo todavía sujetaba por la cola al ratoncito cuando Anna se desplomó sobre las almohadas. Entonces mi marido, que había estado mirándonos desde el umbral, dio un paso adelante, me quitó el ratoncito de la mano y, yendo hasta la ventana, lo tiró lo más lejos que pudo. Luego me miró con una inmensa tristeza mientras tomaba en sus brazos a Anna y la abanicaba delicadamente con un cuaderno de ejercicios que habían dejado en el suelo junto a la cama.

—Te has convertido en un monstruo, Lakshmi —me dijo con dulzura mientras la mecía—. Trae un poco de agua caliente para tu hermana —dijo luego sin dirigirse a nadie en particular.

Lalita corrió a la cocina y regresó con el agua.

Al día siguiente devolví la rata y desde entonces Anna ha padecido de asma.

Ya veo que estáis todos muy impresionados, pero todavía falta lo peor: el monstruo al que no supe ver en el espejo.

Una tarde en que pasó por casa el hombre del pan, Lalita quiso un bollo de coco. En aquella época un bollo de coco costaba quince céntimos. Abrí mi monedero y me bastó con una sola mirada para darme cuenta de que faltaba algo de dinero. Lo conté cuidadosamente e hice un cálculo mental de lo que costó hasta el último artículo que había comprado en el mercado aquella mañana; luego volví a contar todo el dinero. Sí, no cabía duda de que faltaba un ringgit. Yo tenía 39,346 ringgits en el banco, 100 ringgits debajo del colchón, 50 ringgits en un sobre atado junto a las cartas de mi madre y 15 ringgits y quizá 80 o 90 céntimos en mi monedero. Pregunté a mis hijos uno por uno si habían cogido el ringgit y todos dijeron que no sacudiendo la cabeza. El hombre del pan y sus bollos se fueron de nuestro vecindario. Nadie tendría nada hasta que yo no hubiera conseguido llegar al fondo del misterio de aquel ringgit desaparecido.

Jeyan era el único que todavía no había vuelto a casa. Yo sabía que había sido él. Tenía que haber sido él. ¡Cómo se atrevía a servirse del contenido de mi monedero! ¿Acaso imaginaba que yo no me daría cuenta? La furia comenzó a hervir lentamente dentro de mí.

—Tiene que haber sido Jeyan —dijo Lakshmnan, haciéndose eco de mis pensamientos.

—¿No podría ser que te hubieras equivocado, *ama*? —preguntó Anna.

—Por supuesto que no —respondí yo, sintiéndome enormemente irritada. Eché una mirada al reloj de la pared. Eran las tres de la tarde—. Traedme un poco de té.

Salí fuera y me senté a esperar. Desde el porche podía ver el reloj. Había transcurrido media hora. La rabia creció. La monstruosa serpiente que vivía dentro de mí fue despertada por aquel terrible calor. Me removí tensamente en mi asiento. Mi propio hijo, robándome el dinero... Tenía que darle una lección que no olvidase jamás. Miré qué hora era: las cuatro. Me levanté y comencé a ir y venir apresuradamente por el porche. Mirando con el rabillo del ojo, veía a los niños nerviosamente erguidos en sus sillas. Me apoyé en un poste de madera y vi a mi querido Jeyan que llegaba corriendo por el sendero, con la culpabilidad escrita en su estúpida y cuadrada cara. Lo vi llegar a la casa y entonces convirtió sus andares en una especie de arrastrar los pies. ¿Acaso no sabía que prolongar el inevitable enfrentamiento solo serviría para ponerme todavía más furiosa de lo que ya estaba? Mi pobre hijo era más tonto que un asno. Todo el mundo sabe que si quieres enseñarle algo a un toro, antes tienes que marcarlo a fuego. Yo marcaría a Jeyan.

—¿Dónde has estado? —pregunté en un tono amenazadoramente tranquilo.

—He ido al cine —dijo Jeyan y tuve que reconocerle el mérito de que al menos no había mentido.

—¿Cómo pagaste la entrada?

—Encontré un ringgit junto al camino.

Le temblaba la voz y todo él se estremecía de miedo, pero ¿qué efecto tuvo eso sobre mí? Me dejé llevar por mi furia. El pozo burbujeante hizo erupción y el monstruo que vivía dentro de mí tomó las riendas. No hay otra manera de explicarlo. Lo último que recuerdo haber dicho es: «¿Cómo pagaste la entrada?». Aquello fue dicho por mí, la madre a la que todos querían tanto, pero después de eso el monstruo tomó las riendas y comenzó a decir y hacer cosas impropias de mí. Yo me eché a un lado guardando silencio y contemplé todo lo que hizo la furia del monstruo. Quería ver cómo Jeyan sufría y rogaba. Lo vi tragar aire con una profunda inspiración cuidadosamente controlada. Era increíble lo tranquilo e impasible que podía llegar a ser el monstruo.

—Lakshmnan —llamó el monstruo fríamente.

—Sí, *ama* —se apresuró a responder el mayor de mis hijos.

—Coge a tu hermano, átalo al poste del patio trasero y pégale hasta que nos diga de dónde sacó el dinero —dijo el monstruo, dándole instrucciones.

Lakshmnan se movió con la celeridad del rayo. Era un muchacho alto y fuerte y en cuestión de minutos los flacos miembros de Jeyan quedaron firmemente atados. La serpiente se quedó inmóvil en la puerta de la cocina y contempló cómo Lakshmnan le quitaba la camisa a su hermano. El mayor de mis hijos estaba demostrando tener una capacidad para la iniciativa totalmente inesperada en él. La oscura piel de Jeyan brilló bajo el sol. Yo seguí inmóvil ante la ventana de la cocina y vi cómo Lakshmnan iba corriendo a buscar el bastón. Contemplé desde lejos cómo el bastón golpeaba vengativamente la piel y los huesos de la espalda de Jeyan. La confesión llegó con toda claridad entre alarido y alarido.

—Cogí el dinero de tu monedero, *ama*. Lo siento. Oh, lo siento tanto... Nunca volveré a hacerlo.

El monstruo se dio la vuelta. La confesión no bastaba. Impasible y tranquilo, el monstruo fue hacia la botella del tapón anaranjado. Después echó un poco del fino polvo rojo que contenía en su palma ahuecada y salió de la casa. Se detuvo delante del cuerpo estremecido de Jeyan. Su cara vuelta hacia arriba, desencajada por el miedo y el dolor, suplicó.

—Lo siento mucho, *ama*. Lo siento, lo siento...

Las lágrimas corrían por su cara en diminutos riachuelos.

El monstruo lo contempló con el rostro vacío de toda emoción.

—Prometo que nunca volveré a hacerlo —gimoteó Jeyan frenéticamente.

Mientras yo estaba fuera de mí, el monstruo enfurecido clavó la mirada en los ojos llenos de dolor y miedo de mi pequeño y de pronto volvió a ponerse pálido de furia. Se inclinó y, sin ningún aviso previo, sopló sobre el polvo que había en la palma de su mano. Una nube de polvo rojo se elevó por el aire. Jeyan cerró los ojos, pero no lo bastante deprisa. El efecto del polvo de chile fue instantáneo. Hizo que Jeyan gritara histéricamente mientras todo su cuerpo se convulsionaba y sus dedos arañaban inútilmente el aire alrededor del poste.

Lakshmnan, que se había quedado atónito, me miró como si no supiera qué hacer y luego volvió a concentrarse en la tarea de golpear implacablemente a su hermano que se retorcía. Entré en la casa y salí al porche. Los gritos se volvieron casi delirantes.

—*Ama!* —gritó Jeyan, llamándome.

La flaca esposa del encantador de serpientes estaba de pie en el porche de su casa y me miraba.

—*Ama!* —volvió a gritar Jeyan.

Todos los otros porches estaban desiertos, pero las cortinas se movían.

El monstruo se sentó. Soplaba una suave brisa.

—¡*Ama*, ayúdame! —chilló Jeyan.

De pronto, como si me hubieran arrancado bruscamente de un sueño, desperté. El monstruo se había ido. Volví la cabeza y una Anna aterrorizada y llorosa me estaba mirando.

—Dile a tu hermano que pare —exclamé yo.

Anna corrió a la parte de atrás gritando:

—¡Basta! *Ama* ha dicho que basta. ¡Para ahora mismo! Deja de pegarle. Lo vas a matar.

Lakshmnan entró goteando sudor. Le temblaban las manos, pero sus ojos relucían con una salvaje excitación. Vi las huellas de pisadas que el diablo había dejado en su frente empapada.

—Ve a darte un baño —le dije, rehuyendo su mirada.

Sus ojos relucientes me habían llenado de pena. Una vez que el monstruo se hubo ido, me sentía extrañamente vacía.

Entonces Lalita salió de debajo de la mesa, con el ringgit perdido reposando en el centro de su palma. Era yo la que había dejado caer la moneda debajo de la mesa. Una súbita punzada de dolor me desgarró el corazón. Jeyan no había cogido el dinero. Yo me había dejado llevar por la furia y había ido demasiado lejos. ¿Dónde había aprendido semejante crueldad? ¿Qué había hecho?

Cuando salí de la casa, vi a Anna lavándole los ojos a su hermano y desatándolo. Jeyan cayó al suelo como una flácida muñeca de trapo, un fardo oscuro que alguien había tirado sobre la arena. Cogí una botella de aceite de semillas de sésamo y se la di a Anna.

—Ponle un poco en la espalda —le dije, y casi se me quebró la voz.

Las manos de Anna temblaban. Volví la mirada hacia el cuerpo que se estremecía sobre la arena. La piel de Jeyan se había desprendido en algunos lugares y había tiras de carne desollada visibles. Le tomé el mentón en la mano y contemplé sus ojos terriblemente hinchados y ribeteados de rojo. Su cara, tan caliente como si tuviera fiebre, estaba húmeda al tacto. Hinchadas venas rojas habían florecido en el blanco de sus ojos, pero sobreviviría.

—Lo siento —dije y vi, con toda claridad, odio en la negrura purpúrea de sus ojos entornados.

El sol crepuscular se estaba poniendo y el resplandor anaranjado parecía encontrarse lo bastante cerca para que pudieras tocarlo con solo extender la mano hacia él. El cielo estaba del rosado más delicioso imaginable, como el trasero de un bebé después de que le hayan dado un cachete. Mi madre solía decir que un cielo rosado significaba una buena captura de gambas para los pescadores. Cerré los ojos y entonces los largos y hermosos ojos de mi madre aparecieron en el cielo. Estaban húmedos y llenos de tristeza. ¿Qué has hecho, hija mía? Sentí cómo mis propias lágrimas me pinchaban el interior de mis párpados cerrados. Oí cómo la voz de mi madre decía desde muy, muy lejos: «¿Has olvidado todo lo que te enseñé, mi terca y rebelde niña? ¿Te has olvidado de lo que le ocurrió a aquella hermosa reina que tenía el corazón tan cruel cuando por fin se quedó embarazada?». No, yo no lo había olvidado. Todavía recordaba hasta la última de las palabras que salieron de los labios de mi madre cuando me contó la historia. Esto fue lo que me dijo:

—Aquella reina era tan malvada que después de haber comido hasta hartarse de los dulces mangos que sabían a miel, frotó con arena toda la carne de los mangos que no había comido, para que así la perra preñada que la había estado mirando no pudiera comerse ni siquiera las sobras que ella había dejado. Luego rió suavemente detrás de sus manos ahuecadas, pero su crueldad no pasó inadvertida. Porque verás, mi querida Lakshmi, ninguna crueldad pasa inadvertida jamás. Dios siempre nos está mirando. Cuando a la reina de negro corazón le llegó el momento de dar a luz, trajo al mundo una camada de perritos y aquella perra vagabunda fue misteriosamente regalada a un príncipe y una princesa en los jardines del palacio. El rey enseguida comprendió lo que había sucedido. Se enfadó tanto que echó de su palacio a la reina y a partir de entonces trató a los perritos con tanto cariño como si fueran sus propios hijos.

Volví a entrar en mi palacio de madera. Mi marido no tardaría en regresar a casa y me preparé a mí misma para la silenciosa censura que habría en sus pequeños y tristes ojos. Prometí tener más vigilado a aquel monstruo tan feroz que vivía dentro de mí. Durante un tiempo el monstruo guardó silencio, pero tanto él como yo sabíamos que solo estaba esperando la ocasión de salir de su encierro para adueñarse de todo. A veces lo sentía palpitar en mis venas, sediento de sangre.

ANNA

Mi hermano Sevenese decía que a veces los animales le hablaban en sueños. Una vez soñó con un gato que se detenía delante de nuestra puerta y, hablando en voz alta y clara, decía: «Hace tanto frío... Déjame entrar, por favor».

Sevenese despertó sobresaltado. Fuera, una tormenta aullaba inconsolablemente. Vientos que revoloteaban de un lado a otro azotaban los postigos de las ventanas y aullaban ante nuestra puerta. Enormes gotas de lluvia tamborileaban ruidosamente sobre el tejado de cinc que cubría la prolongación del edificio. Dentro de la casa, el aire estaba cargado y lleno de humedad.

Mi hermano se levantó de la cama, impulsado por una fuerza más grande que él: la curiosidad que no conoce el miedo. Los relámpagos brillaban en el pasillo llenándolo de luz blanca y el estrépito del trueno le hizo dar un brinco mientras se llevaba las manos a los oídos. Solo los dioses sabían qué espíritu traicionero o qué demonio insensato podían estar aguardando al otro lado de la puerta de nuestra casa en una noche semejante, pero Sevenese tenía que abrirla. En el otro extremo del pasillo vio la sombra de nuestra madre, proyectada en la pared de la cocina por la parpadeante luz de la lámpara mientras permanecía inclinada sobre su costura. Sevenese descorrió el cerrojo de la puerta y la abrió intrépidamente.

En el umbral, esperando pacientemente, había una madre gata y cinco gatitos que temblaban. La gata alzó la mirada hacia Sevenese y lo contempló sin pestañear con ojos que brillaban como zafiros en el gris de la noche tormentosa. Sevenese no dijo nada, pero como si la hubiera invitado a entrar, la gata tomó delicadamente en su boca una por una a sus temblorosas crías sujetándolas por la floja piel de sus cuellos y las fue llevando al calor de nuestra cocina. Sevenese y nuestra madre hicieron una cama con trapos que extendieron en el suelo de la cocina, rebajaron con agua un poco de leche condensada en un plato y luego contemplaron con satisfacción cómo esta iba desapareciendo bajo la lengüita rosada de la gata.

Según mi hermano, ese es el único momento de su vida en el que recuerda haberse sentido realmente unido a nuestra madre. Se olvidó del delgado bastón que colgaba de su gancho en la pared de la cocina y solo fue consciente del dulce olor a jalea de plátano que había en el aliento de nuestra madre cuando lo estrechó contra él y le besó la coronilla. Se sintió querido y a salvo, y se alegró de estar dentro de casa con ella mientras la noche rugía en el exterior.

Nuestra madre permitió que se quedara con la gata y encontró hogares para los gatitos.

Para provenir de las calles, aquella gata era extrañamente majestuosa. Alta, con una carita triangular y una capa del pelaje gris más claro y abundante que puedas llegar a imaginar, se paseaba por la casa con el hocico en alto. Mi hermano la llamó Kutub Minar y le preparó una cesta junto a él. Algunas noches, cuando despertaba sudando y aterrorizado por una de sus terribles pesadillas, se volvía hacia la cesta de la gata y nunca dejaba de encontrarse con la tranquilizadora visión de su cabeza erguida y dos pequeños estanques de luz azulada que lo miraban fijamente. Mi hermano juraba que cuando la gata lo miraba con aquellos ojos bañados por la luna, una energía silenciosa recorría todo su cuerpo hasta que el corazón dejaba de palpitarle enloquecidamente en el pecho. Solo cuando él se había calmado veía bostezar aparatosamente a la gata, reposar la cabeza, cerrar los ojos y regresar a un retazo de amarilla luz solar en un campo lleno de hermosas flores.

Kutub Minar siempre se aseguraba de mantenerse prudentemente alejada de nuestra madre. Apoyaba en sus patas su pequeña y afilada barbilla mientras sus hermosos ojos siempre alerta iban siguiendo cautelosamente cada uno de los movimientos de nuestra madre. Nuestra madre era como una pantera enjaulada y no es de extrañar que pusiera nerviosa a la gata. Los animales se sienten atraídos por las personas tranquilas y apacibles, gente como nuestro padre y Lalita. La primera vez que Sevenese volvió a casa después de haber ido a la casa del encantador de serpientes, la gata arqueó la espalda, su pelaje erizado comenzó a temblar y sus orejas se pegaron a los lados de aquella hermosa carita mientras le bufaba furiosamente a mi hermano. Su larga cola se mecía de un lado a otro. Sevenese contempló con asombro las garras extendidas de Kutub Minar, pensando que sin duda la gata estaba preparándose para saltar sobre su garganta. Entonces de pronto la gata comprendió que era a su amado dueño al que estaba bufando y, con un chillido ahogado, bajó la cola y corrió como una exhalación por los campos que había detrás de nuestra casa para desaparecer en el bosque. Está claro que fue el olor de las serpientes, o el hambre de los espíritus malignos con los que tenía tratos el encantador de serpientes, lo que la asustó hasta ese punto. Kutub Minar siguió siendo una buena compañera durante toda la infancia de mi hermano, muriendo de pronto cuando Sevenese cumplió diecisiete años. Una mañana despertamos y la encontramos muerta en su cesta, hecha un ovillo como si estuviera profundamente dormida.

Hasta muchos años después de que muriera Mohini, yo solía despertar durante la noche y ver a Sevenese sentado en la oscuridad de nuestro dormitorio esperando a que apareciera el fantasma de nuestra hermana. Permanecía tan callado y silencioso que daba un poco de miedo verlo. La última vez había sido pillado desprevenido, pero esta vez tenía preguntas para Mohini y cosas que decirle. No la había soñado. «Abre tus oídos a mi voz, pequeño centinela mío», le había dicho ella. Sevenese era todo oídos, pero los años transcurrieron sin que volviera a oírla. Las fiestas de Divali llegaban y se iban. Cada año rodeábamos la casa con lámparas de barro la noche anterior a la celebración, tal como habíamos hecho siempre; luego despertábamos, nos bañábamos, nos poníamos la ropa nueva de vivos colores que nuestra madre había estado cosiendo hasta altas horas de la noche y tomábamos un gran desayuno repleto de los alimentos más selectos. Cada uno tenía su plato preferido encima de la mesa. Lalita y yo seguíamos llevando escrupulosamente bandejas llenas de pasteles festivos y temblorosos montoncitos de gelatina de muchos colores a las casas de nuestros vecinos, pero Divali había perdido algo. Se había quedado vacía. Divali en una casa de la que ha huido la felicidad es como la sonrisa de una niña muerta, esa sonrisa tan frágil y quebradiza de la que ninguno de nosotros se atrevía a hablar por mucho que todos la viéramos. Se hallaba presente en los ojos de todos mientras nos sonreíamos cautelosamente los unos a los otros y veíamos cómo los miembros de nuestra familia iban convirtiéndose en desconocidos cada vez más lejanos.

El más extraño de todos era Lakshmnan. A nuestros ojos llenos de confusión les parecía como si Lakshmnan nos odiara a todos y disfrutara abiertamente con cualquier espectáculo de humillación o dolor, y había muchos de esos espectáculos. Lakshmnan se redimía astutamente a los ojos de nuestra madre con las notas excepcionales que traía a casa. Era tan listo que cada semana podía vender sus notas de clase a sus amigos. Estudiaba como un demonio concentrando todo su ser en la labor y todos los días estudiaba hasta altas horas de la noche. Se le había ocurrido la taimada idea de que quizá pudiera llegar a encontrarse con la Diosa de la Riqueza en la casa de la Diosa de la Educación. Mi hermano se había metido en un auténtico laberinto, pero al final de aquel laberinto había una olla llena de oro, piedras preciosas y maravillosas riquezas. Lakshmnan quería aquello que podía tocar orgullosamente y utilizar a su antojo. Quería largos coches y grandes casas. Quería manejar el dinero con su mano izquierda. Si la educación era el pan carente de sabor que debía comer a cambio de alcanzar su resplandeciente y helado sueño, entonces lo comería ávidamente. El primer puesto de su clase se convirtió en una batalla salvajemente librada entre él y otro muchacho llamado Ramachandran. Que Lakshmnan volviera a casa con el rostro negro de ira significaba que Ramachandran le había quitado el primer puesto de debajo de los pies.

Como resultado de la ocupación japonesa todos nos habíamos perdido cuatro años de escuela, por lo que cuando volvimos a ella regresamos al mismo nivel en el que nos encontrábamos cuando se fueron los británicos. Debido a ello hasta que Lakshmnan cumplió los diecinueve años sus exámenes finales no zarparon del horizonte y se fueron aproximando. En aquellos tiempos, los exámenes finales se corregían en Inglaterra al otro lado de los mares; luego podías utilizar tu certificado escolar para ir a la escuela de secundaria o incluso directamente a la universidad. Lakshmnan no hacía nada más que estudiar. Su rizada cabeza se inclinaba sobre los libros con el ceño fruncido por la concentración, mientras iba consumiendo una taza tras otra del humeante café caliente de nuestra madre. Ella estaba muy orgullosa de su hijo.

El éxito parecía asegurado.

El día del examen Lakshmnan salió de casa sintiéndose muy seguro de sí mismo, pero el sol todavía no se había elevado por encima de los cocoteros cuando nuestra madre lo vio regresar escoltado por el señor Vellupilai en persona.

—¿Qué ocurre? —preguntó llena de preocupación, cruzando a toda prisa de la casa para ir a su encuentro.

—No lo sé, *ama*, pero el dolor de cabeza hizo que ni siquiera pudiese ver la hoja del examen —dijo Lakshmnan.

Había sombras oscuras debajo de sus ojos y estos, deslumbrados incluso por el débil sol de la mañana, contemplaron medio entornados a nuestra madre desde aquel rostro lleno de perplejidad.

—El maestro lo encontró desplomado encima de su examen después de que se lo hubieran puesto en el escritorio. Creo que sería mejor que llevara a su hijo a un médico —aconsejó el señor Vellupilai gravemente.

Nuestra madre llevó inmediatamente a Lakshmnan al hospital. Allí no supieron decirle cuál era el problema. Quizá fuese debido al esfuerzo o a la presión. Con todo, le dijeron que Lakshmnan necesitaba gafas. Era corto de vista. Nuestra madre encargó las gafas en una óptica de la ciudad. Lakshmnan andaba junto a ella, aturdido y lleno de incredulidad. Lo sucedido era una auténtica tragedia y eso se veía con toda claridad en la cara de nuestra madre cuando regresaron de la escuela. Ambos habían estado seguros de su éxito en los exámenes, pero Lakshmnan tendría que esperar un año entero antes de que pudiera volver a presentarse.

Un anochecer miré por la ventana de la cocina y vi a Lakshmnan sentado debajo del jazmín fumando. Fumaba con caladas nerviosas y entrecortadas y enseguida me di cuenta de que quería que nuestra madre lo viera allí. Una parte de él quería provocarla y ponerla a prueba. Mi hermano se aburría.

Cuando se ha perdido todo entonces ya solo quedan el diablo y el dios al cual reverencia, el dinero. Lakshmnan siempre había ardido en deseos de ser rico, pero además en esos días quería que la riqueza llegara a sus manos de la manera más fácil posible. Su codicioso corazón lo impulsó a hacer amistad con un grupo de jóvenes chinos que eran hijos de familias muy ricas. Aquellos muchachos tenían coches, novias con la clase de nombres que le darías a un gatito de raza y una colección de malas costumbres de las cuales se sentían extrañamente orgullosos; asimismo, siempre estaban hablando de negocios con los que se podía llegar a ganar millares y millares de ringgits. Alardeaban despreocupadamente de sus pérdidas en las mesas de juego, diciendo que lo que venía deprisa también se iba deprisa. Mi hermano reconoció en sus manos suavemente apretadas las semillas de los árboles secretos que daban el fruto del dinero. ¡Cómo los admiraba! No veía que dentro de ellos latían corazones de hielo del tamaño de un puño cerrado. De ellos aprendió a decir cosas como «*Sup sup sui*», no hay problema, eso es coser y cantar; y «*Mo siong korn*», no te preocupes por ello, da igual, eso no tiene importancia.

Lakshmnan nunca llevaba a casa a aquellos nuevos amigos suyos, pero yo lo veía con ellos cuando volvía de la escuela. Sus ojos entornados y llenos de astucia no me gustaban nada, pero nunca le hablé a nuestra madre de ellos. Le tenía demasiado miedo a Lakshmnan para delatarlo. Además suponía que sus nuevos amigos solo querían sus notas, y no estoy hablando de las que ponía a la venta sino de las que hacían de él el primero de su clase. Cuando llegara el momento al año siguiente, yo sabía que aquellos muchachos se habrían ido para hundir sus calvas cabezas y sus curvados picos en otro despojo.

Lakshmnan y yo nos presentamos juntos a los exámenes. Esta vez mi hermano no estudió.

—Todavía me acuerdo de lo que aprendí el año pasado —anunció con arrogancia mientras se estaba poniendo los zapatos para salir a divertirse durante la noche.

Cuando llegaron los resultados, Lakshmnan solo había conseguido un Nivel Dos. El año anterior Ramachandran había obtenido un Nivel Uno y en esos momentos estaba estudiando en la Academia Militar de Sandhurst en Inglaterra. Desde el asiento de un limpiabotas, hizo que le sacaran una foto y la envió a casa con este encabezamiento: «Mirad qué lejos he llegado. Ahora los amos coloniales me están limpiando los zapatos».

Con un Nivel Dos, lo máximo a lo que podía aspirar Lakshmnan era el puesto de encargado laboral en un departamento gubernamental, pero incluso esa opción le estaba cerrada porque en aquella época no había empleos disponibles. Yo había obtenido un Nivel Tres y el director de nuestra escuela me ofreció un puesto en la enseñanza. Nuestra madre se mostró muy complacida con la idea y me convertí en maestra.

Lakshmnan estaba furioso y se sentía terriblemente frustrado. Lo recuerdo paseándose nerviosamente durante horas por la sala de estar de nuestra casa como un mono enjaulado. Otras veces se quedaba sentado en la sala fumando sin parar, con un montón de paquetes de cigarrillos vacíos esparcidos encima de la mesa y un cenicero lleno de colillas apagadas junto a él mientras tamborileaba distraídamente con los dedos sobre la mesa de madera y mantenía la mirada fija en el vacío. Mi hermano pasó varias semanas quejándose amargamente de su mala suerte hasta que por fin, apretando los dientes hasta hacerlos rechinar de rabia, siguió mis pasos y se dedicó a la enseñanza. Aquel no había sido el plan original. ¡Cómo odiaba enseñar! Cuando yo iba por el pasillo, pasaba delante del aula de Lakshmnan y lo veía dar clase con los puños apretados.

El sistema de enseñanza de mi época funcionaba de tal manera que antes de empezar a trabajar pasabas por un período de tres meses de aprendizaje. Cada fin de semana ibas a un sitio distinto en el que recibías tu adiestramiento. Lakshmnan quería hacer el suyo en Singapur, pero en realidad no andaba detrás del «nivel superior de adiestramiento» sino de las luces de la gran ciudad. La idea lo tenía realmente fascinado y por primera vez en mucho tiempo casi llegó a volverse humano en su relación con nosotros. Nuestra casa irradiaba el sol de su nuevo yo y la felicidad de nuestra madre. Lakshmnan llevaba tanto tiempo sintiéndose desgraciado y creando problemas que nuestra madre pensó que enviarlo a Singapur sería una buena idea. La entristecía verlo sentado en la sala de estar, lleno de impaciencia y nerviosismo mientras fumaba un paquete de cigarrillos tras otro. Aquella tarde nuestra madre y Lakshmnan se sentaron en la sala a discutir los aspectos logísticos de la idea.

Mi hermano Sevenese estaba leyendo un tebeo en el dormitorio cuando una voz habló de pronto dentro de su cabeza. El tebeo cayó de sus dedos súbitamente insensibles. Era la voz que él había estado esperando oír, aquella voz que había permanecido callada durante tantos años que Sevenese casi se había olvidado de ella. Mohini le había hablado. Saltó de la cama.

La voz le había dicho que no dejara marchar a Lakshmnan.

Corrió a la sala sin perder un instante y anunció que Mohini le había dicho que Lakshmnan no debía irse. En el rostro de Lakshmnan primero hubo sorpresa y luego dolor, un dolor monstruoso. Seguía sin hablar de la muerte de Mohini. De hecho, la mera mención de su nombre bastaba para que se fuera de la habitación.

—¡Menuda tontería! —gritó, levantándose de su asiento.

—¿Se puede saber de qué estás hablando? —le preguntó nuestra madre a Sevenese, palideciendo hasta ponerse tan blanca como una almendra.

—Acabo de oír cómo la voz de Mohini me decía con toda claridad que no lo dejara marchar —dijo Sevenese.

—¿Estás seguro? —preguntó nuestra madre, y un fruncimiento de preocupación se incrustó en su frente.

—No me lo puedo creer. ¿Me estás diciendo que Mohini ha regresado de entre los muertos con consejos sobre la clase de vida que yo debería llevar? Esto es absolutamente ridículo y no puedo creer que estéis pensando en hacer semejante barbaridad —le dijo Lakshmnan a nuestra madre con voz entrecortada, para luego estallar en una súbita rabieta infantil—. ¡Esta casa se ha convertido en un manicomio donde nunca se me permite hacer nada de lo que quiero!

—¿Por qué te pones así? Un momento, espera un momento... —le dijo nuestra madre.

Pero Lakshmnan hizo lo que hacía normalmente. Salió de la habitación hecho una furia y estrelló su puño contra un montón de ladrillos en un incontrolable arranque de mal genio.

Lakshmnan se fue a Singapur, naturalmente. Nuestra madre no quería que se fuera, pero interponerse en el apretar los puños y rechinar los dientes de Lakshmnan hubiese requerido un corazón mucho más duro que el punto débil que ella reservaba para Lakshmnan. Lo mandó a Singapur con una maleta llena de ropa nueva y sus tentempiés preferidos. Al principio Lakshmnan escribía a casa con mucha frecuencia enviándonos cartas que estaban llenas de sus idas y venidas, y durante una temporada pareció como si nuestra madre hubiera tomado la decisión correcta dejándolo ir a Singapur después de todo. Pero el tiempo no tardó en demostrar que Mohini tenía razón. De pronto las cartas cesaron. Pasados dos meses, nos llegó una postal que no contenía ninguna clase de información y luego ya no llegó nada en absoluto. Nuestra madre empezó a preocuparse. Nunca hubiese debido dejarlo marchar. En su estado de perpetuo mal genio, todo la irritaba. Creo que pasaron semanas enteras durante las que nuestro pobre padre ni siquiera se atrevió a abrir la boca.

Finalmente llegó el día en que nuestra madre no pudo seguir esperando por más tiempo y envió al hijo de una amiga para que averiguara qué le estaba ocurriendo a su primogénito. El muchacho regresó con la noticia de que Lakshmnan se había convertido en un jugador al que siempre se podía encontrar en los clubes de mah-jong de los peores barrios de la ciudad. En aquellos tugurios, mi hermano había desarrollado rápidamente una pasión por el juego tan intensa que casi lo podías ver salivar en cuanto oía los chasquidos de las fichas de mah-jong. Gastaba todo lo que ganaba y se había olvidado de asistir a sus clases de enseñanza. La directora de la academia, temerosa de su altura, sus ojos llenos de furia y su afición a usar los puños, transfirió rápidamente a Lakshmnan a una diminuta escuela en una pequeña isla de pescadores para así no tener que ocuparse personalmente de su pésimo historial de asistencia. La diminuta aldea apenas tenía electricidad.

¡Pensar que Lakshmnan había salido huyendo de Kuantan para terminar allí!

Mi hermano odiaba aquel lugar y se fue inmediatamente, pero como no tenía dinero solo pudo dormir en el suelo de un amigo. Para aquel entonces ya había acumulado grandes deudas. La familia reaccionó con incredulidad cuando aquellas palabras tan difíciles de creer fueron saliendo de la boca del educado desconocido entre sorbo y sorbo del té de nuestra madre.

Con su eficiencia habitual, nuestra madre pagó las deudas de Lakshmnan y le envió un billete de vuelta. Para nuestro asombro, Lakshmnan regresó no con el rabo entre las piernas sino como un héroe que vuelve victorioso de la guerra. Nuestra madre le preparó su curry de dahl preferido y los chapattis que tanto le gustaban; luego le compró un coche de la marca Wolsey a cambio de la promesa de que encontraría un trabajo y sentaría la cabeza. Sentado detrás del volante de su nuevo coche, Lakshmnan parecía todo un señor. Encontró un trabajo de maestro, pero la llamada del juego seguía resonando en su sangre. No quería guardar silencio. Aquella llamada insistía, provocaba, cantaba y murmuraba una y otra vez la palabra «mah-jong» con una voz que era como satén rozando la seda en sus venas hasta que llegó un momento en el que Lakshmnan no pudo seguir soportándola por más tiempo. Poder acallar aquel insistente susurro fue todo un alivio para él, incluso si ello significó perderlo todo. Escuchamos en silencio y con caras de perplejidad a Lakshmnan mientras nos explicaba, con el pulgar y el índice separados por unos milímetros, lo cerca que había estado de ganar. De hecho, había estado tan cerca de ganar que tenía que volver a intentarlo.

Entonces dio comienzo una terrible batalla en nuestra familia. Lakshmnan quería dinero y amenazó con abrir el arcón de nuestra madre para coger el dinero y las joyas que había dentro de él. Sus ojos ardían con destellos de ira detrás de los gruesos cristales de sus gafas.

—Ya veremos si te atreves —lo desafió nuestra madre mientras sus ojos relucían peligrosamente.

Con un rugido de ira, Lakshmnan salió de la casa hecho una furia y le dio una patada al quicio de la puerta cuando pasó junto a él. Apenas le caía el sueldo en las manos, mi hermano desaparecía durante todo el fin de semana y luego regresaba a casa sucio y sin un solo ringgit. Las negras amenazas se reanudaron. Un día de cobro vi a nuestra madre de pie en la sala de estar, contemplando con tristeza el montón de colillas. Yo sabía que se estaba preguntando dónde estaría Lakshmnan.

Finalmente nuestra madre decidió que daría con él y vería con sus propios ojos a aquella nueva amante que tan concienzudamente vaciaba los bolsillos de su hijo y lo tenía tan firmemente atrapado en su abrazo de acero. Cogió un rickshaw para ir a la ciudad y entró en aquella zona donde nunca había puesto los pies antes. Subió el tramo de escalones que llevaba a una cafetería, preguntó dónde tenía que ir a un anciano que estaba inclinado como un cuervo carroñero sobre una caja registradora y este le señaló en silencio la parte de atrás del local. Nuestra madre cruzó una sucia cortina y caminó por un estrecho pasillo. Voces de niños que reían y charlaban salían de las cortinas que cubrían las entradas esparcidas a lo largo del pasillo. Una chinita con un flequillo muy espeso que casi le cubría los ojos asomó la cabeza desde detrás de la cortina que ocupaba una entrada y le sonrió tímidamente a nuestra madre.

Así fue como nuestra madre terminó encontrándose ante una cortina roja bastante raída. Detrás de aquella cortina había otro mundo, uno tan mísero y vergonzoso que a nuestra madre le temblaron las manos mientras separaba a un lado las tiras de tela que llevaban mucho tiempo sin ser lavadas y contemplaba una habitación sorprendentemente grande y muy sucia. Las paredes habían sido levantadas con planchas unidas mediante clavos, el techo era una amasijo de láminas de cinc y el suelo de un sucio cemento gris. Una alacena estaba llena de palillos, platos y cuencos por lavar. El juego no podía detenerse ni siquiera para cenar. Una anciana, encorvada y casi calva, estaba limpiando lentamente la montaña de platos sucios. Había cinco mesas redondas a la que se hallaban sentados hombres y mujeres de rostros vidriosos y obsesionados. El aire estaba impregnado por el olor a rancio de los cigarrillos consumidos y el dulce aroma del cerdo asándose en alguna cocina cercana. En aquella miserable sala de juego, los ojos de nuestra madre se detuvieron en la figura de su amado hijo, erguido, guapo y con gafas. Durante un momento la atravesó el dolor desgarrador del cuchillo de la traición. Mientras nuestra madre lo contemplaba con incredulidad, Lakshmnan gritó «¡Mah-jong!» y rió ávidamente con la risa de un jugador. La luz de la malsana concentración que brillaba en sus ojos casi daba miedo.

Perpleja y un poco asustada, nuestra madre dio un paso hacia él pensando que todavía conseguiría cambiarlo. Pero entonces Lakshmnan hizo con sus manos un movimiento, muy rápido y casi amenazador, tan sorprendentemente desconocido para nuestra madre que la dejó helada e hizo que se detuviera. El gesto fue entendido y rápidamente copiado por otro jugador; entonces nuestra madre supo que había perdido a su hijo. Lakshmnan vivía en un mundo que a ella le estaba negado. Permaneció inmóvil, contemplando el infierno en el que había caído su hermoso, maravilloso y errante hijo, y una imagen del pasado tan nítida que llegaba a ser dolorosa apareció súbitamente ante ella. ¡Ah, qué joven había sido entonces! Canturreando en voz baja para sí misma, nuestra madre hacía girar su mano dentro de una palangana azul llena de pétalos de hibisco que danzaban suavemente en el agua caliente. Tuvo que ser en ese preciso instante cuando el agua adquirió el mágico color apropiado del óxido, porque entonces nuestra madre cogió en brazos al niñito de brillantes ojos que gorgoteaba alegremente y sumergió con mucho cuidado sus piernecitas que se agitaban en el baño tan minuciosamente preparado. Cómo rió y chapoteó dentro del agua. ¡Y qué mojada dejó a nuestra madre! Qué rizados eran los cabellos que cubrían su cabecita. Cuánto tiempo había transcurrido desde aquel momento y cuántas esperanzas se habían estrellado dolorosamente contra las rocas de la vida desde entonces. Nuestra madre retrocedió a través de la sucia cortina y, presa de un terrible dolor, se alejó por aquel sucio pasillo.

Luego no pudo olvidar aquella ávida risa. La carcajada comenzó a acosarla por las noches. Lakshmnan solo tenía sonrisas para las pálidas fichas que había en su lado de la mesa. Nuestra madre se sentía perdida y asustada. Si antes había dado su brazo a torcer entregándole dinero para poder disfrutar de un poco de paz, desde entonces se negó a darle aunque fuese un solo ringgit. Escondió su dinero y sus joyas y confiscó mi libreta del banco para que no se me pudiera obligar a separarme de mis ahorros mediante la fuerza o la persuasión.

La casa se convirtió en una zona de guerra. Objetos tan diminutos como insignificantes te estallaban en la cara. En una ocasión, la piel erizada de espinitas de un durián maduro surcó el aire yendo directamente hacia mi sorprendido rostro. Gracias a Dios, tuve la presencia de ánimo suficiente para agacharme. Las marcas que aquella piel de durián dejó en la pared todavía siguen allí. Después, de manera tan súbita como inesperada, las cosas se calmaron cuando Lakshmnan comenzó a ayudar a nuestra madre en sus esfuerzos por casarme. Durante esa época llegó a familiarizarse con la práctica de la dote.

Entonces fue como si la luz se hiciera de pronto dentro de su cerebro: matrimonio igual a dote.

Nuestra madre había apartado diez mil ringgits para mí y sin duda él podría obtener al menos otro tanto en calidad de novio.

Lakshmnan comenzó a hacer sus cálculos, pero la costumbre dictaba que mi hermano no podía contraer matrimonio antes que yo. La impaciencia fue creciendo dentro de él, pero la tradición tenía que prevalecer. La hija mayor debía casarse primero. Lakshmnan se embarcó diligentemente en todos los viajes de búsqueda de un marido y cantó entusiásticamente las alabanzas de los jóvenes a nuestra madre. Él veía lo bueno que había en todos ellos y nuestra madre solo veía lo malo, hasta que le cayó del cielo una propuesta de un agrimensor de Klang.

El «pretendiente» en perspectiva que había conseguido impresionar a nuestra madre con su titulación concertó una cita para «verme». Esas ocasiones siempre se regían por reglas muy estrictas. Los padres y su hijo visitan a la novia y mientras todos están hablando, la aspirante a prometida lleva a la sala una bandeja de té y pasteles. Toda la educada conversación cesa de pronto y la novia es examinada, a menudo con ojos muy críticos. Entonces la pobre chica sirve nerviosamente el té y ofrece tímidamente los pasteles antes de irse, diciendo lo menos posible durante todo ese tiempo. Le está permitido sonreír de manera igualmente tímida a los posibles suegros.

Aquel día yo no estaba nada nerviosa. Ya había jugado a aquel juego unas cuantas veces, dado que nuestra madre llevaba rechazados a varios aspirantes. Uno de ellos me había gustado, pero confiaba implícitamente en la opinión de nuestra madre. Ella es como un oso. Puede oler la más leve indicación de podredumbre desde varios kilómetros de distancia, incluso si esta se encuentra cuidadosamente escondida en lo más profundo del ser de una persona. Por aquella época, en realidad yo no sabía qué era lo que hace exactamente un agrimensor porque no se trataba de una profesión tan importante como la de médico o abogado, pero tampoco contaba con una dote o una titulación que fueran lo bastante grandes para atraer a uno de ellos. No obstante, nuestra madre tenía mucho ojo para el futuro y creía que nuestro país estaba creciendo rápidamente y que solo era cuestión de tiempo antes de que llegara a haber una gran demanda de buenos agrimensores. Abrigaba la esperanza de que algún día mi marido y yo dispondríamos de una pequeña fortuna. Por encima de todo, nuestra madre quería para mí un hombre inteligente. Decía que ella ya sabía lo que era vivir con un estúpido y que quería algo distinto para nosotras.

Yo esperaba que mi pretendiente no fuera demasiado exigente. Me senté delante del espejo y no vi nada notable. La belleza había sido definida por Mohini y me bastaba con recordar su piel del color de la magnolia y sus ojos verde botella para que mi aspecto palideciera hasta la mediocridad. Por aquel entonces yo nunca llevaba maquillaje porque nuestra madre no lo consideraba apropiado, aunque tanto Lalita como yo usábamos copiosas cantidades de polvos. A veces Lalita se echaba tantos polvos en la piel que salía del dormitorio pareciendo un mono capuchino de blanco rostro. La pobre Lalita era el epítome de todos los temores de nuestra madre. Si se hubiera sentado a escribir una lista de todas las cosas que no quería en una hija, nuestra madre habría terminado obteniendo el vivo retrato de Lalita: las anchas caderas de nuestro padre, unas piernas tan flacas como patas de gallina que solo Dios sabía de qué lado de la familia habían salido, dos ojitos muy separados y una nariz carnosa.

—¡Anna! —llamó nuestra madre.

—Ya voy —repliqué yo, y corrí a la cocina para echar una mano con los pastelillos de coco que luego serviría a nuestros invitados.

La receta era muy simple, pero empleaba un ingrediente secreto que hacía que supieran mejor que los pastelillos de coco normales. El truco consistía en añadir flores de jengibre. Aquella tarde hacía mucho calor y Lalita estaba sentada fuera al lado de la piedra de moler, bebiendo agua de coco directamente de un coco verde. Pensé que ya iba siendo hora de que mi hermana dejara de pasar tanto tiempo al sol, porque su piel ya se había vuelto demasiado oscura. La llamé y ella llegó obedientemente.

—Deja de tomar tanto el sol o nadie querrá casarse contigo —la reñí dulcemente.

—Madre dice que de todas maneras nadie se casará conmigo. Ojalá fuera tan guapa como tú.

—No seas tonta. Sabes muy bien que nuestra madre solo dice eso cuando está de mal humor. ¡Pues claro que te casarás cuando seas un poco mayor! Hay alguien para cada persona. Ahora corta los pastelillos y yo los iré colocando en la bandeja.

Trabajamos en silencio mientras yo trataba de imaginarme a mi futuro marido. Esperaba que tuviese la piel clara. Cuando terminamos, me duché y me puse un bonito sari azul y verde, dos colores que iban bien con mi tez. Me trencé los cabellos y los adorné con algunas flores de jazmín. Luego esparcí polvos sobre mi piel y me pinté en la frente un puntito negro perfectamente redondeado. Mi amiga Meena me había asegurado que si llevaba un poquito de carmín en los labios y una gota de kohl en los ojos estaría muy atractiva, pero yo tenía demasiado miedo de lo que diría nuestra madre si me pillaba con los labios de color carmín y los ojos alargados. Me pregunté qué diría si supiese que en la escuela me apodaban MM, por Marilyn Monroe. El responsable de aquel apodo tan insultante era el contoneo de mis caderas. En nuestra ciudad anticuadamente tradicional, las chicas buenas no se hacían actrices. Para empezar, aquel trabajo requería a una joven de moral algo dudosa, aunque a buen seguro no hasta los extremos de Marilyn. ¡Vaya, seguramente sí era una ramera!

Me volví delante del espejo para asegurarme de que mi sari estaba adecuadamente recogido en su sitio por la espalda y luego me senté a esperar. Nuestra madre entró en la habitación con una barrita de kohl en la mano. Arrodillándose ante mí sin decir palabra, me separó con mucha delicadeza el párpado inferior del ojo y aplicó el kohl. Después hizo lo mismo con el otro ojo. Yo permanecí muy quieta, sintiéndome perpleja. No tenía ni idea de que nuestra madre supiera siquiera cómo había que utilizar la barrita de kohl. A continuación en la palma de su mano apareció un lápiz de labios que le vi destapar.

—Abre la boca —me ordenó. Yo abrí la boca obedientemente y, sujetándome la barbilla con la mano izquierda, nuestra madre aplicó con mucho cuidado una capa de carmín sobre mis labios. Después examinó su obra y asintió con satisfacción—. No te lamas los labios —me aconsejó.

Se levantó y se fue. Realmente debía de querer que me casara con el agrimensor, ya que nunca había hecho aquello con ninguno de los otros pretendientes. Me volví hacia el espejo y me contemplé con asombro. Nuestra madre había transformado mi cara. En esos momentos mis ojos se veían mucho más grandes y hermosos y mis labios tenían un aspecto muy suave e interesante. Meena tenía razón.

No tardé en oír voces corteses en la sala de estar. A esas alturas sí que estaba nerviosa. Servir té bajo los ojos de águila de unos desconocidos era una operación bastante complicada, pero lo que hacía que las mariposas revolotearan frenéticamente en mi estómago era la tensión que había percibido en nuestra madre. Ella realmente quería aquel compromiso. ¿Y si no les gustaba mi aspecto? ¿Y si me rechazaban? Seguro que nuestra madre se enfadaría muchísimo conmigo. Entonces oí su voz llamándome dulcemente desde la sala.

Me levanté, alisé mi sari con mucho cuidado y entré en la cocina.

—Aquí tienes —dijo Lalita, poniéndome la bandeja en las manos. En su voz se percibía una ligera burla.

Entré en la sala manteniendo la cabeza baja de la manera en que debe llevarla una joven casadera y, dejando la bandeja encima de la mesita de centro, serví el té ofreciendo las tazas primero a los padres y solo después a mi posible prometido. Hice todo aquello con los ojos bajos. Vi perneras de pantalón, los pies de dos hombres (oscuros), un suntuoso sari de color verde lima y los pequeños pies de una dama (de piel muy clara). Levanté la cabeza y fui ofreciendo la bandeja de pastelitos. Los padres eran del tipo ceilanés habitual. El padre permanecía recostado en su asiento y la madre evaluaba y calculaba. Tenía un rostro imponente con los pómulos bastante marcados, unos ojos enormes y una nariz muy recta. Me sonrió y yo le devolví la sonrisa.

—Así que eres maestra —comentó.

—Sí —admití yo en voz baja.

Ella asintió. Había mucha habilidad en la manera como se había atado el sari, porque todos los pliegues permanecían claramente marcados incluso cuando se encontraba sentada. Dirigí mi mirada hacia las morenas manos que habían tomado el platillo y la taza de las mías cuando estas se los ofrecieron. Su hijo tenía una abundante cabellera de rizos rebeldes y estaba bastante delgado, aunque pude darme cuenta de que era alto. Tenía los labios curvados propios de alguien que ríe frecuentemente, pero sus ojos hundidos en las órbitas ardían enigmáticamente mientras contemplaban los míos con una intensidad que hizo afluir la sangre a mis mejillas. Me recordaron la manera en que los ojos de nuestra madre podían llegar a quemarte y me apresuré a desviar la mirada. Mi prometido era tan negro que parecía azul. «Todos mis hijos van a ser negros», pensé mientras salía de la sala esforzándome por evitar que se me contonearan las caderas y sabiendo que los ojos de todos los presentes estaban siguiendo mi retirada.

Lalita, a salvo en la cocina, me recibió con una gran sonrisa.

—¿Y bien? —preguntó enarcando las cejas.

Yo me encogí de hombros.

Luego nos apostamos junto a la puerta de la cocina y nos dedicamos a escuchar la conversación que nuestra madre mantenía con los posibles suegros. Yo esperaba que el muchacho no le gustara, porque su presencia había hecho que me sintiera incómoda. Su forma de mirarme me había dejado muy confusa y además tenía la piel demasiado oscura. Finalmente los invitados se fueron y nuestra madre entró en la cocina.

—Me gusta ese chico —anunció, y le brillaban los ojos—. Tiene auténtico fuego en la mirada. Sí, enseguida se ve que es realmente ambicioso... Llegará lejos, acordaos de lo que os digo.

—Está demasiado moreno, ¿verdad? —me atreví a decir yo cautelosamente.

—¿Moreno? —inquirió nuestra madre, dejando que todo un torrente de desaprobación cayera sobre mí con esa única palabra—. Pues claro que está moreno. Es agrimensor y se pasa todo el tiempo en la selva.

Así fue como quedó decidido que me casaría con el hombre de los ojos que ardían. Nuestra madre y Lakshmnan se pusieron a hacer planes y él tuvo la brillante idea de una doble boda.

—Eso eliminará un gasto innecesario —dijo utilizando la lógica de nuestra madre.

Finalmente se pusieron de acuerdo y Lakshmnan pudo empezar a buscar una prometida para él.

Cuando la noticia de que Lakshmnan estaba buscando prometida llegó a mis futuros suegros, estos respondieron inmediatamente. ¡Qué suerte, dijeron, porque tenían una hija en edad casadera! Proponían una doble boda. Aunque nuestra madre no parecía muy entusiasmada con la idea, Lakshmnan insistió en que al menos fueran a echar un vistazo a la chica. Así fue como nuestros padres y Lakshmnan recorrieron toda la distancia que había hasta Klang para ver a la posible novia. Nuestra madre dijo que el alma se le cayó literalmente a los pies cuando llegaron a la dirección, una casita minúscula en una zona suburbial que, por alguna peculiar razón, había sido envuelta en alambre de tal manera que parecía un gigantesco gallinero. Ella creía en el potencial de futuro del agrimensor, pero la perspectiva de entregar su inapreciable hijo a unas personas que vivían en aquella clase de casa le resultaba imposible de digerir. De hecho, quiso dar la vuelta y marcharse inmediatamente, pero Lakshmnan arguyó de manera bastante razonable que después de todo ya habían recorrido una gran distancia y que no veía qué mal podía haber en visitar a la chica. Eran unas palabras que luego viviría para lamentar.

Cuando la madre de la novia salió a recibirlos, nuestra madre vio cómo su mirada iba más allá de ellos para posarse en el Wolsey antes de volver nuevamente hacia mi hermano para evaluarlo. Nuestra madre contempló a Lakshmnan y vio lo que veía la madre de la chica. De no ser por sus gafas de gruesos cristales, Lakshmnan hubiese sido perfecto. Con sus anchos hombros y su magnífico bigote, era todo un partido. Hasta que te tropezabas con su hábito de jugar, claro está. Entraron en el gallinero.

El mobiliario era muy pobre. La silla en la que tomó asiento se mecía precariamente debajo de nuestra madre. Una joven entró en la habitación trayendo una bandeja de té. Una amiga suya que era casamentera le había dado la impresión de que la joven era guapa. De hecho, era alta y angulosa y tenía los hombros muy anchos y los senos desproporcionadamente grandes. Su cara no era delicada y dulce sino casi feroz, con los pómulos muy marcados de su madre, una boca bastante grande y ojos tan desafiantes como sensuales. Aquellos ojos evaluaron de arriba abajo a Lakshmnan antes de volverse nuevamente hacia sus padres, momento en el que fueron súbitamente dulcificados por una mirada de tímida doncella.

Oh, pero nuestra madre no iba a morder el anzuelo tan fácilmente. Aquella chica había nacido para ir por la vida dándose aires de gran señora. Nuestra madre enseguida se dio cuenta de que solo nos traería grandes problemas y vio que estos se hallaban presentes en cada uno de sus rasgos.

Tomó un sorbo de su té y luego introdujo en la conversación el hecho de que su hijo le daba al juego de una manera terrible y que, a decir verdad, Lakshmnan era un auténtico jugador compulsivo. Les explicó que no quería tener que cargar con la responsabilidad de ocultar aquel hecho y arruinar ambos matrimonios, y luego les soltó con toda franqueza que no creía en las dobles bodas.

Después de que nuestra madre dejara caer su bomba hubo un momento de silencio, pero la madre de la novia había visto el coche y la innegable hermosura del rostro de Lakshmnan. Su hija nunca encontraría a un marido mejor. De hecho, probablemente no creyó lo que le había dicho nuestra madre. Tuvo que pensar que ella estaba mintiendo porque no quería entregarles en matrimonio a su hijo.

—Oh, no se preocupe por eso —dijo para tranquilizarla con un súbito destello de sus penetrantes ojos—. Antes mi marido jugaba muchísimo. Durante años fue un adicto a las carreras de caballos y sin embargo yo he disfrutado de una vida muy feliz. Mi experiencia tiene que haber servido para algo. Mi hija es una chica muy inteligente y confío en su capacidad para saber hacer frente a la situación.

Tozudos e insistentes, el padre y la madre no estaban dispuestos a dar su brazo a torcer. Nuestra madre ya estaba echando chispas, pero no podía irse porque no quería poner en peligro mi compromiso. No necesitaba esforzarse demasiado para entender que tuvieran tantas ganas de echarle el guante a su hijo. Su hija no era ninguna belleza. Le parecía realmente horrible, con aquellos sarpullidos que desaparecían en las mangas de la blusa de su sari para terminar solo Dios sabía dónde. Evidentemente nuestra madre no podía saber que lo que en su época resultaba anguloso y carente de atractivo hoy en día sería considerado universalmente hermoso porque aquella chica era alta, tenía unos hombros bien rectos, pechos grandes, piernas largas, caderas esbeltas y unos pómulos maravillosamente marcados. Pero desde luego no era ninguna belleza hindú de rostro redondo y delicado, y mientras estaba sentada allí contemplando a la novia con ojos críticos nuestra madre no hubiese podido adivinar ni en un millón de años que esperando calladamente dentro del vientre de la chica se hallaba su nieta preferida. Que un día su hijo entraría corriendo en la casa de sus padres para anunciar, con lágrimas en los ojos: «*Ama*, Mohini ha vuelto con nosotros. Ha regresado como tu nieta».

«No —se dijo nuestra madre aquel día—, esta chica no se casará con mi hijo.»

Los padres parecían tan poco de fiar y su casa era tan mísera que a nuestra madre le costaba imaginar que pudieran tener una dote de diez mil ringgits guardada en algún banco. Además, si la chica realmente era maestra titulada tal como aseguraban sus padres, ¿entonces por qué no estaba trabajando? O estaban mintiendo, o aquella chica era inimaginablemente vaga. Tanto si se trataba de lo primero como si era lo segundo, aquel hecho representaba un serio obstáculo para todos los planes y esperanzas de nuestra madre. La chica simplemente no podía ser aceptada.

Lakshmnan comenzó a apretar los dientes dentro del gallinero. Había hecho grandes planes con el dinero de la dote y en esos momentos nuestra madre lo estaba echando todo a perder. En su febril imaginación, él ya había doblado y triplicado su dote en las mesas de juego. Mi hermano llevaba mucho tiempo alimentando la embriagadora ilusión de que si se sentaba a las mesas de juego con dinero suficiente cubriéndole las espaldas, entonces su suerte tendría que cambiar en algún momento.

Se despidieron educadamente.

Una vez dentro del coche, Lakshmnan anunció abruptamente que quería casarse con aquella chica.

—Pero tú siempre has querido casarte con una chica trabajadora y que tuviera la piel muy blanca —dijo nuestra madre sorprendida.

—No, esta chica me gusta —insistió él.

—Como desees —dijo nuestra madre, y se quedó sentada dentro del coche sumida en una fría rabia.

Nuestro padre miró por la ventanilla sin decir nada. Disfrutaba contemplando kilómetros de verdes árboles del caucho. Eso lo calmaba y hacía que le resultara un poco más fácil pasar por alto las oleadas de rabia que emanaban de su esposa y de su hijo mayor.

Aquella noche mi hermano Sevenese tuvo un sueño. Estaba sentado en un inmenso erial, con kilómetros y más kilómetros de reseca tierra rojiza perdiéndose en la lejanía hasta allí donde podían llegar sus ojos. Una carreta tirada por un búfalo llegaba hacia él envuelta en una nube de polvo rojo y del cuello del búfalo colgaba una campana que tintineaba suavemente. Mi hermano ya había oído aquel sonido en algún sitio con anterioridad. El conductor de la carreta, que tenía una larga barba blanca, le dijo:

—Dile que todo el dinero se perderá en una sola sentada.

Detrás de él había un largo ataúd negro. Una fuerte ráfaga de viento hizo que la campana tintineara más ruidosamente. Sí, mi hermano había oído aquel sonido antes.

—Mira —dijo el hombre, señalando el ataúd—. Él nunca me escucha y ahora está muerto. Díselo. El dinero se perderá en una sola sentada.

Luego golpeó al pobre búfalo con un palo muy largo y la carreta prosiguió su viaje a través de aquel paisaje desértico.

—¡Espera! —gritó mi hermano, pero la carreta siguió su camino entre una nube de polvo.

Lo único que quedaba de ella era el recuerdo de aquel tintineo, muy parecido al que hacían las campanillas que Mohini llevaba en los tobillos. Sevenese despertó y lo primero que pensó fue que Lakshmnan no debía casarse con aquella chica, porque su matrimonio sería muy desgraciado. Hasta que él lo había soñado, nadie de la familia había caído en la cuenta de que el súbito interés por el matrimonio de Lakshmnan tenía muchísimo que ver con la dote. Pero naturalmente, todo tenía sentido. La abrasadora compulsión de casarse con aquella chica carente de empleo, tan morena y llena de sarpullido tenía a la codicia por madre.

Lakshmnan y nuestra madre levantaron la vista de su desayuno cuando lo vieron entrar y Sevenese se sintió como un ciervo que acabara de meterse en un cubil de tigres.

—El dinero se perderá en una sola sentada —le dijo a Lakshmnan.

Un silencio absoluto se hizo en la habitación y Lakshmnan miró a Sevenese con una extraña expresión de perplejidad.

—No te cases con ella. Es un error —insistió Sevenese y el mismo pensamiento cruzó la habitación en un rápido zigzag. En una ocasión no habíamos hecho caso de la advertencia de Sevenese, y luego lo habíamos lamentado. ¿Podíamos permitirnos cometer otro error? Este podía ser realmente colosal—. Oí las campanillas que Mohini solía llevar en los tobillos —añadió Sevenese.

La perplejidad fue sustituida por una fría e implacable ira. Lakshmnan no apretó los dientes ni levantó en vilo a Sevenese cogiéndolo del cuello de la camisa.

—Estáis equivocados —dijo, hablando en un tono tan suave y tan poco acorde con su temperamento que nos quedamos mucho más atónitos que si hubiera empezado a gritar en un súbito delirio de rabia. Luego salió de la habitación con la espalda muy tiesa.

Nuestra madre se sentó inmediatamente a escribirles una carta a los padres de la chica. En ella les explicaba que a nuestro regreso se había encontrado con que todas las lamparillas de aceite del altar de oraciones se habían apagado. Era un mal presagio y le habían aconsejado que no siguiera adelante con el compromiso. Sevenese llevó la carta a la ciudad y la echó al correo.

Poco después llegó una carta dirigida a Lakshmnan. Lakshmnan la abrió y la leyó en el huerto, vuelto de espaldas a nosotros. Luego hizo una bola con ella y la tiró a un grupo de plataneros. Acto seguido dio media vuelta y entró en la casa con una expresión preocupada en la cara. Fue a buscar a Sevenese, quien por aquel entonces ya era inspector sanitario en los Ferrocarriles Malayos y recorría el país de un lado a otro inspeccionando la limpieza de las instalaciones ofrecidas por la empresa. Era fin de semana y Sevenese había vuelto a casa para vernos, pero estaba en el dormitorio haciendo el equipaje para irse por la mañana.

Lakshmnan se detuvo en el umbral.

—¿Realmente llegó a decir que yo lo perdería todo en una sentada? —preguntó abruptamente.

—Sí —se limitó a decir Sevenese.

Después de aquello Lakshmnan estuvo yendo y viniendo por toda la casa durante cosa de una hora, profundamente sumido en sus pensamientos. Finalmente, su torbellino interior pareció calmarse. Fue a ver a nuestra madre y le anunció que si no se casaba con Rani, entonces no se casaría con nadie. En cuanto a lo que pensaba acerca de la dote, eso fue algo que no le dijo a nadie. Mi hermano quizá pensaba que no se la jugaría toda de una sola vez. Quizá tenía grandes planes para iniciar un negocio con ella, tal como solían hacer sus amigos chinos.

Apenas Lakshmnan hubo salido de casa aquel anochecer para jugar un partido de críquet en el campo de juegos de la escuela, nuestra madre corrió a los plataneros para recuperar la carta hecha una bola. Creo que esa carta todavía existe, guardada en su arcón de madera.

> Mi queridísimo hombre,
>
> Te ruego que no me olvides. Me parece que ya estoy profundamente enamorada de ti. Desde que te fuiste, no he podido comer ni dormir. Tu hermosa cara siempre está presente en mis pensamientos. Nosotros no creemos en todas esas tonterías de que sea un mal presagio que las lámparas se apagasen. Apagarse cuando su pábilo queda reducido a nada o el aceite termina por consumirse es algo que forma parte de la naturaleza de una lámpara. Estoy segura de que un mero descuido no puede representar un mal presagio para nuestro matrimonio.
>
> Yo solo soy una joven sencilla hija de una familia pobre. Mi padre estuvo ahorrando durante muchos años para mi dote y esta será el perfecto pago inicial para una casa, o si no también podrías utilizar el dinero para dar inicio a tu propio negocio. Un hombre de talento como tú podría hacer tantísimas cosas con ese dinero... Tu padre me dijo que estabas interesado en los negocios.
>
> Yo he sufrido mucho en mi vida, pero a tu lado seré feliz aunque solo tengamos agua y arroz hervido. Por favor, amor mío, te ruego que no me olvides. Te prometo que nunca lamentarás la decisión de casarte conmigo
>
> Tuya para siempre,
>
> RANI

Nuestra madre se puso pálida de ira. Estaba tan furiosa que le temblaban las manos. Aquella chica le había caído mal nada más verla, y con razón. Ahora la taimada gran señora de ciudad estaba agitando el dinero de la dote como si fuera un paño rojo que estuviera sosteniendo delante de un toro. Se volvió hacia mi padre.

—¡Toda la culpa es tuya! —chilló, en una reacción totalmente irracional—. Fuiste tú quien le dio la idea cuando le hablaste de ese gran sentido para los negocios que tiene Lakshmnan. ¿Por qué no pudiste estarte callado? Sabías que yo había sacado a relucir su hábito de jugar precisamente para quitárnoslos de encima.

Nuestro padre guardó silencio como hacía habitualmente y la miró con ojos llenos de una apática aceptación. ¿Acaso no sabía que esa expresión enfurecía todavía más a nuestra madre?

Lakshmnan se salió con la suya. Tuvo su doble boda. Fue un día realmente horrible y nuestra madre estuvo en todo momento de un pésimo humor. Se negó a llevar flores en el pelo y se puso un sari de color gris en el que apenas si había ningún motivo. Se mantuvo rígidamente apartada de todo el mundo, sintiéndose muy desgraciada. En vez de estar contento porque se había salido con la suya, Lakshmnan también estuvo muy serio y callado. Parecía impaciente por terminar de una vez con la ceremonia. Aquella noche la nueva suegra de Lakshmnan fue a verlo para confesarle muy delicadamente que en aquellos momentos no disponían de los diez mil ringgits, sino solo de tres mil. En la habitación suavemente iluminada, sus ojos negros como la tinta relucían con una taimada astucia. Los muchos años como esposa de un jugador compulsivo, de jugar al escondite con el pescadero, el carnicero, el panadero, el hombre de las verduras y el vendedor de café le habían enseñado cómo tenías que hacer las cosas.

—Naturalmente, te daremos los otros siete mil en cuanto los consigamos —le dijo—. Un primo nuestro que estaba pasando por serios apuros financieros nos pidió que le prestáramos el dinero, y no podíamos decirle que no. No te importa, ¿verdad?

Su entonación y su dicción eran impecables. Aquella mujer tenía que proceder de una buena familia y haber recibido una excelente educación.

Naturalmente Lakshmnan lo entendió enseguida, porque no en vano era el hijo de nuestra madre. El resto del dinero lo recibiría en el País de Nunca Jamás. Su suegra le tendió el abultado sobre: acepta lo que hay y ve despidiéndote del resto. Lakshmnan estaba siendo timado y él lo sabía. La sangre comenzó a palpitar estruendosamente dentro de su cabeza. Se había casado con la fea hija de aquella familia y tenía derecho a recibir diez mil ringgits. Todos sus elaborados planes de empezar un nuevo negocio, los tratos que haría... Todo aquello había quedado súbitamente hecho jirones. Una rabia muy justificable estaba empezando a crecer dentro de él. «No —quería decir—. Llevaos con vosotros a vuestra fea hija y volved cuando dispongáis de toda la dote.» Pero entonces los sedosos zarcillos invisibles que se aferraban al interior de su ser tiraron de él y ejercieron una irresistible presión sobre su pecho. Las frías fichas de alabastro lo estaban esperando encima de la mesa y sus lenguas chasqueaban suavemente mientras le murmuraban: «Cógelo, cógelo. Oh, date prisa».

La indignación que sentía por haber sido engañado permitió que Lakshmnan saliera corriendo de la casa y perdiera todo el dinero en una sola sentada. Su esposa, como pronto iba a descubrir, no solo no era de las que se conforman con agua y arroz hervido, sino que además esperaba poder llevar sus saris a la tintorería. Aquella idea tan descabellada llenó de horror a nuestra madre, e incluso nuestro padre se atragantó con el té que estaba tomando cuando se enteró.

TERCERA PARTE

MARIPOSA DE LA PENA

RANI

Mi madre me puso de nombre Rani para que viviera la opulenta existencia de una reina,* pero cuando yo era un bebé una mariposa de la pena se posó en mi mejilla y aunque mi madre la reconoció al instante y la ahuyentó con un grito de miedo, el polvo del dolor que cubría las sedosas alas de la mariposa ya se había esparcido por mi piel. Aquel polvo fue como un hechizo arrojado sobre mi alma, porque venció a la felicidad y abrazó para mi pobre cuerpo todos los terribles rigores de la existencia. Incluso el matrimonio, la única cosa que había resplandecido en mi mente como un paraíso hecho del verdadero amor y la felicidad duradera, no ha sido más que otra decepción en mi vida. ¡Y mira cómo estoy ahora, viviendo en una casita de madera con los acreedores ladrando día y noche ante la puerta! Lo único que he conseguido ha sido revivir la infortunada existencia de mi pobre madre.

Maldigo el día en que esa araña viuda negra, mi suegra, entró en nuestra casa gracias a la inocencia de mi madre y comenzó a tejer sus sedosas mentiras y sus amables palabras. Salieron de su terrible boca como hilos de plata y me atraparon en su red, dentro de la cual he estado debatiéndome desde entonces. La verdad es que entre las dos me obligaron a casarme con vuestro padre. Antes de que él entrara en mi vida yo tenía médicos, abogados, ingenieros e incluso un neurocirujano que se había educado en Londres que iban a pedir mi mano en matrimonio, pero era yo la que titubeaba. Había sido una niña mimada a la que enseñaron a escoger lo que quería, así que siempre conseguía encontrar imperfecciones en todos ellos: una nariz torcida,

* «Rani», en la India, es el título con el que se conoce a la esposa del maharajá. *(N. del T.)*

demasiado bajo, demasiado flaco, demasiado algo. En mi resplandeciente paraíso, yo veía a un príncipe alto, apuesto, rico y de tez muy blanca. Creía que la paciencia era una virtud. ¡Y mira lo que conseguí finalmente!

Ahora ya es demasiado tarde para desear a uno de aquellos pretendientes.

—Mi hijo es un buen hombre, Rani —me dijo la araña—. Es cariñoso, educado y trabajador. Ahora solo es un maestro, pero quién sabe hasta dónde conseguirá llegar en el mundo algún día con su agudo sentido para los negocios.

Naturalmente, entonces no se llegó a mencionar en ningún momento que tuviera el hábito de jugar. Al final me vi obligada a contraer matrimonio con Lakshmnan por el bien de mi hermano, quien se había enamorado tan súbita como misteriosamente de la hija de la araña. Si quieres saber mi opinión, que de pronto estuviera tan seguro de que debía casarse con aquella chica fue algo muy misterioso. Incluso en aquellos tiempos no había nada que se aproximara ni siquiera levemente a lo espectacular en ella, con sus ojitos de cachorro asustado y una boca que no tenía nada de particular. Aun así, mi hermano fue seducido y en un solo encuentro pasó rápidamente de la indiferencia a la más firme determinación.

—La tendré a ella y únicamente a ella —declaró con la llama del destino ardiendo en sus ojos.

Parece imposible que ella pudiera haberlo embriagado con sus ojos carentes de alegría y esa boquita de niña buena. No, no, como vivía tan cerca del encantador de serpientes, aquella familia también aprendió a servirse de sus espíritus malignos. Juntas, la madre y la hija arrojaron un hechizo sobre mi hermano. Nuestro padre dijo que la primera vez que fueron a ver a la novia, les ofrecieron una bandeja de pastelillos de coco que no sabían como ningún otro pastelillo de coco que hubieran comido antes. Hasta nuestra madre admitió que eran distintos.

—Fue como comer flores —dijo.

De hecho, eran tan deliciosos que mi hermano se comió cinco pastelillos.

Sé que la vieja bruja escondió algo dentro de aquellos pastelillos y seguramente les echó alguna clase de poción de amor para hacer que mi hermano se prendara de aquella hija suya de cara achatada. Se volvió muy extraño y cogió la costumbre de ir en su moto hasta Kuantan siempre que podía. Pero no iba a Kuantan para pasar el tiempo con la chica. ¡Oh, no, eso la araña nunca lo hubiese permitido! Iba hasta allí solo para sentarse en un café que había enfrente de la escuela Sultán Abdulah y contemplarla con anhelo mientras ella llevaba a los alumnos al campo de juegos de la escuela para que hicieran su sesión cotidiana de ejercicio físico. ¡Y ahora dime si eso no te suena a un regalo del encantador de serpientes!

No paraban de decirme que me casara con él. ¿Qué podía hacer yo? ¿Interponerme en el camino de mi hermano? No, lo que hice fue sacrificar mis sueños resplandecientes por mi hermano. Me casé con Lakshmnan. ¿Y qué puedo enseñar ahora a cambio de todo mi sacrificio? Un desastre de vida, porque eso fue lo que conseguí: un hermano desagradecido que ahora ya ni siquiera me dirige la palabra, un inútil de jugador por marido y unos hijos que no me tienen ningún respeto. He sufrido muchísimo.

¿Sabes qué fue lo que hizo Lakshmnan con el dinero de mi dote? Se lo jugó absolutamente todo durante nuestra noche de bodas. Antes de que la noche hubiera llegado a su fin, diez mil ringgits se habían esfumado. Suelo retroceder en el tiempo hasta esa noche. Es como un lugar secreto que estuviera protegido de los estragos del tiempo, en el que cada pensamiento y cada emoción han quedado cuidadosamente preservados para hacerme pensar que todo está volviendo a suceder una vez más. Porque verás, el caso es que puedo sentirlo y oírlo todo. Tráeme unos cojines para que pueda ponerlos debajo de mis pobres e hinchadas rodillas y te contaré exactamente qué fue lo que me hizo mi maravilloso marido.

Vuelvo a ser una novia de veinticuatro años y he regresado al horrible dormitorio de vuestra abuela Lakshmi, esa diminuta habitación con las paredes de madera sin pintar. Estoy sentada en el borde de una extraña cama plateada, vuelta de cara al espejo que cubre la puerta izquierda de un oscuro armario de madera. En el espejo mi rostro está envuelto en sombras, pero se puede ver que todavía es joven y mi cuerpo es firme y esbelto. Distingo con toda claridad la mosquitera amarilla que cuelga de los cuatro postes de la gran cama, como una suave nube suspendida sobre mí. La luna creciente brilla luminosamente en el cielo. La luz de la luna es una cosa muy rara, porque en realidad no es ninguna luz sino un misterioso resplandor plateado que solo favorece y acaricia a aquello que es pálido y reluciente. Contemplo cómo pasa por alto una alfombra enrollada y roba todos los ricos colores de una imagen bordada que cuelga de la pared, pero en cambio realza un reluciente jarrón con un motivo de cuadrados anaranjados que cubren su centro. Veo que se muestra particularmente amable con una vajilla de porcelana barata, un regalo de boda que acaba de ser desenvuelto, porque la hace resaltar con un hermoso destello blanco y rosado. Una bandeja de plata riela.

La humedad flota en el aire volviéndolo pesado y agobiante. La cinturilla que recoge todos los pliegues de mi elaborado sari, está mojada por el sudor y se pega incómodamente a mi piel. Un pequeño ventilador gira heroicamente en esa atmósfera asfixiante y opresiva. Escucho el caro susurrar de mi sari de seda. Es como una conversación murmurada que no puedo entender. La ventana está abierta y el ruido que hacen los insectos nocturnos fuera de la casa resuena de una manera inesperadamente ruidosa en mis oídos de ciudad. Estoy acostumbrada al sonido de la gente.

Me lamo los labios y el sabor del carmín se mezcla en mi cabeza con el olor del esmalte de unas uñas pintadas no hace mucho. Mis dedos apretadamente entrelazados se han puesto pegajosos a causa del sudor, y allí está esa típula insensata moviéndose por la pared como si estuviera borracha. No ha cambiado en lo más mínimo. Tiene exactamente el mismo aspecto que antes, aunque en realidad ya tenga quince años. Puedo oír el clamor que resuena dentro de mi cerebro igual que un funeral chino, los gongs, los címbalos, el llanto, los gemidos quejumbrosos y el inexplicable ruido de unos pies que se arrastran lentamente por el suelo; luego oigo el silencio del resto de los presentes en la casa. Todo el mundo sabe que estoy aquí. He tenido mucho cuidado de no hacer ningún ruido, y sin embargo todos pueden oírme. Oyen el horror y huelen la vergüenza de mi situación.

Incluso ahora puedo olerlo, el acre olor de mi vergüenza emanando del jarroncito lleno de flores de jazmín que yo le había ofrecido como prueba de mi amor. Había inclinado la cabeza y tímidamente, con ambas manos, le había tendido aquel pequeño recipiente. Él tomó la ofrenda de mis manos, pero cuando levanté la vista lo sorprendí tirándolo descuidadamente sobre la mesita que había junto a la cama. El jarrón perdió el equilibrio y cayó de lado; las hermosas flores salieron despedidas de él y rodaron sobre la mesita para terminar precipitándose al suelo. Él tenía tanta prisa por irse que ni siquiera miró mi regalo. Me dejó sola en nuestra cama nupcial con los pétalos de las flores esparcidos sobre el satén y se fue corriendo para ir a algún oscuro tugurio de la parte china de la ciudad.

Una vez que él se ha ido, oigo el silencio del resto de la casa. Todo el mundo está riendo en silencio y yo, sola, permanezco sentada rígidamente inmóvil en mi magnífico sari y espero a que él regrese. En silencio. Sin perder la calma. Pero dentro de mí hay una ira tan terrible que brilla como un trozo de metal al rojo vivo. Me devora las entrañas. A él le da igual lo que pueda ser de mí y me veo súbitamente atrapada en una situación insoportable.

Me han hecho quedar como una imbécil.

Si mi marido se imaginaba que yo iba a interpretar el papel de la novia tímida y carente de experiencia, estaba muy equivocado. Nací y crecí en el duro ambiente de la ciudad y se me enseñó a ser valiente y atrevida. No soy ninguna ignorante del campo y en más de una ocasión se me ha comparado con un brioso caballo de carreras. Las horas pasan y mis ojos magníficamente maquillados relucen ferozmente en el espejo. La expresión de mi rostro ha ido endureciéndose en él hasta convertirse en el de la estatua de la diosa Kali cuando está enfurecida y mis manos se van poniendo tan rígidas por la tensión de permanecer apretadas que terminan pareciendo unas garras. Mis suaves labios rojos han desaparecido en el interior de mi cara y ya solo queda visible una delgada línea. Ansío venganza. Quiero caer sobre él y hundir mis uñas recién pintadas en sus ojos.

Con todo, él sigue sin volver.

Pero cuando por fin regresa al amanecer, enloquecido por una extraña ira interior, lo único que puedo hacer es mirarlo atónita. Se abalanza sobre mí sin decir palabra y me viola. No lloro ni grito, sino que lo abrazo. Lo atraigo ávidamente hacia mí, envolviéndolo tan apretadamente dentro del abrazo de mis miembros que nos movemos como un solo animal. Incluso estando dominada por el fuego de mi ira al rojo vivo, sé que ese es mi gran poder. La debilidad de mi marido siempre será mi poder. En esta cama yo seré dueña y señora. Que mi marido tenga tanta necesidad de este increíble acoplamiento hará que siempre vuelva corriendo a mí una y otra vez. Embriagada por el descubrimiento de mi poder y de mi propia sensualidad, siento cómo mi ira escapa de mis ojos, abrasando sus profundidades para llenarlos de lágrimas que resbalan por mis mejillas. Observo fascinada cómo el robusto cuerpo de mi marido se tensa en un súbito arco; veo cómo su boca se abre y se cierra con gritos silenciosos en una parodia de una hipopótama contemplando el rígido cadáver de su cría. Pero en cuestión de segundos, mi marido ya está apartándose rápidamente de mi cuerpo que intenta aferrarse a él.

Luego se sienta en el borde de la cama, encogido sobre sí mismo con la cabeza hundida en las manos y llora como si algo en él se hubiera roto. La luz de la luna favorece a mi marido, prolongando su espalda desnuda de tal manera que parece una curva interminable. La luna está jugando a un juego con su cuerpo: un poquito de luz aquí, una pequeña sombra allá. Lo vuelve hermoso. Extiendo la mano y acaricio con suave reverencia la exquisita lisura de los planos de su cuerpo. Mis dedos son líneas oscuras sobre su clara piel. Mi marido lamenta lo que ha hecho y yo me siento humillada por las emociones que he hecho aflorar.

Esta es mi noche de bodas, creo. No es todo lo que yo había esperado que fuera, pero las intensas emociones y la pasión son mucho mejores que los tontos sueños románticos que había estado nutriendo de manera tan infantil. Mi marido es mío, pienso con orgullo, pero en el mismo instante en que ese delicioso pensamiento llena mi cabeza, entonces él hace un ruidito como el de un ciervo tosiendo y se echa a llorar.

—No debería haberme casado contigo —dice—. Dios, nunca hubiese debido casarme contigo... Qué error tan terrible he cometido.

Ahora puedo ver cómo mis oscuras manos quedan súbitamente inmóviles sobre la curva de su duro flanco mientras escucho con perplejo asombro cómo continúa llorando.

—Nunca hubiese debido casarme contigo...

Mi marido había perdido todo nuestro dinero, me había humillado y me había hecho muchísimo daño; sin embargo, mi cuerpo se había estremecido y temblado como una nota musical debajo del suyo. Su inalcanzable desesperación era extrañamente adictiva y su implacable rechazo me encendía la sangre. El desafío de domar a semejante hombre era irresistible. Algún día sería yo la que sostuviera en mis brazos su hermoso ser afligido por la pena y la única capaz de disipar todo el dolor. «Haré que me ames», pensé. Me prometí a mí misma que llegaría el día en que los ojos de mi marido brillarían cuando me mirase.

Todavía puedo sentir las cicatrices de aquel día. Lo que me hizo fue algo tan cruel como imperdonable, pero él era tan hermoso que yo me sentía cegada por su resplandor. Tendríais que haberlo visto entonces. Solía quitarse la camisa y trasladar pesos de un lado a otro en nuestro patio trasero, y las mujeres malayas que vivían al otro lado de la calle solían esconderse detrás de sus cortinas y lo miraban. Cuando íbamos juntos por la calle, la gente nos miraba y me envidiaba por tener a semejante hombre.

Sé que él hubiese llegado a amarme de no ser por la araña que se mantuvo acechando sobre nosotros durante los primeros años de nuestra vida en común, goteando veneno en su oído y tejiendo mentiras acerca de mí. Ella me odiaba. Le parecía que no era lo bastante buena para su hijo, pero ¿quién es ella para hablar? No había sido ninguna belleza ni siquiera cuando era joven. He visto fotos suyas y lo único de lo que ha podido presumir jamás es de la blancura de su piel. Estaba celosa de mí y siempre conseguía encontrarle defectos a todo lo que yo hacía, pero lo cierto es que no quería perder la escasa influencia que todavía conservaba sobre su precioso hijo. Lo quería para sí misma y la manera en que se las arreglaba para tenerlo era con dinero. Trataba de controlarlo a través del dinero. Hubiese podido ayudarnos financieramente. Poco a poco, aquella tacaña había ido acumulando una enorme reserva en el banco, una suma que mi marido ayudó a conseguir. Hubiese podido ayudarnos, pero se dijo que prefería ver cómo yo me caía de narices.

Siempre se está dando aires de grandeza, pero a mí no me engaña. ¡Mucho decirle a mi hija que todos los varones de su familia fueron quemados como reyes en piras fúnebres hechas únicamente con la aromática madera del sándalo, cuando en realidad su padre no había sido nada más que un sirviente! Mi madre desciende de una estirpe mucho más pura. Proviene de una familia de mercaderes que estaban muy bien considerados. De hecho, estuvo prometida con un mercader muy rico en Malasia. Aquel hombre la había escogido entre una amplia selección de fotografías y los preparativos para una gran ceremonia matrimonial ya habían sido llevados a cabo cuando la llamaron desde Ceilán. Mi madre se hizo a la mar, acompañada por una tía solterona como carabina y con una gran caja de hierro llena de joyas. Tenía dieciséis años y era extremadamente hermosa, con unos pómulos magníficos y unos enormes y líquidos ojos. Un amigo de la familia recibió instrucciones de ir con ellas, protegerlas y asegurarse de que aquel par de inocentes llegaran a su destino sanas y salvas. Poco se imaginaba la familia de mi madre que la persona a la cual habían confiado la seguridad de su hija iba a traicionarlos. El guía de mi madre era un hombretón de piel muy oscura que la obligó a contraer un apresurado matrimonio con él a bordo del barco durante la travesía.

Cuando mi madre bajó del barco, la semilla que terminaría creciendo hasta convertirse en mi hermano mayor ya se hallaba presente dentro de su vientre. Si cierro los ojos, a veces todavía puedo oírla llorar suavemente a través de la delgada pared que separaba su dormitorio de la sala donde los niños dormíamos encima de unas esterillas extendidas en el suelo. Desde mi sitio en el pasillo, yo podía oírla suplicar en la oscuridad unos cuantos ringgits más para así poder comprar algo de comida con la que alimentarnos. Cuando la oía llorar de esa manera, solía preguntarme cómo hubiese sido la vida si mi padre hubiera sido aquel novio tan rico que quería casarse con mi madre. Pero enseguida pensaba que echaría mucho de menos a nuestro padre, porque lo quiero mucho.

Ya lo quería incluso cuando estaba arrancando las joyas de mi madre de su cuerpo que trataba de resistírsele, y durante la época en que no había nada de comida en la casa y todos pasábamos hambre. De hecho, lo quería incluso cuando salía corriendo de casa para ir a las carreras con su sueldo de la semana firmemente sujeto en sus oscuras manazas. No dejé de quererlo cuando el hombre del colmado me humillaba, gritándome groseramente que no debía esperar ver ni una sola hogaza de pan hasta que mi padre pagara su deuda. Dios, lo quise incluso cuando envió lejos a mis tres hermanos para que vivieran en la granja de gallinas de su cruel hermana, donde los pobrecitos cada día tenían que limpiar una hilera de gallineros tras otra y su tío les pegaba con un trozo de tablón.

Cuando pienso en mi padre, siempre lo recuerdo en aquella tiendecita de provisiones con la que consiguió hacerse durante el régimen japonés, una estructura de madera de un solo piso cuyas paredes estaban hechas con tablones de un marrón oscuro que tenían algunos trozos podridos, pero eran todos nuestros. La tienda daba a la calle y nosotros vivíamos al fondo detrás de una cortina. La tienda significó que pudimos disponer de arroz, azúcar y provisiones durante la ocupación. Yo solía mirar a mi padre mientras él pesaba productos en su vieja balanza, utilizando distintos trozos de metal para cada peso.

Ahora las cataratas lo han dejado ciego, pero con los ojos de mi imaginación puedo verlo sentado a su mesa rodeado de sacos, abiertos y con el extremo enrollado, que están llenos de grano, judías, guindillas, cebollas, azúcar, arena y toda clase de artículos secos. Cuando entrabas en la tienda, el olor que se imponía a todos los demás era el de las guindillas secas; luego percibías el aroma del comino y el fenogreco y, finalmente y solo en último lugar, notabas el olor ligeramente mohoso que emanaba de los mismos sacos. Resiguiendo la entrada, había un intrigante despliegue de galletas metidas en grandes frascos con tapas de plástico rojo.

Yo adoraba aquella tienda. Era de mi padre, pero cuando estaba cerrada era toda mía. Una vez que la entrada de madera había sido asegurada, yo pasaba horas jugando con la balanza y repasando los papeles de mi padre. Leía en voz alta sus libros de pedidos, que tenían las páginas llenas de sus enormes precios no muy bien escritos y unas grandes señales hechas con tinta azul al lado de ellos. Hacía que la caja registradora abriese su boca y jugaba con el dinero que había dentro de ella, fingiendo vender cosas y dar cambio, y antes de que me fuera de mi tienda siempre metía algunas monedas en mi bolsillo. Me encantaba oír el sonido de su parloteo en el bolsillo y mi padre nunca parecía darse cuenta de su ausencia dentro de la boca de la caja registradora.

Creo que aquellos fueron los días más felices de mi vida.

Luego también estaba el chico que solía encargarse de repartir los pedidos para la tienda. Me decía que yo era muy guapa y en una ocasión intentó acariciarme la cara junto a la parte de atrás de la tienda. Pero yo me reí despectivamente de él y le dije que nunca podría casarme con alguien que tuviera las manos tan sucias. En aquella época yo solo tenía doce años, pero ya tenía un sueño. Quería conseguir a un hombre tan rico como el que había estado prometido con nuestra madre. Algún día tendría sirvientes y cosas hermosas, trajes preciosos y solo compraría en los grandes almacenes Robinson's. Pasaría mis vacaciones en Inglaterra y Norteamérica. Cuando se encontrara conmigo, todo el mundo me trataría respetuosamente y tendría mucho cuidado con lo que decía. Nunca se les ocurriría hablarme de la manera en que le hablaban a nuestra madre. Algún día yo sería muy rica. Sí, algún maravilloso día...

Después de que los japoneses se hubieran ido, mi padre perdió la tienda en las carreras de caballos y nos fuimos a vivir a Klang. Entonces llegaron los tiempos realmente duros, cuando a mi padre se le olvidaba regresar a casa durante semanas enteras. Pasábamos hambre varios días seguidos. Mis hermanos robaban de las tiendas que había al otro extremo de la ciudad, pero los dueños no tardaron en reconocerlos y luego iban a nuestra casa a pegarles. Nuestra pobre madre tenía que ir corriendo a la puerta delantera y arrojarse a sus pies para suplicar y mendigar. También fue la época en que hombres a los que no conocíamos de nada solían entrar en nuestra casa como si tal cosa, con la esperanza de encontrar algo de valor que pudieran llevarse consigo. Luego se iban con las manos vacías y escupían con cara de disgusto en el quicio de nuestra puerta, pero de algún modo todos logramos sobrevivir.

Finalmente llegó el día en que superé mis exámenes del Nivel Cinco y me convertí en una maestra plenamente cualificada, pero entonces decidí que no quería trabajar. ¿Por qué hubiese debido hacerlo? Ya iba siendo hora de que me casara con el hombre rico de mis sueños. No quería trabajar, criar niños y además tener que estar continuamente encima de la servidumbre. Pero gracias a mi espléndido marido, ahora no tengo ni un solo sirviente al cual supervisar.

Cuando fui a vivir a la casa de la araña, al principio siempre me mostraba muy amable y educada con ella. Ayudaba a cortar las verduras y a veces incluso barría la casa, pero enseguida me di cuenta de que ella no estaba nada satisfecha conmigo. Cada vez que me miraba, yo sentía la fría desaprobación en sus temibles ojos. Todo lo que hacía yo estaba mal. La araña me vigilaba con aquellos taimados ojos suyos, condenándome con ellos como si yo fuera una ladrona que se le había metido en la casa.

Tuvieron que transcurrir muchos años antes de que me diera cuenta de que le había robado lo más preciado que tenía: le había robado a su hijo. Pasado un tiempo, aquellos ojos que siempre me estaban vigilando comenzaron a preocuparme. ¡Cuánta envidia había en ellos! Aquella envidia que sentía se le escapaba por la boca apenas la abría. Cuando quedé encinta por primera vez de Nash, alguien me dijo que si comía flores de azafrán especialmente traídas de la India, muchas naranjas y los pétalos de las flores del hibisco, el bebé nacería con la piel clara. Así que fui a comprar en secreto todas aquellas cosas y me las comí en nuestra habitación con la puerta cerrada, para que mi suegra no me viera y pudiera echarme su mal de ojo. Después de llevar tres meses viviendo en aquella horrible casa, solía sentirme enferma y tenía que sentarme en el porche para poder estar lejos de sus ojos envidiosos. Estoy segura de que mi suegra tuvo que ver las pieles de naranja y los capullos de flor en el cubo de la basura y decidió llevar a cabo su venganza, porque mi hijo Nash nació con la piel oscura a pesar de todo lo que yo había hecho. Cuando estaba embarazada de mis dos hijas comí exactamente las mismas cosas, y sin embargo tanto Hoyuelo como Bella tienen la piel muy clara. ¡Así de maléficos son los ojos de esa araña a la que tengo por suegra!

Siempre he recelado de la familia de mi marido. Tienen tratos con cosas extrañas. ¡Fíjate si no en lo poderosa que ha sido su magia sobre mi hermano! Después de todos estos años, e incluso después de que haya llegado a ganar mucho dinero y las muchachas se arrojaran a sus pies, sigue estando prendado de la hija de la araña por mucho que ella no tenga absolutamente nada de notable. Luego también está esa cosa tan rara que todos sienten por esa chica muerta, Mohini. ¡Vaya, pero si ni siquiera puedo hablar de ella en presencia de Lakshmnan! Mi marido sale de la habitación tan pronto como la menciono. En una ocasión, se me tiró encima con tal furia cuando la mencioné a mitad de una discusión que pensé que realmente quería matarme. Sus manos cayeron sobre mi cuello y sentí cómo ardían en deseos de estrechar su violento círculo alrededor de mi garganta. Cuando yo casi me había puesto azul y faltaba poco para que muriera, Lakshmnan me apartó de un empujón poniendo cara de encontrarse muy mal y sus fútiles manos cayeron flácidamente sobre sus costados. La manera en que toda la familia mantiene la imagen de esa chica muerta resplandeciendo en sus vidas no puede tener nada de sano. Cuando a mi marido le enseñaron por primera vez a su hija, se puso tan blanco como una sábana.

—Mohini... —susurró como si se hubiera vuelto loco.

—No, Hoyuelo —dije yo, porque había decidido llamar a mi hija mayor con el nombre de la famosa estrella de cine hindú.

No veo que haya absolutamente ningún parecido con la familia de mi marido. De hecho, Hoyuelo es idéntica a nuestra madre. Tiene la misma estructura ósea y unos pómulos magníficos en un rostro con forma de corazón. La araña fue a verla y quería ponerle de nombre Nisha, que significa luna nueva o algo similar. Dijo que ponerle a una niña un nombre carente de significado haría que su vida también careciera de significado, pero yo no creo en todas esas memeces anticuadas. Quería que mi hija tuviera un bonito nombre moderno, así que me mantuve en mis trece con lo de Hoyuelo. ¿Acaso no es un nombre mucho mejor que Nisha? Después de que hubiera vuelto con ella a casa del hospital, ese hombre tan raro que se llama Sevenese nos visitó. Se acercó hasta la cuna para ver a Hoyuelo y palideció. Una mueca de horror frunció su rostro y lo vi ponerse de un gris ceniciento.

—Oh, no, tú también no... —exclamó.

—¿Qué? ¿Qué? —grité yo, corriendo hacia la cuna mientras pensaba que la pequeña había dejado de respirar o que había ocurrido algo igualmente horrendo. Pero Hoyuelo estaba profundamente dormida en la cuna rosada y blanca. Su pequeño pecho subía y bajaba en movimientos todavía más pequeños, y una preciosa lengüecita rosada asomaba de su boca dormida. Le toqué la cara y la encontré suave y caliente. Levanté la vista hacia Sevenese para mirarlo con ojos llenos de furia por aquel susto tan innecesario que acababa de darme, pero él ya se había calmado.

—¿Qué ha pasado? ¿Por qué has dicho eso? —le pregunté, sintiéndome muy irritada.

Él sonrió como si tal cosa.

—Alguien estaba andando sobre mi tumba.

Sentí deseos de abofetearlo, pero lo que hice fue insistir en que respondiera a mi pregunta. Él se limitó a reír y durante un rato fingió hablar de otras cosas, pero la verdad es que yo nunca le gusté y conversar no era algo que se le diera demasiado bien. De pronto se levantó y se fue, como si pasar otro segundo en mi casa hubiera sido una prueba insoportable para él. A veces pienso que solo tiene un pie en este mundo. Nunca entenderé a ese hombre.

Sevenese no es la única nuez que se niega a abrirse ante mí, porque generalmente siempre me cuesta mucho entender a las personas. ¿Por qué mi bondad siempre es recompensada con envidia y malos sentimientos? Incluso aquellos que son de mi propia familia han optado por olvidar todo el bien que les he hecho. Cuando nuestros padres se peleaban, a veces nuestra madre empezaba a pensar en la clase de vida que llevaba y entonces se deprimía muchísimo. Iba a su dormitorio, cerraba las ventanas y pasaba días enteros tumbada en la cama sin hacer absolutamente nada. Cuando yo entraba allí sigilosamente, ni siquiera sus pupilas se movían. Su cara era un vacío en el que no había nada. En momentos como aquellos, yo pasaba de un pánico increíble al pensar que nunca saldría de su trance a la abrumadora necesidad de abofetearla con todas mis fuerzas, solo para ver si podía llegar a suscitar una reacción en ella. En aquellos días oscuros era yo la que utilizaba el dinero que había ganado enseñando a leer y escribir el malayo a nuestra vecina la señora Muthu, para comprar comida con la que alimentar a la familia. Era yo la que salía de casa, compraba la hogaza de pan y la compartía con mis hermanos. Los demás entraban sin hacer ruido, comían a toda prisa y luego volvían a salir en silencio para no tener que vérselas con el cuerpo comatoso de nuestra madre. Ahora se niegan a reconocer que me deben un poco de ayuda.

Gasté hasta mi último céntimo en ellos a pesar de que yo solo era una cría, pero ahora que son ricos y viven en sus grandes mansiones, van y me vuelven la espalda. «No intentes estirar el brazo más que la manga», me dicen, como si eso bastara para mantener alejados a los lobos de la puerta. «¡Otras personas viven con menos!», exclaman despectivamente. Luego ponen cara de desaprobación y, haciéndose los ofendidos, me preguntan qué ha sido del dinero que me dieron la última vez.

¡Como si dos mil o cinco mil ringgits fueran a durarte toda una vida! Quieren que viva igual que la araña, pero no lo haré. ¿Por qué debería vivir como una avara contando hasta la última moneda cuando tengo unos parientes tan ricos?

Después de que nos hubiéramos mudado a la nueva casa, al principio Lakshmnan y yo teníamos serios problemas para pagar las facturas. Pero yo era una mujer de muchos recursos y me dediqué a hacer de intermediaria matrimonial. Les encontré novias a algunos pretendientes. Fui yo la que le encontró novia a Jeyan, gastándome mi propio dinero para ir hasta Serembán a cazarle una prometida. Sí, obtuve una comisión, pero apenas si cubrió mis gastos. ¡Y menuda flor que le encontré! De acuerdo, admito que aquella chica no tenía ninguna titulación propiamente dicha, pero para un hombre como él era un trofeo realmente incomparable. Después de su matrimonio los invité a que vinieran a nuestra casa y se quedaran con nosotros durante tres meses, comiendo y viviendo como si estuvieran en su propio hogar. Hasta fui a ver a un *sinseh* chino para llevarle a Jeyan polvos y raíces medicinales que incrementaran su potencia. Era un hombrecillo realmente insignificante. Créeme, ha sido únicamente gracias a mis esfuerzos como ahora tienen a sus dos hijas. ¿Y qué conseguí yo a cambio?

Aquella desvergonzada comenzó a lanzarle miradas a mi marido. Yo la había rescatado de la soltería y la había traído a mi propia casa para que no tuviera que vivir bajo la larga sombra de la araña, ¿y cómo me pagaba ella mi bondad? ¡Tratando de arrebatarme a mi marido! Era una desagradecida, pero también era muy lista. La muy zorra se dedicaba a rondar por la cocina, adornada de pies a cabeza con su mejor traje de domingo como si fuese un parangón de la virtud doméstica. Insistía en preparar todas las comidas. Soporté en silencio trocitos de carne que no sabían a nada flotando en un curry aguado, hasta que un día vi a mi marido poniendo encima de la mesa un trozo de carne para ella. ¡Se había atrevido a pedirle a mi marido que le comprara carne! Hasta yo hago todas las compras y allí estaba aquella coqueta, metiéndose astutamente debajo de la piel de mi marido. Vi el peligro inmediatamente. Conozco la manera en que funciona la mente de las mujeres y sé que son mucho más mortíferas que los hombres. ¿Qué es un hombre, sino una incauta extensión de ese rollo de carne que le cuelga entre las piernas? No, es la mujer la que es la depredadora.

El corazón de una mujer es como una boca llena de largos dientes que crecen hacia dentro. Cada uno de esos dientes ha sido afilado hasta dejarlo bien puntiagudo y se encuentra astutamente disfrazado bajo la forma de un rostro impecablemente maquillado, una suave mirada, un cuerpo a medio vestir, una tímida sonrisa, una pierna ligeramente cruzada, un liso muslo, una blanca muñeca o una nuca impecablemente desnuda expuesta al aire. La mujer va hundiendo sus dientes uno por uno en la presa que no sabe lo que se le viene encima y cuanto más se resiste él, más firme se va volviendo entonces esa presa que va curvando hacia dentro, hasta que el hombre se encuentra atrapado y va siendo paralizado hasta la sumisión. Mi marido era muy guapo y aquella mujer lo quería para ella. Él no se había enterado de la presencia de los dientes, pero yo sabía que estaban allí. Entonces una noche ella me robó mi mejor receta e intentó hacerla pasar como suya delante de mí. ¡Menudo descaro!

Había ido demasiado lejos.

Aquella tonta soñaba con mi marido montado en un caballo blanco, pero mi marido no es ningún héroe. No hay ni una pizca de ternura en ese hombre. Es como un león, demasiado egoísta y demasiado descomunal para ser capaz de sentir amor. A una ratoncita como ella, mi marido la hubiese masticado y escupido en cuestión de minutos sin que llegara a quedarse satisfecho. Ella veía nuestras violentas peleas y se había convencido a sí misma de que mi marido y yo éramos enemigos.

—No —le dije a su cara boquiabierta—. Mi hombre y yo somos como las dos hojas de unas tijeras de jardín, unidos por la cadera y siempre lanzándonos tajos el uno al otro, y aun así cortando por la mitad a cualquiera que se interponga entre nosotros. ¿Ves dónde te encuentras en este mismo instante? —le pregunté—. ¡Estás en medio! —grité después—. Él se halla presente en mi sangre y yo me hallo presente en la suya. A veces me hace enfadar tanto que me entran ganas de echarle aceite hirviendo en el ombligo mientras duerme o de arrojárselo a los cocodrilos para que lo digieran todo, el hueso, el pelo, la pezuña, la piel y hasta sus gafas. Pero en otros momentos siento celos incluso del aire que respira. ¡Vaya, pero si hasta estoy celosa de esa mujer a la que mira en la televisión!

No, ella no sabía nada acerca de mi pasión. Nunca hubiese podido imaginársela. Se quedó muy quieta, inmóvil delante de mí y boqueando como un pez fuera del agua. Mi amor es como una planta devoradora de insectos que vive de la carne de insectos como ella. Por mucho que me veas abalanzarme sobre mi marido con una negra rabia impulsándome hacia sus ojos, o hasta cuando volví a su propio hijo Nash contra él, yo siempre amaré a Lakshmnan profundamente y nunca lo dejaré marchar. Lakshmnan es mío. Aun así, mi amor es tan secreto que ni siquiera mi marido, el objeto de mi incontrolable pasión, conoce su existencia. Sí, enseguida aprendí que mi amor era un látigo que mi marido podía utilizar contra mí y por eso ahora él continúa viviendo en la firme creencia de que lo odio. Mi marido cree que no puedo verlo ni en pintura.

—¡Salid de mi casa! —les grité.

A los dos, sí. La mera visión de Jeyan y sus ojos patéticamente enamorados había empezado a irritarme. Nunca se separaba de aquella perra traicionera y la miraba igual que un perro atontado. Creo que a veces incluso jadeaba como uno de ellos. Les di veinticuatro horas de plazo para que encontraran un nuevo alojamiento. Afortunadamente, no necesitaron tanto tiempo.

En cuanto me hube quitado a aquellas dos sanguijuelas de mi piel, enseguida comenzaron a ocurrir cosas buenas. Lakshmnan consiguió llegar a un acuerdo sobre unas tierras con unos hombres de negocios chinos. Lo habitual era que lo timaran descaradamente. Lo utilizaban para que hiciera todo el trabajo y cuando llegaba el momento de firmar los papeles, entonces lo dejaban fuera del asunto y se repartían las ganancias entre ellos. Luego mi marido volvía a casa quejándose amargamente de que la única cosa recta que podías encontrar en un chino era su pelo. Yo siempre escuchaba sus protestas y curaba sus heridas, pero después volvía a enviarlo inmediatamente al campo de batalla. «Eres un león, el rey de la selva. Ruge como lo que eres», le decía. Finalmente, después de muchos fracasos, Lakshmnan consiguió hacer su primer trato. Obtuvo seis mil ringgits. ¡Mi marido puso seis mil ringgits en mi mano! No te puedes ni imaginar lo que se siente teniendo semejante suma en la mano después de haberse pasado la vida tratando de conseguir unos céntimos. Para hacerte una idea de lo que representaba aquella fortuna, antes tienes que pensar que en aquella época el sueldo de una maestra oscilaba alrededor de los cuatrocientos ringgits al mes. Pero yo no era una avara como aquella aborrecible araña y me negaba a guardar el dinero tal como hacía ella porque quería evitar que llegara a serme demasiado querido. Por eso lo que hice fue obsequiar a Nash con la fiesta de cumpleaños más espléndida que jamás se haya organizado. ¡Oh, fue magnífica! Kuantan nunca había visto nada semejante. Primero salí de casa y compré el vestido negro y rojo más asombroso que se pueda imaginar, con un cuello alto y apenas un poquito de tela en los brazos. Para hacer juego con él, compré unos zapatos rojos realmente divinos. Luego me gasté dos mil ringgits en la gargantilla más perfecta que se haya podido soñar jamás. Erizada de auténticos diamantes y rubíes del tamaño de las uñas de mis pies, era una auténtica preciosidad.

Luego hice planes y me preparé.

La nevera que mandé traer de Kuala Lumpur no tardó en llegar y finalmente llegó el día de la fiesta. Me puse mis nuevos zapatos rojos y apenas pude creer que la mujer que estaba viendo en el espejo fuese yo. Las peluqueras habían hecho un trabajo realmente fantástico. Eran las más caras de Kuantan, pero no cabía duda de que conocían su oficio. A las cinco los invitados empezaron a llegar, personitas vestidas con cintas, volantes y pajaritas en miniatura.

Tomamos el pastel, la gelatina y la limonada habituales en el jardín, pero la auténtica fiesta llegó después, mucho más tarde, cuando todos los niños ya se habían ido y solo quedaba la gente elegante, mujeres de cintura de avispa y generosas caderas y hombres de oscuros ojos entornados. Yo había contratado un servicio de comidas y un pequeño grupo musical. Después hubo fuegos artificiales y un champán como es debido. Nos quitamos los zapatos y bailamos descalzos sobre la hierba. Fue absolutamente soberbio. Todo el mundo terminó borracho.

Cuando despertamos por la mañana, había gente durmiendo en los escalones de nuestra entrada. ¡Hasta encontré un par de zapatillas dentro de la nevera! Todavía hoy se acuerdan de aquello. Pero después de mi fiesta las cosas volvieron a ir mal. Lakshmnan se jugó los dos mil ringgits que quedaban y de pronto volvimos a estar sin dinero. Todas las personas que habían acudido a la fiesta y luego habían enviado aquellas profusas notas de agradecimiento se negaron a ayudarnos. Una de ellas llegó a fingir que no estaba en casa cuando fui a visitarla. Bella cumplió cinco años y no hubo dinero ni siquiera para un pastel.

Para dar de comer a mis niños, empeñé mi nueva gargantilla que había costado dos mil ringgits por la miserable suma de trescientos noventa ringgits. Todavía recuerdo cómo se iluminaron los ojos del chino detrás de los barrotes de hierro cuando empujé mi gargantilla hacia él haciéndola pasar por encima de la barrera. Recuerdo que fingió estudiarla de mala gana bajo una lupa agrietada. Luego transcurrieron seis meses, pero yo seguía sin disponer del dinero necesario para desempeñar mi gargantilla. Lakshmnan cogió la papeleta de empeños y fue a ver la araña para preguntarle si quería desempeñarla y quedársela hasta que pudiéramos permitirnos entregarle lo que había pagado por ella, pero aquella criatura malévola y rencorosa dijo: «No, no quiero tener nada que ver con vuestros derroches». Así fue como mi preciosa gargantilla quedó en manos de aquel chino de ojos traicioneros. Lakshmnan y yo empezamos a tener unas discusiones realmente terribles. ¡Cómo nos peleábamos! Éramos capaces de llegar a las manos por cómo había quedado el huevo aquella mañana. No tardamos en conocer la tenue música que hace la carne cuando choca con la carne. Dejé de cocinar. La mayoría de las veces me limitaba a traer a casa algo de comida preparada con la que alimentarme y dar de comer a mis hijos, y creo que algunas noches oía a mi marido cocinar un poco de curry de lentejas y prepararse unos chapattis cuando volvía a casa. Él comía solo en el piso de abajo. Cuando subía al dormitorio, yo ya me había metido en la cama. Para irritarme solía sacar a relucir a su madre como un ejemplo de virtudes. «No ha ido a comprar comida preparada en su vida.» Cada vez había menos dinero para mí. La comida salía muy cara y ya no quedaba nadie a quien le pudiera pedir prestado.

Entonces, cuando Nash tenía nueve años, su padre consiguió hacer otro trato. Volvió a casa con nueve mil ringgits. Aquella noche empezamos a hablarnos de nuevo. Fue entonces cuando dije: «Ya está bien. Va siendo hora de que nos traslademos a la gran ciudad y probemos suerte en Kuala Lumpur». Estaba harta de vivir en una ciudad pequeña y atrasada donde todo el mundo conocía la vida de los demás, y de todas maneras ya no me quedaban amistades en Kuantan. Hasta los vecinos me miraban por encima del hombro. Me alegré de irme. La única persona a la que podía aguantar era mi suegro, el cual nunca había dejado de ser amable conmigo. Cuando me sentía realmente desesperada, solía visitarlo en su trabajo y entonces él me daba algunos dólares malayos para que pudiera dar de comer a los niños. Cuando todas nuestras pertenencias hubieron sido subidas al transbordador, me volví para mirar la casa por última vez y pensé: «Dios, cuánto te odio».

LAKHSMI

Aaah, así que quieres saber lo de aquella piel de durián que voló por los aires... Bueno, siéntate en la cama junto a mí y regresaremos juntas a ese borroso pasado. Fue durante aquella época terrible en la que el hábito de jugar de Lakshmnan había convertido la vida en un infierno sobre la tierra para todos nosotros.

—*Ama!* —me llamó Anna un día.

Yo hice como que no había oído su llamada. La había visto llegar con los durianos. Acababa de tener una discusión con Ayah porque lo había visto poner algo de dinero en las manos de Lakshmnan, con lo cual hacía que yo pareciese un monstruo y daba a su hijo la impresión de que no había nada de malo en el juego. Yo siempre era muy dura con mis hijos porque los quería y deseaba lo que era mejor para ellos. Si hubiese querido disfrutar de una vida más fácil, yo también habría podido darle unos billetes de vez en cuando como una ofrenda de paz, pero quería cambiar a Lakshmnan para mejorarlo. Quería que dejara aquel hábito y me llenaba de ira que su padre fuera tan débil.

—*Ama!*

En esos momentos tanto Anna como Lalita me estaban llamando. Solté un bufido y seguí haciendo como que no había oído sus llamadas. Unos pasos llegaron hacia mi cama. Me puse de costado y contemplé resueltamente el vecindario desierto por la ventana. Fuera hacía demasiado calor y todo el mundo estaba abanicándose dentro de su casa. Sentí que Anna se apoyaba en el poste de la cama.

—*Ama*, te he traído durianos —murmuró con dulzura.

A sus veintipocos años, Anna no era la irresistible belleza que había sido Mohini pero hacía que esa intrigante expresión malaya, *tahan tengok*, cobrara vida. Cuanto más la mirabas, más cosas encontrabas para apreciar y disfrutar. Aquel día, el perfil que vi estaba rígido e inflexible. Oí el leve temor que había en su voz y eso hizo que me ablandara un poco. Además, también podía oler los durianos. Eran mi fruta preferida. Si Anna hubiera esperado un instante más, entonces yo habría vuelto la cabeza y hubiese sonreído, pero de pronto oí que se daba la vuelta y se iba. Me quedé bastante decepcionada y me dolió que no hubiera insistido, que no se hubiera esforzado un poquito más en persuadirme. «Traerán los durianos en una bandeja y entonces será cuando los acepte», pensé para mis adentros. Oí cómo los pasos de Anna se alejaban hacia el porche.

—¡Papá! —oí que llamaba a su padre. Su voz sonaba claramente más alegre.

Hiciera lo que hiciera por mis hijos y cualesquiera que fuesen los sacrificios que padecía por ellos, siempre trataban a su padre con una consideración y un cariño especial. ¡Sin duda era yo la que merecía que se me reconociera el mérito de todo lo que habían llegado a ser! Aquel día, la alegría que había en la voz de Anna me resultó especialmente irritante. Entraron en la cocina, riendo y sintiéndose muy contentos. Sin mí, claro. Pude imaginarme la escena: periódicos extendidos en el suelo y todo el emocionante ritual de abrir aquellos frutos erizados de pinchos, sujetando cada uno de ellos con la ayuda de unos trapos bien gruesos mientras le dabas con un cuchillo de hoja afilada. El sordo chasquido y la expectación... ¿Cómo estaría de blanda la carne? ¿Hasta qué punto sería cremoso el fruto? ¿Qué tal de buena habría salido la compra?

Tenía que tratarse de un fruto muy bueno, porque oí un tenue murmullo de aprobación. Alguien rió y la conversación comenzó a fluir tranquilamente. Esperé durante un rato, pero no apareció nadie con mi ración encima de un plato. ¿Se habían olvidado simplemente de que a mí me encantaba aquel fruto, de que yo existía siquiera? Mientras escuchaba su relajada charla, una nueva y más letal hostilidad fue llenando mi estómago. Me levanté de la cama como una exhalación, con el pecho subiéndome y bajándome de ira. Yo nunca sé de dónde surge la ira, pero cuando aparece siempre borra todo lo demás. Olvido la razón, la cordura, todo. La ira es una fuerza intolerable que se halla súbitamente presente dentro de mí y entonces lo único que quiero es transferirla, librarme de ella. Jadeando de rabia, entré corriendo en la cocina. Aquella feliz estampa volvió sus rostros hacia mí, las bocas llenas de una masa cremosa, y me miró casi con horror como si yo fuera una intrusa. Quizá les parecí un monstruo.

Estaba tan furiosa que se me nubló la vista. No me paré a pensar. Algo que ardía con un horrendo resplandor rojo subió velozmente desde mi estómago y estalló en la base de mi cráneo. Negro, el mundo se volvió negro. El monstruo que vivía dentro de mí tomó el mando. Cogió una piel de durián llena de afiladas espinas y se la tiré a Anna. Gracias a Dios que se agachó. La piel pasó por encima de su cabeza zumbando como una bala de color verde y crema y se estrelló contra la pared de la cocina, incrustándose en ella con sus duros pinchos.

Anna y yo nos miramos la una a la otra, ella increíblemente conmocionada y yo, una vez desaparecido el monstruo, sintiéndome llena de confusión. Nadie se movió. Nadie dijo una sola palabra cuando di media vuelta y regresé a la cama. No había palabras para las emociones que estaban acudiendo a mi corazón. Nadie acudió a abrazarme o a hablar conmigo. La casa simplemente quedó en silencio. De pronto los oí ir de un lado a otro, abriendo puertas, limpiando, una escoba que barría el suelo, pieles de durián arrojadas al cubo de la basura, agua que fluía del grifo y el susurro de los periódicos en el porche. Nadie acudió a ver a aquella vieja, sola y abatida, que tenía los hombros encorvados y el corazón roto.

No había tenido intención de hacerlo. Yo quería a mi hija. Vi una y otra vez la piel de durián zumbando inexorablemente a través del aire, dirigiéndose hacia el atónito rostro de Anna. Si mi hija no se hubiese agachado, yo hubiese podido matarla o ciertamente dejarla desfigurada de por vida. Me sentía cansada y sin fuerzas. Apenas podía soportarme a mí misma y lloré por la mujer que era. Lloré por no haber tenido el valor de dar el primer paso, y lloré por haber sido incapaz de rodear a mi propia hija con mis brazos y decirle: «Anna, vida mía, lo siento tanto... Lo siento muchísimo». En vez de eso, lo único que podía hacer era esperar. Si al menos alguien hubiera ido a hablar conmigo, entonces habría podido pedir disculpas. Habría podido decir lo mucho que lo sentía. Pero nadie acudió y nadie volvió a hablar nunca más de aquel incidente. ¿No es extraño que después de todos estos años nadie me lo haya mencionado nunca ni siquiera de pasada?

Anna se casó y se marchó con su marido y Rani, mi nueva nuera, fue a vivir con nosotros. Yo no me había equivocado acerca de ella. Rani tenía alma de señorona. Quería demostrarnos de todas las maneras posibles que era «gente de ciudad», de esa clase de personas que no se dejan impresionar por nada y que alardean de saberlo todo. Lejos de adoptar las humildes maneras de una familia que vivía en la versión ampliada de un gallinero, nos sorprendió a todos con unas expectativas y una conducta más apropiadas para la hija mimada de una familia extremadamente rica o incluso de la pequeña realeza. Saris muy caros eran dejados descuidadamente arrugados en un rincón, o colgaban en la cuerda de la colada durante varios días, antes de que fueran enviados a la tintorería. Cuando mi nuera hizo aquello por primera vez todos nos quedamos atónitos, que era justo lo que ella había pretendido que ocurriera. Un sari hermoso es el tipo de herencia muy apreciada que pasa directamente de una madre a una hija. Yo todavía tengo los saris que me dio mi madre, cuidadosamente doblados entre hojas de papel de seda y guardados en mi arcón de madera.

—¿Lo entro en la casa? —preguntó Lalita—. ¿Salgo y lo descuelgo de la cuerda de tender?

—No —dije yo—. Veamos qué es lo que hace ella.

El segundo día ya pude ver que todas las zonas expuestas al sol directo del atardecer habían empezado a perder el color, pero Rani no hizo nada ni siquiera al tercer día. Las partes expuestas al sol se estaban volviendo de un rojo polvoriento. Aquel hermoso sari de color rojo oscuro ya se había echado a perder para siempre.

—Suegra, ¿conoces alguna buena tintorería por esta zona? —preguntó Rani dubitativamente al cuarto día.

Solo entonces comprendí que un hermoso sari se había echado a perder, sin que hubiera ninguna necesidad de ello, solo para que Rani pudiera pasar por una mujer sofisticada ante nuestros ojos. Mi nuera tenía en su cabeza un buen cerebro y una lengua muy lista, pero era muy vaga. Lo era hasta un extremo realmente inesperado. Lo único que quería era alardear de los médicos, los abogados, los hombres de negocios y los neurocirujanos que habían ido a verla para pedir su mano en matrimonio. En aquella época yo no quería echar a perder nuestra relación preguntándole qué la había impulsado a escoger a un maestro aficionado al juego en vez de a alguno de aquellos hombres. Lo que hice fue fingir que nunca había llegado a ver aquella carta que Rani había enviado a Lakshmnan rogándole que se casara con ella. En una ocasión se ofreció a cortar las verduras. Horrorizada, la contemplé lavar las cebollas trinchadas y luchar con las patatas como si estuvieran vivas en sus manos.

A las diez de la mañana, Rani siempre cerraba con llave su puerta para volver a aparecer a la hora de comer. Después de comer, regresaba a su habitación para dormir hasta que mi marido llegaba a casa. Era lo más increíble que yo hubiera visto jamás, porque en toda mi vida nunca me había encontrado con semejante gandula. Cuando quedó embarazada de Nash incluso se negó a entrar en la cocina, afirmando que el olor de la comida la ponía enferma. Se ataba un paño alrededor de la nariz y se sentaba en la sala, o en el porche, para charlar en inglés con Ayah. Mi marido le caía bien porque siempre le estaba dando dinero a escondidas. Rani guardaba cama y había que llevarle la comida a su dormitorio. Por la noche siempre quería ir a ver alguna película o a cenar a un restaurante, así que no es de extrañar que nunca hubiese dinero suficiente para ella. El dinero se escurría igual que la arena por los huecos que había entre sus dedos. Mi nuera es la única persona que conozco que una vez pidió a alguien que se iba de vacaciones a California que le comprara dos saris en una boutique de Bel-Air, y todavía se habla de esa extravagancia cuando se menciona el nombre de Rani.

Los años de ordeñar vacas a primera hora de la mañana cuando todavía hacía mucho frío se habían cobrado su precio y por aquel entonces mi asma ya era realmente severa. De noche, cuando el asma me impedía dormir, oía cómo Rani le hablaba en apasionados susurros a Lakshmnan. Instigándolo, como si estuviera acercando cerillas a un trozo de leña.

De pronto, una mañana Lakshmnan salió de su habitación y me dijo:

—Dado que no conseguí todo el dinero de mi dote, creo que es justo que me des un poco. Después de todo, tú tienes ingresado en el banco un montón de dinero que no te hace ninguna falta y fue principalmente gracias a mis esfuerzos como conseguiste llegar a ahorrar tanto.

Supe que aquellas palabras eran de Rani apenas hubieron salido de la boca de Lakshmnan. Su esposa quería hacerse con mi dinero. Aquella señorona que solo pensaba en derrochar quería que yo financiara su entrada en la gran vida. Se alojaba en mi casa, comía mi comida y envenenaba a mi hijo contra mí durante la noche. La rabia entró en mi cuerpo, pero yo no estaba dispuesta a pelearme con mi hijo por culpa de ella aunque no hacerlo terminara matándome. Sabía que Rani estaba de pie detrás de la puerta de su habitación, escuchando cómo su veneno iba surtiendo efecto.

—¿Para qué quieres el dinero? —pregunté sin perder la calma.

—Quiero iniciar un negocio. Se están preparando ciertos tratos en los que me gustaría invertir.

—Ya veo. Aunque la dote debería ser entregada por la familia de la esposa, tal como yo le he dado la suya a Anna, estoy dispuesta a ayudarte. Pero antes tienes que demostrarme que tu esposa y tú sois capaces de ahorrar y que se os puede confiar una considerable cantidad de dinero. Dado que tu esposa y tú vivís aquí sin tener que pagar por nada, demuéstrame que eres capaz de ahorrar una buena parte de tu sueldo durante dos meses y en ese momento me encantará entregarte el dinero.

—¡No! —gritó Lakshmnan—. Dame el dinero ahora. Lo necesito ahora, no dentro de dos meses. Dentro de dos meses, todas las oportunidades se habrán esfumado.

—Dentro de dos meses habrá otras oportunidades de hacer negocios. Siempre las habrá.

—Es mi dinero. Yo contribuí a su ahorro y ahora quiero tenerlo.

—No, en este momento es mi dinero. Pero no tengo ninguna intención de gastarlo y no puedo llevármelo conmigo. Es todo para mis hijos y me encantará que te quedes con la parte del león, pero solo cuando me hayas demostrado que sabrás hacer un buen uso de él. Eso no es tan irrazonable, ¿verdad?

Una oleada de furia ensombreció su cara. Un gruñido ahogado escapó de las profundidades de su garganta y, cegado por la frustración, mi hijo se abalanzó sobre mí. Vi su rostro, negro y desencajado, precipitándose hacia mí. Me arrojó contra la pared. El golpe de su empujón hizo que mi cabeza chocara contra la pared y me hiciera daño en la espalda. Con la espalda pegada a la pared, lo miré sin poder creer en lo que veía. Podía oír a Lalita derramando lágrimas inútiles en el otro extremo de la habitación. Lakshmnan acababa de alzar su mano contra la mujer que lo había dado a luz y era yo quien le había enseñado a hacer aquello. Había creado a aquel monstruo, pero fue mi querida nuera la que insufló la vida en él. Nunca podré llegar a explicar la pena que sintió mi corazón. Lakshmnan me miró, atónito y horrorizado por lo que había hecho. Mi hijo se había convertido en mi enemigo. Él salió corriendo de la casa y su esposa se quedó en su habitación.

Cuando me miré en el espejo aquel día, vi a una vieja de ojos entristecidos a la cual no reconocí. Al igual que yo, ella también llevaba una sencilla blusa blanca de algodón barato y un viejo sarong que se había ido poniendo descolorido. Su cuello y sus manos no lucían joya alguna. Sus cabellos ya se habían vuelto grises y estaban recogidos en un simple moño sobre la parte de atrás de su cabeza. Parecía tan vieja... ¿Quién iba a creer que solo tenía cuarenta años? Me miró con ojos llenos de dolor. Su callada boca se abrió mientras yo la contemplaba, pero ningún sonido salió del negro agujero que acababa de aparecer en su cara. Sentí una gran pena por ella porque yo sabía que aquel agujero negro era incapaz de explicar la terrible pérdida que había sufrido, a pesar de que cada una de las células de su cuerpo estaba gritándolo silenciosamente. Contemplé durante un buen rato a aquella desconocida derrotada que permanecía inmóvil vestida con mis ropas y finalmente di media vuelta. Cuando llegué a la puerta, miré atrás y vi que ella también había desaparecido.

Dos días después, Lakshmnan y Rani se fueron de nuestra casa. Se mudaron a una casa con un solo dormitorio cerca del mercado; Rani ni siquiera se molestó en despedirse y no volví a verla hasta que nació Nash. Ayah, Lalita y yo fuimos a verla al hospital. El bebé era como ella, pero tenía unos grandes ojos redondos y rebosaba salud. Rani le había puesto de nombre Nash. Estaba muy orgullosa de él y no puso muy buena cara cuando yo intenté cogerlo. Le había llevado los anillos, tobilleras y ajorcas de oro habituales que se le dan a un nieto. Puse todo aquello en su cuerpecito con mis propias manos y luego Rani se lo quitó todo y fue a empeñarlo tan pronto como salieron del hospital.

Entonces nació Hoyuelo y Lakshmnan entró corriendo en nuestra casa. «¡Mohini ha regresado como tu nieta!», balbuceó bobamente. ¡Pobre chico! Nunca ha llegado a recuperarse de aquello. Sin embargo, cuando fui al hospital me quedé atónita y no pude dejar de mirarla, porque lo cierto era que la pequeña se parecía notablemente a mi Mohini perdida. La cogí en brazos y de pronto todos los años transcurridos se desvanecieron y pensé que estaba sosteniendo a mi propia Mohini. Pensé que me daría la vuelta y vería a su gemelo, gorgoteando y con los cabellos rizados, en la otra cunita. También pensé que esta vez tendría otra oportunidad de hacer las cosas como es debido, pero entonces levanté la vista y me encontré con los ojos de mi nuera. Aquellos ojos tan negros me estaban observando con mucha atención. «Es igualita que mi madre», me dijo.

En ese momento supe que no habría ninguna segunda oportunidad. Rani no quería tener ninguna clase de vínculo con nosotros y hubiese separado completamente a Hoyuelo de nosotros, tal como había hecho con Nash y con Bella, si Lakshmnan no hubiera querido tanto a la niña que su amor la hacía sentirse celosa. Esa fue la única razón por la que Hoyuelo, y no los otros dos, fue a vivir con nosotros durante las vacaciones escolares.

¡Oh, y cómo me alegraba yo de tener a Hoyuelo! Llegué a alentar deliberadamente los pensamientos venenosos en la cabeza de Rani. Ella sabía que su marido no la amaba, pero quería creer que Lakshmnan era incapaz de amar. No podía soportar que fuese capaz de amar a otra persona, incluso si se daba el caso de que esa persona era su propia hija. Aquellos celos posesivos que eran tan propios de ella se negaban a inclinarse incluso ante la maternidad. Cuanto más mayor se fue haciendo Hoyuelo, más evidente resultó que no se parecía en nada a su abuela materna y sí notablemente a Mohini. Yo veía cómo Lakshmnan contemplaba a Hoyuelo con una mezcla de asombro y sorpresa, como si no pudiera creer hasta qué punto se parecía su hija a Mohini.

Nosotros esperábamos con impaciencia aquellas vacaciones escolares que llegaban tres veces al año: dos semanas en abril, dos semanas en agosto y finalmente, lo mejor de todo, el mes de diciembre entero y una parte de enero. La casa siempre parecía más grande, alegre y mejor cuando Hoyuelo se encontraba en ella. Su presencia traía una sonrisa a la cara de Ayah y ponía conversación en la boca de Sevenese y por lo que a mí respecta, por fin encontré un sitio al que podía ir a parar todo ese dinero que tanto me había costado ganar. No se trataba de que no quisiese a Nash y Bella, pero era a Hoyuelo a la que más quería. Después de todo, a Nash y Bella les habían enseñado a odiarnos. Nada me hubiese gustado más que poder tener a Hoyuelo con nosotros durante todo el tiempo, pero Rani nunca lo hubiese permitido. Ella sabía que eso habría significado dejarme salir vencedora. No, Rani pensaba que podría atormentarnos a ambos, a mi hijo y a mí. Desde el momento en que Hoyuelo solo tenía cinco años, su madre comenzó a hacer que la pobre niña fuera incesantemente de un lado a otro como un paquete con la dirección mal escrita. ¡Oh, qué ojos tan grandes y tristes tenía Hoyuelo! Yo contaba los días que faltaban para que fuera a vivir con nosotros y lloraba cuando se aproximaba el momento de la partida. Después de que le dijéramos adiós con la mano y el coche de Lakshmnan hubiera doblado la esquina, el vacío era indescriptible. Luego yo cogía el calendario y marcaba el día de su próxima visita.

Rani se había acostumbrado a hacer ciertas cosas al estilo occidental. Se negaba a enseñar a sus hijos la lengua de su propia madre, pero decidí que yo enseñaría nuestra cultura a Hoyuelo y que gracias a mí aprendería a hablar el tamil. Era su herencia y su derecho. Comencé a contarle nuestras historias familiares, porque había muchas cosas que quería dejar a su cuidado. Entonces un día Hoyuelo entró en la sala y anunció que también quería hacerse depositaria de todas mis queridas historias sobre los aborígenes que vivían en los desiertos rojos de Australia.

—He decidido seguir el camino de los sueños de nuestra historia y cuando mueras, entonces yo me haré cargo de todo eso y seré la nueva custodia del camino de sueños de nuestra familia —dijo como si eso la hiciera sentirse muy importante.

A partir de ese momento, Hoyuelo empezó a ir de un lado a otro como una auténtica custodia, armada con su grabadora para así recrear el pasado para los hijos de sus hijos. Finalmente había una razón para mi existencia.

Los años iban transcurriendo, pero yo no conseguía encontrarle un novio a Lalita. No había logrado superar su examen del Nivel Tres, y eso a pesar de que se presentó a él en tres ocasiones. Al no tener titulación dijo que deseaba aprender enfermería, pero yo no quería ni oír hablar de ello. ¿Cómo podía permitir que mi hija lavara a desconocidos en sus partes más íntimas? No, no, un trabajo tan sucio no estaba hecho para mi hija. La envié a la escuela de mecanografía, pero cada vez que acudía a una entrevista para un trabajo se ponía tan nerviosa que no podía parar de cometer errores. Cuando cumplió los veintinueve años, yo ya estaba empezando a desesperarme. Si Lalita hubiera sido una chica trabajadora habría podido encontrar un marido, pero con su aspecto y careciendo de empleo incluso una dote de veinte mil ringgits solo servía para atraer a hombres nada apropiados y de un carácter bastante sospechoso: divorciados, bribones extrañamente viejos e irresponsables que andaban detrás del dinero. Y, en una ocasión, un hombre tan gordo que me asustó pensar en la pobre Lalita asfixiándose debajo de él.

Los años comenzaron a transcurrir más deprisa y mi salud iba empeorando. La dosis de las pequeñas píldoras rosadas había subido de un cuarto a una y media. Eran tan fuertes que hacían que me temblara todo el cuerpo, pero no había otra manera de mantener a raya al perro del asma. Me ponía periódicos doblados en el pecho y en la espalda para que el frío aire nocturno no pudiera llegar hasta ellos. Mis huesos doloridos me decían que me estaba haciendo vieja. Los días pasaban volando como el viento que sopla entre los árboles, sin que un día gris fuera distinto del siguiente.

Sevenese estudió astrología y comenzó a predecir la fortuna. Practicaba con sus amigos y estos acudían a verlo con cartas astrales metidas debajo del brazo. Antes de irse a sus viajes, mi hijo me daba sobres llenos con sus interpretaciones para que sus amigos los recogieran. Resultó que aquello de predecir la fortuna se le daba tan bien que los desconocidos empezaron a llamar a nuestra puerta con sus cartas astrales en la mano derecha.

—Mi hija va a casarse dentro de poco —rogaban—. ¿Puede decirme si este chico será un buen marido para ella?

El montón de cartas astrales que había encima de la mesa de Sevenese crecía y crecía, pero no tardé en darme cuenta de que cuanto más se adentraba mi hijo en aquel oscuro mundo, más bebía, más profunda se volvía su desesperación y más cínico se hacía su estado de ánimo, al mismo tiempo que su encanto iba volviéndose más salvaje. No quería casarse y echar raíces. Las mujeres eran juguetes de ojos penetrantes y los niños meros perpetuadores de una especie repugnante.

—El hombre es peor que la bestia —decía Sevenese—. Los cocodrilos salen del agua durante las peores sequías para compartir la comida de los leones, pero el hombre envenenará a su vecino antes de compartir la suya con él.

Bebía demasiado y volvía a casa muy tarde, tambaleándose, despeinado y con los ojos enrojecidos mientras hablaba en susurros consigo mismo. A veces olía a perfume barato y entonces yo no necesitaba preguntarle dónde había estado. En la ciudad solía haber un sitio de reputación bastante oscura llamado el Bar de la Leche y las señoras del templo lo habían visto entrar por sus puertas giratorias. Mujeres de lisas piernas blancas que iban muy pintadas fumaban fuera del establecimiento. Sevenese perdía las llaves con demasiada frecuencia y entonces golpeaba la puerta ya muy pasada la medianoche, cantando en malayo para que Lalita le abriera: «*Achi, achi buka pintu*», gritaba.

Yo me temía que se había convertido en un alcohólico.

Jeyan ni siquiera había intentando presentarse a sus exámenes del Nivel Tres. Sabía que no podía pasarlos y empezó a trabajar como lector de contadores para la Junta de Electricidad. Cuando le llegó el momento de casarse, Rani ya llevaba algún tiempo trabajando como una especie de intermediaria matrimonial y nos comunicó que le había encontrado una esposa. No hubo nadie que se interesara por Lalita. Ya tenía treinta años, lo cual quería decir que pronto sería demasiado vieja para casarse.

LALITA

Cuando Rani le encontró una prometida a Jeyan, nuestra madre lo llevó a ver a la chica. Regresó llena de buen humor y sintiéndose muy animada. La chica era guapa y tenía la piel muy blanca. Nuestra madre dijo que Jeyan tenía que haberse ganado un karma excelente en su vida anterior para merecerse a una chica semejante en aquella. Ratha era huérfana y había sido criada por una bondadosa tía solterona que había conseguido mantener guardada una dote de cinco mil ringgits para la chica. No era una gran suma con la cual negociar, pero nuestra madre estaba tan decidida a conseguirle la chica a Jeyan que habría dado su aprobación al compromiso incluso en el caso de que no hubiera habido ninguna dote encima de la mesa.

Contemplé a Jeyan sentado en una silla mientras miraba a nuestra madre, sin decir nada y con el rostro vacío de toda expresión como era habitual en él. Podría haber estado escuchándola, pero conozco demasiado bien a mi hermano. Estaba muy ocupado manejando una larga y transparente *dupatta*. Con el deleite de un niño, Jeyan volvió a sacarla y examinó con gran atención el preciado recuerdo de una osada mirada de soslayo exclusivamente dirigida a él. No pensaba más que en un par de pies pintados con henna que se iban turnando para salir delicadamente de los pliegues recogidos en el centro de un sari de color rojo y verde, y en un par de manecitas que le habían servido té y luego habían ofrecido tímidamente los suaves pastelillos.

Detrás de su expresión distraída llameaba una especie de excitación reprimida, como si todo su ser ya fuera consciente de la esencia de la mujer. Jeyan estaba soñando. Soñaba con el relucir del almizcle sobre los pechos tumescentes, una piel cubierta de vello sedoso y un cuerpo que se movía debajo de él como un cisne que se deslizara sobre las aguas. Mi hermano soñaba una dulce existencia con Ratha.

El día para la boda fue fijado. Se decidió que sería una sencilla ceremonia de templo, pero en realidad fue nuestra madre la que decidió tal cosa. La chica no tenía parientes y nuestra madre no era muy inclinada a hacer exhibiciones de riqueza. Una boda discreta parecía la opción más lógica. Cerramos la casa y fuimos a la casa del primo de nuestra madre, que vivía en Kuala Lumpur. Su casa era pequeña y estaba llena de niños que eran unos auténticos salvajes. Se pasaban el día entero corriendo de un lado a otro, gritando y tropezando con los adultos como si estos fueran muebles. Se peleaban entre sí, y luego chillaban y caían rodando escaleras abajo como si no fueran niños de carne y hueso sino pelotas hechas de goma india. Cuando llegara el momento, saldríamos de aquella casa para acudir a la sencilla ceremonia planeada en el templo.

El gran día mi hermano apareció en la sala, resplandeciente con su *veshti* blanco y el tocado del novio que le cubría la cabeza. Alto y erguido, Jeyan se detuvo delante de nuestra madre para recibir su bendición. Por una vez, su cuadrado rostro estaba despierto y lleno de animación. Mientras nuestra madre saboreaba el placer de haberse asegurado una novia tan hermosa para su nada atractivo hijo, un niño que gritaba como un piel roja entró corriendo en la sala y resbaló casi inmediatamente en una mancha de aceite que se había derramado. Mientras todos lo mirábamos sin movernos del sitio, el niño patinó por el suelo como una extraña anguila gigante provista de brazos y piernas. La anguila se estrelló contra los preparativos ceremoniales de mi hermano. Una gran bandeja de plata llena de kum kum salió volando por los aires, con el polvo rojo elevándose de ella como una niebla enrojecida antes de que la bandeja se precipitara estrepitosamente al suelo, rodando ruidosamente por él para esparcir aquel fino polvo por todas partes. El ruido de la bandeja cayendo y rodando interminablemente sobre las baldosas del suelo fue ensordecedor. La sonrisa de nuestra madre se desvaneció y su rostro se convirtió en una máscara de perpleja incredulidad.

Durante unos segundos nadie se movió. Hasta el niño que acababa de causar aquel espantoso estruendo había quedado paralizado por el miedo. Caído en el suelo, levantó la vista hacia la terrible expresión que había en el rostro de nuestra madre para contemplarla con ojos muy abiertos y llenos de miedo. Nuestra madre miró el estropicio como si lo que estaba viendo esparcido por el suelo no fuera aquel polvo rojo de kum kum que podías comprar por muy poco dinero en cualquier tienda de comestibles, sino un charco de sangre salida de los cuerpos de sus hijos degollados. Yo miré a nuestra madre y me sorprendí al ver que sacudía la cabeza.

—Por qué, oh, por qué este niño estúpido ha tenido que venir precisamente aquí de entre todos los lugares posibles... —murmuró como si hablara consigo misma—. Es un mal presagio, pero llega demasiado tarde.

Con esas últimas palabras, su rostro pareció volverse de piedra. Se movió rápidamente. Los dioses habían hablado, pero lo habían hecho demasiado tarde: la boda tenía que seguir adelante. Nuestra madre ayudó a levantarse del suelo al aturdido niño y lo echó de la habitación sin mayores miramientos. Luego ordenó a una chica que rondaba por allí que limpiara el estropicio y finalmente fue hacia su hijo y lo bendijo.

—Ve con Dios —le dijo con voz llena de firmeza; después nuestro padre se adelantó y bendijo a Jeyan.

El novio subió a un coche adornado con cintas azul y plata, y los demás nos apretujamos dentro de cualquier vehículo que estuviera disponible. Yo fui junto a nuestra madre, que andaba con paso tan resuelto como un soldado que desfilara y el rostro tan impasible como el granito. Una vez dentro del coche, permaneció tiesa como un palo y no dijo nada mientras miraba por la ventanilla con ojos inexpresivos. En un momento dado suspiró suave y melancólicamente. Tenías la sensación de que estábamos yendo hacia una funeraria sin que a nadie se le hubiera ocurrido ponerse la ropa apropiada, nuestra madre vestida con su sari del color del mango y yo con mi sari del azul de la realeza ribeteado por el fucsia más intenso imaginable.

Yo pensaba que nuestra madre se lo estaba tomando demasiado a la tremenda, pero no me atreví a abrir la boca para decirlo. Había sido un puro y simple accidente, y el auténtico milagro era que no hubiese ocurrido antes. El coche fue reduciendo poco a poco la velocidad delante del templo hasta que terminó deteniéndose. Jeyan bajó. Su nuevo traje blanco relucía con destellos cegadores bajo el sol del mediodía. Alguien se encargó de ponerle recto el tocado. Jeyan, que durante aquel día era el rey, asintió. Estaba nervioso.

Una vez dentro del templo, nuestra madre sonrió a todas aquellas mujeres suntuosamente ataviadas y cubiertas de joyas. Estas dejaron de intercambiar cotilleos acerca de la novia para devolverle la sonrisa. Cuando nuestra madre hubo pasado, las mujeres se apresuraron a reanudar su charla con los labios manteniéndose alternativamente ocupados o fruncidos, pero sus oscuros ojos nunca dejaban de permanecer alerta y siempre estaban serpenteando a través de la multitud. Yo estaba segura de que me habían lanzado miradas compasivas.

Nos colocamos junto al altar y vimos llegar a la novia, escoltada por su anciana tía y una amiga. Yo pensé que estaba muy hermosa con aquel sari de color rosa oscuro adornado por puntitos de verde y oro y que tenía un dobladillo de oro intensamente bordado. Era esbelta y grácil. Jeyan había tenido muchísima suerte, de eso no cabía duda. Cuando llegó al altar, la novia se sentó con las piernas cruzadas y ocupó su sitio junto a mi hermano. Hizo todo aquello moviéndose con una gracia tan natural que volví a preguntarme por qué una chica tan hermosa había accedido a casarse con mi hermano. Llevaba muchas joyas, pero supuse que buena parte de ellas serían mera bisutería. Sabíamos que era pobre. Mientras la contemplaba, de pronto me di cuenta de que las lágrimas manaban incontenibemente de sus ojos bajos para gotear sobre aquel sari tan caro que nuestra madre había escogido y comprado para ella. Una manchita oscura iba extendiéndose progresivamente sobre su regazo. Asombrada por la visión de aquel pequeño torrente salado, lancé una rápida mirada a nuestra madre y vi que las lágrimas no le habían pasado por alto. Parecía tan perpleja como yo.

«¿Por qué llora la novia?», murmuró un zumbido de voces. Porque estaba claro que aquellas no eran lágrimas de alegría. La chica lloraba como si su corazón estuviera lleno de pena. La pequeña multitud que se había congregado allí para tener ocasión de asistir a la ceremonia comenzó a murmurar y susurrar entre las enormes columnas del templo.

«Mirad —se murmuraban los unos a los otros—, la novia está llorando.» Mientras la contemplábamos con ojos llenos de perplejidad, el elaborado tachón nasal de la novia resbaló del agujero de su nariz en el cual había sido introducido y aterrizó sobre la mancha que iba oscureciéndose sobre su regazo. Ella lo recogió en silencio y volvió a colocarlo dentro del ya húmedo agujero de su nariz. Todo el mundo se dio cuenta. El murmullo fue creciendo en la pequeña congregación y un velo rojo se extendió sobre las mejillas de nuestra madre. Se sentía muy incómoda ante lo que parecía la aparente inquietud o reluctancia de la novia. Pero nadie la había obligado a contraer matrimonio. Nuestra madre había hablado directamente con ella y la chica se mostró más que dispuesta a casarse. «Sí», había asentido bajando la cabeza.

Los tambores resonaron con más fuerza cuando Jeyan se volvió hacia su novia y ató el thali ceremonial alrededor de su cuello. Lo vi sobresaltarse cuando se dio cuenta de que su novia estaba llorando. Confuso, se volvió hacia nosotras buscando la mirada de nuestra madre y esta le indicó con una seña que siguiera adelante. Una vez convencido de que las lágrimas de una novia eran otro misterio al cual no le había sido permitido acceder, Jeyan se dio la vuelta y terminó de atar aquella importantísima cadena que los uniría para siempre como marido y mujer. La ceremonia había terminado.

Una vez en la recepción, nuestra madre no pudo comer ni beber nada. La visión de la comida le daba náuseas. Partimos inmediatamente hacia Kuantan y el viaje transcurrió en silencio. Nuestra madre estaba triste y abatida. ¿Por qué había llorado la novia? ¿Por qué aquel niño había tenido que salir de la nada para hacer pedazos precisamente aquellas cosas que simbolizan un matrimonio feliz?

Al día siguiente, la pareja de recién casados llegó a nuestra casa. Se quedarían a vivir con nosotros hasta que pudieran permitirse comprar una casa. Nuestra madre se ofreció a contribuir con un poco de dinero para su nueva casa. Mirando desde la ventana, vi cómo la nueva esposa de Jeyan bajaba grácilmente del coche. Parecía tranquila y dueña de sí misma. Las lágrimas habían desaparecido. Nuestra madre salió de la casa para dar la bienvenida a la nueva esposa con una bandeja de pasta amarilla de sándalo, kum kum, cenizas sagradas y un montoncito de alcanfor que ardía lentamente. Ratha se postró ante los pies de nuestra madre, tal como requería la costumbre. Cuando se levantó del suelo, vi por primera vez los ojos de mi cuñada. Estaban cegados por la pena y así permanecieron por mucho que su boca sonriera educadamente y aceptara las bendiciones de nuestra madre. Al poco de acompañarla a su habitación ya estaba de nuevo fuera.

Ratha buscó detergente y comenzó a limpiar.

Limpió la cocina y el cuarto de baño, fregó los estantes de la cocina, barrió la sala de estar y le quitó el polvo, cambió la disposición del contenido de la alacena de las especias, barrió el patio y arrancó las malas hierbas que crecían alrededor de la casa. Cuando terminó con todo aquello, volvió a empezar. En cuanto hubo quedado libre, se ofreció a lavar la ropa, limpiar los desagües o cocinar.

Su rostro hermosamente trágico rechazaba cualquier ayuda con una sonrisa. «Oh, no, no.» Podía arreglárselas ella sola. No había que preocuparse por eso, porque le encantaba limpiar. Estaba acostumbrada a trabajar duro. Solo hablaba cuando se le dirigía la palabra.

Durante una de sus rondas de la limpieza, Ratha encontró debajo de la casa una vieja y sucia cesta. Antes yo guardaba mi muñeca en aquella vieja cesta. Triunfante y silenciosa, Ratha la limpió y luego se plantó en medio de la sala con la cesta colocada en el hueco de su codo.

—Puedo ir al mercado —se ofreció esperanzadamente.

—Hay dinero dentro del elefante de porcelana de la vitrina. Llévate cincuenta ringgits —le dijo nuestra madre desde el dormitorio.

Porque veréis, Ratha le caía muy bien a nuestra madre. Estaba muy complacida con su nueva nuera. A diferencia de lo que ocurrió con Rani, Ratha le había gustado desde el momento en que la vio.

Ratha cogió el dinero, se fue al mercado y regresó con el cambio exacto. Nuestra madre se mostró muy complacida.

—¿Lo veis? —dijo—. Ya sabía yo que hacía bien confiando en ella.

Una vez en la cocina, Ratha se dispuso a convertir los productos del mercado en platos exóticos. Era como ver trabajar a una alquimista. Ratha cogía un poco de carne, varias especias y algunas verduras, y las convertía en suntuosas comidas que nublaban tus sentidos y te dejaban tan atontada que enseguida te apresurabas a preguntar si todavía quedaba un poco más. El genio culinario de Ratha era innegable. Preparaba jarras de mermelada de jengibre y compota de tomate que te seguían hasta la mañana y la semana siguientes. Decapitaba sin pestañear aves y adorables palomas que no sospechaban lo que les esperaba, y a continución marinaba la oscura carne en pieles de papaya para que se pusiera más tierna. Luego aquella carne se te derretía en la boca como si fuera mantequilla.

Cuando nos sentábamos a la mesa, lo hacíamos ante pequeñas empanadillas chinas rellenas de cerdo dulce o pescado de río que había sido rellenado con lima, cardamomo y semillas de comino. Fue a Ratha a la que se le ocurrió aromatizar el arroz con esencia de kewra antes de hervirlo dentro de una caña de bambú ahuecada, así como quien tuvo la idea de preparar la calabaza con tamarindo y anís estrellado de tal manera que esta sabía igual que el azúcar caramelizado. Sabía cómo cocer el pollo dentro de cocos verdes y conocía el sabor secreto que adquieren las flores de platanero cuando son sazonadas con especias y cocinadas con piel de pomelo. Pasaba horas hirviendo con mucho cuidado los brotes de bambú hasta que todos los finos pelitos se desprendían de ellos y le dejaban el acompañamiento más delicioso imaginable a su soberbio puré de berenjenas púrpura. Ratha ahumaba las setas, salteaba las orquídeas y traía de la cocina pasta de durianos sazonada y convertida en crema para que sirviese de acompañamiento al pescado salado.

¡Qué maravilla de mujer! Ratha era demasiado buena para ser real. ¿Cómo se las arreglaba para hacer todo aquello?

¡Qué afortunado era Jeyan!

Que semejante nuera hubiera entrado en su casa hizo que nuestra madre no cupiera en sí de orgullo.

—Mírala y aprende —me susurraba ásperamente mientras contemplaba con ojos críticos mi cabellera sin peinar—. Si Lakshmnan hubiera podido adquirir una esposa como ella, habría podido conseguir hacer algo de sí mismo... —añadía luego con un suspiro lleno de melancolía.

Ratha aparecía a las cinco de la tarde con una bandeja llena de pasteles del Rajastán hechos con almendras picadas, miel y mantequilla, o con suculentas bolsas de leche maceradas en almíbar de rosas, y a veces con unas galletitas de un color violeta oscuro inimaginablemente deliciosas que habían sido hechas con ingredientes secretos o con mis preferidos, unos pastelillos en forma de tallo que combinaban lo dulce con lo picante y que ella preparaba con nueces.

—¿Dónde aprendiste a hacer todo esto? —preguntó nuestra madre, que estaba realmente impresionada.

—De una vecina a la que quise mucho —le dijo ella.

De niña, Ratha se había hecho muy amiga de una anciana que era bisnieta de uno de los dieciséis cocineros más aclamados de la corte del emperador Dara Shukoh, el primero de los varios hijos que había tenido Sha Jehan. El emperador Darah Shukoh era un hombre que se enorgullecía de la suntuosidad de su estilo, y solo los platos más exquisitos y refinados podían serle enviados desde sus cocinas para que él les diera la aprobación. Utilizando páginas arrancadas y hojas sueltas, todas ellas reliquias del antaño poderoso imperio de los mongoles, la anciana enseñó a Ratha los secretos de la cocina al estilo mongol.

En una ocasión, Ratha le preparó a nuestra madre una granada hecha toda ella de azúcar, almendras y jugo de frutas que había sido glaseada mediante almíbar. Nuestra madre la abrió y todo estaba allí, las semillas, las pepitas y el tejido que hay entre las semillas. Aquella granada tenía un aspecto tan real que vi cómo una profunda y respetuosa admiración entraba sigilosamente en los ojos de nuestra madre ante la habilidad de la joven. Ratha también copió una barra de pan dulce con almendras asadas en la parte de arriba. Era demasiado hermosa para comérsela, así que la guardé en la vitrina. Para Anna hizo un pájaro minah, tan exacto y tan esbelto que naturalmente era demasiado bonito para comérselo.

—Ven y siéntate junto a mí —la invitó nuestra madre en una ocasión.

—Solo esta última cosa —replicó Ratha, yendo a pasar el trapo por debajo de la caja en la que se guardaba el carbón. Nadie había limpiado en aquel sitio durante los últimos veinte años.

Cuando finalmente ya no hubo nada más que hacer, aunque creo que a Ratha le hubiese gustado volver a limpiar el hornillo de la cocina, nuestra madre le dijo:

—Déjalo. Descansa un poco junto a mí.

Así que Ratha acudió de mala gana y se sentó, tirando de su sencilla bata casera hasta dejársela tan abajo que casi le cubría los tobillos. Mantuvo los ojos bajos. Nuestra madre sonrió alentadoramente a su nuera preferida. La pregunta de por qué había llorado durante la boda seguía agitándose en el cerebro de nuestra madre, pero de sus labios solo salieron preguntas acerca del pasado de Ratha. La joven respondió con una cautelosa obediencia. No podías acusarla de ser obtusa o taimada porque Ratha siempre respondía a todas las preguntas sin faltar a la verdad y sin ninguna vacilación, pero aun así tenías la impresión de que te estabas entrometiendo en algo que no era de tu incumbencia. La mirada ligeramente interrogativa que había en sus ojos hacía que tuvieras la sensación de que ella te estaba preguntando una y otra vez por qué pensabas que aquello era asunto tuyo.

No había que esforzarse mucho para poder ver la insatisfacción y la incomodidad de nuestra madre. Miraba a Ratha y veía el vivo retrato de una joven limpia, guapa y pulcra que siempre estaba sonriendo, y sin embargo entre ella y aquella hermosa imagen había una barrera notablemente educada pero invisible. Había algo que no andaba nada bien y nuestra madre estaba decidida a averiguar qué era. Nunca lo consiguió.

Ratha tenía unos hábitos de aseo bastante extraños. Desaparecía dentro del cuarto de baño armada con un cepillo de mango de madera y púas de acero, y salía de él rosada y reluciente. Sí, decía luego sorprendiéndose de que nosotros estuviéramos sorprendidos, se exfoliaba la piel con aquel cepillo.

Jeyan siempre andaba rondando a su alrededor, observándola tan disimuladamente como si su esposa perteneciera a otra persona. Salía de la habitación que compartían moviéndose tan sigilosamente como lo hubiese hecho un ladrón. Sus ojos la acariciaban y se movían sobre ella, reposando en su cuerpo y tocándolo incesantemente. Todas sus intenciones privadas estaban allí, golpeando impacientemente el suelo con los pies. A veces veías cómo Jeyan intentaba atraer la mirada de Ratha y entonces tenías que apartar rápidamente tu mirada de puro embarazo ante la súplica que había en sus ojos. Mi hermano estaba embriagado con su nueva esposa y entonces, al decimoquinto día, llegó una invitación de Rani. La pareja de recién casados era invitada a cenar.

—No volveremos muy tarde —le dijeron a nuestra madre mientras salían de casa.

—Id con cuidado y no tardéis mucho, hijos —les rogó ella.

Más avanzada la noche, Jeyan regresó a casa solo.

—¿Dónde está tu esposa? —preguntó nuestra madre, muy preocupada.

—Sigue en casa de Rani. De hecho, Rani nos ha invitado a los dos a quedarnos en su casa durante una temporada y me ha enviado aquí para que recogiera las cosas de Ratha.

—¿Y dónde dormiréis los dos? —preguntó nuestra madre en un tono lleno de perplejidad, pensando en la casa de un solo dormitorio donde vivían Lakshmnan y Rani y en el sorprendente giro que acababan de tomar los acontecimientos.

—Supongo que en el suelo de la sala de estar —dijo Jeyan encogiéndose de hombros, impaciente por recoger las cosas de su esposa y marcharse de allí.

—Ya veo —dijo nuestra madre, hablando muy despacio—. Muy bien, coge sus cosas.

Jeyan se apresuró a ir a la impoluta habitación que había estado compartiendo con su esposa durante quince días. Metió todas sus pertenencias en una bolsa patéticamente pequeña y fue con ella hasta el porche, donde nuestra madre estaba sentada en silencio. Una vez allí, esperó nerviosamente hasta que ella dijo:

—Bueno, vete pues.

Mi hermano me lanzó una rápida mirada llena de alivio y bajó a toda prisa por los escalones, la pequeña bolsa chocando con sus delgadas piernas. Nuestra madre se quedó sentada en el porche, viéndolo marchar con la expresión más extraña imaginable en su cara. Incluso después de que Jeyan hubiera entrado en el camino principal y ya no pudiera ser visto, nuestra madre siguió inmóvil con los ojos clavados en el horizonte.

El cepillo de madera con aquellas duras púas de acero que utilizaba Ratha se había quedado encima del alféizar de la ventana junto al cuarto de baño. En su prisa, Jeyan se lo había dejado olvidado. Lo cogí y pasé las afiladas púas por mi piel, retrocediendo con un sobresalto ante lo duras y ásperas que eran realmente sobre mi piel desnuda y maravillándome de que alguien pudiera llegar a utilizar semejante objeto sobre su propio cuerpo. ¡Vaya, pero si hubiese podido ser un instrumento de tortura!

Una vez vi a Ratha en el mercado, con una cesta apoyada en el hueco de su codo. Finos tallos de judía verde y la frondosa cola marrón rojiza de una ardilla sobresalían delicadamente de su cesta. Ratha estaba de pie junto al hombre que vendía agua de coco y contemplaba con expresión melancólica a los pobres monos atrapados en sus jaulas. Tenía un aspecto tan trágico que di un paso atrás y dejé que los altos sacos de yute llenos hasta reventar de arroz que había al lado de un puesto me escondieran. Ratha era una criatura realmente enigmática, siempre tan llena de tristes secretos. De pronto volvió la cabeza en mi dirección como si se hubiera dado cuenta del escrutinio al que yo la estaba sometiendo. Quizá vio mi sombra, pero fingió no haberla visto. Vi cómo se alejaba a toda prisa de los monos que chillaban y se lanzaban furiosamente contra los alambres de sus jaulas. Me la imaginé limpiando de arriba abajo la casa de Rani con los labios ligeramente fruncidos, para luego volver a empezar desde el principio en cuanto había terminado mientras Rani permanecía sentada con sus pies imaginariamente hinchados descansando encima de un taburete. Quizá allí Ratha también reproduciría en azúcar una berenjena o un manojo de apios para su nueva anfitriona.

Habían transcurrido dos meses desde aquella noche en la que Ratha había salido de casa para cenar y luego, misteriosamente, no había regresado. La vida seguía su curso igual que antes. Jeyan pasaba por casa al anochecer, pero siempre parecía tener mucha prisa por volver a reunirse con su esposa. Yo sabía que a nuestra madre le había dolido mucho que Ratha se hubiera ido sin ni siquiera despedirse apropiadamente, pero lo único que dijo fue: «Mientras ellos estén contentos, yo también lo estoy».

Entonces un día Jeyan entró corriendo presa de un auténtico frenesí de pánico. Su rostro se hallaba desencajado por alguna emoción que nunca habíamos visto en él. Faltaba muy poco para que fueran las nueve de la noche y nuestra madre estaba esperando a que empezara la lucha libre. Nunca se la perdía y se la tomaba realmente muy a pecho, animando ruidosamente a sus luchadores preferidos, e incluso hoy en día todavía cree que todas esas patadas y puñetazos van en serio. Yo no tengo corazón para decirle que no es así. Conozco a nuestra madre y sé que de saberlo la lucha libre perdería gran parte de su atractivo. En fin, el caso es que aquella noche Jeyan llegó jadeando pesadamente y tan dominado por el pánico que apenas si se le entendía cuando hablaba.

—¡Rani nos ha dado veinticuatro horas de plazo para que nos vayamos de su casa! —chilló.

En aquella época, cuando los funcionarios del gobierno hacían algo imperdonable o que fuese realmente terrible, como por ejemplo robar, se les daba veinticuatro horas de plazo para que abandonaran sus alojamientos. Por risible que pudiese parecer, a Rani se le había metido en la cabeza dirigir aquella misma comunicación de aspecto tan oficial a su cuñado y su esposa.

—¿Por qué? —preguntó nuestra madre y yo pude oír el ruido de la respiración jadeante del asma en su pecho.

Jeyan levantó los brazos hacia el techo.

—¡No lo sé! Creo que discutieron. Lakshmnan se fue de casa hecho una furia y ahora Rani está acusando a Ratha de que nunca se da por satisfecha con un solo hombre. ¡Esa mujer está loca, os lo digo yo! ¿Podéis creer que está sentada en los escalones de su casa gritando, lo bastante fuerte para que todo el mundo pueda oírla, que Ratha intenta robarle a su marido? Y eso no es cierto. Ratha me ama. Rani está loca. Llora, grita y dice cosas tan vulgares como que Ratha quiere tener a los dos hermanos a la vez. ¡Mientras tanto, Ratha está arrodillada en la cocina fregando el suelo! No sé qué hacer. ¿Qué voy a hacer? ¿Crees que debería traer aquí a Ratha?

—No, aquí no. No debes volver a traerla aquí, porque Ratha no quiere vivir aquí y yo no puedo volver a tenerla en mi casa después de la manera en que se fue. Pero hay habitaciones disponibles en los pequeños talleres que han ido abriendo últimamente a lo largo del camino. Ve allí ahora mismo y alquila una habitación. Los talleres están abiertos hasta las nueve y media de la noche.

—Pero el alquiler, el depósito...

—¿Qué ha sido del dinero de tu dote? —preguntó nuestra madre, frunciendo las cejas.

—En este momento no disponemos de él. Rani estaba tan necesitada de dinero que le pidió a Ratha que se lo dejara prestado. Pero prometió ir devolviéndolo durante los próximos meses.

—¿Cuándo ocurrió todo eso? —preguntó nuestra madre, hablando en voz muy baja.

Jeyan no tuvo necesidad de pensárselo mucho para poder responderle.

—El lunes pasado.

—¿Y tu esposa no deseaba al marido de Rani antes de ese día? —se burló nuestra madre sin tratar de ocultar su enfado, pero lo único que pudo hacer el pobre Jeyan fue mirarla con ojos llenos de impotencia. Mi hermano solo era un hombre. No era rival para Rani, con su hábil lengua y sus taimados planes—. Averigua cuánto cuesta la habitación y yo te daré el dinero —le dijo nuestra madre a Jeyan—. Ahora vete, y deprisa. Porque de lo contrario seguro que terminarás teniendo que pagar una habitación de hotel.

—De acuerdo, gracias.

Jeyan ya estaba dando media vuelta con el rostro desencajado por una terrible preocupación. La puerta de la casa de nuestra madre había quedado cerrada para él y su esposa. Rani gritaba e insultaba delante de su casa y su esposa estaba arrodillada dentro fregando los suelos de su cuñada. Además, a esas alturas parecía estar muy claro que hasta su dote había caído en manos de una mujer tan astuta como traicionera. Mi hermano nunca había tenido que enfrentarse a semejante multitud de problemas en toda su vida.

—Nunca hubiésemos debido ir a vivir a casa de Rani —masculló para sus adentros.

Por su misma manera de ser, Jeyan era sencillamente incapaz de entender a las mujeres. En una ocasión nuestra madre le había preguntado si sabía por qué su esposa había llorado el día de su boda. Jeyan la había mirado poniendo cara de perplejidad. ¿Cómo, acaso no era cierto que todas las novias lloraban de alegría durante su boda? Luego fue a preguntárselo a Ratha y regresó para informarnos de cuál había sido su respuesta.

—No quiere decírmelo —se quejó en un tono casi enfadado—. Dice que el porqué no tiene importancia.

Un rato después fue nuevamente a hablar con su esposa, dispuesto a insistir, y esta le dijo cansadamente que si quería podía llamarlo nervios.

Jeyan y su esposa alquilaron una habitación en el primer piso de una tienda. Tenían que compartir el baño con otras diez personas; Ratha podía dar rienda suelta a sus deseos de limpiar. Sin duda debía de estar muy ocupada porque nunca vino a visitarnos. Mi madre estaba segura de que Rani había conseguido volverla contra nosotros.

Una tarde Rani acudió a visitarnos cuando ya no faltaba mucho para que anocheciera. Trajo consigo una bolsita de uvas. De la variedad importada, explicó dándoselas de mujer importante. Nuestra madre le dio las gracias y se apresuró a descargarla del peso de su paquetito. Rani se acomodó en un asiento. Yo lavé las uvas, las puse en una bandeja y las llevé a la sala. Se las ofrecí.

—¿Qué tal te encuentras? —preguntó nuestra madre.

Viéndolas nadie lo habría pensado, pero yo sabía que ella odiaba a Rani y además era totalmente consciente de que aquel sentimiento le era devuelto en idéntica medida.

—Son mis articulaciones —dijo Rani, con una sombra de dolor en la voz. Se subió el sari para mostrar unos tobillos entrados en carnes—. ¡Fijaos en lo hinchados que están! —exclamó. Yo contemplé aquellas piernas que parecían muy sanas. Quizá le daban algún que otro problema por la noche, pero durante el día no cabía duda de que parecían estar perfectamente. Volvió a bajarse delicadamente el sari sobre las piernas y alargó el brazo para coger un puñado de uvas—. He venido a explicarte todo este lío que se ha organizado con el pobre Jeyan y esa terrible esposa suya. No quiero que te hagas una impresión equivocada. Si acepté a esa chica en mi casa, fue únicamente por la bondad de mi corazón. Sinceramente, a veces pienso que soy demasiado buena. Ayudo a las personas y luego ellas van y me apuñalan por la espalda. Incluso llegué a comprarle vitaminas a su marido para que se interesara más por ella. ¿Y qué es lo que hace Ratha? Intenta seducir a mi marido como si yo no fuera a darme cuenta de ello. He comido más sal que arroz ha comido ella.

Se metió un par de uvas en la boca y las masticó con expresión pensativa.

—Enseguida supe qué era lo que andaba tramando —siguió diciendo—. Siempre que Lakshmnan estaba en el patio llevando cosas pesadas de un lado a otro, ella estaba en la cocina fingiendo limpiar. Ratha no sabe que cuando estoy sentada en el sofá de la sala puedo verla. ¡Y también puedo ver las miradas que echa por la ventana de la cocina! No estoy ciega. Ratha quería que Lakshmnan pensara que era una mujer muy trabajadora. Intentaba hacerme quedar mal. Le pedí prestados cinco mil miserables ringgits. El sueldo de un maestro no llega demasiado lejos y los niños pasaban hambre. No había comida en la casa y había facturas que pagar. En fin, el caso es que luego me enteré de que ella había ido por ahí diciendo, y no sé si te lo podrás creer, que yo, que había puesto un techo encima de la cabeza de esa chica tan desagradecida, me había comido su dote.

Rani se calló para tomar aliento y luego puso cara de indignación.

—De hecho ahora tú deberías darme ese dinero, suegra mía —añadió—, para que así yo pueda tener el placer de tirarle esa miserable suma a la cara a esa pequeña zorra y evitar que siga arrastrando por el fango el buen nombre de esta familia.

El temblor de la mano de nuestra madre se volvió un poco más violento, pero la sonrisa permaneció inmóvil en sus labios.

Rani se fue un rato después sin el dinero. Nuestra madre estuvo yendo y viniendo por la casa durante media hora mientras murmuraba: «¡Asombroso, sencillamente asombroso!». Se había puesto tan furiosa que no podía estarse quieta y luego de pronto se echó a reír.

—¡Qué cara tan dura tiene mi nuera! —exclamó—. Debe de pensar que soy idiota. Espera que yo, nada menos que yo, ponga no mil ni dos mil sino nada menos que cinco mil ringgits en su mano y después espere a que ese dinero llegue a la mano de Ratha. ¡Ja! Si quisiera que Ratha tuviese el dinero, yo misma se lo daría, en vez de tratar de hacerlo pasar antes por el estómago de esa lagarta codiciosa.

Ratha no tardó en quedar encinta. Sufría unos terribles mareos matinales. Nuestra madre le envió galletas, jengibre marinado y tres vestidos de embarazada. También se ofreció a correr con el pago inicial de una casa con terraza en un barrio que acababan de construir fuera de la ciudad, pero Ratha era demasiado orgullosa para aceptar su oferta y la rechazó educadamente a través de Jeyan. En una ocasión volví a verla en el mercado con uno de los vestidos de embarazada que le había enviado nuestra madre. Se había cortado el pelo hasta dejarlo en una longitud más manejable. Unos mechones se curvaban alrededor de su delgado cuello, haciéndola parecer más joven y vulnerable. Estaba muy triste, tanto que pude sentir su tristeza incluso entre el ajetreo del gentío. Esta vez no me cupo ninguna duda de que me había visto, pero fingió que no me veía y se apresuró a desaparecer entre la gente.

Jeyan fue padre de una hija. Nuestra madre y yo fuimos al hospital para ver a Ratha y al bebé. Llevamos unos preciosos trajecitos cosidos a mano con gorras a juego y joyitas en miniatura para la pequeña. Era preciosa, toda ella rosada y oliendo a leche y polvos de talco. Nuestra madre dijo que Anna había tenido el mismo color cuando nació. Cuando Ratha nos vio, pareció como si apretara más fuerte al bebé contra su pecho. «Es lo único de valor que ha tenido nunca», pensé yo. Sus nudillos brillaban con un destello blanco a través de su piel, y los chillidos de la pequeña se volvieron más ruidosos.

—Ven con tu abuelita —le canturreó nuestra madre a la niñita de cara enrojecida.

Ratha frunció el ceño con visible disgusto, pero cuando la pequeña se encontró en los brazos fuertes y seguros de nuestra madre, enseguida abrió los puños y dejó de soltar aquellos diminutos pero enérgicos chillidos. Nuestra madre se la devolvió a Ratha en cuanto se hubo quedado dormida y vi exhalar un suspiro de alivio a Ratha cuando la niña volvió a estar en sus brazos una vez más. Unos días después, Ratha y la recién nacida regresaron a la pequeña habitación encima de la tintorería.

—Los humos de la tintorería son malos para la pequeña —le dijo nuestra madre a Jeyan.

—Tonterías —declaró secamente Ratha cuando Jeyan le contó lo que había dicho nuestra madre.

La siguiente vez que vi a Ratha, volvía a estar encinta. Llevaba el mismo vestido de embarazada que nuestra madre le había comprado hacía dos años, a esas alturas ya bastante descolorido. El pelo le había crecido un poco y lo llevaba recogido en una cola de caballo. Parecía más triste y desgraciada que nunca.

El segundo bebé vino al mundo. Cuando fuimos al hospital, Ratha nos sonrió cortésmente a nuestra madre y a mí. Pero detrás de aquella sonrisa no había absolutamente nada, ni hostilidad ni calor. Era la sonrisa de una desconocida. Su primera hija estaba sentada en la cama. Nos miró con sus grandes ojos húmedos llenos de curiosidad. Cuando nuestra madre intentó tomarla en sus brazos, la niña se tapó los ojos con las manos y se echó a llorar. Tenía miedo de aquella mujer tan decidida y enérgica a la que no había visto en toda su vida. Nuestra madre se apartó de ella como si se hubiera quemado y se entretuvo apartando la sábana para contemplar a la segunda hija de Jeyan: otra niña de piel muy blanca. Esta vez nuestra madre no intentó cogerla en brazos. De pronto parecía preocupada y distante, y terminamos yéndonos después de unos minutos llenos de incómoda tensión. Yo sentía un sabor amargo en la boca.

Las cosas iban cada vez peor en aquella habitación encima del taller. Jeyan ya no volvía corriendo a casa para contemplar a su mujer con ojos vidriosos, sino que iba directamente a nuestra casa en cuanto salía del trabajo. Se sentaba en la sala y miraba la televisión sin verla; después de cenar empezaba a quejarse amargamente de su esposa a todo aquel que estuviera dispuesto a escucharlo. Ratha era mala. Estaba volviendo a las niñas contra él. Se negaba a cocinar para él y ni siquiera quería lavarle la ropa. Luego las cosas empeoraron todavía más. Ratha pegaba a las niñas si estas le dirigían la palabra a su padre. Había vaciado el cubo de la basura encima de la ropa de Jeyan recién traída de la tintorería que el dhobi había dejado delante de la puerta. Ratha sentía un odio especial hacia su primera hija, que se parecía demasiado a su padre. La niña estaba volviéndose cada vez más distante y no había manera de llegar hasta ella. Solo hablaba cuando le dirigían la palabra y lo hacía todo muy despacio. «¡Más deprisa, come más deprisa!», le gritaba Ratha pegando los labios a su oreja; luego le iba metiendo la comida en la boca cada vez más rápido hasta que la pobrecita se atragantaba y tosía. Entonces había más lágrimas, más palabras iracundas y nuevos cachetes. Parecía como si Ratha sintiera un auténtico odio hacia Jeyan. Pero ¿quién iba a poder sorprenderse ante eso? El kum kum había sido esparcido por el suelo antes de la ceremonia nupcial y el matrimonio murió en ese preciso instante. Aquello solo era el hedor de la descomposición.

Cuando la mayor de sus hijas tenía cinco años, Ratha le pidió a Jeyan que se fuera de casa. Mi hermano encontró una habitación en otro taller de la misma calle. Lo cierto era que Jeyan no sabía cómo vivir sin su esposa. Había aprendido a convivir con el odio y los malos tratos, pero no sabía cómo salir adelante sin Ratha. Para bien o para mal, la llevaba en la sangre. Quería seguir estando lo más cerca posible para verla a ella y a las niñas, pero Ratha se negaba aunque solo fuese a mirar en su dirección. Dejó perfectamente claro que no quería tener nada que ver con su marido e inició los trámites del divorcio. Jeyan pensó que se negaría a pagarle la pensión y de esa manera la haría volver corriendo. Comenzó a observarla desde su mísera habitación a unas puertas de distancia, seguro de que Ratha nunca podría arreglárselas por sí sola. Sin amistades, trabajo, dinero o familia que cuidara de ella, además Ratha tenía dos niñas a las que cuidar y que pagar todas las facturas. Tendría que volver a él, arrastrándose sobre las manos y las rodillas. Vi la luz vengativa que brillaba en los ojos apagados de mi hermano. Eso le serviría de lección a su esposa, decía aquella luz.

Pero Ratha juró no regresar nunca. No hacía caso de aquellos ojos abrasadores que la seguían tan pronto como salía por su puerta. De noche cubría la ventana con una vieja manta que no usaba, de tal manera que resultaba imposible ver aunque solo fuese una sombra. Luego trazó un plan. No quería el dinero de Jeyan.

Primero comenzó a hacer trabajos ocasionales acompañada por sus tímidas niñas, yendo a trabajar con sus caritas de gata pegadas a las faldas. Aquello fue muy duro. Las mujeres para las que trabajaba exigían mucho y no tenían corazón, pero toleraban la presencia de las niñas debido a que Ratha era una mujer de la limpieza realmente impecable. Por las noches comenzó a coserles blusas de sari a las señoras ricas para las cuales trabajaba y sus mimadas amigas.

Poco a poco, Ratha fue ahorrando lo suficiente para recibir lecciones de hornear de la mujer de un ex policía. En un piso del bloque residencial de color blanco y azul que estaba reservado para los policías y sus familias, Ratha aprendió a hornear pasteles. Luego utilizó aquel dinero que tanto le había costado ganar para asistir a cursos de repostería. Jeyan la contemplaba celosamente desde su ventana, siguiendo sus progresos y viendo cómo iba liberándose de él. Se acostumbró a beber por la tarde. Vestido con su uniforme azul de lector de contadores, se sentaba en los pequeños cobertizos de los alrededores de la ciudad y se dedicaba a beber el samsoo local.

He visto a mi hermano mostrando una alegría totalmente falsa en compañía de otros hombres. Todos estaban amargados, con matrimonios fracasados a sus espaldas y las sombras llorosas de los hijos a los cuales habían abandonado tirando de los faldones deshilachados de sus camisas mientras les suplicaban un poquito más de amor. ¡Cómo despreciaban a las mujeres! Todas eran unas fulanas, unas arpías que no servían para nada. Luego comenzaban a hablar con expresiones salaces de las prostitutas que recorrían las calles junto a los pisos recién construidos. Jeyan tardó mucho tiempo en aceptar que había perdido a Ratha para siempre, pero cuando por fin lo aceptó, la verdad es que entonces ya no había nada que le importara.

Ratha siguió practicando en su pequeña habitación hasta que su pastel de cumpleaños tuvo un aspecto lo bastante bueno para que se lo pudiera comer. Luego comenzó a dar lecciones en el centro cívico. Sobrevivía sin recibir ni un solo céntimo de Jeyan y sus clases llegaron a ser muy conocidas en todo Kuantan. No solo las damas hindúes iban a ellas, sino que mujeres malayas conocidas por su sentido innato de la creatividad y su paciencia para los trabajos artísticos más complicados también comenzaron a asistir a las clases. Luego regresaban a casa con manojos de rambutanes y mangos hechos de azúcar. Ratha por fin pudo dejar aquella diminuta habitación situada encima de la tintorería que hacía que la mayor de sus hijas tosiera durante la noche. ¡Cómo odiaba a Jeyan! ¡Cómo odiaba a la mujer que lo había dado a luz! Ratha no quería tener nada más que ver con nosotros. Le habíamos robado la vida prometida.

Flacas y asustadas, sus hijas siguieron a Ratha a su nueva vida. «No tenéis padre —les decía ella—. Vuestro padre ha muerto.» Ellas asentían mirándola con sus grandes ojos llenos de inocencia, como un par de angelitos que no supieran hablar y sostuvieran sus alas rotas en sus manos. ¿Quién sabe qué pasaba por sus pobres cerebros? Pobres criaturitas, con su mundo tan lleno de crueles adultos... ¿Realmente no se acordaban de aquel hombre delgado como un palo que a veces las levantaba por encima de la cabeza? ¿Se habían olvidado de aquel hombre de cara simplona, cuya boca siempre hablaba muy despacio y tan solo tenía algunas palabras dentro de ella? Sí, se acordaban de él tanto como se acordaban de los botones que se habían desprendido de sus blusas. Vestidas con ropas limpias pero ya muy gastadas, las niñas andaban de puntillas alrededor de su madre en su pequeña habitación. Ratha siempre tenía muy mal genio y el mal genio de su madre siempre se encontraba muy cerca de ellas. Las llevaba a la escuela cogidas de la mano. Su maestra era amiga de Anna.

—Son unas niñas tan buenas.... —le contó a Anna—. Pero ojalá hablaran un poquito más.

La última vez que vi a Ratha, ella estaba subiendo a un autobús. La observé con mucha atención. Las niñas no iban con ella, pero la reconocí al instante incluso viéndola de espaldas. Quizá hubiera sido cosa del cepillo de púas de acero, o quizá se debiera a la dureza de la vida que llevaba, pero algo había alterado su persona hasta un grado casi irreconocible. La piel le colgaba en pequeños pliegues alrededor de los huesos y unas dobleces de piel oscilaron sobre sus codos cuando se colocó bien la cesta en el brazo. Cuando se volvió para pagar al conductor y recoger el cambio, vi con una gran sorpresa que la mitad de su boca había quedado permanentemente fruncida hacia abajo como la de una enferma semiparalizada por una embolia. El pelo se le había caído a mechones y pude ver el cuero cabelludo en algunos sitios. Me recordó una película tamil que había visto en la que la heroína se aleja del objetivo de la cámara para correr hacia el bosque. Es invierno y todos los árboles están desnudos y profundamente dormidos. Lo único que ves es la espalda de la heroína alejándose por el bosque. Aquella espalda que desaparecía me recuerda a Ratha. La cámara va alejándose cada vez más de ella. La espalda va volviéndose cada vez más y más pequeña, hasta que llega un momento en el que ya solo es un punto en el horizonte. Adiós, Ratha.

Nunca sé adónde van a parar los años, pero no me siento fuera para dejarme acariciar por los dedos regordetes de las damas, ya no me quedo inmóvil entre las berenjenas de ricos colores para contemplar a los insectos y tampoco doy de comer a las gallinas en la cueva mágica de debajo de nuestra casa. Fuera, la tierra es un erial desierto. Las malas hierbas se han adueñado de todo. Despierto por la mañana y empiezo a hacer mis tareas domésticas, y de pronto ya es hora de echar la siesta de la tarde. Luego está la televisión, naturalmente, hasta que llega la hora de acostarse. A veces voy al cine a ver una película, y los viernes las plegarias de la tarde me llaman desde el templo. Una mañana desperté y tenía cuarenta y cinco años y seguía soltera, pero nuestro padre tenía ochenta y dos años. Lo miré, un anciano montado en una bicicleta medio desvencijada. Durante años lo había estado contemplando desde la ventana mientras él se subía a la vieja bicicleta oxidada y luego bajaba por el mismo sendero; me preocupaba que algún día cayera de la bicicleta y se hiciese daño. Pero el día en que finalmente ocurrió yo estaba en el mercado. Fue nuestra madre, que estaba de pie junto a la ventana mirando, la que lo vio caer al suelo después de que la rueda de su bicicleta chocara con las abultadas raíces del rambután, que había ido creciendo con el paso de los años hasta volverse realmente enorme.

Salió corriendo de la casa sin detenerse a ponerse las zapatillas para ayudar a nuestro pobre padre mientras este yacía de espaldas en el suelo, demasiado aturdido para moverse. En aquel entonces nuestra madre tenía sesenta y un años. Sus miembros ya se habían hecho viejos y estaban empezando a encogerse, pero todavía había una gran fuerza en su interior. Se arrodilló junto a nuestro padre, cuya cara era como el cauce de un río que se ha secado llenándose de profundas grietas. Nuestra madre llevaba años leyendo en aquella cara igual que si fuese un libro. En esos momentos, él sufría terribles dolores. Nuestra madre extendió la mano y tocó las grietas; entonces él la miró con sorpresa incluso a través del dolor que sentía. La rueda de atrás de la bicicleta aún giraba. Nuestra madre intentó ayudarlo a levantarse.

—No, no —gimió él—. No puedo moverme. Me he roto la pierna. Llama a una ambulancia.

Así que nuestra madre corrió a la casa del viejo Soong. Una sirvienta le abrió la puerta. Era la primera vez que nuestra madre ponía los pies dentro de aquella casa. Reconoció la mesa de palo de rosa en la que Mui Tsai había servido estofado de perro a su dueño, que también era el sitio donde los dedos de este se habían deslizado por primera vez sobre los jóvenes muslos de Mui Tsai. Donde los soldados japoneses la habían tumbado en el suelo y luego la habían violado uno por uno. El suelo de terrazo estaba frío bajo los pies de nuestra madre.

—Señora Soong —llamó a la señora de la casa con un hilo de voz enronquecida.

Finalmente la señora Soong abrió una oscura puerta de madera y salió por ella. Se había vuelto indescriptiblemente fea. Toda su belleza había desaparecido. Estaba muy gorda y empezaba a quedarse calva. En sus ojos, que la grasa empequeñecía aún más, no había alegría alguna. De hecho, la presencia de nuestra madre parecía que le hiciera sentir muy incómoda. Allí estaba alguien que conocía todos sus secretos, y todos sus horribles secretos tenían que permanecer guardados dentro de aquella vieja arpía. Entonces la arpía abrió la boca y le explicó por qué necesitaba usar el teléfono. La señora Soong señaló un teléfono que había junto al pasillo. Después de la llamada, nuestra madre le dio las gracias a la señora Soong y se fue a toda prisa.

Pasó por delante de la casa de Minah, donde mucho tiempo antes ella y Mui Tsai habían visto aquella pitón tan enorme. Ya hacía mucho que Minah se había ido de allí. Su antiguo protector japonés le había dejado un trozo de tierra y algo de dinero, y ella se había mudado. Nuestra madre pasó rápidamente por delante de la casa china en la que la pobre Ah Moi se había ahorcado hacía ya tantos años. Nuestro padre seguía recostado sobre la espalda. No se había movido en lo más mínimo. A nuestra madre le entraron ganas de llorar y no sabía por qué. Saltaba a la vista que la lesión no era grave. ¿Por qué de pronto se sentía tan perdida, tan abandonada? Se sentía como si su marido la hubiera dejado, cuando era ella la que se había ido para llamar a la ambulancia. ¿Por qué, después de todos aquellos años, sentía súbitamente un enorme dolor en su corazón solo de pensar en el dolor que estaba sintiendo él, ante la idea de perderlo? Se esforzó por acordarse de que su marido la sacaba de quicio, que siempre la ponía furiosa y la llenaba de una insoportable frustración.

Bajó la vista hacia él y él la miró.

En su cara no había expresión alguna. Nuestro padre se limitó a mirar a nuestra madre tal como lo había estado haciendo durante todos los años transcurridos desde que ella lo conoció. Robusto y sólido, era alguien tan maleable como la pasta de amasar y del que siempre podías fiarte. Nuestra madre pensó que debería decirle algo acerca de lo que estaba sintiendo. Él quizá se sentiría reconfortado por sus confusos pensamientos, por aquel extraño anhelo de que se pusiera bien. Entonces yo llegué corriendo y aquellas palabras melosas y sentimentales murieron en la garganta de nuestra madre, que se avergonzó de que una vieja como ella hubiera podido pensar todas aquellas tonterías. Agradeció no haber llegado a pronunciar aquellas palabras tan ridículas e infantiles. Su marido se habría quedado tan sorprendido que le hubiese podido dar un ataque al corazón.

Me dejó con nuestro padre y entró en casa para prepararse. Quería acompañar al viejo al hospital, permaneciendo junto a él sin separarse de su lado. De lo que no cabía duda era de que se sentía demasiado nerviosa para quedarse sola en casa. Se quitó rápidamente su ya descolorido sarong verde y marrón y se puso un sari azul claro con un pequeño ribete verde oscuro. Luego metió dentro de su *choli* un bolso que antes había llenado con dinero. ¿Quién iba a saber cuánto podían llegar a costar las medicinas en aquellos tiempos? Se peinó y después se recogió el pelo en un apretado moño sobre la nuca. Hacer todo aquello solo había requerido unos minutos.

La casa estaba muy silenciosa. Parecía saber que fuera había ocurrido una tragedia. Parecía saber que unos huesos viejos ya nunca se curan. Finalmente nuestra madre se encontró con su propia mirada en el espejo y se detuvo, sobresaltada. Había algo desconocido y ajeno en sus ojos. Se miró con más atención. Alguna emoción en la que no se podía confiar nadaba dentro de ellos. Verla la puso tan nerviosa que se apresuró a apartar la mirada y comenzó a pensar de una manera más práctica. Sus pies, sí. Había que hacer algo rápidamente con ellos. Se lavó la sangre de las plantas de los pies y, poniéndose las zapatillas, fue a esperar junto al viejo. Alzándose majestuosamente sobre nosotros, me contempló acurrucada sobre las afiladas piedras junto a nuestro padre, alisándole los blancos cabellos alrededor de la cara mientras las lágrimas resbalaban por mi rostro. Pero mi debilidad le dio fuerzas. Entonces se alegró de no haber sucumbido a aquellas extrañas emociones. Nuestra madre es una mujer muy orgullosa. No quería parecer débil o estúpida. Por suerte no era ella la que estaba acurrucada en el suelo de aquella manera tan poco digna, llorando como si se le fuera a partir el corazón. Sabía que los vecinos estaban mirando desde detrás de sus cortinas. Hubo un tiempo en el que todos podrían haber estado formando corro alrededor de ella tratando de ayudar, como cuando los soldados japoneses se llevaron al marido de Minah y le pegaron un tiro. Pero en esos días el vecindario estaba lleno de gente nueva, toda una generación de personas que sonreían y te saludaban agitando la mano desde lejos. Aquellas personas creían en un extraño concepto occidentalizado al que llamaban intimidad.

La ambulancia entró en nuestro callejón. Yo comencé a llamarla con las manos mientras gritaba: «¡Eh, que es aquí! ¡Estamos aquí!».

Dos hombres vestidos con batas blancas pusieron encima de una camilla a nuestro padre, que hizo una mueca de dolor. Cuando lo vio tumbado sobre la estrecha camilla mientras era atendido por unas manos envueltas de blanco que se movían con rápida premura, nuestra madre tuvo la sensación de que ya había visto antes todo aquello. Se acordó de la última vez que lo había visto yacer en una estrecha cama. En aquel entonces él estaba inconsciente y tenía el rostro gris y yo todavía era muy pequeña.

Subió a la ambulancia y no se movió mientras recorrían las calles de Kuantan.

Nuestro padre cerró los ojos cansadamente. Parecía encontrarse muy lejos de allí. Lo más extraño de todo era que nuestra madre anhelaba tocarlo, sentir que él todavía estaba allí con ella. Sus propios pensamientos la llenaban de confusión. Quizá se estaba haciendo vieja, o quizá fuese que comprendía el cansancio que sentía nuestro padre. Sabía desde hacía ya mucho tiempo que él pasaba sus días soñando con la caída de la noche y anhelándola, deseando ver llegar aquel momento en el que la dulce negrura descendería como una gruesa y suave manta de olvido. Quizá ella también temía aquel momento en el que la noche caería por última vez y lo que más la asustaba fuera el hecho de que él pareciese darle la bienvenida, estar invitándola de aquella manera. En un momento dado los párpados de nuestro padre se abrieron de golpe. Sus ojos permanecieron silenciosamente clavados en nuestra madre y luego, como si se sintieran reconfortados por la visión de su rostro lleno de preocupación, los párpados volvieron a cerrarse. A ella le complació haber sido su roca. Sintió cómo la pena iba derritiéndose poco a poco para llenar lentamente todos los pequeños agujeros y diminutos resquicios que había dentro de su ser. Se había portado horriblemente mal con él. Durante toda su vida Ayah siempre había hecho cuanto podía por ella y ella solo había sido impaciente, grosera y exigente. Se había asegurado de que todos sus hijos supieran que era ella la que mandaba. Nunca le había reconocido ninguno de sus méritos. Incluso había llegado a sentir celos de todos los pequeños afectos que los niños lograban introducir de contrabando en el lúgubre mundo de su padre. Había sido mezquina y egoísta.

Su marido solo se había hecho una fractura tan delgada como un cabello en el fémur. Le envolvieron la pierna en una escayola blanca. Él yacía en la cama con los ojos cerrados y nuestra madre se dio cuenta de que estaba perdiendo el color. Antes siempre era muy negro y esos días aquella negrura parecía estar desvaneciéndose poco a poco. Nuestro padre se había puesto de un marrón grisáceo. Le trajeron una bandeja de comida. Él miró aquellos pálidos alimentos y sacudió la cabeza con abatimiento. Nuestra madre mezcló un poco del arroz con el pescado hervido y luego dio de comer a nuestro padre de la misma manera en que nos había dado de comer a todos sus hijos cuando éramos muy pequeños. Igual que un niño, nuestro padre comió de su mano. Desde aquel día en adelante, se negaría a comer a menos que fuese nuestra madre quien le diera la comida.

—Mañana traeré comida hecha en casa —le prometió ella, alegrándose de ser capaz de contribuir positivamente.

Cuando salió de la sala del hospital, lo hizo con el corazón inundado por la pena. No conseguía entenderse a sí misma. Después de todo, había estado hablando con el médico durante un buen rato. Solo era una fractura tan delgada como un cabello y el médico le había asegurado que no había absolutamente ninguna razón para preocuparse. En tres semanas le quitarían la escayola y su marido estaría como nuevo. Cogió el autobús para volver a casa. Los taxis salían muy caros y de todas maneras siempre le había gustado ir sentada en un autobús. Cuando llegó a casa ya eran las cuatro y no había comido absolutamente nada en todo el día y tampoco se había tomado sus píldoras para el asma. Tragó rápidamente unas cuantas con un poco de agua. No tenía apetito, pero como su estómago gruñó audiblemente, comió un poco de arroz con curry.

Durante tres semanas, la vida de nuestra madre siguió la misma pauta. Despertaba sin pensar en el desayuno, preparaba rápidamente un poco de comida y corría al hospital. Daba de comer a nuestro padre con sus propias manos. Luego recogía la fiambrera vacía y regresaba a casa en el autobús. Una vez en casa, se tomaba sus píldoras contra el asma y cosa de media hora después se armaba de voluntad para comer el almuerzo. Naturalmente, ella no sabía que tragar las potentes píldoras contra el asma con el estómago vacío resultaba muy perjudicial para las paredes de su estómago. El ácido que había dentro de su estómago iba royéndole un poco más las paredes de este a cada día que pasaba. Nuestra madre no prestó ninguna atención a los ocasionales calambres y retortijones. Había cosas más importantes que hacer.

El día en que se suponía que le quitarían la escayola, nuestra madre fue al hospital más temprano que de costumbre. Esperó junto a la cabecera de la cama de nuestro padre mientras iban cortando aquella escayola tan dura que se había puesto amarilla con el paso del tiempo.

—Bueno, ya está —le dijo el médico a nuestro padre con voz jovial.

Nuestro padre trató de mover la pierna, pero era como una piedra unida a su cuerpo.

—Adelante —lo apremió el médico—. Mueva la pierna. Todavía estará un poco rígida durante algún tiempo, pero ahora es como si fuese nueva.

Nuestro pobre padre hizo todo lo que pudo para tratar de mover la pierna.

—No se moverá —dijo finalmente, agotado por el esfuerzo de tratar de mover la pierna de piedra.

El médico frunció el ceño y la enfermera hizo una mueca. ¡Ah, aquellos viejos! Siempre creando problemas innecesarios, siempre preocupándose por tonterías. Nuestra madre los miraba en silencio. Aquella punzada que sentía en el estómago empezaba a preocuparla, porque se había convertido en un dolor abrasador.

El médico volvió a examinar la pierna de nuestro padre. Finalmente declaró que el yeso quizá había estado demasiado apretado y que lo que necesitaba nuestro padre era un poco de fisioterapia. Dio la impresión de que un poco de rehabilitación bastaría para hacer que nuestro padre volviera a correr por los pasillos del hospital. De hecho, su pierna estaba muerta. Todos los nervios que había en ella estaban muertos. Se había puesto fría y dura, y no cabía duda de que se encontraba totalmente paralizada.

Durante tres largos meses, nuestro padre soportó la rehabilitación a manos de enfermeras que eran incapaces de comprender su situación. Lo acusaban de ser perezoso. Un día despertó para encontrarse con que había un trocito de papel dentro de su boca. Pensó que era cosa de una de las enfermeras que le estaba gastando una broma. Estaba solo y se había convertido en el objeto de sus chanzas. Sabía que su incapacidad para mejorar las llenaba de irritación. Las enfermeras solían comportarse como si él estuviera intentando deliberadamente no andar. Pidió que lo dejaran salir del hospital y le dijo al médico que haría sus ejercicios en casa. Tenía hijos grandes y fuertes que podrían ayudarlo. Una ambulancia lo llevó a casa y lo acomodaron con mucho cuidado en su gran cama.

Lo oí suspirar de alivio.

Pero una vez en casa dejó de hacer los ejercicios y, lenta pero inexorablemente, su otra pierna se fue poniendo rígida. La parálisis trepó por sus piernas y comenzó a subir por su cuerpo. Nuestro padre se convirtió en una extraña figura con las rodillas ligeramente dobladas. Cuando intentábamos ponerle rectas las piernas, estas iban elevándose poco a poco sobre la cama centímetro tras centímetro hasta que sus rodillas volvían a quedar dobladas. Transcurrió un mes y entonces a nuestra madre le diagnosticaron gastritis crónica. No había nada que pudiera comer sin que hacerlo le causara un intenso dolor. Pasaba el día bebiendo leche caliente y comiendo bolas de arroz mezclado con yogur. Ya ni siquiera podía comer fruta, porque una manzana o una naranja bastaban para hacerle toser sangre. Un tomate podía hacerla chillar de dolor y cualquier alimento que contuviera la más leve cantidad de aceite o especias haría que tirase el plato al suelo de pura frustración.

En el dormitorio, era evidente que nuestro padre se estaba muriendo. Nuestra madre permanecía sentada junto a la cabecera de su cama, pero ni siquiera ella podía hacer nada para evitar que la muerte fuera reclamándolo centímetro a centímetro. De hecho, así fue como la muerte se lo llevó, subiendo poco a poco por su cuerpo con una despreocupada tranquilidad en la que no parecía haber ninguna prisa. Cuando la muerte reclamó sus manos, nuestra madre puso botellas de agua caliente encima de ellas como si con ello pudiera calentar su carne y así evitar que muriera. Pero lo cierto era que la mezquina y caprichosa niñita de la muerte estaba haciendo pagar a nuestro padre que hubiera logrado huir de sus garras hacía tantos años cuando se sentó fuera de la fosa en la selva, rió y dijo: «Nueve de cada diez sigue siendo un buen trabajo».

Nuestra madre hacía que Lakshmnan o uno de los muchachos fueran cada día para levantarlo de la cama y cambiarlo de posición, porque ya se había llenado de llagas. Ellos levantaban con sus manos el frágil cuerpo de nuestro padre y luego lo lavaban como si fuera un niño.

En siete meses quedó paralizado del cuello para abajo. Todo su cuerpo había quedado tan inmóvil y extrañamente frío al tacto como si ya estuviera muerto. Nuestro padre lo hacía todo lentamente y se estaba muriendo muy lenta y dolorosamente. Era su manera de hacer las cosas. Su aliento se volvió maloliente. Ya no quería comer. Su cabeza también fue enfriándose poco a poco. Nuestra madre intentaba meterle leche por la garganta, pero solo conseguía que el líquido saliera goteando de las comisuras de su boca y bajara por su barbilla. Aun así, ella se negaba a darse por vencida. Pasaba el día entero sentada junto a él.

Un día nuestro padre la miró a la cara y murmuró: «He sido más afortunado que Thiruvallar». Después de haber dicho eso, dejó de hablar y la espantosa inmovilidad de la muerte se adueñó de él. Entre sus párpados medio entornados ya solo se veía el blanco de los ojos. Su respiración se volvió tan débil y entrecortada que únicamente un espejo sostenido delante de su cara podía mostrar que todavía había aliento en su envarado cuerpo. Su cara y su cabeza se habían puesto muy frías y con todo aún respiraba. Sus ojos permanecían fijos en la nada. Nuestro padre permaneció así durante cuatro días, helado y sin embargo todavía respirando. Entonces, la mañana del quinto día, nuestra madre despertó y él ya se había quedado frío del todo. Ya no había ningún cálido aliento saliendo de los agujeros de su nariz. Su boca estaba entreabierta. Todos sus hijos y sus nietos estaban de pie junto a su cabecera cuando nuestra madre llamó al doctor Chew. El doctor Chew declaró muerto a nuestro padre.

Nuestra madre no lloró. Pidió a Lakshmnan que le pusiera rectas las piernas a nuestro padre. Trajo de la cocina un grueso trozo de madera y luego salió de la habitación. Lakshmnan dejó caer aquella gruesa madera sobre las rótulas de nuestro padre. Oímos un crujido y luego mi hermano fue bajando lentamente las rígidas piernas, apretándolas con las manos hasta que volvieron a quedar rectas. Lakshmnan llevó el banco de nuestra madre a la sala de estar y colocó a nuestro padre encima. El colchón de la gran cama plateada fue sacado al patio trasero y quemado, formando una gran hoguera en aquel anochecer. Vi a nuestra madre, sola allí de pie ante la hoguera, mirando cómo las llamas anaranjadas iban consumiendo rápidamente el relleno de algodón del colchón. Parecía una viuda que estuviera considerando sin ningún temor la posibilidad de arder junto a su marido. Podía imaginármela corriendo intrépidamente hacia las llamas entre las que ardía el cuerpo del hombre con el que había estado casada. Nadie necesitaría empujar a nuestra madre hacia la pira y, de hecho, nadie se hubiese atrevido a hacerlo. Nuestra madre estaba quemando algo más que un colchón, porque lo que hacía era quemar una parte de su vida. Todos sus hijos habían sido concebidos sobre aquel colchón. Ella había pasado muchos años durmiendo sobre aquel colchón junto a nuestro padre y le había ido añadiendo relleno una y otra vez a lo largo de los años para mantenerlo mullido.

Lo vio arder, y entonces se dio cuenta de que había querido a su marido. Lo había querido durante todos aquellos años, y ni siquiera lo había sabido. Incluso esas primeras y extrañas punzadas de dolor que sintió cuando Ayah se cayó la primera vez habían sido consideradas como una mera tontería por su parte. Puede que entonces ella lo hubiera sabido, pero había sido demasiado orgullosa para decírselo a su marido. Hubiese debido hacerlo y en aquel momento deseó con amargura habérselo dicho. Eso lo habría hecho muy feliz. ¿Por qué, por qué, se reprochó a sí misma, no se lo había dicho? Incluso hubiese podido llegar a darle la voluntad necesaria para seguir viviendo. Nuestra madre sabía que lo que hubiese debido llegar a amar era aquella ambición que había acompañado a su marido durante toda la vida. Las últimas palabras que habían salido con tanto esfuerzo de los labios de él cantaron con una amarga dulzura en sus oídos: «He sido más afortunado que Thiruvallar». Nuestra madre enseguida había comprendido su mensaje. En el hilo de historias que forman la gran cadena de la leyenda hindú, Thiruvallar era uno de los sabios más grandes que jamás hubieran vivido. Cuando estaba en su lecho de muerte, Thiruvallar le concedió una última merced a su esposa. «Pide —le dijo—. Pide cualquier cosa que desee tu corazón.» Ella hubiese podido pedir lo más preciado a lo que aspiran todos los hindúes, el *moksha* que libera de la necesidad de tener que pasar por nuevos nacimientos, pero en vez de pedir eso su esposa quiso saber por qué, poco después de que se hubieran casado, él le había pedido que le trajera una aguja y un cuenco de agua con cada comida. Que ella supiera, su marido nunca había llegado a utilizar aquellos objetos.

—Ah, mi querida esposa —le dijo Thiruvallar—, la aguja era para recoger cada grano de arroz que pudiera haber caído accidentalmente de la hoja de platanero y el cuenco de agua era para lavar el grano de arroz dentro de él antes de que yo lo comiera. El desperdicio es un pecado que te niega la entrada en el cielo. Pero como tú nunca permitiste que llegara a caer ni un solo grano, yo nunca tuve necesidad de utilizar la aguja o el cuenco de agua.

Como ella había sido una esposa tan buena e irreprochable, Thiruvallar le concedió la merced del *moksha*. Con su último aliento, nuestro padre quería que nuestra madre supiera que ella había sido todavía más preciosa para él que la esposa perfecta de Thiruvallar.

Las lágrimas resbalaron por el rostro de nuestra madre. Sabía que lo había echado a perder todo. Había animado a los niños a despreciar a su padre, les había enseñado a no hacerle caso y había ridiculizado su bondad natural considerándola una tonta aceptación, o incluso como gandulería pura y simple. Luego, obrando tan sistemáticamente como tenía por costumbre hacerlo en todo, fue convirtiendo a aquel hombre bueno y cariñoso en un bobo desconocido. Lo había traicionado, a él que tanto la había querido. Se sintió derrotada por su propia impaciencia y su mente increíblemente inteligente. Su cabeza había terminado causando la ruina de su corazón.

SEVENESE

> Soñando cuando la mano izquierda del alba estaba
> en el cielo,
> oí a una voz gritar dentro de la taberna:
> «Despertad, pequeños míos, y llenad la copa
> antes de que el licor de la vida se seque dentro de
> ella».

Toda mi vida he mantenido mi firme resolución de no aceptar la gran sutileza de Omar Jayam. El auténtico significado místico de su verso es como el vino, tan potente que se vuelve peligroso para el animal que lo consume. Con la limitada interpretación occidental, todo me parecía mucho más fácil de aceptar. Haber llegado a admitir, aunque solo fuera por una vez, que esa voz que gritaba dentro de la taberna no tenía nada que ver con los maullidos quejumbrosos salidos de labios pintados a última hora de la madrugada en alguna mísera habitación de hotel de Tailandia hubiese podido resolver el misterio de la vida. Y yo no quería que ese misterio fuera resuelto para así volverse diminuto, borroso y aburrido en la lejanía.

¿Conocía Jayam la existencia de las apsaras, esas divinas ninfas que pueden ser compradas por unos pocos dólares americanos la noche? En el caso de que llegue a encontrarme con él en el otro mundo, le contaré al gran poeta que el licor de mi vida también era un líquido dorado, pero que en mi caso salía de una botella de Jim Beam. ¡Y condenadamente bueno que era! Omar lo entendería, porque era un hombre que tenía muy buena vista. Él adivinaría que negarme a mí mismo la ilusión de la ignorancia habría significado negar la calidad de la olla, quizá incluso poner en duda la habilidad de la mano del alfarero. La cuestión no podía ser más sencilla. Siendo yo un recipiente no muy bien hecho como era, ¿debía reírme de mí mismo inclinándome hacia un lado?

Aquel que me dio forma también estampó en mí la hoja de parra de la corrupción. Con su color verde oscuro, esa hoja floreció muy temprano en mi vida y se adueñó de mi misma alma. ¿Qué se podía hacer?

Soy un sinvergüenza compulsivo. Los licores fuertes, la buena comida y la vida fácil me empujan a seguir un camino indudablemente equivocado. Contemplo a nuestra madre con una horrorizada fascinación. La fuerza que la impulsa a ella es la ambición material. ¿Será posible, pienso para mis adentros, que nuestra madre no sepa cuán horrible es la bestia a la que estrecha contra su corazón?

Viéndose así frustrada, esa bestia le ha ido chupando la vida lentamente. Por eso nuestra madre nos la infundió a través de sus deseos, pero la misma semilla de compulsión da distintos frutos según cual sea el recipiente. Huele distinto, tiene un aspecto distinto y exige un menú completamente distinto. La mía huele como el perfume barato y se alimenta con una interminable extensión de suave y lisa carne, pero la de Lakshmnan tiene un olor metálico, conduce un Mercedes impresionantemente enorme y vive en una gran casa de la zona más elegante de la ciudad.

Nuestra madre era tan fuerte que aplastó a todos aquellos con los que entraba en contacto. Yo me rebelé. Seguí el camino más largo para llegar al hogar. Las palabras apenas habían terminado de salir de los labios de ella y yo ya había tomado la decisión no solo de entrar en la casa del encantador de serpientes, sino también de hacer amistad con sus hijos y aprender todos sus oscuros secretos y habilidades. Nuestra madre tenía razón, claro está, porque dentro de aquella casa estaba ocurriendo algo muy extraño. Aun siendo un muchacho yo podía percibir aquella aura invisible, más oscura en unos sitios que en otros, pero presente sobre todo en la habitación de las cortinas negras en la que se alzaba una estatua de Kali, la diosa de la muerte y la destrucción. Kali me miraba malévolamente y yo le devolvía la mirada sin sentir ningún temor. Eso era lo que me había hecho ser mi Creador. Le temblaba la mano. Él me hizo egoísta, implacable y valeroso ante lo desconocido. El punto más allá del cual no puedo ir todavía tiene que ser descubierto. Llevadme más allá, desafío temerariamente.

Incluso ahora que me duelen los huesos y mis músculos están cansados, ese impulso sigue apremiándome dentro de mí. Pedir solo una cerveza o una sola chica es prácticamente imposible. Pido cuatro cervezas y las alineo encima de la barra, poniéndolas de tal manera que las etiquetas pegadas a las botellas me estén mirando. Cuatro chicas alineadas en una fila e inclinadas hacia el suelo también son una visión bastante hermosa. Sí, llené mi copa hasta que esta rebosó e incluso entonces todavía continué llenándola un poco más.

Yo estaba esperando a mi primera prostituta. Su incitante «*Wah, wah, wah*» resonaba en mis oídos y las chicas que siempre mantenían los ojos bajos me dejaban frío. La mera cantidad de energía necesaria para salir con una virgen hindú reprimida que llevaba a una madre muy gorda agarrada a las bragas, así como los meses y meses de tímido cortejo sin ninguna garantía de llegar a ninguna parte, me dejaban frío. Yo quería menos complicaciones y más variedad. Me quedaba en lo alto del tramo de escalones de la escuela junto a aquellos compañeros míos que tenían mucho estilo y veía subir a las chicas, momento en el que les preguntábamos diligentemente a todas si podíamos tocarles los mangos. Todas las chicas gordas y feas invariablemente adoptaban una actitud beligerante y nos llamaban de todo a voz en grito, mientras que las guapas se sonrojaban o bajaban tímidamente la cabeza. En una ocasión una de ellas se enamoró de mí, pero naturalmente yo le partí el corazón. Lo que andaba buscando no se podía encontrar en los brazos de una buena mujer. Yo quería mujeres veteranas y con experiencia que supieran que tenías que pagarles.

Llegué a ir hasta Tailandia, en los ferrocarriles malayos, para hacer un corto viaje al distrito de las luces rojas, donde hermosas jóvenes unieron sus palmas y se inclinaron ante mí con una gran reverencia hecha desde la cintura como es propio de las de su clase. Se quitaron sus elaborados tocados y me lavaron los pies en una palangana llena de agua perfumada mientras yo cerraba los ojos y me recostaba con un único pensamiento: «Estoy en casa».

Sé que estoy buscando algo, algo que todavía no he encontrado. Atravieso las calles de Chow Kit y miro a los travestidos. Mujeres de plástico, las llaman. Se contonean arrogantemente calle arriba y calle abajo, con sus lisos pechos asomando delante de ellas y sus ceñidos traseros sobresaliendo todo lo que pueden por detrás, mientras dirigen mohínes a los hombres que pasan. Suelen acudir hacia mí envueltas en un torbellino que pretende negar aquello que realmente son —pelucas, pestañas postizas, sujetadores bien rellenos, medias muy ceñidas, uñas brillantemente pintadas y montañas de maquillaje de todos los colores—, para hablarme con voces artificialmente agudas.

—¿Cuánto? —le pregunté en una ocasión a una solo para divertirme.

Ella se inclinó de inmediato ante mí moviéndose con la agilidad de una serpiente, con una gran sonrisa y una mano lista para acariciar posándose en el espacio más personal de mi cuerpo.

—Depende de lo que quieras —regateó.

La miré. La piel era suave, pero los ojos estaban llenos de tristezas y desgracias. El bocado de Adán subía y bajaba en su garganta. La travesura y el engaño no podían ser mantenidos por más tiempo. Suspiré con abatimiento.

Ella se puso alerta de inmediato.

—Pero no te saldrá muy caro —me aseguró.

Sé por qué es mucho menos que una prostituta: porque se delata a sí misma de una manera tan evidente como si fuese una lata llena de gusanos. Su sexualidad solo puede ser ofrecida en la oscuridad a extranjeros de gustos perversos.

—Quizá la próxima vez —le dije.

—Te enseñaré cosas extrañas —insistió ella con un vacío muy peculiar en su rostro.

La creí. Creí que podía enseñarme algo extraño y excitante, pero totalmente aborrecible para ella. La idea me fascinó. ¿Hasta dónde llega la deformidad del recipiente? Ah, si al menos ella no fuese un hombre... Pero Sevenese, amigo mío, es un hombre.

Sacudí la cabeza y el travestido se incorporó, desdeñosa y altivamente, con exagerados movimientos de su cuerpo. Que se supiera que había desperdiciado su precioso tiempo. Lo vi alejarse y unirse a otros de su especie. Juntos, me señalaron con el dedo y me lanzaron miradas venenosas. Conozco su tragedia. Su gran infortunio es que no son lo que deberían ser, sino precisamente aquello que no quieren ser: mujeres.

CUARTA PARTE

EL PRIMER SORBO DEL VINO PROHIBIDO

HOYUELO

Todavía tengo un recuerdo de mí misma de cuando era muy pequeña, nerviosamente sentada encima de una bolsa de viaje bien llena junto a la puerta principal, con los cabellos recogidos en un par de coletas, los pies enfundados en mis mejores zapatos y mi corazón contando los minutos como un reloj que hiciera mucho ruido dentro de mi pecho. Estaba esperando el momento de ir a casa de la abuela Lakshmi para pasar las vacaciones allí, pero llegar hasta ese lugar era una carrera de obstáculos que en algunas ocasiones se volvía demasiado difícil para que una niña pudiera hacerle frente. La más leve infracción podía costarme perder aquel privilegio. Lo que resultaba más difícil de todo era que yo debía fingir desdén ante la perspectiva de aquellas vacaciones.

Esa era la razón por la que solo después de que mi padre hubiera llegado a casa y los dos estuviéramos sentados dentro del coche yendo de camino a la estación de autobuses, podría yo exhalar un suspiro de alivio y tener la certeza de que mi viaje ya no se encontraría sujeto a cambios de planes en el último momento.

Me despedí de mi padre con un beso delante de la puerta del autobús y él se quedó de pie en la plataforma para devolverme el adiós que yo le iba dedicando con mi mano hasta que el autobús se hubo perdido de vista. Entonces cerré los ojos y dejé atrás todos mis problemas, desde las amenazas de mi hermano Nash de atarme a una silla en la cocina y quemarme todo el pelo hasta el rostro burlonamente despectivo de nuestra madre avanzando hacia mí. Pronto, muy pronto estaría durmiendo tan cerca de mi querida abuela que oiría el asma dentro de su pecho. Era como escuchar un motor cansado al que yo iba encontrando un poquito peor que antes cada vez que volvía.

Me estuve muy quieta en mi asiento durante todo el viaje, mirando por la ventanilla sin atreverme a echar una cabezada o a bajar del autobús para comprar algún refresco en Bentong con todos los demás. Les tenía pánico a esos hombres malos que nuestra madre me había advertido se llevaban a las niñas pequeñas que viajaban solas. Lalita estaría esperándome en la estación de autobuses de Kuantan, con un pastel de hermana mayor en la mano y el viento que soplaba desde los muelles lanzando sus delgados rizos contra su gran cara sonriente. Bajé del autobús, puse mi mano en la suya y empezamos a andar juntas, balanceando nuestras manos entrelazadas como las mejores amigas del mundo durante todo el camino hasta la casa de la abuela. Con los ojos de la imaginación todavía puedo vernos mientras cruzábamos la ciudad, con mi equipaje en mi mano derecha y sin apenas poder contener mi excitación. Kuantan prácticamente no había cambiado nada a través de los años. Siempre me resultaba muy querido y familiar, y volver allí era como volver a casa.

Mientras doblábamos la esquina delante de la casa del viejo Soong veía a la abuela, ligeramente encorvada, esperando junto a la puerta. Soltándome de la mano de Lalita, corría hacia la figura del porche. Cuando finalmente me lanzaba a sus brazos abiertos y hundía mi cara en su querido y familiar olor, la abuela siempre decía exactamente lo mismo: «¡*Aiyoo*, cuánto has adelgazado!».

Entonces yo pensaba que si existía un paraíso sobre la tierra, estaba allí.

El recuerdo de mis primeras horas de la mañana en la casa de la abuela, antes de que el sol se hubiera elevado lentamente por encima del horizonte, tiene una claridad cristalina. Puedo verme a mí misma despertando en la fresca oscuridad, sintiéndome demasiado excitada por el despertar del día para que pudiera seguir durmiendo. La luz todavía está encendida en la sala y el tío Sevenese está borracho. Ya hacía mucho que mi tío había reclamado la noche como su dominio y se había nombrado a sí mismo «un budista borracho». Tener pocos años y hallarse en presencia de un cinismo natural que no requiere el menor esfuerzo significa quedar totalmente cautivada y mi tío era el maestro de los cínicos. Cuando hablaba de Buda, solía preguntarse cómo podías no reverenciar a un hombre que había muerto porque era demasiado educado para rechazar la comida en mal estado.

Cuando mi tío me ve atisbando desde el hueco de la puerta, me llama para que entre en la sala.

—Ven aquí —susurra, palmoteando el asiento junto a él.

Corro a reunirme con mi tío y él me revuelve los cabellos, tal como hace siempre.

—¿Cómo es que todavía estás levantado? —le pregunto.

—¿Qué hora es?

Allí está una vez más, esa voz ligeramente pastosa. Río tapándome la boca con las manos. Nunca llegué a ver los daños. Solo veía a un hombre de una infinita sofisticación conmemorando una vida llena de ideas maravillosamente descabelladas. La botella de whisky parecía un mero añadido casual, eso suponiendo que pareciera algo; sus efectos, divertidos y amigables. Cuando se encontraba así, mi tío hablaba conmigo de cosas de adultos que tanto él como yo sabíamos realmente no hubiese debido mencionar en mi presencia. Hundo el dedo en su gran barriga y este desaparece entre la masa de grasa.

—Haz temblar tu barriga —ordeno, y toda ella vibra al instante. Eso provoca incontrolables estallidos de risa.

—Chist —me advierte él, metiendo su botella de Bells debajo de los cojines—. Despertarás a la Madre del Arroz.

—¿A quién? —quiero saber yo.

—A la Dadora de Vida, a esa. En Bali su espíritu vive dentro de efigies hechas con tallos de arroz, y desde su trono de madera en el granero de la familia ella protege las cosechas que han hecho que los campos se llenaran de arroz. Es tan sagrada que los pecadores tienen prohibido acercarse a su presencia o consumir un solo grano de su figurilla. —El tío Sevenese agita un dedo delante de mi cara. No cabe duda de que está borracho—. En esta casa, nuestra Madre del Arroz es tu abuela. Ella es la guardiana de los sueños. Fíjate bien y verás que está sentada en su trono de madera sosteniendo todas nuestras esperanzas y sueños en sus fuertes manos, tanto los grandes como los pequeños y tanto los tuyos como los míos. Los años nunca podrán hacer nada contra ella.

—Oh —exclamo yo, y la idea crece dentro de mi mente.

Me imagino a la abuela, no frágil y a menudo triste, sino como una Madre del Arroz, fuerte y espléndida, con granos de arroz pegados a su cuerpo y sosteniendo en sus fuertes manos todos los sueños que yo tengo cuando estoy durmiendo. Encantada con la imagen, apoyo la cabeza en la almohada que me ofrece la barriga de mi tío.

—Mi querida, querida Hoyuelo —suspira él con tristeza—. Ah, si no llegaras a crecer nunca. Si yo pudiera protegerte de tu propio futuro, de ti misma... Si pudiera ser como los chamanes de los innus, que son capaces de hacer sonar un tambor desde kilómetros y kilómetros de distancia y hacer que los ciervos bailen mientras esperan a que lleguen los cazadores. Mientras esperan sus propias muertes...

¡Pobre tío Sevenese! Yo era demasiado pequeña para saber que los demonios y los fantasmas le pisaban los talones, con sus enormes ojos reluciendo como relucen los ojos de los cocodrilos en la oscuridad. Persiguiendo. Persiguiendo. Persiguiendo. Yo me quedaba recostada sobre su barriga, inocente y preguntándome si un chamán muy lejano ya había hecho sonar su tambor y los cazadores venían de camino. ¿Sería esa la razón por la que el tío Sevenese siempre estaba fuera de casa bailando la rumba, el merengue y el chachachá?

—El nacimiento no es más que la muerte diferida —me dice mi tío, con el calor del whisky flotando en su aliento.

Luego coge el tren nocturno para ir a zonas secretas y peligrosas de Tailandia donde es posible desaparecer sin dejar rastro, donde las muchachas tienen músculos imposiblemente astutos y exudan *kamasalila*, esos fluidos amorosos que son tan fragantes como los lichis recién cogidos.

Todavía anhelando algo a lo cual no es capaz de poner nombre, mi tío Sevenese parte con rumbo a Port-au-Prince en Haití, donde se relaciona con expertos del vudú de cuyas negras auras brotan fuegos de artificio tan delgados como agujas. Allí contempla seducido cómo abren las puertas de los espíritus y le muestran a dos seres llamados Zede y Adel. Luego envía una postal de una gran cascada donde «todo el mundo gira continuamente hasta quedar en trance, gritando palabras extrañas e irreconocibles que salen de sus bocas mientras se retuercen incontrolablemente sobre las rocas».

A lo largo de los años, yo he ido guardando cartas del tío Sevenese con fotos suyas inmóvil ante la inmensa base de las pirámides egipcias. «Por fin he logrado imaginarme cómo se sienten las hormigas cuando se detienen ante nuestra puerta», garrapatea. Duerme en el desierto bajo un asombroso techo de millones de estrellas y anda a través de un mar de pájaros muertos que, con sus diminutos ojos y picos recubiertos de partículas por los torbellinos de las arenas, son los que nunca llegarán a terminar su viaje migratorio a través del desierto. Bebe leche de camella, que es muy fuerte, y observa cuán ruidosamente protestan los camellos cuando los están cargando. Tienen las patas muy grandes y tan suaves como los chapattis. Mi tío come pan duro como una piedra y contempla asombrado cómo diminutos ratones aparecen como salidos de la nada en busca de la más minúscula miga que caiga sobre la arena. Me informa de que la palabra para mujer, *horman*, procede de la palabra árabe *haram* que significa prohibido, pero dice que allí los hombres llaman a las muchachas *bellaboooozzzz*.

Ve a hermosas jóvenes vestidas con velos iridiscentes y ricas telas recostadas sobre suntuosos cojines junto al estanque, protegidas por la celosía de piedra que les permite observar sin ser vistas la vida que hay más allá de los muros. Las miradas de las jóvenes descienden hacia esos reflejos suyos que ondulan en el agua, o van hacia sus antiguos espejos persas de anillos. Sus ojos centelleantes rodeados por cúmulos de estrellas pintadas les devuelven la mirada, adolescentes con un punto rojo en las comisuras interiores. Sus senos se expanden con el resplandor del almizcle y sus ombligos, inspirados por piedras preciosas, destellan bajo el sol poniente mientras se echan agua juguetonamente las unas a las otras. Sin que nada de eso le importara o le excitara, Sevenese escribe: «¿Me he cansado finalmente? ¿Cuál puede ser la cuestión?».

Sin mostrar el más mínimo entusiasmo, desapareció de safari durante un mes.

—La falta de compañía me sentará bien —dijo.

—Perderá su empleo —se lamentó la abuela.

Mi tío Sevenese regresó un tanto recuperado, ennegrecido hasta el color del ébano por el feroz sol y demostrando haber sido extrañamente incapaz de dejarse conmover por la impresión, allí adquirida, de que solo era una cuestión de tiempo que el león africano se hartara de la rueda de la vida y siguiera el mismo camino que el león indio, extinguiéndose. Yo me sentí terriblemente consternada. Adoro a los leones. Sus ojos de color leonado, sus doradas patas y el magnífico rugido de un macho llegado a la edad adulta, que suena como si saliera de un cavernoso agujero abierto en la tierra. Los veo a la hora del crepúsculo y me parece como si hubieran sido tallados de la misma roca sobre la que están acostados.

Bajó hasta Singapur, inspeccionando sin ningún entusiasmo los patrones de la vida local, y finalmente siguió la ruta del norte que lleva en una sola noche de viaje hasta la tierra de los mil Budas reclinados, los monjes vestidos de color azafrán que hacen sonar gongs gigantescos y los pináculos delicadamente esculpidos que relucen en el púrpura humeante del crepúsculo. Una vez allí, mi tío cerró los ojos y extendió la mano para experimentar una vez más lo familiar: la flexibilidad de un seno, la curva de un vientre y un muslo sedoso.

En casa de la abuela, la comida era sencilla pero sana. Poniéndome junto a la ventana de la cocina, la abuela me sostenía la cara debajo del sol que entraba a raudales y comprobaba si los lóbulos de mis orejas estaban transparentes y tenían aspecto de hallarse sanos. Una vez que había quedado satisfecha de su inspección, asentía y volvía a trinchar cebollas, cortar berenjenas o arrancar las hojas de las espinacas. Mi abuela sentía curiosidad por todo: nuestro padre, la escuela, mi salud, mis amistades. Quería saberlo todo y parecía sentirse especialmente orgullosa de mis buenas notas.

—Igual que tu padre antes de que su mala suerte lo atrapara —decía.

Jugábamos muchas partidas de damas chinas, con la abuela haciendo una gran cantidad de trampas. No soportaba perder. De vez en cuando gritaba «¡Malito imbécil!» para distraerme, y luego su mano cambiaba de sitio las piezas en un abrir y cerrar de ojos.

El abuelo y yo solíamos sentarnos en el porche para contemplar en silencio cómo el sol del atardecer iba volviéndose rojo en el cielo hasta que se ocultaba para la noche. Luego yo le leía en voz alta los *Upanishads*. Una vez se quedó dormido en su tumbona. Cuando lo desperté, por un momento pareció sobresaltarse y, entornando los ojos como si no supiera muy bien lo que estaba viendo, me llamó Mohini.

—No, abuelo, soy yo, Hoyuelo —dije, y él pareció desilusionado.

Recuerdo haber pensado que tal vez no me quería después de todo. Quizá solo me quería porque me parecía un poco a ella.

El resto de las vacaciones siempre pasaba volando, con el sol que se ponía cada vez más deprisa haciendo que su final estuviera cada vez más próximo. La última noche yo siempre lloraba durante un buen rato antes de quedarme dormida. La mera idea de volver a la escuela, a los celos de Nash y Bella y a la furia de nuestra madre, me parecía casi insoportable. Nuestra madre nunca estaba más enfadada que cuando me veía regresar de la casa de la abuela.

Mientras estábamos creciendo, nuestro padre y nuestra madre fueron los elementos más impredecibles que había en nuestras vidas. Eran como pólvora y una cerilla que solo anduviera buscando un trozo de pedernal o una superficie rugosa, para así estar legitimados a estallar en una espectacular exhibición de fuegos artificiales. A su debido tiempo, nuestro padre y nuestra madre fueron encontrando muchos pedernales y superficies rugosas. Eran como dos caníbales que se alimentan el uno del otro para vivir. Podían mantener una conversación sobre las monjas en Andalucía, o sobre las yemas de los huevos, y esa conversación podía llegar a terminar con un ojo negro y un montón de platos rotos.

—¿Y tú qué estabas haciendo espiándonos? —me gritaba entonces nuestra madre histéricamente.

—Dentro de una hora tengo una reunión. ¿Por qué no te dejo en casa de Amu, hummm? —proponía nuestro padre, con su apuesto rostro lleno de tristeza.

¡Mi queridísima Amu! Adoro a esa mujer. No puedo recordar ni un solo momento en el que no hayamos tenido a Amu, en el que yo no haya salido de casa por la mañana y no la haya visto sentada en un pequeño taburete rodeada de cubos de plástico, restregando y escurriendo la ropa sucia de todos. Nuestra madre nunca podía hacer las tareas domésticas debido a su artritis, así que contrató a Amu para que lavara, fregara y quitara el polvo. Cuando nos despertábamos cada mañana ella siempre estaba allí, sentada fuera de la casa con sus cubos de ropa sucia. Cuando alzaba la mirada y me veía, su pequeño rostro triangular se iluminaba.

—Ten cuidado con el agua —decía, y yo recogía cuidadosamente mi vestido alrededor de mis rodillas y me sentaba en los escalones de la cocina a mirarla.

—Amu —me quejaba quisquillosamente—, hoy he pillado a Nash intentando arrancar las páginas del libro que ha enviado el tío Sevenese.

—Oh, cielos, oh, cielos —decía ella, chasqueando su roja lengua. En vez de compadecerse de mí, se embarcaba en una larga y complicada historia sobre la rencorosa esposa de su hermano y sus hermanas, o se sacaba de la nada a un primo malvado largamente perdido que estaba decidido a timar a los pobres e incautos padres de Amu. Aquellas historias estaban tan llenas de intriga y de personas horribles que yo no tardaba en olvidar mis insignificantes problemas.

También había buenos momentos, tan exquisitos que sabías que no podían durar. Eran aquellas ocasiones en que la familia entera celebraba uno de los negocios de mi padre con una gran comida china en uno de los mejores hoteles, comiendo langosta y abalones. Entonces nuestra madre se ponía de tan buen humor que yo me despertaba por la noche y oía cómo le estaba cantando a mi padre. En aquellos días embriagadores, parecía sentirse consumida por un intenso amor hacia mi padre que ardía con tal brillantez que yo no me atrevía a tocar su cara resplandeciente. También parece que siempre tenía celos de las danzarinas malayas a las que mi padre veía bailar en la televisión. Pero el dinero no tardaba en esfumarse y entonces nuestros padres se apresuraban a volver a su ritual de pelearse, como si todo aquel feliz interludio solo hubiera sido un sueño.

En una ocasión, nuestra madre se llevó consigo a Bella para rogar a un viejo amigo que le hiciera un préstamo. Bella dijo que aquel hombre deslizó muy lentamente un sobre lleno de dinero por encima de la mesa empujándolo con su dedo medio, sin dejar de mirar fijamente a nuestra madre en ningún instante.

—¡La próxima vez ven sin la niña! —les gritó a sus espaldas cuando se iban.

La falta de dinero llegó a tales extremos que Amu tenía que traernos arroz y curry de su casa. Recuerdo haber visto resbalar las lágrimas por las mejillas de nuestra madre mientras comía un trozo de huevo al curry. No guardó nada para mi padre, y cuando este llegó a casa ya no quedaba comida.

Tres días después, nuestra madre volvió a visitar a su amigo y esta vez no se llevó consigo a Bella. Regresó a casa de aquella visita con unos zapatos nuevos marrones y dorados para ella, una gran bolsa llena de comida y un par de ojos extrañamente relucientes. Cuando mi padre volvió a casa los dos tuvieron una pelea terrible y nuestra madre hizo pedazos sus zapatos nuevos en un arrebato de furia, se dejó caer sobre la cama y aulló igual que una loba. No volvieron a dirigirse la palabra hasta que llegó la estación de las lluvias y nuestra madre volvió a encontrarse con que lo único que podía hacer era permanecer sentada manteniendo los pies en alto. Las rodillas le daban bastantes problemas, pero la artritis había hecho que tuviera las manos tan rígidas y doloridas que apenas si podía desenroscar la tapa de una jarra de mermelada. Entonces pensé que mi padre tenía que quererla, porque se encargaba de limpiar a nuestra madre cada vez que ella iba al lavabo.

Un día volví a casa de la escuela y mi padre me dijo que el abuelo se había caído de la bicicleta. Cuando por fin pude verlo, se había quedado tan delgado que sus manos parecían dos largos trozos de hueso recubiertos de piel. Aquella vez el abuelo se puso a llorar en cuanto me vio y entonces supe que se estaba muriendo. Mi abuelo era una caja marchita repleta de historias y aquellas historias tenían tantísimo valor que yo supe que debía conservarlas todas en papel o quizá en cinta. No podía confiar en mi memoria. La hija de mi hija tenía que llegar a conocerlas algún día. Cuando volví a ir a la casa de la abuela, encontré una grabadora esperándome. La abuela me dijo que hiciera mi camino de los sueños, así que decidí empezar con el abuelo.

Después de que le hubiera leído los *Upanishads*, encendí mi grabadora y dejé hablar al abuelo. Hablaba con una voz llena de tristeza, pero decía cosas muy hermosas. No paraba de mirar detrás de mí, así que me volví y vi a su Nefertiti. Era más hermosa que nada de cuanto yo hubiera podido llegar a imaginar jamás.

Cada día la abuela le servía un pequeño pollo negro muy especial que tenía virtudes medicinales y que ella le había cocinado con hierbas. Aquel pollo costaba mucho dinero, pero la abuela planeaba darle uno cada día al abuelo hasta que se encontrara mejor. Estuvo cocinando un pollo al día durante casi todo un año. El abuelo murió el 11 de noviembre de 1975, habiéndome confiado su voz para que cuidara de ella. Todos sus nietos estuvieron de pie alrededor de su cuerpo encogido y marchito sosteniendo antorchas encendidas. La abuela no lloró. Nuestra madre también acudió al funeral y le preguntó a papá si habría una lectura de testamento. Vi cómo papá le daba una bofetada y luego salía de la habitación.

—¡No, claro que no la habrá! La araña se ha quedado con todo, ¿verdad? —le gritó ella mientras se iba.

Yo tenía diecinueve años cuando un hombre salió como una exhalación de un ascensor del banco MINB y me dijo la cosa más extraña que se pueda imaginar. Hablando medio en broma y medio en serio, me dijo que había mirado por un telescopio y se había enamorado de mí, pero sus ojos parecían estar tan sorprendidos como me sentía yo. Pensé que era un loco vestido con un traje muy caro, pero dejé que me comprara un helado.

—Llámame Luke —dijo con una sonrisa torcida.

En ese momento se lo veía atractivo, terriblemente sofisticado y muy fuera de mi alcance. Después lo escuché hablar en la cantina del sótano mientras me comía mi helado de fresa y me preguntaba cómo iba a comer el plátano que había en el cuenco con aquel hombre allí sentado que no me quitaba los ojos de encima. Al final no me comí el plátano, porque habría sido demasiado embarazoso. Dejarlo allí también lo fue, pero no tanto como lo hubiese sido comerlo delante de sus ojos opacos. Tenía unos ojos muy extraños. Aquel día estaban llenos de una maravillosa luz y de preguntas, miles de preguntas.

—¿Dónde vives? ¿Qué haces? ¿Cuántos años tienes? ¿Cómo te llamas? ¿Quién eres?

—Hoyuelo —le dije.

Él repitió mi nombre como si estuviera haciendo un experimento para averiguar a qué sabía en su lengua y luego me dijo que lo que realmente hace hermosa a una serpiente no es que su veneno pueda matar a un hombre en cuestión de segundos, sino el hecho de que a pesar de que carece de brazos y piernas, la serpiente ha conseguido dejar enterrado el miedo a su especie en lo más profundo de la humanidad. Lo ha dejado tan profundamente escondido dentro de nuestros genes que no podemos llegar hasta él, y nacemos para temerlas. Instintivamente.

Por un segundo me sentí aterrorizada. Instintivamente.

Algo se enfrió dentro de mí, como si una gota de helado de fresa acabara de caerme dentro del cuerpo. Dios me susurró una advertencia, pero entonces Luke sonrió y la verdad es que tiene una sonrisa tan hermosa que le transforma toda la cara. Olvidé la advertencia. Olvidé que cuando me estaba hablando, los ojos de Luke habían sido fríos y opacos. Como los de una serpiente.

—Tú, ojos brillantes, estás haciendo esperar a toda una mesa llena de personas importantes —me dijo Luke con su encantadora sonrisa.

Parpadeé. Yo creía que los hombres solo les decían ese tipo de cosas a los pechos de Bella. El helado de Luke fue derritiéndose dentro de su cuenco de cristal. Sintiéndome repentinamente osada, le devolví la mirada. Luke no llevaba joyas. Tenía los dientes rectos y los pómulos muy marcados. Había hambre en su rostro. Me miraba con una intensidad tan extraordinaria que mantenía unidas todas las líneas de su cara. Sí, me sentí decididamente atraída. Querer el lado oscuro de la luna es algo que forma parte de la naturaleza humana. Yo sabía que Luke era mi destino. Él estaba decidido a tenerme. Si te quedas, me decían sus ojos, iré derramándote dentro de mí hasta que ya no quede nada de ti. Sin embargo no salí corriendo. Quizá fuese por la misma razón por la que la alondra canta mientras surca el aire, desciende y se precipita hacia el suelo cuando está siendo perseguida por las garras de un halcón hambriento. Quizá siempre he querido estar en la piel de otra persona.

Accedí a telefonearle. No creía que mi padre lo aprobara, así que no le di el número de casa.

—Llámame —me ordenó suavemente Luke mientras se iba, y vi las huellas de pisadas que había dejado en las arenas doradas de mis sueños y en mi corazón.

Estaba tan absorta en mis propios pensamientos que ni siquiera vi el coche azul que me siguió a casa hasta que me detuve delante de nuestra puerta.

Dos días después, yo estaba en el vestíbulo del centro comercial Kota Raya y llamé a su oficina. La tarjeta con el número directo de Luke se me había caído en una alcantarilla hacía un rato mientras estaba intentando pagar un vaso de zumo de semillas de soja. Por un instante la tarjeta flotó, blanca e impoluta, sobre el agua de un sucio color verdoso antes de alejarse por debajo de las planchas de cemento medio sueltas que cubrían la alcantarilla. Una recepcionista de voz despectiva me preguntó en qué empresa trabajaba yo.

—Es personal —dije.

Hubo una pausa audible.

—Le pondré con su secretaria —dijo la recepcionista, sonando tan aburrida que su voz hizo que yo empezara a jugar nerviosamente con las monedas que tenía en el bolsillo.

Cuando se puso al teléfono, la secretaria de Luke se mostró igualmente fría. El tono de su voz hizo que lamentara haber llamado.

—Sí, ¿en qué puedo ayudarla?

—¿Podría hablar con Luke, por favor? —pregunté con voz titubeante.

La secretaria de Luke me dijo que en aquellos momentos él estaba en una reunión y que no se lo podía molestar; cuando luego propuso que le dejara un mensaje habló en un tono tan impasible que sospeché ya había hecho aquello millones de veces anteriormente. Las dudas de que Luke se acordara de mí comenzaron a infiltrarse en mi mente. Me lo imaginé como un *playboy* millonario. Centenares de chicas lo telefoneaban a su oficina. Quizá yo lo había soñado todo. Ni siquiera tenía su número de teléfono.

—Esto... la verdad es que él no puede llamarme. Quizá vuelva a intentarlo más tarde —balbuceé, sintiéndome muy azorada y sin tener ninguna intención de volver a telefonear.

Me sentía joven y estúpida. ¿En qué podía haber estado pensando?

—Espere un momento. ¿Cuál es su nombre? —quiso saber aquella voz tan fría.

—Hoyuelo —murmuré yo tristemente.

—Oh —dijo ella, y por un instante hubo una sombra de indecisión en su voz—. No cuelgue, por favor. El señor Luke está en una reunión muy importante. Preguntaré si quiere atender la llamada.

La línea quedó en silencio y metí otros diez céntimos en la ranura de las monedas, sintiendo mi pobre estómago lleno de nudos. El mero hecho de pensar que podía llegar a hablar con Luke me había puesto tan nerviosa que casi estaba temblando.

—Hola —dijo Luke abruptamente.

—Hola —repliqué yo con timidez.

Él se echó a reír.

—¿Por qué no me has llamado por mi línea directa?

—Tu tarjeta de visita se me cayó a una alcantarilla —dije, tranquilizada por el sonido de su risa.

Entonces supe que todo iba a salir bien.

—Gracias por llamar —dijo él con dulzura—. Y gracias a Dios que le dijiste tu nombre a María. ¿Te gustaría que quedáramos para cenar?

—No puedo salir de noche, en serio. Ya sabes... Mi madre, mi papá...

—Bueno, ¿té, almuerzo, desayuno, lo que sea?

—Mmm. A lo mejor podría salir a cenar el viernes, pero no podré quedarme hasta más tarde de las nueve.

—Perfecto. ¿A qué hora quieres que te recoja?

—¿A las seis de la tarde enfrente de la peluquería de Toni en Bangsar?

—Hecho. Te veo a las seis y media el viernes, pero ¿volverás a llamar antes solo para hablar conmigo? Y esta vez utiliza mi línea directa.

—De acuerdo —accedí.

Luke volvió a darme su número directo y luego tuvo que regresar a su importante reunión, pero yo ya me sentía contenta y feliz. Él realmente quería verme y yo realmente quería verlo.

Con el corazón palpitante, me preparé para mi primera cita con Luke.

—¿Qué me pongo? —le había preguntado.

—Vaqueros —había dicho él enfáticamente—. Te llevaré a comer el mejor satay que hayas probado jamás.

—Muy bien —accedí de buena gana.

Oír la voz de Luke en el teléfono me hacía sentir cosas muy raras. Me sentía impotente y torpe en su mundana presencia y esperaba que los vaqueros harían que el marcador estuviera un poco más igualado.

No permití que fuera a recogerme a casa. Luke no tenía el color apropiado. A nuestra madre le hubiese dado un ataque solo de pensar que iba a salir con un hombre que no era ceilanés y ese era el criterio principal. Yo vestía vaqueros y una camisa blanca, me había recogido el pelo en una pinza y llevaba demasiado maquillaje. Cuando me miré al espejo no me gusté nada, así que me quité todo el maquillaje y volví a empezar partiendo de cero: un poco de polvos faciales, lápiz de ojos marrón oscuro en el párpado superior y carmín rosa pálido en mis labios. Luego me quité la pinza y sacudí mis cabellos hasta dejarlos lo más sueltos posible, todavía insatisfecha con mi apariencia y sintiéndome gorda en mis vaqueros azules. Luke me miraría y se preguntaría por qué se le había podido ocurrir pensar que yo era atractiva.

Después de muchas dudas y muchos cambios, salí de casa llevando unos vaqueros negros bastante ceñidos, demasiado maquillaje y una pinza en el pelo. Mientras esperaba nerviosamente a que Luke me recogiera, un grupo de chicos se detuvo a hablar y flirtear conmigo. Eran terriblemente persistentes. Comencé a pensar que los vaqueros ceñidos y el maquillaje no habían sido una buena idea. Les di la espalda y empecé a limpiarme disimuladamente el lápiz de labios y el colorete. Los chicos formaron un grupo detrás de mí y trataron de hacer que conversara con ellos. Cuando vi el coche de Luke, prácticamente corrí hacia él. Luke me miró fijamente.

—¿Te encuentras bien? —preguntó, contemplando el lápiz de labios medio corrido.

Me apresuré a asentir, sintiéndome como una idiota. La mirada de Luke se volvió hacia los jóvenes, que ya habían empezado a alejarse sin que parecieran demasiado enfadados. ¿Cómo iban a competir con semejante coche? Inclinando el espejo retrovisor hacia abajo, contemplé un auténtico desastre y reparé mi rostro lo más disimuladamente posible. Todo había salido mal. Poco faltó para que me echara a llorar, porque pensaba que lo había echado todo a perder.

Cuando tuvo que detenerse delante de un semáforo en rojo, Luke me tomó el mentón con sus firmes manos e hizo que volviera la cabeza hasta dejarme de cara a él.

—Estás soberbia —dijo.

Yo contemplé aquellos ojos oscuros. Luke no era un hombre guapo, pero había algo realmente irresistible en él. En una habitación llena de personas Luke resplandecería igual que un faro y yo tenía la sensación de que ya hacía mil años que lo conocía. Era como si hubiéramos pasado un millar de vidas juntos. No volvimos a hablar. Luke no quería saber nada acerca de mi familia, mis amistades, lo que me gustaba o lo que no me gustaba. Todo eso carecía de importancia. Puso una cinta dentro del radiocasete y una voz de mujer comenzó a cantar una canción muy triste en japonés. Me dediqué a mirar sus manos. La sensación de tenerlas en mi barbilla, fuertes y familiares, me había gustado.

Cuando llegamos a Kajang, Luke aparcó cerca de un gran cobertizo lleno de gente sentada alrededor de mesas de formica. Un malayo estaba de pie delante de una barbacoa, abanicando los fuegos que iban asando dos hileras de palitos satay de los que goteaba grasa. Nos sonrió abriendo mucho la boca y enseñando los dientes.

—Hola, jefe —saludó afablemente a Luke.

—Estáis completamente llenos. Pronto vas a ser más rico que yo —bromeó Luke, contemplando aquel cobertizo de madera repleto de clientes.

El malayo sonrió con una mezcla de placer y modestia.

—¡Ahmad! —le gritó en malayo a un sirviente—. Trae la mesa plegable de la parte de atrás.

El muchacho desapareció en una rápida carrera y volvió a aparecer arrastrando una vieja mesa. Luego trajo dos taburetes de madera. Tenía la misma sonrisa que su padre. Luke y yo no tardamos en estar sentados a la tambaleante mesa de madera entre la fresca brisa nocturna.

—Como eres hindú probablemente no comerás buey, ¿verdad? —supuso.

Yo sacudí la cabeza.

—No, pero tú puedes comerlo si quieres —dije.

—Los dos tomaremos pollo —dijo Luke, y pidió que nos trajeran cuarenta palitos de pollo satay.

Bebidas, salsas para mojar y rodajas de pepino y cebolla, así como arroz que había sido hervido en hojas de coco, llegaron a la mesa.

—Tienes ojos de gata —dijo Luke de pronto.

—Eso es lo que solía decir mi abuelo. He salido a mi tía Mohini.

—La verdad es que tienes el par de ojos más hermosos que he visto jamás —dijo entonces Luke en un tono de delicada evaluación, el mismo que podría emplear alguien mientras estaba decidiendo cuál iba a ser el color de su cuarto de baño.

El mulá del minarete dorado que había camino abajo comenzó a recitar sus plegarias vespertinas por el altavoz. Escuché el sonido de su voz. Había algo en aquella llamada que siempre llenaba un agujero oculto dentro de mí. Podía cerrar los ojos y dejar que aquellos lejanos sonidos lavaran toda mi alma.

Los palitos de satay llegaron en pequeñas montañas dispuestas sobre fuentes ovaladas de color azul y rojo. Luke mojó uno en la salsa de cacahuetes.

—Quiero que empieces a pensar en casarte —dijo después mientras mordía aquella carne amarilla.

Cuando llegué a casa, mi padre estaba viendo la televisión en la sala y alzó la mirada hacia mí cuando entré.

—¿Qué habéis estado haciendo tú y las chicas? —preguntó.

—Poca cosa. Fuimos a dar una vuelta por el complejo Pertama.

—Hummm, eso está bien —comentó él, más pendiente del concurso televisivo que de mi respuesta.

Nuestra madre estaba guardando platos en la cocina.

—¿Ya has vuelto? —preguntó.

—Sí —contesté obedientemente.

Luego me apresuré a subir al piso de arriba y, cogiendo el supletorio del dormitorio de mis padres, marqué el número de la tiíta Anna.

—Hola —dijo ella.

Su voz que llegaba del otro extremo de la línea sonó maravillosamente familiar en mi mundo que oscilaba y se estremecía.

—Oh, tiíta Anna, creo que me he metido en un lío —declaré casi al borde del llanto.

—Pásate por aquí y hablaremos de ello, Hoyuelo —dijo la tiíta Anna, de aquella encantadora manera suya que no se asustaba ante nada.

BELLA

Cuando tenía ocho años, abrí el viejo aparador de nuestra madre en el cuarto de los trastos y encontré una pintura de tela enrollada entre los saris que ella ya no se ponía. Una vez desenrollada, la tela reveló un tesoro que no tenía punto de comparación. Dos espléndidos pavos reales, con las colas desplegadas y creadas con auténticas plumas de pavo real y los ojos de cristal de colores, se exhibían en una terraza rosada profusamente adornada con un bordado de flores de loto.

Con el fondo de un tormentoso cielo lleno de negrura, los pavos reales rielaban con intensos tonos azules y verdes.

Pasé mis dedos maravillados por encima de sus fríos ojos de cristal y a lo largo de las delicadas puntadas azules y las relucientes cuentas verdes que adornaban sus cuerpos. Con la habitual reverencia infantil hacia todas las cosas de colores que brillan, mis torpes manos trataron de alisar el ocelo que resplandecía en cada pluma extendida. Algunas de aquellas frondas aterciopeladas estaban irreparablemente rotas, pero aun así pensé que nunca había visto nada tan hermoso hasta que me acordé de que había visto aquellos dos pavos reales con anterioridad. La pintura de tela, que había sido un regalo de boda, estuvo colgada de la pared dentro de un marco de cristal hasta que yo tuve cuatro o cinco años y nuestra madre la rompió de un puñetazo durante una feroz discusión y, con los dedos sangrando y el odio ardiendo en su rostro, amenazó a mi padre con un trozo de cristal.

Me senté en el suelo de piedra de aquel cuarto de los trastos que olía ligeramente a moho sintiéndome totalmente convencida de que había dado con algo muy especial, ya que el pavo real es una criatura sagrada dotada de mucho poder. El mismo Buda había pasado una de sus reencarnaciones como pavo real.

Tracé mis planes con mucho cuidado.

Una tarde de tormenta en la que todo el mundo había salido y papá dormía delante del televisor, llevé la magnífica imagen a mi dormitorio. Había decidido colocar mi alma desgraciada dentro del más resplandeciente de los dos pavos reales de la imagen y esconderla luego debajo de mi colchón. Tal como hubiese hecho cualquier buen chamán mongol, extendí la suave tela encima de mi cama y luego dispuse y alisé cuidadosamente cada pluma para que no quedaran aplastadas debajo del peso cotidiano de mi colchón y de mi persona. El viento hacía que la lluvia cayera en diagonal y chocara incesantemente contra la ventana. Sin prestar atención a los sonidos apagados del televisor que llegaban desde la sala, me imaginé que estaba dentro de un cobertizo, con un fuego anaranjado ardiendo en el centro del suelo mientras el ruido hipnótico de la lluvia resonaba en mis oídos como el tambor de un auténtico chamán. Empecé a canturrear en voz baja. Luego canté frases mágicas secretas ahora ya olvidadas y, con un rápido soplido, expulsé mi alma de mi cuerpo para enviarla hacia el pavo real que la estaba esperando. Acto seguido curvé las manos encima de su cara, sintiendo la fría lisura de sus ojos de cristal debajo de mis palmas calientes hasta que estuve realmente segura de que había embotellado mi alma dentro del animal. Transcurrieron muchos minutos.

Poco a poco, fui apartando las manos dedo tras dedo. Los hermosos ojos del pavo real me devolvieron la mirada. Exhalé cautelosamente. Estaba hecho. Sí, realmente estaba hecho. Había introducido mi alma en el ave.

Creyendo que mi alma había quedado así confinada, yo estaba sinceramente convencida de que si el pavo real sufría cualquier clase de daño entonces yo también caería peligrosamente enferma o moriría. Era una cuestión muy seria, pero decidí que no recuperaría mi alma hasta que el poder del animal escogido por mí me hubiese vuelto hermosa. Solo cuando llegara la noche descansaría sobre mi alma. Mientras Nash no encontrara mi pavo real, estaba a salvo.

En mi mente infantil, yo estaba segura de que la transformación no tardaría demasiado en producirse. Al igual que en las mejores historias de chamanes, solo tendría que esperar hasta que la nieve se hubiera derretido en lo alto de la montaña. ¿Cuánto tarda la nieve en derretirse? Sin duda no tanto tiempo, pero cada día cuando me miraba al espejo solo veía una marioneta oni japonesa, muy apropiada para la labor de asustar a los niños pequeños. Una desordenada masa de rizos reposaba encima de una cara hinchada por la grasa. Contemplaba con tristeza unos ojos que eran opacos y ordinarios, cuando lo que yo anhelaba desesperadamente era tener unos ojos tan enormes que les hablaran en susurros a mis oídos. No había sencillamente ni un solo rasgo redentor que yo pudiera ver en mi cara.

«Oh, date prisa», le suplicaba mi solitario corazón al resplandeciente pavo real.

«El bermellón y el colirio quizá llegarán mañana», le suspiraba cansadamente el pavo real a mi cuerpo desprovisto de alma mientras sus plumas rotas se mecían suavemente al viento.

Teniendo en cuenta todo eso, ¿acaso no es natural que, hasta allí donde llega mi memoria, mi hermana siempre haya suscitado en mí un profundo resentimiento que me hacía envidiarle a Hoyuelo sus lisos y relucientes cabellos, sus ojos extrañamente luminosos, su esbelta figura, la facilidad con que sabía sacar buenas notas y esa otra familia de Kuantan que solo ella parecía haber heredado?

Oh, ya sé que nuestra madre siempre decía que Hoyuelo iba a ser exiliada a la «red de la gran araña» durante las vacaciones, pero en la oscuridad de nuestro dormitorio yo la espiaba mientras ella iba contando los días en secreto y se esforzaba por reprimir su excitación ante la inminencia de sus vacaciones. No podía evitar sentir la terrible envidia que iba creciendo dentro de mi corazón cuando veía toda la devoción que parecía hallarse a las órdenes de Hoyuelo. Podía imaginármela andando con nuestra tía cuando iban a ver al oso enjaulado cerca del taller del mecánico. Mi hermana reía y llevaba en su mano la miel silvestre que a nuestra abuela Lakshmi se le había ocurrido comprarles a unos aborígenes de paso por allí, y que había reservado especialmente con vistas a tal propósito para que Hoyuelo pudiera experimentar la alegría un tanto temerosa de alimentar a un oso negro enjaulado de grandes garras curvas.

Mi hermana no me vio acercarme sigilosamente por detrás de ella cuando la abuela Lakshmi la llamó desde el teléfono del viejo Soong. Escuché atentamente su conversación murmurada en nerviosos susurros.

—No, abuela, estoy bien. Todo va bien. Sí, de veras... No te preocupes, por favor. Pronto estaré allí. Me duele el corazón de tanto que te quiero.

Me atormenté con imágenes de Hoyuelo sentada en la comodidad del regazo de nuestra abuela, retorciéndose un mechón de cabellos mientras la anciana señora le daba de comer con su propia mano como a una hija favorita.

Mi hermana ni siquiera se daba cuenta de los celos con que la miraba yo cuando el cartero traía paquetes envueltos en papel marrón enviados por nuestro tío Sevenese, y no porque estuviera demasiado ocupada pasando las páginas de *El príncipe feliz*, *Poemas selectos de Omar Jayam*, *La vida secreta de un jazmín* o cualquier otro de esos sabios libros que te cuentan cómo la hembra del caballito de mar deposita sus huevos dentro de una bolsa en el macho y cómo luego los nutre con su propia sangre y, finalmente, padece para dar a luz a los pequeños caballitos de mar. Hoyuelo estaba demasiado ocupada riéndose de los escandalosos extractos del famoso tratado de Vatsyayana o los poemas románticos de Bhanudatta. Yo también quería ser amiga del tío Sevenese.

En mi gris corazón, yo anhelaba que se me enviaran postales desde lugares extraños del mundo y poder quedarme despierta hasta altas horas de la noche mientras escuchaba las increíbles historias de magia y seres sobrenaturales que me contaba un tío. ¿Tan inconcebible resulta que yo también quisiera escuchar en qué consistían las creencias daoístas y que quisiera oír hablar de una flor inmortal que crecía en una mítica isla capaz de sumergirse donde los árboles están hechos de perlas y corales y los animales son de un blanco resplandeciente? ¿O que quisiera saber más cosas acerca de Zhang Guolao, el gran nigromante que doblaba a su mula blanca igual que si esta fuera una hoja de papel y la guardaba dentro de una bolsa cuando no tenía necesidad de ella? ¿No podía desear que a mí también se me hicieran cosquillas con tal energía que la abuela Lakshmi se viese obligada a entrar en la sala y decirle con voz malhumorada al tío Sevenese que dejara de atormentar a la niña? Quería quedarme dormida sobre la barriga de mi tío y despertar para encontrarme con graciosos dibujos en los que yo estaba durmiendo encima de un enorme estómago con *zzz* saliendo de mi boca. Al igual que hacía Hoyuelo, yo también habría conservado aquellos dibujos como un tesoro, porque la verdad es que eran excepcionalmente buenos.

No puedo evitar acordarme del abuelo cuando fue a la casa de Kuantan para darle un poco de dinero a nuestra madre, aquel día en el que los dos nos sentamos en el porche y compartimos un plátano. Mi abuelo estaba un poco loco, porque me daba la fruta y él se comía las hebras que iba arrancando del interior de la piel. Hablaba muy poco y se lo veía muy perdido. Nuestra madre me explicó que nunca hablaba porque le tenía mucho miedo a la abuela Lakshmi, y entonces a mí se me metió en la cabeza la idea de que nuestra abuela tenía que ser una mujer realmente horrible.

Por eso luego, conforme iban pasando los años, me consolé a mí misma diciéndome que aquellas personas que por alguna misteriosa razón querían a mi hermana y no nos querían ni a mi hermano ni a mí, eran exactamente lo que nuestra madre decía que eran, venenosas y horrendas. Me dejé convencer de que existía una razón válida para aquel odio tan feroz que sentía. Cuando nuestra madre sufre dolores terribles y los tobillos se le han hinchado hasta ponérsele del tamaño de balones de fútbol, hace que me siente en el borde de su cama y entonces escucho sus recuerdos y todas las impensables injusticias que han ido cayendo sobre ella. Eso hace que me dé vueltas la cabeza.

A veces sus dedos se aflojan súbitamente y, moviéndose con una sorprendente rapidez, entonces nuestra madre toma mi regordeta figura entre sus hinchadas manos y me atrae, por mucho que yo agite los brazos, hacia su duro pecho como si yo no fuera más que un muñeco de peluche.

—¡Mírame! —grita con desesperación—. Mira lo que me ha hecho esa bruja. Es a causa de ella por lo que me he convertido en esta criatura tan cruel. Yo era una buena persona hasta que ella entró en mi vida con todas sus mentiras y sus promesas. —Después aparta mi rostro aturdido de sus duros pechos y clava la mirada en mis ojos llenos de perplejidad—. ¿Te parece que esto es una buena vida? —me pregunta malévolamente.

Luego empieza a gritar y gemir como una plañidera en un funeral chino. Yo escucho sin poder hacer nada los interminables y estridentes chillidos y me siento muy aliviada de no tener ninguna clase de relación con unas personas que son capaces de llegar a hacer tantísimo daño.

Pensándolo bien, estoy segura de que nuestra madre tiene razón. Esa maravillosa piel del tío Sevenese esconde una horrible podredumbre. En realidad, el tío Sevenese no es más que un vulgar cínico y la abuela Lakshmi un monstruo avaricioso, con la verdadera raíz de los celos que le inspira nuestra madre en las tendencias incestuosas hacia nuestro padre. Asimismo, hay que mantenerse lo más alejado posible de la tiíta Anna, porque es una hipócrita de la peor especie. Sus delicadas y tímidas sonrisas esconden una mente profundamente taimada y traicionera. Nash suele ser reclutado para quedarse de pie junto a mi cama y está de acuerdo en que los otros dos, la tiíta Lalita y el tío Jeyan, son dos bobos a los que más vale no hacer ni caso. De hecho, son detestables.

Aun así, cuando Hoyuelo regresa tonificada y resplandeciente con un uniforme nuevo para el próximo año escolar, una nueva mochila para la escuela, libros y un estuche de lápices totalmente equipado que la siempre callada tiíta Lalita ha comprado para ella, la sensación de que Nash y yo estamos siendo excluidos es como papel de lija sobre mi piel.

La exclusión lo abarca absolutamente todo; monta guardia durante todo el día y toda la noche sin dejar pasar nada. Como aquella vez en que Hoyuelo tuvo las paperas y la abuela Lakshmi telefoneó para pedirle a nuestra madre que atara algunos manojos de hojas de neem y le frotara la piel con ellas. Dijo que eso reduciría el escozor, pero nuestra madre le replicó hoscamente a la abuela que no decía más que tonterías. Francamente, le dijo a la abuela Lakshmi, ella no creía en semejantes idioteces pasadas de moda y en cualquier caso de dónde se suponía que iba a sacar hojas de neem.

Entonces las hojas de neem llegaron por correo. Surtieron efecto, además. Hoyuelo se frotó el cuerpo con las hojas y los picores desaparecieron. Luego Nash y yo también tuvimos las paperas, pero esta vez el correo no trajo hojas de neem para nosotros. ¡Qué insignificante y mezquina me pareció nuestra abuela en ese momento!

—¿Es que no siente nada por nosotros? —le pregunté a papá.

—Oh, Bella —replicó papá, exasperado—. Hay un árbol neem muy grande que crece en el patio trasero del señor Kandasamy, a solo dos puertas de distancia de aquí.

Yo estaba de acuerdo con nuestra madre en que no se trataba de eso. Nuestra madre estaba tan enfadada que poco faltó para que no enviara a Hoyuelo a casa de la abuela Lakshmi para las vacaciones de diciembre, que son el mejor período de vacaciones y el más largo de todos. Eso ocasionó una terrible discusión entre ella y papá, pero luego oí cómo él entraba en nuestra habitación y le decía a Hoyuelo que no se preocupara porque iría a la casa de la abuela Lakshmi, siempre que obtuviera muy buenos resultados en sus exámenes.

Sí, naturalmente que eso era otra de las cosas que me llenaban de resentimiento, y me refiero a la debilidad que papá siente por ella. Cuanto más trataba de ocultarlo él, más evidente se volvía. La trata como si mi hermana fuera una princesa hecha de azúcar hilado, tan suave y delicadamente como si no quisiera romper los corazoncitos de azúcar rosado que adornan su blanco traje de princesa.

Luego ocurrió lo de aquel chico chino al que le gustaba tanto Hoyuelo cuando iba a presentarse a los exámenes del Nivel Cinco.

Nunca se lo dije a nadie, pero a mí me gustaba aquel chico. Solía sentarme debajo de los árboles junto a la cantina y veía cómo él miraba a Hoyuelo mientras esta no le prestaba ninguna atención. Oí decir que su padre era muy rico. Tenía que serlo para que un chófer fuera a nuestra casa a llevarle una enorme caja de bombones a mi hermana. Abrí la nota que le había escrito el chico y leí su pésima caligrafía. ¡Qué deprisa latió entonces mi anhelante corazón en mi celoso pecho!

Después mi hermana empezó a grabar su camino de los sueños. Los montones de cintas que iba metiendo dentro de su caja crecieron y crecieron debajo de la cama, y un día me senté y las escuché. De pronto me vi a mí misma como la rana que mira hacia arriba desde el pequeño hueco que hay debajo del cocotero donde vive, sin hacerse preguntas y sintiéndose más que satisfecha con la convicción de que el mundo tiene que ser pequeño y oscuro. Entonces vi toda la riqueza de las vidas de aquellas personas que querían a mi hermana.

Al fin comprendí la triste razón por la que nuestro abuelo no hablaba y pude oír con mis propios oídos el dolor, las esperanzas negadas, las frustraciones, los fracasos y las trágicas pérdidas que habían coloreado con su salvaje intensidad los ojos de la abuela. Los tablones del pasado que nuestra madre había claveteado tan ferozmente gimieron y se desprendieron, dejando al descubierto todas sus mentiras. Entonces vi una enorme araña sentada en el centro de una gigantesca red. La araña tenía la cara de la abuela Lakshmi, pero cuando extendí la mano y le arranqué la máscara, vi que era nuestra madre con el rostro lleno de astuta rabia. Todo había sido un sucio ardid para castigar a una anciana. A Nash y a mí eso nos ha costado perder una relación maravillosamente valiosa, pero a pesar de todas las maquinaciones y las tretas de nuestra madre, ahora yo puedo extender la mano y tocar su infelicidad, total e imposible de aliviar, como si fuera algo tangible. Ella es una experta en las penalidades y los sufrimientos que va organizando su propia locura y chantajea al mundo con su sufrimiento. Quizá siempre he confundido mi compasión con amor. Pobre madre...

De niña ya me daba pena cuando la veía detenerse delante de los escaparates de los grandes almacenes Robinson's, deseando ávidamente todas las cosas hermosas que estos le mostraban. E incluso cuando llegaban tiempos mejores y yo permanecía inmóvil y callada junto a ella mientras la veía comprar y comprar, comprar cosas que en realidad no podíamos permitirnos, seguía sintiendo pena por nuestra madre al percibir la insatisfacción que la desgarraba por dentro. Ella sabe que yo lo sé, pero no la asusta mirarme sin mostrar la más ligera sombra de arrepentimiento, porque nuestra madre es una mujer muy taimada y astuta. Comprende que nunca podré librarme de ella. Nuestra madre es algo que ha sido adquirido a través del karma, un regalo venenoso del destino: una madre.

Yo miraba a mi hermana y ella me parecía más, mucho más que el pelo lacio y los ojos más hermosos que hubiera visto jamás. Hoyuelo tenía todo aquello que yo quería. Hubiese debido odiarla, pero ¿sabes una cosa? La verdad es que la quería. Siempre la he querido y siempre la querré. Otra adquisición kármica, otro regalo del destino: una hermana.

La verdad es que quiero a Hoyuelo porque ella se muestra sinceramente fascinada por mis indómitos rizos, nunca presume de sus excepcionales notas y siempre es generosa con su afecto. Pero también la quiero porque sé lo que papá ignora, la auténtica razón por la que le han roto las costillas tantas veces. Eso es algo que nunca puedo olvidar. La primera vez que vi cómo la espalda de nuestra madre desaparecía detrás de la puerta verde del cuarto de baño de la planta baja, su mano empuñaba el trozo de manguera de goma que Amu utiliza para llenar de agua sus cubos de lavar la ropa. Primero el pestillo de la puerta entró en su hueco y luego llegó aquel chasquido carnoso seguido por un pequeño grito ahogado y la firme voz de nuestra madre amenazando: «No te atrevas a gritar».

Me quedé junto a la puerta con la oreja pegada a ella. Quince veces oí el sonido. Chasquido, chasquido, chasquido: mi hermana apenas chillaba. Cuando oí los pasos de nuestra madre dirigiéndose hacia la puerta verde, corrí a esconderme detrás del hornillo de la cocina. Entonces el cerrojo fue descorrido y nuestra madre salió por la puerta, con el rostro sereno, impertérrito e inconmovible y el tubo enrollado tranquilamente que sostenía en la mano derecha. En el rincón más alejado del cuarto de baño mi hermana estaba acurrucada, con una blusita verde con puntos rojos y sin llevar bragas. Entonces supe que nuestra madre no la quería.

¡Pobre y patética criatura! ¿De qué han servido los cabellos lacios, las hojas de neem en el poste y un tío que podía predecir el futuro si nada de todo eso podía protegerte de tu madre y, en realidad, ni siquiera podía llegar a proporcionarte el amor de una madre?

Aquella noche, después de que mi hermana hubiera llorado hasta sumirse en un sueño exhausto, me levanté de la cama y me incliné sobre su cuerpo que respiraba con tranquila regularidad. Aparté los cabellos de su cara hinchada y pasé suavemente los dedos por encima de los verdugones que cubrían su piel dolorida. ¡Tantas oleadas calientes para que una personita cargue con ellas! En ese momento juré que la querría mucho.

Los años fueron transcurriendo y los rizos que tanto me enfurecían antes ahora son la hermosura personificada. El viejo pavo real que quedó olvidado debajo de la cama ha hecho su trabajo. ¿Que cómo corren los hombres? Mirad cómo corren. Mira cómo corren, Hoyuelo. Me contemplo en el espejo y ahora hay pómulos y unos ojos que se han vuelto tan grandes que les susurran a mis oídos: «Date prisa. El tiempo resbala bajo los pies de la belleza».

El pavo real no habrá trabajado en vano. Papá dice que Hoyuelo es la primavera y que yo soy el verano. Sé a qué se refiere. Mi hermana es la callada belleza de un capullo de rosa por abrir que todavía está un poco verde y yo soy una exótica orquídea de invernadero, con mis carnosos pétalos abiertos y voluptuosos. Soy una flor de verano que florece tardíamente y posee la abigarrada y compleja belleza de un pavo real cuando exhibe su plumaje. Hay mucho que admirar: una cintura como la estrecha boca de una urna griega, pechos como delicadas jarras y caderas que se balancean como ánforas de vino. Nuestra madre contempla el vívido azul de mi sombra de ojos, mis brazaletes que tintinean sin ninguna modestia, esas uñas mías que se niegan a ruborizarse con un rosa pálido como las de mi hermana y mis botas blancas que me llegan hasta la rodilla.

—El pavo real se adorna a sí mismo con tal profusión que atrae la atención del tigre —me advierte después de haberme observado, sin saber que el pavo real es mi animal.

Fue a él a quien confié mi alma en una ocasión, pero percibo la indiferencia y el fastidio de nuestra madre. Soy la hija menor a la cual no se le presta atención. No la lleno de resentimiento de la manera en que lo hace Hoyuelo, pero le da igual lo que pueda llegar a ser de mí. En ella solo hay amor para Nash, quien a su vez vuelve la mirada hacia ella para servirla con ojos llenos de aburrida superioridad.

—Pues entonces haré lo que hace el pavo real —le digo con voz jovial—. En cuanto caiga la primera gota de lluvia correré a buscar refugio entre los árboles, porque sé que el tigre que anda al acecho utiliza el ruido de la lluvia para acercarse a la presa que no sospecha nada y caer sobre ella.

Los hombres miran con anhelo. Echo hacia un lado mi melena

de rizos. Ellos me ofrecen sus insípidos corazones en una bandeja, pero el corazón de un hombre débil no me sirve de nada. Yo quiero a un hombre que tenga un millar de secretos en sus ojos, unos ojos que se abrirán y se cerrarán como las almejas en la marea cuando esté hablando conmigo.

Ahora parece que Hoyuelo tiene a un hombre así. Un hombre al que yo hubiese querido tener, pero que ya puedo ver se ha unido al ejército de los hombres que adoran a mi hermana.

De esa manera, ahora mi hermana tiene una parte todavía más grande de aquello que yo quiero.

HOYUELO

—Tengo una sorpresa para ti —me dijo Luke, deteniendo su coche delante de las puertas de hierro forjado de una casa llamada Lara. Muy grande y recién construida, se alzaba sobre un terreno montañoso—. Ven —dijo luego, cogiéndome del brazo—. Apreciaremos mejor el lugar si subimos a pie.

Una presión sobre un control remoto hizo que aquellas imponentes puertas se abrieran. Me eché a reír. Nunca había visto las puertas de una casa residencial siendo operadas de aquella manera. Subimos por un camino flanqueado de coníferas.

—Estupendo. Por fin han conseguido obtener árboles adultos del mismo tamaño —comentó Luke para sí.

Contemplé aquellos árboles impecablemente podados y supe sin lugar a dudas que la casa era suya. Sabía que Luke era rico, pero no hasta ese extremo.

Al final de la curva del sendero había una gran extensión de tierra salpicada por enormes y frondosos árboles, así como una casa blanca magníficamente decorada con cornisas y gruesos pilares romanos que se elevaban majestuosamente del suelo. En la entrada había dos enormes leones de piedra. Dejé que mis dedos se deslizaran por encima de su liso frescor. Temibles en su expresión, eran dos hermosas obras de artesanía.

—Son preciosos.

—Mira allí —dijo Luke, señalando una estatua que había debajo de la sombra de un árbol angsana.

Fui hacia ella. Era una pequeña estatua de un niño con una expresión suplicante en su inocente rostro y las manos extendidas, como en una ofrenda, hacia el pie calzado con sandalia de un hombre que terminaba en el tobillo. Me estremecí.

—¿Te gusta? —preguntó Luke muy cerca de mi oído.

—La verdad es que no. Es un poquito horrible, ¿verdad? —dije en tono de broma.

—No es más que una copia de una estatua muy famosa. Ven, quiero que veas el interior de la casa —dijo, dándose la vuelta y cogiéndome de la mano.

Sacó de su bolsillo un juego de llaves y abrió la puerta. Dejé escapar un jadeo ahogado. El alto techo había sido pintado con querubines y figuras con túnica de los tiempos del Renacimiento. La curva de una gran escalera que conducía hacia el primer piso se alzaba en el centro del vestíbulo. Debajo de nuestros pies había una gran extensión de mármol negro y de las paredes colgaban suntuosos cuadros.

—Bienvenida a tu nueva casa, Hoyuelo Lakshmnan —dijo Luke, dejando caer las llaves en mi mano.

Me volví hacia él, perpleja e impresionada.

—¿Mía? —grazné—. ¿Esta casa es mía?

—Pues sí, e incluso está puesta a tu nombre.

Me puso en la mano unos papeles que había cogido de una mesita lateral. Yo me quedé inmóvil, paralizada por el estupor. La voz de Luke se desvaneció en la lejanía. Volví la cabeza sin decir nada y vi que en la pared del fondo había un enorme retrato mío. Luke había hecho que me pintaran. Sintiéndome cada vez más confusa, fui hacia él. Era yo. Parecía estar un poco triste. Mis ojos, sí. Algüien más había visto dentro de mi alma y capturado cierta esencia mía con una pincelada y un poco de pintura al óleo. ¿Cuándo había sido pintado? ¿Quién me había pintado con aquella expresión?

—¿Verdad que es hermoso? —preguntó Luke detrás de mí.

—Sí —convine yo con un hilo de voz.

¿Era hermosa la tristeza? Me contemplé, inquieta, excitada e incapaz de apartar la mirada.

—Me gustan los ojos —dijo Luke.

—Sí.

—Me gusta esa expresión, pura e intacta.

—¿Quién lo pintó?

—Uno de los mejores falsificadores de Bélgica. Le envié algunas fotos y, *voilà*.

—¿Ese es el aspecto que tengo? —pregunté con un hilo de voz, pero Luke ya había dado media vuelta y estaba señalando otro maravilloso aspecto de la casa. Aparté mis ojos de la muchacha que me contemplaba con tanta tristeza.

—Mira, esto está inspirado en el palacio dorado de Nerón. Aprietas este botón y los cuadrados de madreperla del techo retroceden, y entonces...

Eché la cabeza hacia atrás y contemplé asombrada cómo los adornos de madreperla que había en algunas partes del techo se separaban y dejaban caer gotitas de perfume. Era mi perfume preferido, así que Luke realmente tenía que quererme mucho. No pude evitar dirigirle una sonrisa llena de felicidad. En toda mi vida yo nunca había visto semejante opulencia, tan excesiva exhibición de riqueza. Con su rostro lleno de una nueva animación, Luke me cogió de la mano y me llevó a una cocina muy elegante y bien diseñada. El sol del atardecer empezaba a bajar y creaba cuadrados de luz encima de una robusta mesa de granja que había en el centro de la cocina. Luke abrió la puerta de atrás para revelar un gran jardín. Un alto muro de ladrillo rojo lo volvía recluido y privado, tal como yo siempre había imaginado que te haría sentirte un jardín amurallado.

—Por aquí —dijo Luke, conduciéndome por un pequeño sendero que iba bajando poco a poco.

—¡Oh, un estanque! —exclamé yo, encantada.

En él, grandes carpas rojas y doradas nadaban en círculos incansables debajo de una red verde. Mi alegría pareció complacer a Luke y entonces me vino una idea a la cabeza.

—¿Quién es tu pintor preferido? —pregunté.

Luke tuvo a bien responder a aquella pregunta tan irrelevante.

—Leonardo da Vinci —dijo sin pensárselo dos veces.

—¿Por qué? —pregunté yo, muy sorprendida.

No había esperado que Luke dijera aquello. Leonardo siempre se había mostrado muy contenido en sus expresiones de la pena callada, mientras que la casa y cuanto contenía era más bien chillón. No, no chillón. Quizá un poco ostentoso, un poco demasiado *nouveau riche*. Quizá ni siquiera eso, quizá en mi ingenuidad yo había estado deseando una casita blanca y en esos momentos todo lo que Luke arrojaba a mis pies parecía excesivo.

—Mira —dijo, tirando suavemente de mi mano para que lo siguiera.

En el fondo del jardín se alzaba una casita de madera. Ligeramente elevada por encima del suelo, tenía grandes ventanas con postigos de madera y un pequeño porche con una mecedora. Luke me dejó entrar en ella. Mi corazón se detuvo por un instante. La casita solo era un poco más grande que mi habitación de casa, pero era toda blanca. Había un escritorio blanco con una lámpara blanca encima de él y una silla blanca al lado. Al otro lado de la habitación, debajo de una ventana, había un precioso diván blanco. Un ventilador blanco colgaba del techo.

¿La casa blanca de mis sueños? Me volví hacia Luke para lanzarle una mirada interrogativa.

—Me hablaste de tu casa blanca justo cuando estaban terminando ese Taj Mahal de allí arriba —dijo él, inclinando la cabeza en la dirección de la casa—. Por eso construí este pequeño pabellón de verano.

Los ojos se me llenaron de lágrimas. Sí, decididamente Luke me amaba. Solo alguien profundamente enamorado construiría un pabellón de verano en un país como Malasia. Por fin había encontrado a alguien que me quería, alguien que me quería tanto que había llegado a construirme un pabellón de verano.

—La respuesta es sí —dije mientras me secaba las lágrimas de alegría—. Sí, me casaré contigo.

—Estupendo —dijo Luke con una inmensa satisfacción.

Un día fuimos a los Jardines del Lago y dimos un paseo bajo los grandes árboles, cogidos de la mano y absortos el uno en el otro como todos los enamorados.

—Eres lo mejor que me ha ocurrido nunca —declaró Luke debajo de un enorme árbol.

Yo contemplé su rostro irresistible con la avidez de una niña codiciosa, queriendo más pero sin atreverme a pedirlo. A veces pienso que Luke es demasiado duro. Todos sus cantos y sus bordes son como láminas de estaño mal cortadas y yo temía cortarme a pesar de que nunca me había dicho que no a nada. Nunca había sido sarcástico o cínico, y de sus labios nunca había salido una sola palabra áspera. Aun así hay algo oscuro, inalcanzable e inexplicable en él. En el interior de Luke hay un lugar lleno de letreros de PROHIBIDO PASAR. Puedo verlos claramente, unos tableros blancos encima de los que hay escritas negras letras mayúsculas subrayadas de rojo. En las esquinas de los tableros hay pintados perros alsacianos de feroz aspecto que parecen estar dispuestos a hacerme pedazos.

Como por arte de magia, Luke hizo aparecer un pendiente de su bolsillo.

—Para ti —se limitó a decir.

Era un diamante en forma de corazón, tan grande como una moneda de cinco céntimos, que relucía bajo la luz del atardecer dentro de su cajita de terciopelo color azul oscuro.

—Lo perderé —gimoteé, pensando en los incontables brazaletes, tobilleras, cadenas y pendientes que me había dado la abuela y que ya me las había arreglado para perder en mi corta vida.

—No es insustituible —dijo Luke, y aquella nota de dureza se infiltró de pronto en su voz como un viejo sirviente que ya no se molesta en llamar a la puerta antes de entrar en la habitación de su señor. Entonces Luke vio la súbita aprensión que se había adueñado de mi cara y, apresurándose a hacer salir al sirviente de la habitación, me acarició los cabellos con manos llenas de delicadeza—. Aseguraremos esa maldita cosa —me consoló dulcemente y luego me tomó en sus firmes brazos—. ¿Cenarás conmigo?

Yo sacudí la cabeza en silencio. No creía que nuestra madre fuera a aceptar dos salidas en un mismo día. Ya se empezaba a ver un poco de suspicacia en sus ojos y tendría que esconder el pendiente con mucho cuidado. A veces yo tenía la sospecha de que examinaba mis cosas. Bella decía lo mismo.

Luke inclinó la cabeza y me besó muy delicadamente en los labios. Fue un beso en el que no había pasión alguna, pero sus ojos estaban gritando algo que casi me asustó. La distancia entre el beso que acababa de darme Luke y el sentimiento que había en sus ojos era la distancia que había entre nuestra madre y papá.

—¿Luke? —murmuré con voz titubeante.

Entonces su mano me apretó el final de la espalda y su cabeza descendió sobre mi rostro de manera tan brusca como inesperada. En una ocasión me habían besado durante la semana de orientación del Nivel Seis, pero aquello solo fue una forma de humillación. Un par de labios que no eran bienvenidos y una lengua insolente hicieron un húmedo intento de obligarme a abrir la boca, entre las aclamaciones y los gritos de deleite de una pandilla de veteranos. Por eso no estaba nada preparada para el beso de Luke. De pronto me encontré sumida en un oscuro vórtice que subía desde las profundidades de mi estómago e iba elevándose en una rápida espiral. Olvidé las largas sombras proyectadas por el sol del atardecer, la fresca brisa que soplaba a través del lago, las tenues voces de los niños en la lejanía y las miradas de quienes pasaban por allí. El pendiente cayó de mis manos. El beso seguía y seguía.

La sangre palpitaba en mis oídos. Los dedos de mis pies se tensaron dentro de mis zapatos. El beso seguía y seguía.

Cuando Luke finalmente me soltó, contemplé su cara con ojos llenos de una aturdida perplejidad. Lo repentino de su pasión me había dejado totalmente asombrada. Era como si una persona distinta viviera dentro de Luke, una persona violentamente apasionada a la que normalmente él mantenía dominada con una implacable y gélida precisión. Aquella persona había conseguido escapar durante un segundo y de pronto se había mostrado ante mí. Yo sentía la boca hinchada. Luke volvió la mirada hacia el lago. Cerré la boca e intenté recuperar la compostura y entonces Luke se volvió nuevamente hacia mí y sonrió. Cualquiera que fuese la batalla que Luke acababa de librar consigo mismo, había salido vencedor de ella. Se inclinó y recogió el diamante caído en el suelo.

—Sí, no cabe duda de que debería asegurar esta pequeña baratija —comentó jovialmente—. Ven, te llevaré de vuelta a tu casa —añadió después, cogiéndome del brazo como hubiese hecho un hermano.

Sus manos estaban calientes. Yo no podía hablar. Lo seguí, sintiéndome muy confusa. ¿Cómo podía cambiar tan bruscamente? Le lancé una rápida mirada de soslayo, pero Luke miraba hacia delante.

Cuando entré por la puerta principal, nuestra madre me estaba esperando. Enseguida pude ver que se había puesto furiosa por algo. Estaba sentada con el cuerpo tan rígido como una vara y las manos tensamente cerradas, pero cuando habló su voz sonó tan suave y agradable que pensé que quizá estaba enfadada con papá.

—¿Dónde has estado? —me preguntó.

—He ido al parque con Anita y Pushpa —dije nerviosamente.

Cuando se ponía de aquella manera, nuestra madre me daba mucho miedo. Era como un volcán que se está preparando para hacer erupción y yo me encontraba tan cerca de ella que sentía las bocanadas de vapores calientes y olía su acre humareda.

—¡No me mientas! —rugió de pronto, levantándose de su asiento como un resorte y aproximándose a mí en largas y rápidas zancadas.

Durante unos preciosos segundos solo pude preguntarme qué había sido de su artritis, que de pronto parecía milagrosamente curada. Entonces se me plantó delante respirando entrecortadamente.

—¿Dónde has estado? —repitió—. Y ni se te ocurra mentirme.

Titubeé, asustada. Hacía mucho tiempo que no la veía tan furiosa, desde aquella vez en que sospechó que papá flirteaba con las chicas malayas de la casa de al lado mientras hacía sus flexiones en el patio trasero.

—Bueno, he conocido a un hombre.

—Sí, ya lo sé. Un maldito bastardo chino. Toda la gente que había en el parque te vio besarlo igual que una ramera a plena luz del día.

—No ocurrió así.

—¿Cómo te atreves a avergonzar a nuestra familia de esa manera? Es la última vez que verás a ese bastardo de piel amarilla. ¿Qué muchacho ceilanés como es debido va a quererte si vas por el mundo como una desvergonzada? ¿Es así como se te enseñó a comportarte?

—Lo amo.

Hasta que dije aquellas palabras yo no había estado segura de mí misma, pero de pronto lo supe con tanta certeza como sabía que todos los meses tendría la menstruación. Amaba a Luke. Desde que lo había conocido crecían flores en mi corazón.

Nuestra madre estaba tan enfadada que hubiese querido hacerme mucho daño. Lo vi en sus delgados labios, pero al final se conformó con un golpe para dar rienda suelta a lo peor de su furia. Me abofeteó con tal fuerza que salí despedida hacia atrás. La fortaleza que había en sus manos nunca dejaba de asombrarme. Nuestra madre contempló con disgusto mi cuerpo caído en el suelo.

—Solo tienes diecinueve años, así que no te atrevas a llevarme la contraria en esto. Te tendré encerrada en tu habitación sin comida mientras persistas en este absurdo comportamiento infantil. ¿Qué crees que ese chino quiere de ti, eh? ¿Amor? ¡Ja! Eres una chica muy estúpida y obstinada. ¿Él también te ama?

Pensé en ello. Lo cierto era que Luke nunca había dicho que me amara.

—Sí, ya me lo imaginaba. Bueno, ¿y quién es ese astuto bastardo?

Dije su nombre.

Nuestra madre dio un paso atrás, visiblemente conmocionada.

—¿Quién? —preguntó.

Repetí su nombre. Nuestra madre se apresuró a darme la espalda para que su expresión permaneciera oculta. Luego fue hasta la ventana y, todavía dándome la espalda, dijo:

—Cuéntamelo todo, y empieza por el principio.

Así que se lo conté todo. Empecé con el helado y terminé con el diamante. Nuestra madre dijo que quería ver la piedra. La saqué de mi bolsito de cuentas adornado con borlas y nuestra madre lo sostuvo delante de la luz y lo estuvo contemplando durante un buen rato.

—Levántate —ordenó después—. Ve a preparar un poco de té. Cuando el tiempo se pone así, siempre tengo unos dolores terribles en las rodillas.

Tomamos el té juntas en la sala.

—La única manera de que ese hombre te consiga es que se case contigo. No lo verás en el parque ni volverás a salir con él sin ir acompañada. Quiero que lo traigas a cenar aquí y entonces todos nos sentaremos a hablar como personas adultas y decidiremos el futuro juntos.

Aquella noche nuestra madre se lo contó a papá. Él palideció y dio un paso atrás.

—¿Tú sabes quién es ese hombre? —le preguntó a nuestra madre con incredulidad. Luego, sin esperar respuesta, gritó—: ¡Es uno de los hombres más ricos de este país!

—Ya lo sé —dijo nuestra madre, y a duras penas pudo ocultar la excitación que había en su voz.

—¿Es que os habéis vuelto locas? Ese hombre es un tiburón. Utilizará a nuestra hija y luego prescindirá de ella cuando le venga en gana.

—No si yo me salgo con la mía —dijo nuestra madre con voz dura e impasible.

—Está corrompido y es peligroso. No permitas que Hoyuelo tenga ninguna clase de relación con él. Además, ella tiene que terminar su educación. ¡No quiero ni pensar en que no vaya a la universidad! No lo consentiré.

—Tu querida Hoyuelo ya está manteniendo una relación con él. Me ha dicho que está enamorada de ese hombre tan corrompido y peligroso. ¿Qué puedo hacer al respecto? No fue a mí a la que toda la ciudad vio besándolo en el parque —se burló nuestra madre.

—Se lo prohibiré —dijo papá—. Si Hoyuelo quiere casarse con ese hombre, antes tendrá que pasar por encima de mi cadáver.

—Ahora ya es demasiado tarde para eso.

—¿Qué quieres decir? —preguntó papá. Había confusión en su voz.

—Han llegado hasta el final —replicó secamente nuestra madre.

—¿Qué?

—Lo que has oído, así que ahora hablaremos del futuro tal como lo hacen las personas adultas.

Papá se dejó caer en el sofá, sintiéndose derrotado.

—Lo lamentará —murmuró, sus grandes brazos flácidos por la derrota. Luego pensar que un hombre había mancillado a su hija hizo que apoyara la cabeza en las manos y gimiera suavemente—. Esos monstruos de los japoneses... Primero se llevan a mi Mohini y ahora también se llevan a mi hija.

Nuestra madre suspiró teatralmente.

—Oye, ya sabes que no debes comportarte como si tu hija hubiera muerto. Podría haberle ido mucho peor. Además ese hombre solo es medio japonés.

—No, mujer codiciosa, a Hoyuelo no podría haberle ido peor. Ese hombre se os comerá vivas a las dos y luego os escupirá a la alcantarilla, y yo tendré que quedarme sentado aquí viendo cómo ocurre todo eso.

Había tanta angustia en la voz de papá que quise entrar corriendo en la sala y tranquilizarlo diciéndole que el paso definitivo no había llegado a darse. Todavía no lo habíamos hecho y su hija no había sido mancillada. Lo único que se necesitaba para ello era una frase: «Papá, no hemos llegado hasta el final». Todavía no era demasiado tarde para decírselo, pero entonces yo perdería a Luke. No había nada en el mundo que quisiera más que a Luke. Papá estaba equivocado respecto a él y con el paso del tiempo llegaría a ver cuán equivocado había estado acerca de Luke.

Así fue como Luke fue a cenar a casa.

Le trajo a nuestra madre una enorme caja de bombones importados adornada con una cinta. La visión de aquella caja llena de cremosas exquisiteces y del lazo que habían hecho a mano con la cinta derritió su ávido corazón. Sentó a Luke en el extremo de la mesa opuesto al de papá. Yo nunca la había visto más animada, más sociable de lo que estuvo aquella noche. De hecho, nunca hubiese pensado que fuera capaz de resplandecer de aquella manera. Interpretó a la perfección el papel de anfitriona. No había absolutamente nada que estuviera fuera de lugar en la cena, el ambiente, los temas de conversación que ella iba introduciendo con una sonrisa, su vestido discreto pero elegante y su completo dominio de la situación. Luke estuvo cortés y encantador, pero me di cuenta de que no se sentía nada impresionado por nuestra madre. Me alegré en secreto de que estuviera más allá de sus maquinaciones.

Contempló toda la escena como si se tratara de una obra representada para entretenerlo y nuestra madre fuese la actriz principal. A sus ojos, penetrantes y seguros de sí mismos, no les pasaba nada por alto.

Papá guardaba silencio, tan inmóvil como una efigie de madera con un aire impotente y triste detrás de sus gafas. Yo ya estaba empezando a pensar que todos éramos demasiado poco sofisticados para alguien como Luke, cuando su mirada se encontró con la mía.

—Preciosas flores —murmuró.

Me sonrojé, complacida de que se hubiera fijado en mi obra, pero la rápida mirada que me lanzó nuestra madre hizo que me apresurara a bajar los ojos. Yo tenía un papel que interpretar. Debía ser la tímida prometida.

—Bien, ¿y cuáles son sus intenciones acerca de nuestra hija? —preguntó nuestra madre después de que Bella hubiera traído el postre.

¿Dónde habría aprendido nuestra madre a hacer semejantes *mousses* de limón? Una inmovilidad absoluta se adueñó de la habitación. Papá dejó su cuchara encima de la mesa y se inclinó hacia delante. La mano de Luke se detuvo en el aire.

—Todas honorables y a su debido tiempo —respondió.

Nuestra madre sonrió.

—Yo nunca he dudado de sus buenas intenciones, claro está, pero cuestionar los motivos de los pretendientes de nuestra hija es algo que nunca está de más. Después de todo, ella es muy joven y muy inocente.

Recé para que nuestra madre se detuviera allí, y lo hizo.

Los ojos de Luke se oscurecieron.

—Cierto. Precisamente fue su inocencia lo que primero atrajo mi atención —dijo, hablando en voz tan baja que tuve que hacer un esfuerzo para poder oír las palabras. Luego felicitó a nuestra madre por la *mousse* de limón—. Absolutamente deliciosa —dijo y añadió que tenía que darle la receta a su cocinero.

Nuestra madre sonrió con satisfacción. Después de que Luke se hubiera ido, ella y papá volvieron a pelearse. Nuestra madre dijo que papá había estado tan callado durante toda la cena que parecía un idiota allí sentado en su silla.

—Una tabla de planchar hubiese dicho más cosas —se burló.

Papá la acusó de haberle lamido las botas a Luke.

—Ten cuidado —dijo—. Las botas de Luke están llenas de las tripas y los intestinos que les ha ido arrancando a otras personas.

Nuestra madre se limitó a lanzarle una mirada del más puro veneno y abrió su caja de bombones, momento en el que su expresión cambió para convertirse en una mueca de codicia. Fue como si de pronto se hubiera olvidado de papá y de su dolor. Exasperado, papá se abalanzó sobre ella con el rostro convertido en una máscara de ira y le quitó la caja de entre los dedos de un manotazo. Bombones sobresaltados saltaron por los aires y trocitos de papel dorado flotaron alrededor de nuestra madre.

—¡Zorra! ¿Es que no ves lo que estás haciendo? Estás vendiendo a tu hija por una caja de bombones —siseó papá.

El rostro lleno de perplejidad de nuestra madre empezó a temblar y no tardó en estar riendo alegremente, sus carcajadas burlonas y llenas de superioridad. Papá le dio un puñetazo a la pared de pura frustración y luego se fue de casa con un puño que sangraba y la risa de su esposa resonando en sus oídos. Nuestra madre ni siquiera dedicó una mirada a la señal que el puñetazo había dejado en la escayola de la pared y a las partículas que iban desprendiéndose de ella; daba la impresión de ser totalmente invulnerable a la ira y los insultos de papá. Estaba encantada con la perspectiva de tener un hijo político rico, que de hecho era uno de los hombres más ricos de Malasia. La ayudé a recoger los bombones del suelo. Nuestra madre les quitó el polvo y se los fue comiendo uno a uno, empezando por el de crema de fresa.

Llevé a Luke a visitar a nuestra abuela e hicieron muy buenas migas. Para mí supuso un gran alivio que a la abuela le gustara Luke, porque había empezado a vivir una auténtica pesadilla con papá. Se negaba a dar su brazo a torcer, aunque solo fuese un poco. Cuando estábamos solos me advertía con ojos llenos de tristeza, diciendo: «Lo lamentarás, Hoyuelo». Nada de cuanto yo dijera o hiciese podía hacerlo cambiar de parecer. La abuela me contó que todo iría mejor en cuanto empezaran a llegar los niños. El ruidito de unos pequeños pies haría que papá no tardara en cambiar de parecer. Después, la abuela jugó a las damas chinas con Luke. Yo podía darme cuenta de que estaba haciendo trampas porque a esas alturas ya conocía demasiado bien su manera de jugar, pero las hacía de una manera tan astuta que no creo que Luke lo notase. La abuela fue ganando casi todas las partidas que jugaban, pero Luke era un buen perdedor. Se interesaba solícitamente por la abuela, escuchaba atentamente sus problemas y dijo que concertaría visitas con algunos de los mejores especialistas de la ciudad para tratar de aliviar algunas de sus dolencias. Creo que le gustaba la abuela.

Un sábado Luke nos llevó de compras a Bella y a mí. Cuando nuestra madre nos vio marchar, le brillaban los ojos. En realidad Luke odia ir de compras, así que nos dio quinientos ringgits a cada una y nos dijo que nos reuniéramos con él en la cafetería de la planta baja en cuanto hubiera pasado una hora. «Cómprate un vestido», me dijo guiñándome un ojo y un instante después ya había desaparecido, saliendo del complejo para dirigirse hacia los frescos confines de su coche que lo estaba esperando.

Me compré un vestido blanco. Era más bien corto, pero Bella dijo que quedaba muy moderno y elegante. Tenían una chaquetita a juego con el vestido que parecía haber sido diseñada por Chanel. Bella optó por un vestido rojo con tirantes bastante atrevido y una barra de labios roja. Ambas decidimos llevar puestas nuestras compras. A mí me parecía que Bella estaba sencillamente impresionante y me pregunté si Luke la encontraría más guapa que a mí. Estaba muy sexy con su vestido rojo y su cabellera de rizos, y los hombres la miraban.

Bella puso los codos encima de la mesa y sus maravillosos rizos cayeron hacia delante. Ese fue el momento en que entró Luke. La miró de arriba abajo y se echó a reír.

—Cuando hayas crecido del todo te comerás crudos a los hombres, ¿verdad? —bromeó. Después se volvió hacia mí y dijo—: Estás deslumbrante. Me encanta ese vestido. La pureza te sienta bien —añadió después en un tono de voz tan pensativo que a partir de ese momento olvidé lo de tener un aspecto sexy.

Me parece que a Luke no le gustan las chicas que son demasiado llamativas. Él piensa que yo siempre debería ir vestida de blanco.

—Pareces una flor —dijo después de que el camarero hubiera anotado lo que queríamos, y Bella soltó un resoplido de disgusto y desapareció dentro del lavabo de señoras. Luke la siguió con la mirada mientras se iba y yo vi cómo él la miraba. Parecía encontrarla graciosa, como si su presencia lo entretuviera—. ¿Siempre es así? —preguntó después.

—Siempre —dije yo, preguntándome con una patética inseguridad si encontraba atractiva a mi hermana.

En lo que a mí respecta, los hombres son tan impredecibles que me parecen una página en blanco. Había tantísimas cosas que no sabía acerca de Luke...

Se escogió un día lleno de buenos auspicios para mi boda. Nuestra madre quería organizar un gran acontecimiento social, papá quería que no hubiera boda y a Luke parecía darle absolutamente igual la manera en que se fuese a celebrar la ceremonia. Él quería que yo llevara un sari blanco, pero a nuestra madre casi le dio un ataque.

—¿Cómo? —chilló—. ¿Mi hija va a llevar los colores de una viuda el día de su boda? ¡Toda la comunidad ceilanesa de Malasia podrá olvidar sus problemas riéndose de un espectáculo tan ridículo!

Así que encargó mi sari en Benarés, donde un muchachito de piel morena tendría que estar sentado cosiendo desde las cinco de la mañana hasta la medianoche en un cuartito que no tenía ventanas.

Utilizaría una aguja muy delgada y el mejor hilo de oro para confeccionar los seis metros de exquisito brocado que yo solo llevaría una vez, vistiendo un sari de color rojo sangre con una blusa a juego.

Cuando el sari encargado llegó envuelto en papel de seda, nuestra madre quedó especialmente complacida con el grosor de la tela. Su sari de color azul oscuro había sido confeccionado con un brocado realmente magnífico y nuestra madre decidió que Bella estaría más guapa vestida de azafrán. También había encargado dos *dhotis* de color crema para papá y para Nash. El cuello tipo Nehru y los dobladillos de la larga túnica y de los pantalones estaban adornados con un delicado trabajo de artesanía. Las invitaciones con letras doradas en relieve ya habían sido enviadas y las confirmaciones empezaron a llegar. El hotel escogido para la recepción fue el Hilton. Una eurasiática de aspecto impecable con un elegante traje y un maletín de piel de cocodrilo fue a ver a nuestra madre.

Llevaba consigo muestras de material, listas de precios, etiquetas con códigos de colores y un plano del recinto, que podía alardear de contar con un espacio escénico. También tenía listas de los cantantes más apropiados para una boda y catálogos de pasteles y floristas especializados en arreglos florales para las grandes ocasiones, y vetó sutilmente el rosa que nuestra madre había escogido como color dominante.

—Melocotones y peras con un toque de lima —dijo, con una sonrisa tan irresistible en sus labios color borgoña que nuestra madre se inclinó ante la evidente superioridad de su opinión.

Luke envió las joyas que yo iba a llevar el día de la boda. Los ojos de nuestra madre se iluminaron cuando el chófer de Luke llegó con cajas recubiertas de satén en las que había hilera tras hilera de collares, cadenas, anillos, pendientes y brazaletes a juego. Todos estaban tachonados de diamantes. Suspiré. Hubiese tenido que encontrar en alguna parte el valor necesario para decirle a Luke que en realidad no me gustan los diamantes. Quizá algún día le diga que las joyas que más me gustan son las esmeraldas y los peridotos.

Luke hizo los planes para nuestra luna de miel. El destino iba a ser un secreto.

El día antes de la boda, yo estaba tan excitada que no podía hacer nada. Cada rincón de la casa se había llenado de arreglos florales, hojas de platanero llenas de arroz, incienso y pequeños recipientes plateados con agua sagrada, lámparas de aceite y mujeres de mediana edad. No paraban de hablar. Con sus saris de vivos colores y sus moños impecablemente dispuestos al final de sus cuellos y coronadas de propuestas, ideas y maneras de hacer mejor las cosas, eran una fuerza que debía ser tomada en cuenta. La cocina, la sala, los dormitorios y juro que incluso los cuartos de baño estaban repletos de ellas. Cuanto más gordas eran, más decididas a mandar parecían estar. Mi sari colgaba en el guardarropa y mi maleta para la luna de miel ya estaba hecha y lista para acompañarme. Había ropa de abrigo, guantes, una boina, calcetines gruesos y unas cómodas botas que me llegaban hasta la rodilla. En cuanto al resto, Luke me aseguró que podía comprarse en cuanto estuviéramos fuera del país.

También me había gastado algo de dinero en un camisón de seda. Deliciosamente fresco y tan ligero como el viento, corría como el agua entre mis dedos. Pensar en la reacción de Luke hizo que me ruborizara. El camisón era del blanco más puro, pero como prenda en realidad no podía hallarse más alejado de la pureza. Yo sabía que lo había comprado porque quería volver a ver a aquel desconocido que vive dentro de Luke y al que había entrevisto durante unos instantes junto al lago. Parecía un tipo interesante y me hacía sentir cosas muy oscuras en lo más profundo de mi ser. Confieso que quería pegarme a su duro cuerpo hasta sentir como si formara parte de él, como si me hubiera derretido dentro de su esternón y hubiera entrado en su cuerpo. Una vez dentro de él, podría conocerlo realmente y entonces podría demostrar de una vez por todas que papá estaba equivocado. Después de todo, sé que papá se ha equivocado acerca de muchas cosas en su vida. ¡Basta con recordar todos esos grandes negocios que salieron mal porque él no supo ver la clase de personas que eran sus socios!

Después de todos aquellos días de frenética planificación y espera, mi boda pasó ante mis ojos como una película proyectada a cámara rápida. Recuerdo que nuestra madre estaba resplandeciente y sonreía orgullosamente en su sari de brocado azul oscuro y que todas las mujeres vestidas de vivos colores vieron frustrado su desdén inicial acerca de la raza de Luke por su enorme riqueza. Sus hirvientes calderos de comentarios maliciosos vieron cómo su contenido era echado a perder por su propia envidia. El pobre papá estaba de pie en un rincón vestido con su maravilloso *dhoti* color crema y lloraba. Las lágrimas escapaban de las comisuras de sus ojos y resbalaban por su cara y aquellas mujeres vestidas de vivos colores pensaban que eran lágrimas de felicidad. La tiíta Anna estaba de pie junto a una columna en algún lugar de la parte de atrás. Lucía un sencillo sari verde con un delgado dobladillo dorado, rosas rojas en el pelo y una triste sonrisa. Yo sabía que estaba preocupada por mí, porque temía que fuera a ser devorada por un monstruo llamado Luke. Luego recuerdo aquel interminable trayecto hasta la plataforma en la que me estaba esperando Luke y, finalmente, cómo contemplé sus impasibles y oscuros ojos llenos de amor y supe sin lugar a dudas que había tomado la decisión correcta.

—Te quiero —murmuró en mi oído.

Ah, me quería.

Ese momento es un tesoro que siempre conservaré. Luego estaba obligando a trozos de toda clase de comida a que descendieran hasta mi revuelto estómago y un rato después Luke y yo corríamos hacia la puerta abierta de un coche mientras llovían sobre nosotros puñados de arroz coloreado.

—¿Feliz? —preguntó Luke. Su rostro lucía una sonrisa indulgente que me hizo sentirme como una niña.

—Mucho —dije yo.

Londres era precioso, pero muy frío. Los árboles no tenían hojas y las personas, embutidas en sus gruesos abrigos oscuros, andaban con paso apresurado por las calles. Los ingleses tienen la cara larga y pálida y no se parecen en nada a los turistas que vemos en Malasia, que están bronceados y son muy hermosos con las hebras doradas en los cabellos. En las paradas de autobús no pierden el tiempo mirándose los unos a los otros de la manera siempre inquisitiva en que lo hacen los malayos y enseguida entierran la nariz en libros que llevan consigo adondequiera que vayan. Es un hábito realmente maravilloso.

Nos alojamos en el Claridge. ¡Oooh, qué lujo y cuánto personal de largas narices vestido con libreas! En el vestíbulo tenían un árbol de Navidad de tres metros de altura con campanillas doradas y plateadas y lucecitas que se encendían y se apagaban. Yo apenas si me atrevía a aventurarme por sus habitaciones de techo tan alto sin Luke, porque hacerlo era como entrar en una página de una novela de Henry James. Todo era muy anticuado, muy inglés y muy adulto.

«Sí, señora, por supuesto, señora», me decían ellos con sus altivos acentos. Pero yo estaba segura de que no gozaba de su aprobación, porque todos me contemplaban con miradas vacías y fríos ojos claros desde sus imponentes estaturas.

Fuimos a cenar a un sitio precioso llamado La Vie en Rose. Luke pidió que nos trajeran champán. Me parece que llegué a ponerme bastante alegre durante el proceso de ir rompiendo millares de burbujas dentro de mi boca, pero descubrí que detestaba el caviar. No me cabe duda de que el caviar tiene que ser uno de esos sabores que se aprende a apreciar. Pero en lo que a mí respecta, que me den un plato de fideos de Penang o un poco de laksa. El postre estaba para chuparse los dedos. Sumida en un delicioso estupor, me pregunté por qué en Malasia no tenían cosas como la *mousse* de chocolate. Estaba segura de que hubiese podido pasarme el día entero comiéndola.

Después del postre, Luke tomó coñac en una enorme copa que tenía la forma de un balón. Había estado muy callado durante toda la cena. Sonreía mucho, se echaba atrás en su asiento, comía muy poco y me miraba tan fijamente que empecé a sentirme muy mala y traviesa por dentro. Yo nunca podía saber lo que estaba pensando. Luke pagó.

—Ven —dijo, cogiéndome del brazo para que no me cayera.

Cuando salimos del restaurante, llamó un taxi y le dijo al taxista que nos llevara al muelle. Caminamos en silencio a lo largo del negro río, escuchando el ruido que hacían las aguas al chocar contra las orillas de piedra. Era un sitio precioso. Un frío viento me aguijoneaba las mejillas y me helaba los pies, pero nada podía enturbiar la belleza de los suaves resplandores amarillos que se reflejaban desde los grupos de farolas callejeras. De vez en cuando, una embarcación pasaba por el río entre el traqueteo del motor. Llegó a hacer tanto frío que Luke me pasó el brazo por la cintura estrechándome contra su cuerpo. Yo podía olerlo y sentir el calor que emanaba de él.

Aquella noche me dolía el corazón de tanto que amaba a Luke.

—Volvamos al hotel —susurré.

No podía esperar ni un segundo más, porque necesitaba que llegara el momento de yacer junto a él y ser suya.

Una vez en la habitación del hotel, volví a sentir la timidez de antes. Por un instante pensé en ponerme aquel camisón de seda que había dentro de mi maleta, pero solo pensar en ello bastó para que un súbito rubor cubriera todo mi cuerpo. Decidí que siempre quedaba el día siguiente. Encima de una mesita de cristal había una botella de champán metida en una cubitera llena de hielo y un gran cuenco de fresas muy rojas. Me apoyé en una columna y contemplé cómo Luke sacaba la botella de la cubitera, me miraba y enarcaba una ceja.

Asentí. Aquella agradable sensación de estar contenta y ser feliz que había sentido mientras paseábamos a lo largo del muelle se había esfumado y sabía que no me iría nada mal volver a experimentar la oleada de despreocupado coraje que había salido burbujeando de aquella primera botella de champán en el restaurante. Luego hubo un suave chasquido y un amigable siseo y Luke me puso delante una copa llena de burbujas.

Recuerdo que la acepté entre risitas, sintiéndome muy feliz. Entonces mis ojos se encontraron con los de Luke y la risa murió en mi garganta. El desconocido estaba de pie ante mí, contemplándome desde la cara de Luke.

—Por nosotros —dijo el desconocido en voz muy baja y suave.

Un instante después desapareció en un abrir y cerrar de ojos y Luke y yo nos bebimos dos copas de champán y caímos sobre la cama en una confusión de brazos, piernas y caras. Por un horrible momento pensé en nuestra madre de pie junto a la cama con las manos apoyadas en las caderas. Sin duda, ella hubiese desaprobado semejante tipo de conducta.

—Apaga las luces —me apresuré a decirle a Luke.

La habitación, bañada en la claridad de las luces navideñas que adornaban los árboles, comenzó a dar vueltas en cuanto cerré los ojos. Recuerdo labios, ojos y piel que era como la seda cruda y, en algunos momentos, una voz enronquecida por la emoción que pronunciaba mi nombre. Hubo un instante de dolor seguido por el delicado contacto de unas manos primero y un nuevo ritmo después. Cuando todo hubo terminado, cerré los ojos y dormí dentro del calor de un par de fuertes brazos. El frío viento inglés susurraba entre los árboles fuera de la habitación, pero yo estaba segura y a salvo.

En algún momento de la noche desperté con la boca seca y un doloroso palpitar en la cabeza. Me levanté y fui tambaleándome a beber un poco de agua. ¡Oooh, mi cabeza! ¡Cómo me dolía! En el cuarto de baño había aspirina. Me tomé un par de tabletas y en el espejo estaba Luke. Me miró y yo le devolví osadamente la mirada, sin sentirme avergonzada por mi desnudez.

—Mi Hoyuelo —dijo él, en un tono tan posesivo que sentí cómo un escalofrío me recorría la espalda.

Al fin le pertenecía. Volvimos a hacer el amor. Recuerdo todo lo que ocurrió esa vez. Cada beso, cada embestida, cada suspiro, cada gemido y el increíble momento en el que mi cuerpo se volvió líquido, cuando mis párpados cerrados se pusieron tan rojos como si un millón de fresas hubieran sido aplastadas de pronto hasta dejarlas tan mezcladas las unas con las otras que formaron un muro sobre mis párpados.

Dos semanas después, regresamos a Malasia en avión con nuestras maletas y bolsas de viaje llenas de cinturones Gucci, perfumes franceses, cuero italiano, regalos hermosamente envueltos comprados en Inglaterra y una montaña de bombones adquiridos en la tienda libre de impuestos del aeropuerto. Entré en el vasto interior de mi nueva casa y me sentí más intimidada que otra cosa. No la percibía como mía. Era demasiado grande. En vez de una casita blanca, yo tenía relucientes suelos de mármol, un techo magníficamente pintado y muebles muy caros que temía echar a perder. Mientras recorría la casa a la mañana siguiente, se me ocurrió pedirle a Amu que se trasladara a vivir con nosotros. Podía ser mi compañera y podíamos hacer el trabajo de la casa juntas. Así que Amu se trasladó.

—Esto no es una casa —boqueó nada más llegar—, es un palacio.

Amu nunca había visto nada semejante en toda su vida. La pobre había tenido una vida muy mísera. Le enseñé la lavadora y se echó a reír como una niña pequeña.

—¿Esta caja blanca va a lavar la ropa? —preguntó, nada convencida.

—Sí —dije yo—. Incluso puede secarla.

Amu contempló todos los botones y los diales que había en la lavadora antes de aclararme que no le serviría de nada.

—Tráeme un barreño bien grande y unos cubos y yo te enseñaré cómo se lava la ropa —dijo.

Le enseñé todos los dormitorios y le pedí que escogiera uno, pero Amu solo quería la pequeña habitación que había junto a la cocina. Dijo que era el sitio en el que se sentiría más cómoda. Desde su ventana podía ver mi pabellón de verano y le gustaba la vista.

Me senté en la cama y contemplé a Amu mientras preparaba su altar de oraciones y lo iba llenando amorosamente con viejas fotografías enmarcadas de Muruga, Ganesha y Lakshmi. Había encontrado un nuevo profeta, Sai Baba. Luciendo una túnica anaranjada y una bondadosa sonrisa, Sai Baba convierte la arena en caramelos y hace que sus devotos regresen de entre los muertos. Amu encendió una lamparita de aceite delante de su foto. Luego abrió una bolsa de plástico medio rota y sacó de ella sus cinco saris descoloridos y varias blusas blancas que guardó dentro de su armario.

Después tomamos el té a la sombra del gran mango. Estuve sentada allí escuchando la voz familiar de Amu mientras ella me contaba historias sobre sus despreciables primo segundo y tercero, y gradualmente volví a sentirme reconfortada. Volvía a estar en el lugar que me pertenecía, junto a la mujer a la que durante tantos años había querido como a una tía. No, como a una madre.

Un día Luke volvió a casa más temprano de lo habitual y nos encontró a Amu y a mí charlando como dos viejas amigas mientras sacábamos brillo a los pasamanos de la gran escalera.

—¿Qué estás haciendo? —me preguntó muy dulcemente.

Había una nota de incredulidad en su voz. Tanto Amu como yo dejamos de trabajar. Saltaba a la vista que Luke estaba furioso, pero yo no podía entender por qué.

—Estamos sacando brillo a los pasamanos —le expliqué, preguntándome si acaso haría falta utilizar algún pulimento especial. Dios, ¿cómo iba a saberlo yo?

Luke llegó hasta mí. Tomó mis manos en las suyas y las miró.

—No quiero que hagas el trabajo que hacen los sirvientes —me explicó, hablando en un tono de voz muy bajo.

Podía sentir a Amu inmóvil como una estatua junto a mí. Luke se comportaba como si ella no estuviera allí y eso hizo que me sintiera muy dolida e incómoda. Dolida por Amu e incómoda porque mi marido había considerado apropiado reñirme de aquella manera delante de ella. Mi cara estaba empezando a arder bajo la fría mirada de Luke. Asentí lentamente y entonces mi marido dio media vuelta y entró en su despacho sin decir una sola palabra más. Yo me había quedado tan perpleja que lo único que hice fue contemplar la puerta cerrada hasta que sentí la áspera y delgada palma de Amu en mi mano.

—Los hombres son así —dijo, clavando la mirada en mis tristes ojos—. Tu marido tiene razón. Fíjate en el estado de mis manos. Puedo ocuparme de los pasamanos yo sola. ¡Vaya, pero si en lo que llevo de vida me he ocupado de muchas más cosas que esta casa! Vete. Lávate y ve a hablar con él.

Subí al piso de arriba, me lavé las manos y vi en el espejo mi rostro sorprendido y todavía dolido. Luego bajé y llamé a la puerta del estudio de Luke.

Mi marido estaba sentado en su sillón giratorio.

—Ven aquí —dijo.

Fui hacia él y me senté en su regazo. Luke me cogió los dedos y fue besándolos uno por uno.

—Ya sé que quieres ayudar a Amu, pero no quiero que hagas el trabajo de la casa —me dijo después—. Eso estropearía tus preciosas manos. Si quieres ayudar a Amu, haz que otra sirvienta venga tres veces a la semana para ocuparse de los trabajos más pesados.

Asentí.

—Está bien —dije, porque quería que se le pasara el enfado lo más pronto posible. Quería que la suave amenaza que había habido en su voz regresara al sitio del cual había venido, que sonriera y luego me preguntara qué había para cenar con su voz habitual.

A veces nuestra madre iba a verme a mi gran casa. Normalmente estábamos sentadas hablando durante un rato antes de que yo le diese su dinero y se fuera, pero un día, llegó sintiéndose muy frustrada y llena de problemas. Nash había vuelto a meterse en alguna clase de lío. Ya no recuerdo la razón, pero mientras estábamos hablando le dije algo que debió de disgustarla porque levantó la mano para pegarme. Pero el golpe nunca llegó a hacerse realidad porque de pronto allí estaba Luke, con su mano sujetándole la muñeca en una presa de hierro.

—Ahora es mi esposa. Si vuelves a ponerle la mano encima, entonces nunca volverás a verla o a ser una abuela para ninguno de sus hijos —le dijo afablemente.

Lo miré y vi al desconocido. Una súbita frialdad había oscurecido sus ojos y un pequeño músculo temblaba furiosamente en su mejilla. Volví a enamorarme de aquel desconocido. Solo la abuela Lakshmi, y en algunas ocasiones papá, habían sido capaces de defenderme a lo largo de mi vida.

Me sentí como la diosa que yace apaciblemente dormida bajo las enormes capuchas de una serpiente de muchas cabezas. Luke era el firme dosel que me protegía. Mis ojos se dirigieron hacia mi madre. Su rostro estaba desencajado por la rabia de un toro que ha visto súbitamente frustrada su ira. Podía oírla pensar: «Primero de todo fue mi hija». Hubiese podido limitarse a darse por vencida y de esa manera habría sido como si no hubiera pasado nada, pero nuestra madre es tan orgullosa que su boca se frunció en una mueca sarcástica y cuando se volvió hacia mí y vio el amor que iluminaba mi rostro, entonces el desprecio que había en el suyo se convirtió en puro disgusto. Liberó su mano de la presa de Luke con un brusco tirón, me escupió a los pies y se fue hecha una furia.

Luke dio un paso hacia mí y estrechó mi cuerpo tembloroso entre sus brazos. Yo quería volver a entrar en él a través de su esternón, oír sus pensamientos, ver lo que veía y ser parte de él. Lo imaginé apartando sus brazos de alrededor de mi cuerpo y viendo cómo este caía flácidamente al suelo. ¿Sabría Luke que ya estaba dentro de él, que me había convertido en una parte de su ser? Las palabras de una canción sufí de la que en una ocasión me había reído por encontrarla ridícula y melodramática me vinieron a la cabeza:

¿Acaso no ves cómo mi sangre se convierte en henna,
solo para adornar las plantas de tus pies?

El mango del jardín floreció. Era una visión magnífica. Amu colgó una hamaca debajo de él y cada tarde hacía la siesta en ella. Yo la miraba desde mi pabellón de verano y pensaba que parecía envidiablemente tranquila y en paz.

Fui a ver al tío Sevenese a su habitación. Era un sitio terrible al que se llegaba subiendo cuatro tramos de escalones por una sucia escalera de hierro; quedaba al final de un maloliente corredor negro detrás de una puerta de un azul descolorido. Mientras subía por la escalera procurando no tocar la grasienta barandilla, vi salir a una mujer de la puerta azul de mi tío. Era atractiva de una manera un poco distante y dura y se había recogido el pelo en una pequeña coleta. Llevaba pantalones cortos blancos muy ceñidos y zapatos blancos de tacón de aguja que hacían mucho ruido en la escalera de metal.

De pronto no quise cruzarme con ella, porque no sabía lo que vería en su cara. Di media vuelta y bajé rápidamente por la escalera. Me escondí en una vieja cafetería china donde un cansado ventilador giraba muy arriba en el techo y donde ancianos chinos estaban medio sentados y medio acuclillados en taburetes de tres patas mientras sorbían sus cafés y comían tostadas de pan blanco untadas con kaya. Pedí un café y de pronto me sentí invadida por una inexplicable tristeza cuando me acordé del tío Sevenese contándome cómo solía esperar delante de la panadería para robar los pequeños recipientes de kaya. En aquella época el kaya no era verde sino de un marrón anaranjado y mi tío solía abrir el recipiente, meter la lengua en él y lamer hasta la última gota de aquella dulce mezcla de leche de coco y yemas de huevo.

Cuando yo era más joven, el tío Sevenese era mi héroe montado en un elefante blanco y no podía hacer nada malo. Pero en esos días vivía solo en una diminuta habitación, con prostitutas de rostros endurecidos y provocativos pantalones cortos que salían de ella a las once de la mañana.

Cuando hubo transcurrido el tiempo suficiente, volví a probar suerte con la escalera. El tío Sevenese me abrió la puerta y al verme gruñó con los ojos velados por el sueño. Luego se alejó de la puerta, dejándola abierta. Entré en la habitación.

—Buenos días —dije alegremente, procurando no mirar la cama por hacer.

El tío Sevenese tenía cara de estar sufriendo los efectos de una resaca realmente grave. Saqué de la bolsa de papel marrón en la que me los dieron varios paquetes de cigarrillos que acababa de comprar en la cafetería de abajo y los puse encima de la mesilla que había al lado de la cama. Mi tío enchufó una cafetera eléctrica.

—¿Cómo va todo? —preguntó, sin afeitar y con los ojos ribeteados por feos anillos oscuros.

—No demasiado mal —dije yo.

—Estupendo. ¿Qué tal está tu padre?

—Oh, está bien. Lo único que pasa es que ya no tiene nada más que decirme.

Mi tío se volvió hacia mí, interrumpiendo por un instante sus preparativos para hacer el café.

—¿Quieres uno?

—No, he tomado uno en la cafetería —dije automáticamente. Entonces, acordándome, me sonrojé. Mi tío me estaba observando con una astuta sonrisa en los labios. Él sabía que yo había visto a la prostituta. Seguía siendo un niño que disfrutaba escandalizando a la gente. Encendió un cigarrillo.

—¿Y cómo está tu marido? —Había una nueva nota en su voz y no me gustó.

—Estupendamente —dije con voz jovial.

—Todavía no me has dicho a qué día y a qué hora nació para que pueda hacerle su carta astral —me acusó el tío Sevenese, contemplando la cafetera a través de un velo de humo.

—Sí, siempre se me olvida —mentí, sabiendo muy bien que no quería proporcionarle aquellos detalles astrológicos. Supongo que temía lo que descubriría en el caso de dárselos—. Te he traído cigarrillos —dije rápidamente para cambiar de tema.

—Gracias. —Me miró especulativamente—. ¿Por qué no quieres que haga su carta astral?—preguntó.

—No se trata de que no quiera que le hagas la carta astral a Luke. Es solo que...

—He soñado contigo...

—Oh, ¿y de qué iba el sueño?

—Tú estabas andando por un campo y entonces me di cuenta de que no tenías sombra. Luego vi cómo tu sombra se alejaba de ti.

—Qué horror. ¿Por qué tienes semejantes sueños? Hacen que se me pongan los pelos de punta. ¿Qué significa ese sueño? —pregunté, llena de horror, cuando lo que realmente deseaba era despreciar despectivamente todas aquellas tonterías supersticiosas en mi nueva y feliz existencia.

En mi gran casa con sus arañas de cristal, figuras del Renacimiento que bailaban y corrían y compartimientos de perfume en el techo, no había lugar para el tío Sevenese y sus sueños. Comencé a lamentar haber ido a verlo. Tendría que haberme marchado en cuanto vi a aquella prostituta. Luego me sentí muy mala por haber albergado unos pensamientos tan viles y mezquinos. Recorrí la mísera habitación con la mirada. Antes yo quería al tío Sevenese con todo mi corazón.

—¿Por qué no dejas que te ayude? —pregunté.

—Porque solo puedes darme cosas materiales que no necesito y que no le harán ningún bien a mi alma. ¿Piensas que sería más feliz en una gran casa con un suelo de mármol negro?

—Entonces, ¿qué se supone que significa ese sueño tuyo?

—No lo sé. Nunca lo sé hasta que ya es demasiado tarde, pero todos mis sueños siempre son avisos que me previenen del infortunio.

Suspiré.

—Tengo que irme, pero te dejaré un poco de dinero encima de la mesa. ¿De acuerdo?

—Gracias, pero la próxima vez no te olvides de traer contigo los detalles sobre tu amado.

—Está bien —asentí cansadamente, con mi buen humor echado a perder por completo.

¿Qué había sido de todas las veces que mi tío y yo habíamos pasado hablando hasta altas horas de la madrugada después de que todos los demás se hubieran ido a dormir? Ya no quedaba nada sobre lo que hablar. Yo sabía que la responsable de que así fuese era yo. No me atrevía a permitir que mi tío se me acercara lo suficiente para llegar a destruir las frágiles alas de mi felicidad. Nunca en mi vida había sido tan feliz y sabía que él tenía el poder de destruir aquella felicidad. De hecho, estaba segura de que podía hacerlo.

Yo sabía que todo aquello era demasiado bueno para ser cierto, pero la ilusión de la felicidad tenía que ser protegida a toda costa. Decidí que dejaría de ver al tío Sevenese durante una temporada.

Tres meses más tarde, Luke se mostró entusiasmado cuando le dije que estaba embarazada. Si era una niña la llamaría Nisha. Hace muchos años, mi abuela Lakshmi había querido ponerme ese nombre;

pensé que le gustaría que su bisnieta se llamara así. Sería bella como la luna llena. Colgué fotografías de Elisabeth Taylor en las paredes de mi habitación, de forma que al acostarme por la noche, y al despertarme por la mañana solo viera belleza.

Empecé a encontrarme mal y la abuela Lakshmi me aconsejó que tomara jengibre. Luke me traía flores envueltas en papel de seda y me ordenó que no trabajara en absoluto.

Una noche, mientras yo estaba tendida en la cama, Luke se sentó a mi lado y empezó a hablarme de su pasado. Se quedó huérfano cuando tenía tres años. Su madre, una joven mujer china, había sido violada por los japoneses; la abandonaron pensando que estaba muerta. Ella consiguió sobrevivir y dio a luz a un niño; sin embargo murió de desnutrición a las puertas de un orfanato católico. Cuando por la mañana las monjas abrieron la puerta se encontraron con un niño que lloraba al lado del cuerpo de su madre muerta. El pequeño cuerpo del bebé estaba dolorido y su barriga estaba hinchada por el hambre.

Le pusieron el nombre de la monja que lo había encontrado, la hermana Steadman; lo educaron en la religión cristiana, a pesar de que él profesaba el budismo y de que, por alguna extraña razón, se sentía atraído por todo lo japonés. La fuerza de su voluntad le hizo tal como era. Yo lloré cuando me contó que, de pequeño, se despertaba en mitad de la noche, bajaba de su mullida cama y se acostaba sobre las maderas de una estantería. Durante más de un año, cada mañana las monjas lo encontraban dormido sobre las maderas. Vi a Luke con un estómago hinchado y unas delgadas piernecitas y pensé si ya en aquel momento sus ojos habían perdido el brillo.

Los meses fueron transcurriendo con mucha lentitud. Mi cuerpo iba cambiando un poco cada día que pasaba. Tumbada en el frío suelo de la sala, me dediqué a contemplar las pinturas del techo. Lo cierto era que no estaba del todo segura de que me gustara demasiado tenerlos a todos observándome allí arriba. El artista había hecho que todas aquellas personas parecieran estar no solo vivas sino también presentes, como si fueran una raza adusta y sombría que existía a otro nivel dentro del barniz que cubría mi techo. Cuando apagué todas las luces y subí al piso de arriba, las figuras bajaron del techo y echaron mano a la comida que había dentro de la nevera. De hecho, si los miraba durante demasiado tiempo comenzaba a tener la sensación de que sus expresiones cambiaban. En su mayor parte estas parecían indiferentes, pero a veces, solo a veces, parecía como si las figuras se sintieran secretamente divertidas por nuestras idas y venidas. Cuanto más contemplaba yo aquellos rostros de extranjeros con sus orgullosas narices romanas, sus expresiones vagamente presuntuosas y sus bocas curvadas en una mueca de niño mimado, más segura me sentía de que quería coger una brocha y pintar todo el techo de blanco. Pero a Luke le gusta tenerlos allí arriba. Está muy orgulloso de su techo. Dice que es una obra de arte.

Supongo que lo único que ocurre es que me aburro. No tengo otra cosa que hacer en todo el día que esperar a que regrese Luke. Echaba de menos a las amistades a las que ya no veía nunca. Había hecho compras suficientes para toda una vida y, naturalmente, no se me permitía salir a pasear sola al atardecer por miedo a que me secuestraran, violaran y asesinaran. Tenía prohibido ensuciar mis hermosas manos con las labores domésticas cotidianas y, de hecho, ni siquiera la jardinería me estaba permitida. Me había convertido en la encarnación de la esposa inútil. ¿Cuándo llegaría el bebé?

Entré en el estudio de Luke y lo encontré de pie ante la ventana con la espalda vuelta hacia mí. Rígido como un poste, estaba muy lejos de mí y de todo lo que no fuera la música que flotaba en lentos giros alrededor de él, el triste lamento de una enamorada japonesa desdeñada por su amado.

Prepárame el veneno
pues deseo unirme a las almas de los muertos.
Ya que no soy querida,
ese es un camino muy agradable para llegar al paraíso.

Era la súplica de una voz femenina combinada con los trinos de las flautas lo que lo había dejado tan inmóvil como si fuera una efigie esculpida. Mientras miraba a mi marido allí de pie ante la ventana, supe que Luke estaba triste por dentro. Hay una parte muy profunda de él a la que no puedo llegar. En ese momento la sentí extenderse hacia mí como un delgado tentáculo extraviado que se negaba a obedecer la férrea voluntad de su amo. Así, de una manera muy lenta y casi imperceptible, yo había empezado a comprender el deseo de sentir el contacto de unos fríos labios que experimentaba el tío Sevenese, porque yo también estaba empezando a anhelar sentir los labios fríamente distantes de mi marido.

—Luke —lo llamé suavemente.

Entonces vi cómo aquel pobre muchachito del estómago distendido se levantaba del suelo, se quitaba de encima las ropas harapientas de su orfanato y se vestía con la elegante chaqueta azul y los pantalones azul marino que Amu le planchara el día antes. Así ataviado, Luke se apartó de la ventana para volverse hacia mí.

—Has vuelto —observó con una sonrisa.

—Sí —dije yo, yendo hacia sus brazos extendidos.

El bebé reposaba entre nosotros. Yo lo quería muchísimo.

—¿Qué has comprado? —preguntó Luke indulgentemente mientras me acariciaba suavemente el vientre.

La habitación estaba fría, pero repleta de los colores del ocaso. El sol poniente era de un rojo oscuro detrás de Luke.

—Un regalo —dije yo, intentando mirarlo a los ojos. Dentro de ellos, detrás de ellos.

Luke enarcó una ceja. Sus ojos rasgados se habían llenado de curiosidad.

—Bueno, ¿dónde está?

Salí fuera con mis andares de pata y regresé con una larga y estrecha caja. Luke rasgó el sencillo papel verde que la envolvía, levantó la tapa, miró dentro y luego alzó la mirada hacia mí con una alegre interrogación en sus ojos.

—¿Y por qué iba a querer yo un bastón de paseo? —preguntó, sacándolo del estuche.

—Un bastón, hace mucho tiempo, era una ocasión para que uno luciera su anillo. Este está hecho de madera de serpiente y tiene el pomo de marfil —le expliqué yo con fingido reproche.

—Mmm, es exquisito —dijo, examinando los delicados detalles de la pequeña cabeza de terrier de marfil—. ¿Dónde lo has encontrado? —preguntó, deslizando los dedos por aquella madera tan oscura que parecía haber pasado siglos empapándose en sangre de serpiente.

—Es un secreto —dije, esperando que mi voz sonara tan misteriosa como la de él.

Luke siguió inmóvil en su isla de hielo y rió.

—Siempre lo conservaré como un tesoro.

Yo seguía queriéndolo, por mucho que sintiera cómo la distancia iba creciendo entre nosotros.

Aquella noche soñé que el señor Vellapan, nuestro médico de cabecera, iba a visitarme. Se sentó junto a mí delante de mi pabellón de verano. Hacía calor y se había quitado los zapatos.

—¿Es grave? —pregunté.

—Me temo que las noticias no son nada buenas —dijo él.

—¿Hasta qué punto es grave?

Él sacudió la cabeza.

—No llegarás al final de la semana —respondió con tristeza.

—¿Qué? —exclamé yo—. ¿Ni siquiera tendré ocasión de despedirme de todos?

—No —dijo él y entonces desperté.

Luke estaba profundamente dormido. Me acurruqué junto a su duro cuerpo y permanecí despierta durante mucho rato escuchando su respiración. ¡Había tantas cosas que seguía sin saber acerca de él! Aquel hombre no era mío. ¿Qué me estás ocultando, Luke?

Admito que me quedé junto a la puerta con el propósito expreso de escuchar. Fue la voz de Dios hablando en susurros la que me instó a hacerlo. Quizá no hubiese debido espiar, porque ahora nunca volveré a ser feliz. La felicidad, y eso ahora lo sé muy bien, solo está al alcance del ignorante, del simple, de aquellos que o son incapaces de ver o prefieren no ver que la vida, toda la vida, está llena de penas. Detrás de cada palabra amable hay un mal pensamiento. El amor agoniza en una cama del piso de arriba.

—¿Qué has comido? —preguntó Luke a la persona con la cual estaba hablando por teléfono.

No lo había dicho en el tono del hombre que está flirteando y ni siquiera había hablado de una manera particularmente cariñosa, pero lo supe nada más oírlo. Luke tiene una amante.

Luke tiene una amante.

El pensamiento se estrelló contra mi cerebro tan deprisa y causando tal impacto que llegué a tambalearme. La sangre se me subió a la cabeza y el pasillo que llevaba al estudio de Luke giró locamente en una frenética serie de círculos que parecían reírse de mí. Luke tenía otra mujer. Pero solo el día anterior había estado enamorado de mí. Así pues, era cierto que el amor es implacable y tiene que ir volando continuamente de un corazón a otro.

Loca. Estúpida. Idiota. ¿Acaso pensabas que podrías conservarlo? Un hombre como él...

—De acuerdo, entonces te veré a las nueve —dijo Luke antes de que yo oyera el chasquido de una línea desconectada.

Su voz no había sonado ni tierna ni voluptuosa, como yo sabía que podía llegar a serlo, pero al día siguiente vería a la otra a las nueve. A las nueve. Cuando se suponía que debía estar en una junta empresarial.

Sentí cómo el bebé daba una fuerte patada dentro de mí.

Mis rodillas cedieron y caí al suelo. Un tenue sonido escapó de mis labios, pero Luke no lo oyó. Ya estaba ocupado con otra llamada telefónica, en esos momentos su tono era cortante y profesional. «Cómpralo todo hasta que hayas acabado con ese idiota», ordenó fríamente mientras yo permanecía acurrucada, totalmente destrozada, junto a su puerta. Entonces el pánico invadió todo mi ser. Tenía que salir del pasillo. Una oleada de paranoia me heló las entrañas. Estaba segura de que Luke iba a abrir la puerta de su estudio en cualquier momento y comencé a alejarme de ella arrastrándome sobre las manos y las rodillas.

Los sirvientes. Nunca debían llegar a verme así. Luke tenía una amante. Me temblaban las manos y me sentía muy débil. Yo ya había sido advertida. Un leopardo nunca cambia sus manchas. ¿Quién era ella? ¿Qué aspecto tenía? ¿Cuál sería su edad? ¿Cuánto tiempo hacía que duraba aquello? Continué arrastrándome torpemente, con la cabeza dándome vueltas. No quería que Amu me viera de aquella manera. Subí por la escalera, aferrándome desesperadamente al pasamanos. Me odiaba a mí misma y odiaba aquella cosa horrible escondida dentro de mí que me había vuelto tan repulsiva, tan fea. No era de extrañar que mi propia madre me odiara con tan inexplicable ferocidad. Entonces un pensamiento llegó de pronto a mi mente como si viajara en el último tren de la noche. ¿Y si me había equivocado? La esperanza corrió por mis venas como pequeñas burbujas que no matan, siseando en mi sangre como un vaso de refresco. ¿Y si me había equivocado? Me senté pesadamente en la cama. El doloroso calambre que me desgarraba el estómago había desaparecido y mi pulso ya se iba tranquilizando. Levanté la vista y de pronto Luke estaba en la habitación.

Lo miré como si fuera un fantasma.

—Cariño, ¿te encuentras bien? —me preguntó con voz llena de preocupación.

—Sí, creo que sí —dije con los labios entumecidos.

Contemplé sus ojos vacíos de toda expresión y Luke me devolvió la mirada, alarmado por mi rostro atónito y exangüe.

—¿Estás segura? Se te ve un poco pálida.

Asentí y conseguí sonreír.

—¿El bebé está bien?

Volví a asentir, estirando mis labios un poco más que antes.

Con su ansiedad ya apaciguada, Luke sonrió.

—Voy a darme una ducha rápida antes de cenar.

Al día siguiente seguiría a Luke. Tenía que saber quién lo esperaba a las nueve.

Dormí mal y desperté con el conocimiento inmediato de la traición. No hubo ningún lapso entre el sueño y el despertar. Fuera todavía estaba oscuro y tendría que transcurrir un rato antes de que el sol apareciera por encima de los pinos. El aire era deliciosamente fresco. Me pregunté qué habría comido el día anterior aquella mujer. ¿Pastel, pollo con arroz, fideos, nasi lemak, satay, mee goreng, cerdo con miel? Las posibilidades eran infinitas, con la enorme variedad de la comida malaya inabarcable para la mente. La mujer podía ser china, hindú, malaya, sij, eurasiática, o una mezcla de cualquiera de ellas.

La cabeza comenzó a dolerme con un sordo palpitar. En el espejo, mi cara estaba hinchada y llena de manchas. Tenía un aspecto horrible. No sé a qué se debería, pero no estaba furiosa con Luke. Con ella sí que lo estaba, desde luego. Regresé a la cama y me quedé acostada hasta que oí los sonidos de mi casa despertando. Música, cisternas vaciándose, el uso de las ollas y las sartenes en la cocina.

El caro ronroneo del Mercedes de Luke murió en la lejanía. Llamaron suavemente a la puerta y Amu entró en el dormitorio. Sus huesudas manos sostenían una pequeña bandeja.

—Ve a cepillarte los dientes —me ordenó mientras dejaba la bandeja encima de la mesilla de noche.

El olor de mi desayuno preferido, el apam, se elevó hacia mí: dos blancos pastelillos de arroz, su parte central glaseada con leche de coco y los bordes delgados e impecablemente cocidos. Contemplé las delicadas caritas redondas de los pastelillos mientras estas me observaban, reluciendo tímidamente en su perfección, y me entraron ganas de vomitar.

—¿Qué ocurre? —preguntó Amu, con su rostro arrugado despierto y alerta. Sus ojos sondearon los míos como un par de agujas.

Oh, Amu, quería decirle yo, Luke está teniendo una aventura. Y ese par de apams se están riendo de mí.

—Nada —dije.

—Bueno, pues entonces cómetelos mientras todavía están calientes y sabrosos. Ahora voy al mercado, así que ya te veré luego.

Amu me miró fijamente mientras yo asentía y sonreía. Por un instante pareció como si se dispusiera a decir algo más, pero luego cambió de parecer, sacudió la cabeza y se fue. Yo me quedé inmóvil contemplando los apams hasta que oí a Kuna, nuestro chófer, alejándose de la casa con Amu en el asiento trasero. Entonces me levanté de la cama. Mis pies me llevaron por el frío suelo. El sol iluminaba apaciblemente la casa sumida en el silencio mientras esperaba para ver qué iba a hacer yo. Abrí la puerta de la habitación de Luke y entré en ella. Su habitación era como una nevera. Apagué el aire acondicionado y la habitación también quedó sumida en el silencio.

Luego me contempló con ojos fríamente desaprobadores. Yo me había convertido en la intrusa. Mis ojos recorrieron aquella habitación tan familiar, viéndola con una nueva percepción. Todo parecía distinto. Las camisas que le había comprado a Luke se reían de mi estupidez y los pañuelos que le había planchado con tanto cariño se burlaban suavemente en los rincones. Abrí un armario, un cajón y un pequeño gabinete y siempre, continuamente, tocaba cosas que Luke había llevado, vestido, calzado o usado. El dolor sordo que vibraba dentro de mí hacía que me diera vueltas la cabeza. Era como si una mano inmensa se hubiera metido dentro de mi ser para llevarse cuanto había allí. Salvo por el bebé, me había quedado totalmente vacía. En esos momentos, mi bebé flotaba en la nada, como esos maravillosos huevos de Pascua que hacen en Inglaterra y que dentro tienen un juguete de plástico. La cama por hacer me contemplaba descaradamente desde sus sábanas arrugadas. Había pasado toda la noche yaciendo con mi marido. Subí a la cama y me quedé de pie en el centro de ella. La casa escuchó en silencio y las cuatro paredes de la habitación de Luke me observaron mientras yo comenzaba a gritar. Grité hasta quedarme afónica.

Fuera, el tiempo cambió. Negras nubes empezaron a acumularse en el cielo y la habitación se oscureció. Gruesas gotas de lluvia cayeron sobre el tejado de la casa. Agotada, me dejé caer sobre la cama convertida en un torpe fardo. No podía entregar a Luke a aquella mujer. Mi marido valía demasiado para regalárselo a cualquier prostituta de la calle. Yo amaba demasiado a Luke para poder renunciar a él. Puse recto mi cuerpo desmadejado y yací sobre la espalda en las frías sábanas de mi marido. Encantaría a Luke hasta conseguir que volviera a mí. Había ciertos hombres, los bomohs, a los cuales podías acudir si querías que alguien cayera bajo tu poder. Sí, eso era lo que haría. En ese momento decidí que aquella era la única manera de que Luke fuese mío para siempre.

De pronto Amu apareció en el umbral. Parecía confusa y horrorizada. ¿Me habría estado llamando? Yo no había oído nada. Había piedad en sus oscuros ojos. Cuando contemplé su rostro lleno de compasión mis labios temblaron, una película de lágrimas cubrió mis ojos y el dolor que ardía dentro de mi corazón comenzó a gritar histéricamente. Abrí la boca y aullé. Amu se subió a la cama y estrechó mi cabeza contra sus flácidos pechos. Ella sabía sin necesidad de que yo se lo dijera que algo iba muy mal entre su señor y su señora. Yo podía sentir su esternón en mi frente. Amu me meció suavemente. Ni una sola palabra salió de sus labios, ni una sola historia sobre una tía taimada o un malvado primo segundo. Amu continuó meciéndome hasta que hube dejado atrás el río de lágrimas.

—La carne y el pescado —le recordé con un hilo de voz.

Mentalmente, vi las bolsas de plástico del mercado esperando encima de la mesa de la cocina. Vi las relucientes alas de las negras moscas, suspendidas encima de ellas tan fielmente como plañideras veladas en la escena de la muerte. Amu asintió y salió del dormitorio sin decir nada. En ese instante la quise más de lo que nunca he querido a nadie en toda mi vida.

Mis miembros todavía me pertenecían para que les diera órdenes. Me levanté de la cama de Luke y telefoneé a una compañía de alquiler de coches. ¿La señora quiere pagar con tarjeta de crédito o en efectivo? En efectivo, por favor. A las dos de esta tarde. Perfecto.

El coche llegó a las dos. Fui en él hasta el final del camino que terminaba en nuestro sendero y lo aparqué debajo de un árbol.

Luke regresó a las seis y media. Parecía bastante contento y animado.

—¿Has tenido un buen día? —le pregunté.

—Muy bueno. ¿Y tú?

—Magnífico. El bebé está estupendamente.

Luke se acercó para besarme en la sien izquierda, su lugar preferido. Los labios eran frescos y familiares. Judas. ¡Con qué facilidad me había mentido! Lo miré fijamente y, para mi inmenso horror, los ojos se me llenaron de lágrimas que no tardaron en resbalar por mis mejillas.

Luke se sobresaltó.

—¿Qué sucede? —exclamó, visiblemente preocupado.

—Las hormonas —le expliqué yo con una sonrisa aguada. No había motivo para preocuparse.

—¿De veras? —preguntó él, con aire de no estar muy seguro de que realmente se tratara de eso.

—Sí, de veras. ¿A qué hora te irás para tu reunión?

—La reunión es a las nueve, pero si no te encuentras demasiado bien puedo cancelarla.

Me maravillé ante la frescura y la impasibilidad de aquel hombre, que era capaz de estar ante mí mostrando tan sincera preocupación sin el menor signo de culpabilidad.

—No, estoy perfectamente. Solo un poco cansada, quizá. Ve a tu reunión. —¿Sonaba mi voz tan rígida como me sentía? Pero mi respuesta pareció satisfacer a Luke—. Iré a descansar un rato. Si te digo adiós ahora...

Luke lo entendió inmediatamente. Se acercó y me besó tiernamente en los labios.

—Sí, descansa un poco —dijo, con una tenue y bondadosa sonrisa aleteando en sus labios.

Yo se la devolví. ¿Cómo puedes ser tan insensible, bastardo? Me levanté del asiento moviéndome con mucho cuidado. No quería parecer torpe. Su amante sin duda era grácil y esbelta, pero yo tenía planes para ella. No me sentiría satisfecha hasta que pudiera ver su cabeza en una bandeja. Noté cómo los ojos de Luke iban siguiéndome mientras me alejaba con mis andares de pato. Cuando llegué al piso de arriba, hice girar la llave en la cerradura y me senté en la cama a esperar. Cuando lo oí cerrar la puerta de su dormitorio sin hacer ningún ruido, salí de mi habitación y bajé sigilosamente por la escalera.

El corazón me palpitaba ruidosamente en el pecho mientras iba andando sendero abajo. ¿Y si Luke se había quedado de pie delante de su ventana y me estaba mirando? Entonces simplemente le diría que quería dar un paseo para despejarme la cabeza. El sol ya se había ocultado detrás de los árboles y cuando salí por la puerta el día había adquirido tonos rojizos y dorados. La ventana iluminada de Luke estaba vacía, lo cual quería decir que él todavía no había salido de la ducha. Bajé por el sendero que llevaba al camino principal. El coche azul oscuro que había alquilado estaba aparcado al final de este. Subí a él, temblando. Estaba oscureciendo. Esperé.

El coche de Luke no tardó en pasar. El miedo me dejó paralizada durante un segundo precioso y luego mis manos y mis piernas asumieron el control como si fueran entidades separadas de mí. La llave giró y el cambio de marchas se movió. El pedal del acelerador descendió. No tuve que esforzarme demasiado para no perder de vista a Luke. Lo seguí hasta allí donde los caros centros comerciales estaban empezando a surgir del suelo como gigantes que acabaran de despertar. Luke se detuvo delante de una tienda de productos medicinales chinos. Lo vi hablar por el teléfono de su coche. Encima de la tienda había un salón de peluquería y, en el último piso, un letrero ofrecía

CHICAS DORADAS como acompañantes para los hombres. Al lado de la tienda de productos medicinales chinos había una pequeña escalera de caracol protegida por una puerra de hierro. La puerta se abrió con un chasquido metálico mientras yo la miraba y dejó salir a una joven, increíblemente hermosa, vestida con un largo *cheongsam* negro adornado con brotes de bambú bordados en hilo de oro. Unas piernas impecables asomaban por los largos cortes de su traje y la larga cabellera de color negro azabache que le llegaba hasta los hombros enmarcaba un sonriente rostro ovalado. Aquella joven tan impresionante saludó con la mano al hombre de la tienda de productos medicinales chinos, el cual no le devolvió el saludo. Luego bajó los escasos escalones que la separaban de la calle y se instaló en el asiento de pasajeros del coche de Luke, quien se alejó sin echar una sola mirada hacia atrás.

Me quedé sentada dentro del coche que había alquilado, aferrando el volante durante lo que tanto pudo ser una hora como diez minutos. El tiempo había dejado de tener importancia. Los coches pasaban junto a mí. Otras chicas salieron de la angosta escalera de caracol en un surtido de prendas tan ajustadas como reveladoras y subieron ágilmente a coches grandes y caros, y yo seguí allí sentada mirando. Hasta que finalmente pasó un vendedor callejero que vendía fideos. Hizo sonar el timbre de su bicicleta muy cerca de mi ventanilla y me despertó de mi sueño carente de ruidos.

Puse en marcha el coche y regresé a casa. Un leve dolor se introdujo súbitamente en mi cuerpo entumecido. Comenzó en el lado izquierdo de mi estómago y luego se fue extendiendo como una gota de tinta azul envenenada dentro de un cazo lleno de leche, creciendo y creciendo. No tardé en saber que todo el cazo terminaría quedando infectado, pero entonces ya estaba entrando por el sendero de mi casa. Cómo había llegado hasta allí es un misterio del poder oculto en el subconsciente, que me había llevado de vuelta a casa.

Detuve el coche en el sendero y comencé a andar. El dolor crecía y crecía. Me llevé las manos al estómago y no pude evitar caerme al suelo. Luke no tenía que saber que yo había estado fuera de la casa y, por encima de todo, no tenía que llegar a saber lo que había visto. Empecé a arrastrarme hacia la casa. En mi mente delirante, una muchachita vestida de adulta subió a un coche de reluciente carrocería. La muchachita me estaba saludando con la mano. El hombre de las medicinas nos contemplaba con mirada inexpresiva. Bastaba con verle la cara para darte cuenta de que no aprobaba aquello.

Llegué a la puerta principal arrastrándome sobre las manos y las rodillas. Llamé al timbre y luego me hice un ovillo, convirtiéndome en una bola llena de terribles dolores. La hermosa joven saludaba con la mano dentro de mi cabeza y algo trataba de abrirse paso a través de mi estómago. La puerta se abrió. Amu cayó de rodillas junto a mí. Su rostro era un manchón borroso, pero sus delgadas manos se apresuraron a tomar mi cara. Después las estrellas descendieron y me dieron la negrura, una hermosa negrura.

Desperté dentro de un vehículo en movimiento, pero una diosa que pasaba por allí se apiadó de mí y volvió a arrojarme a esa hermosa negrura donde vivían las estrellas. Recuerdo el viento que soplaba raudamente alrededor de mis pies y luces encima de mi cabeza. Ellas también se movían muy deprisa. El estrépito de un tranvía resonó en mis oídos. Oí sonidos apremiantes y recuerdo que también oí la voz de Luke. La frialdad había desaparecido de su voz. «Le está bien empleado», pensé, aprisionada dentro de mi mundo negro y rojo. Luke parecía estar muy enfadado y exigía algo. Su voz sonaba lejana y borrosa.

La joven del *cheongsam* negro y oro volvió a saludarme con la mano. Su rostro estaba curvado en una radiante sonrisa llena de juventud y belleza. El hombre de la tienda de productos medicinales chinos sonrió despectivamente. Yo tampoco le gustaba. La joven soltó una risita y el hombre rió. Me había equivocado. El hombre no desaprobaba la presencia de la chica y los dos estaban metidos en aquel asunto. Oí su risa desde la lejanía y otro estallido de dolor se infiltró en aquel sonido que iba desvaneciéndose. Blancura pura,y luego negrura pura. Bendita sea la oscuridad...

Le puse de nombre Nisha. La contemplo con el asombro más absoluto que se pueda llegar a imaginar. Nisha sacude sus diminutas manos y piernas y emite ruiditos llenos de felicidad. ¿Cómo algo tan minúsculo e indefenso puede ser tan poderoso? Nisha es el lugar al que voy cuando el dolor se vuelve demasiado insoportable. El brillo de su sonrisa hace que el dolor se escabulla igual que un cobarde.

Luke sigue durmiendo en la otra habitación. Creo que le di un buen susto. Sus fríos ojos están llenos de una extraña preocupación. Me observa con una mirada atenta y protectora, pero ahora siempre me veo acosada por la joven que saluda con la mano. Ayer estuve sentada en el estudio de Luke y examiné el contenido de sus cajones. No encontré nada, naturalmente. Pero hoy he examinado la guantera de su coche y encontré una foto. Sí, encontré una foto de ella. Está de pie en el centro de una habitación de hotel. Su belleza es tal que rebosa de la foto y entra en mis curiosas manos, haciendo que empiecen a temblar. Son sus ojos. Hay algo aterradoramente intemporal en ellos. Son como un lago a la hora del crepúsculo: inolvidables, misteriosos y llenos de sueños.

¿Puede sonreír un lago? Tal vez en la oscuridad.

La joven se remueve nerviosamente dentro de un charco de sol, vestida con una enorme camiseta. Ella no es un personaje, sino un recipiente lleno de irresistible tentación. ¿Qué aspecto tendría durmiendo boca abajo, con la cabeza encajada en la curva de su cuello? Su pelo está mojado. Sonríe despreocupadamente. Hay algo terriblemente inocente en su sonrisa congelada y al verla reconozco alguna profunda necesidad de ser amada. Esa chica está enamorada de Luke. Su deseo resplandece en su cara sin maquillar como el rocío de la mañana sobre un tallo de hierba joven.

Ojalá pudiera citarle a Terrence Diggory: «El deseo queda definido como la persecución de aquello que ya ha sido perdido». Ojalá pudiera decirle que lo que primero parece tan nítido y claro, luego se desvanece hasta volverse tan borroso como se nos aparece el pasado visto desde el presente y como llegará a volverse el día de hoy en el futuro que nos espera. Esa joven no juega limpio, pero yo tengo la respuesta de la que ella carece cada vez que se pregunta quién la sustituirá.

Hace dos años yo era la visión de ojos llenos de rocío que aparece en la foto, pero hay varias diferencias mágicas. Parece que ella fuma. Sí, veo el paquete de cigarrillos Menthol en un segundo término. Pero en última instancia, tampoco es que semejante sofisticación tenga demasiada importancia. El tiempo corre. El sueño de la joven llegará a su fin. ¿Cómo no va a hacerlo cuando hayan pasado diez, cinco o dos años? «¿Quién te sustituirá?»

Encima de la mesilla de noche está la cartera que le regalé a Luke hace dos cumpleaños. Al lado de la cartera hay un juego de llaves, una de las cuales abrirá nuestra puerta principal. Extendidos encima de un gran sillón hay unos vaqueros, de ella, y los pantalones de Luke. Una toalla yace abandonada sobre el respaldo del sillón. Ha sido utilizada. La toalla es una comunión de perfumes y tímidos pensamientos. El borde de una gran cama también es visible en la foto. Las sábanas están deshechas. ¡Ah, yo he presenciado su nido de amor! He visto el sujetador de encaje negro tirado encima de los pantalones de Luke. Viviré en ese rincón de su hotel durante muchos años venideros. Conoceré días, semanas, meses, años en los cuales miraré por la ventana y veré nubes inmóviles en la lejanía y volveré a encontrarme en su nido de amor. Siempre estará allí, día y noche, con un sujetador de encaje tirado encima de los pantalones de mi marido.

Un mulá canta sus alabanzas a Alá por el altavoz en la mezquita que hay camino abajo. Su voz, grave y solemne, resuena en la oscuridad del crepúsculo llenándola de ecos.

—*Alá-u-akbar, Alá-u-akbar...*

Siempre me ha gustado el sonido de la plegaria de los musulmanes. De niña solía escuchar su llamada, tan tangible que yo podía ir trepando por ella como si fuera un edificio mágico suspendido en el aire. Podía mirar desde sus ventanas y subir por escaleras hechas de aquellos mágicos sonidos hasta que llegaba a la habitación más alta, donde... No, aquellos días ya se han ido para siempre. Vuelvo a meter la foto en su funda de cuero. Puedo oír cómo Amu le canta a Nisha. Mi hija es una niñita muy buena.

Esta tarde he ido a ver al tío Sevenese. Le he pedido que me diera el nombre de un buen bomoh, un hombre que pueda arrojar un negro hechizo por mí. La foto me ha revelado que esa joven es peligrosa. Una mujer enamorada siempre querrá más, mientras que una prostituta únicamente quiere aquello que hay dentro de la cartera de un hombre. Una mujer enamorada quiere llegar a conocer el contenido del corazón de un hombre y saber si la imagen de ella está grabada en las paredes del corazón de él.

LAKSHMNAN

Esta mañana caía una fina llovizna. Golpecito, golpecito, golpecito. Como el nudillo de un niño en el cristal de una ventana. Aaah, qué cansado estoy. Pronto cumpliré cincuenta años, pero me siento como si tuviera cien. Tengo dolores en la mano que me suben hasta el hombro y cuando estoy acostado en mi cama sin poder dormir, escuchando respirar a mi esposa junto a mi mano, a veces mi corazón se salta un par de latidos. Él también está cansado. Anhela poder simplemente parar.

Sueño con ella. Me trae cestas llenas de flores y fruta. Resplandece, y solo tiene catorce años. ¡Cómo la envidio! «Llévame contigo, Mohini», le suplico pero ella se limita a poner su fresca mano sobre mis labios y me dice que tenga paciencia. «¿Cuántos años de culpa más?», pregunto yo, pero ella sacude la cabeza y dice que no lo sabe.

Todos dijeron que había sido un accidente, quitándole importancia porque se sentían a salvo dentro de su capullo de pena libre de toda culpabilidad. Yo no. Porque fui el que causó el accidente. Yo fui el idiota que resbaló y cayó en la hendidura que hubiese debido mantener a salvo a Mohini.

Porque cada hombre mata a aquello que ama. Sin embargo, ese hombre no muere.

Sí, no muere. Pero la manera en que vive... Oh, Dios, cómo vive.

Hace muchos años leí acerca de un gran viajero árabe, Ibn Batuta, que vivió en el siglo XIV. Ibn Batuta escribió que mientras el sultán de Mul-Jaya estaba sentado en una audiencia, vio a un hombre, que sostenía en su mano algo muy parecido a una herramienta de los encuadernadores de libros, pronunciar un largo discurso en una lengua desconocida. Luego el hombre empuñó el cuchillo con ambas manos y se cortó el cuello de un tajo con tal salvajismo que su cabeza cayó al suelo. El sultán, echándose a reír, declaró: «Son nuestros esclavos. Hacen esto libremente por el amor que sienten hacia nosotros».

Eso es lo que he hecho yo. Me he matado a mí mismo por el amor que siento hacia mi hermana.

Pensaba que nunca volvería a hablar de ella y sin embargo ahora, después de todos esos años de silencio, siento que debo hacerlo. Mi hermana y yo pasamos nueve meses perdidos en algún lugar de las profundidades de nuestra madre cuidando el uno del otro y compartiendo recursos, espacio, líquido y risa. Sí, risa. Mi hermana hacía reír a mi corazón. Sin necesidad de decir una sola palabra, ella hacía que el mundo entero se volviera cegadoramente luminoso. Nunca hablamos. ¿Por qué razón iba a hablarle alguien a su mano, o a su pierna, o a su cabeza? Hasta ese punto formaba ella parte de mí. Cuando aquellos bastardos japoneses se la llevaron, hicieron desaparecer cierto aspecto muy necesario de mí. Cuando cerraba los ojos solía ver el rostro de Mohini y el anhelo era insoportable. Hacía que me entraran ganas de chillar, aullar y destruir. No chillaba. No aullaba. Me limitaba a destruir.

Al principio me conformaba con golpear y aplastar a las personas que tenía más cerca, respirando fuego y reduciendo a cenizas todo aquello que se cruzaba en mi camino. Extraía un inhumano placer de causar peleas y enfrentamientos y ver crecer el miedo en los ojos de mis parientes, pero eso no me bastaba. Ni siquiera hundir mi tacón en el corazón de nuestra madre, tan lleno de amor hacia mí, era suficiente. Tenía que aniquilarme a mí mismo. ¿Cómo podía tener éxito en la vida y ser rico y feliz después de haber matado a mi hermana? A veces me siento y me pregunto por qué Dios me fulminó con aquel tristemente famoso dolor de cabeza durante mis exámenes del último grado. ¿Pudo tratarse acaso del mismísimo gran Lakshmnan en su primer intento de sabotear su propia vida? ¿Pudo ser ese el cuchillo del encuadernador de libros que ya había llevado a cabo su terrible labor?

Sé que Hoyuelo se sorprendió cuando le pedí formar parte de su camino del sueño. Después de todo, en el pasado me había negado mil veces.

—¿Por qué ahora, papá? —preguntó perpleja.

Ahora porque los fuegos abrasadores que ardían dentro de mí se están apagando y las ascuas anaranjadas se están poniendo grises. Ahora porque Nisha tiene que escuchar mi versión de los hechos, porque yo también tengo una versión; ahora porque ha llegado el momento de admitir todos los colosales errores cometidos y hacerles frente.

A veces mi cabeza caída levanta la vista hacia mi cuerpo decapitado, sintiéndose atónita ante las cosas tan increíbles y estúpidas que mi cuerpo ha llegado a hacer. Sin embargo, no puedo parar. Había mucho que destruir, pero me mutilé generosamente por el amor que sentía hacia ella.

El auténtico daño se hizo en Singapur, donde aprendí bien mis vicios. Una buena madre de familia a la que conocí me ofreció alojamiento. Tenían un hijo, Ganesh, dos años mayor que yo, y una hija de la edad de Anna a la que habían llamado Aruna. La hija pareció odiarme desde el primer instante en que me vio. Ponía caras de aburrimiento y soltaba comentarios sarcásticos que, de una manera disimulada, sin duda iban dirigidos hacia mí. Su madre solía planchar mis camisas y en una ocasión que tenía mucha prisa, cuando salía corriendo por la puerta pidió a su hija que me planchara la camisa. Aruna cogió mi camisa con una mueca de disgusto para disponerse a plancharla, pero yo se la arranqué de las manos.

—No te molestes —le dije rudamente, dándole la espalda.

Aquella noche mi puerta se abrió y a la media luz del pasillo vi entrar a Aruna. Llevaba una camisola cuya sedosa tela perfilaba claramente sus pechos. Sorprendido, me quedé mirándolos. Cuando Aruna estuvo lo bastante cerca, extendí la mano hacia ella y los toqué. Eran grandes y suaves en mis manos. Antes de aquel instante yo nunca había conocido el cuerpo de una mujer. Aquella noche le hice el amor incontables veces mientras ella gemía y se movía entre mis brazos. Aruna no habló en ningún momento. Se fue antes de que amaneciera, dejando tras de sí el penetrante olor de la pasión. Abrí las ventanas de par en par y me fumé un cigarrillo. Durante un rato me había olvidado de Mohini. La culpa regresó.

A la mañana siguiente, la joven estuvo muy callada durante todo el desayuno. Evitaba mirarme a los ojos. Los comentarios sarcásticos y aquellas muecas tan raras habían desaparecido. Aquella noche volvió a presentarse en mi habitación. Creamos un ritmo. Cuando Aruna se fue antes de que llegara el alba, ya había llegado a serle familiar a mi cuerpo. Abrí las ventanas y dejé salir su aroma.

Establecimos una pauta. Yo cada vez la miraba menos a los ojos y empecé a esperar cada vez más la llegada de su figura desnuda. Había algunas noches en las que Aruna no se presentaba y entonces yo fumaba hasta quedarme dormido.

Entonces una noche me susurró en la oscuridad que estaba embarazada.

¡Qué ingenuo era yo por aquella época! Pensar en esa cuestión tan práctica era algo que nunca se le había ocurrido hacer a mi cerebro consumido por la fiebre y me eché atrás sintiéndome presa de un súbito horror.

Ella me atrajo hacia su cuerpo y se aferró desesperadamente a mí.

—Cásate conmigo —suplicó.

Aquella noche no hicimos el amor. Aruna se fue llorando de mi habitación y yo me quedé rígidamente sentado en la cama. Ni siquiera me gustaba mucho y ya no hablemos de quererla. La recordaba como un sueño o como un fantasma con el que uno solo se encuentra durante la noche. El recuerdo siempre es vago y muy nítido. ¿Qué era lo que recordaba realmente? Una lengua aterciopelada moviéndose sobre mi espalda, labios muy suaves encima de mis ojos cerrados, el roce de su cuerpo junto al mío y el negro vértice en el que desaparecía mi culpa. Y, naturalmente, el olor que emanaba de ella: cúrcuma mojada. No podía dormir, así que me descolgué por la ventana y me encaminé hacia un puesto de comida abierto durante toda la noche que solía frecuentar en Jalan Serrangon. Una gran sonrisa iluminó el rostro negro como el ébano de Vellu bajo la luz amarilla de su lámpara de gas.

—Hola, maestro —me saludó alegremente.

Yo sonreí apáticamente y me dejé caer encima de un taburete de madera. Sin que yo se lo hubiera pedido, Vellu me puso delante un humeante vaso de té. Después volvió a su trabajo de enfriar el té vertiéndolo de una jarra de cerámica a otra. Pasé un rato mirando cómo el líquido espumoso expertamente extendido entre las dos jarras adquiría la apariencia de una pluma de avestruz; luego volví la cabeza y contemplé la noche. Un gato callejero acudió a maullar junto a mis pies y un perro sarnoso se dedicó a hurgar entre la basura que habían ido tirando encima de las alcantarillas. Pasé toda la noche sentado allí, contemplando el desfile de personas que iban a tomar su té en el puesto de Vellu.

Primero llegaban los que habían ido al cine, alegres y hablando en voz muy alta, luego alumnos de la universidad cercana, jóvenes y sin ninguna preocupación en el mundo; después de ellos acudían las prostitutas y sus chulos, acto seguido dos policías que estaban haciendo la ronda y luego los travestidos que eran increíblemente hermosos. Me miraban descaradamente. Conforme la noche iba adentrándose un poco más en sí misma, las personas fueron volviéndose cada vez más y más extrañas hasta que finalmente llegaron los de la limpieza. Entonces me levanté y me fui.

Por la mañana le conté la buena noticia al padre de Aruna en la mesa del desayuno, explicándole que había encontrado alojamiento en casa de unos amigos míos. Vivían bastante más cerca de la escuela en la que yo estaba dando clases. No miré a Aruna. Hice el equipaje y me marché antes de que cayera la noche y fui a una minúscula habitación del barrio chino que tenía muy poco de recomendable. Una semana después, estaba lavando mis calcetines en la pileta del lavabo cuando el hermano de Aruna fue a verme.

—Aruna ha muerto —dijo.

Aruna pasó velozmente por mi cerebro en la penumbra, medio vestida y con los ojos convertidos en rendijas de pasión.

—¿Qué? —dije yo.

—Aruna ha muerto —repitió él con una expresión de perplejidad en la cara.

En mi mente vi el cuello de Aruna, todo lo estirado que podía llegar a estar cuando su cabeza era echada hacia atrás mientras se arqueaba sobre mí como una imponente escultura griega. Su cuerpo tenía el color de la misma tierra.

—Se suicidó —murmuró su hermano con voz enronquecida, como si todavía no pudiera creerlo—. Siguió andando mar adentro hasta que se ahogó.

Vi la figura enérgica y decidida de Aruna alejándose hasta perderse en la lejanía, pero la visión no tenía nada de dolorosa. Tragedia. Clitemnestra ha muerto. Nunca volverá a bailar en la penumbra.

Fui a su funeral. Sostuve sin pestañear la mirada destrozada de su padre y la de su madre, ensombrecida por la pena de quien no entiende lo ocurrido, con la bondadosa amabilidad de un impostor asesino. Pero cuando miré dentro del ataúd de Aruna volví a verla tumbada en mi cama, con sus muslos curvándose alrededor de mi almohada y sus oscuros y tristes ojos observándome. A aquellos ojos no podía mentirles. «Duerme, Clitemnestra. Duerme. Porque siempre te he recordado mejor en la penumbra», le murmuré a su rostro lleno de tragedia. Luego me quedé fuera sintiéndome incapaz de moverme. Mi hijo había muerto y allí no había nadie para llorar por él. Regresé a mi pequeña habitación y le negué a Aruna un lugar de descanso en mi mente. Se volvió transparente. Adiós, Clitemnestra. Sabes que nunca te he amado.

Fue únicamente por accidente, a través del amigo de un amigo, como me tropecé con mi nuevo amor. Dicen que en la vida cada uno termina encontrando aquello que se merece. Esta vez me tocó el turno a mí de hundirme en los sedosos brazos de un amante implacable: el mah-jong. Su nombre obra un auténtico milagro sobre mí. El mah-jong me habla en suaves chasquidos que son un lenguaje secreto, una orden erótica. Vosotros nunca lo entenderéis, porque sus labios de vinilo rojo no os han llamado. Un solo chasquido y yo, mi familia, mis grandiosos planes y todas las citas que esperaban verme acudir a ellas, mi cena a medio comer, mi esposa enferma, mi perro que ladraba y mis vecinos que siempre estaban dando la lata se disolvían hasta quedar reducidos a nada. Cuando sostengo sus frías tabletas en mi mano soy el rey pero, además, entonces olvido a mi hermana muerta. Permanezco junto a mi amante hasta que llega la mañana.

Os contaré cuál es el verdadero secreto acerca de nosotros los jugadores compulsivos: no queremos ganar.

Yo sé que mientras esté perdiendo todavía hay una razón para continuar jugando. Ganar una gran suma requeriría lo intolerable: dejar la mesa mientras todavía hay dinero que malgastar en los sedosos brazos de mi amante.

Sí, es cierto que me casé con Rani para poder vestir a mi amante. He seguido siendo fiel durante todos estos años a las posesivas e insensatas exigencias de mi amante, incluso cuando mi familia ha vivido en la pobreza y la miseria. He sido un padre terrible. Un padre sin cabeza.

Yo sabía que todas las cosas caras que había en la habitación de Nash eran robadas, igual que sabía que Rani había envenenado a Bella contra mi propia familia. Por muy amargo de tragar que ello me resultase, incluso sabía que la muy perra solía pegar a Hoyuelo hasta dejarla llena de morados. Pero al final siempre tenía que regresar con mi amante, si no quería que la culpa se volviera insoportable. El mah-jong era mi opio. Prometía el olvido. Ahora la muerte está cada vez más cerca. Tened valor. No la temo. Mi padre me espera al otro lado.

Al principio de nuestro matrimonio, que yo no pudiera dejar de sentir pena por Mohini irritaba mucho a mi esposa.

—¡Oh, por el amor de Dios! —exclamaba—. Durante las guerras hay familias en las que mueren todos menos uno. Apuesto a que luego los supervivientes no se comportan de esta manera tan ridícula. No es más que una chica muerta, Lakshmnan. La vida sigue.

Pero después su ira fue creciendo conforme transcurrían los años y cada vez estaba más celosa del hecho de que mi hermana muerta fuese mucho más real para mí de lo que lo era ella.

—¿Cómo te atreves a insultarme de este modo? —gritaba. Nunca se lo he dicho a nadie pero, veréis, el caso es que he visto lo que les hacen los japoneses a las mujeres que les gustan y el recuerdo me persigue en sueños.

Ocurrió mientras yo estaba cazando en el bosque con Udong, mi amigo aborigen. Cuando están en los bosques, los soldados japoneses son como luchadores de sumo que formaran parte de un ballet. Enseguida se hacen notar y puedes oír desde kilómetros de distancia el estrépito que arman. Un sábado nos encontramos con ellos en un claro. Nos agazapamos entre los arbustos detrás de aquellos bastardos y los contemplamos mientras estaban ocupados con una china. Quizá fuese una mensajera comunista que había desafiado a la selva por una causa. ¡Cómo se sirvieron de ella!

Oh, Dios, no puedo describir lo que le hicieron.

Al final la china ya no era humana. Cubierta con sus propios excrementos y sangrando profusamente, jadeaba caída en el suelo cuando uno de los soldados japoneses le cortó el cuello. Otro le cortó un pecho y se lo metió en la boca a la muerta, como si estuviera comiéndoselo. Eso lo encontraron muy hilarante, porque rieron estrepitosamente mientras se subían los pantalones manchados de sangre y se alejaban para seguir su camino de asesinos.

Cuando sus voces ásperas y guturales se hubieron desvanecido en la lejanía, mi amigo y yo salimos de nuestro escondite y nos quedamos inmóviles ante la mujer, con sus delgadas piernas torcidas y su rostro desencajado del que sobresalía un trozo de carne ensangrentada, sin que ninguno de los dos pudiera creer lo que estábamos viendo. En el claro reinaba un silencio de muerte, como si esa selva brutal que cada día se alimentaba de sí misma hubiera presenciado la horripilante carnicería y hubiese enmudecido de perplejidad. Todavía veo a esa mujer hoy en día, el odio silencioso que había en su rostro.

La dejamos allí tal como estaba, una advertencia, una burla dirigida a los comunistas. Temerosos de represalias y no queriendo vernos implicados en la guerra entre los japoneses y los comunistas, solo nos llevamos con nosotros el recuerdo del odio silencioso de aquella mujer. En mis pesadillas sueño que lo que hay a nuestros pies no es el cadáver de una mensajera comunista sino Mohini, con sus piernas desnudas torcidas y un bulto sangriento en la boca, y que me está mirando con un odio silencioso.

He cometido una inimaginable injusticia con Hoyuelo, pero ella tal vez me perdonará, porque ahora mi cabeza ya lleva mucho tiempo rodando por el suelo. La miro y puedo ver las sombras de infelicidad que hay en sus ojos. Siempre he sabido que sería desgraciada junto a Luke y sabía que él terminaría destrozándole la vida. Para esa clase de hombres, las mujeres son meros juguetes y posesiones. Luke hubiese debido casarse con Bella, que es más dura y tiene mucha más resistencia. Bella sabe qué es lo que hay que hacer con esa clase de hombres.

Debería exigir saber cuál es la razón de las sombras que hay en los ojos de mi hija. Debería encararme con Luke y pedirle explicaciones. Es mi derecho, mi deber como padre, pero mi hijo político es muy listo. Eso se debe a su herencia china. A lo largo de las eras los chinos han aprendido a sobornar incluso a sus dioses con pegajosas golosinas, así que no veo por qué uno de ellos no va a poder sobornar a un suegro sin cabeza. Luke me ha sobornado con esta gran casa en la que vivo. Ha sellado mis labios con el dulce cemento que sirvió para edificar esta casa.

Aruna es una presencia fantasmal vestida con su camisola que sueña sentada a los pies de mi cama, con los ojos vacíos pero abiertos y la boca cerrada. Me contempla. Sin duda todo está en mi mente, pero no puedo quitarme de la cabeza la idea de que Aruna vive a los pies de mi cama.

QUINTA PARTE

EL CORAZÓN DE UNA SERPIENTE

HOYUELO

El tío Sevenese me dio la dirección que le pedía. Al principio se había negado, pero mis ojos suplicantes e hinchados le dieron demasiada pena. Yo quería ver a Ramesh, el segundo hijo del encantador de serpientes. Ramesh había aprendido el peligroso oficio de su padre, mediaba en los cementerios y estaba oficialmente autorizado a ahuyentar a los espíritus no deseados y vender potentes encantamientos a las personas a cambio de una recompensa monetaria. El alba lo veía vestido de celador de hospital, casado por segunda vez, sin hijos y unido al rumor de que su primera esposa se había vuelto loca.

Fui en coche hasta Sepang, que era una zona muy pobre. Pequeñas casas de madera se alzaban a los lados de la carretera. Un grupo de muchachos contempló mi BMW azul oscuro con una mezcla de envidia y admiración. La casa de Ramesh era fácil de encontrar. En el huerto había una gran estatua de Mariaman, el dios de la cerveza y los puros. Una mujer flaca y de omóplatos muy prominentes que parecía haber sido secada en sal acudió a la puerta cuando llamé. Tenía la cara chata y de rasgos fruncidos de un murciélago, solo que en un ser humano esa combinación no parecía tan adorable. Era joven, no obstante. Enseguida pude ver que mi atuendo y mi persona la dejaban muy impresionada.

—¿Vienes a verlo a él? —preguntó.

—Sí —repliqué yo.

Me indicó que entrara. La casa era una pequeña estructura de madera y apenas si estaba amueblada con algunos trastos viejos. Un ventilador daba vueltas en el techo, pero aparte de eso el lugar parecía más desierto que habitado.

—Siéntate, por favor —me invitó la mujer, señalando una silla cerca de la puerta—. Iré a avisar a mi marido.

Le di las gracias con una sonrisa y ella desapareció a través de una cortina de cuentas. Unos minutos después, un hombre separó las cuentas y entró en la pequeña habitación. Vestía una gran camiseta blanca y pantalones color caqui. Su presencia hizo que la habitación se encogiera hasta adquirir unas proporciones claustrofóbicas, ya que aquel hombre tenía la cara de una pantera al acecho. De aspecto hambriento y de piel muy negra, todo él exudaba un olor peligrosamente masculino. El blanco de sus ojos era tan brillante que daba miedo. Sonrió levemente y juntó las palmas de las manos en el antiquísimo gesto hindú de cortés recibimiento.

—*Namasté* —dijo.

Una gran cultura fluía en su voz. Todo había sido tan inesperado que me levanté de un salto para devolverle el saludo. Él me indicó que debería sentarme. Me senté y entonces él fue hasta la silla que estaba más alejada de mí.

—¿Qué puedo hacer por ti? —preguntó educadamente.

No había parpadeado. Desconcertada, me sentí como si aquel hombre pudiera ver a través de mí. Era como si él ya supiese a qué había ido allí.

—En realidad soy la sobrina de Sevenese, con la que solías jugar cuando eras más joven —me apresuré a explicarle.

Por una fracción de segundo, el esbelto cuerpo se envaró y los ojos se agitaron como si hubiera recibido un golpe inesperado. Luego el instante pasó. Hubiese podido imaginármelo y quizá lo había hecho.

—Sí, me acuerdo de tu tío. Solía jugar conmigo... y con mi hermano.

No, no me lo había imaginado. Comencé a pensar que Ramesh tenía alguna clase de cuenta pendiente con mi tío. No hubiese debido ir allí. No hubiese debido decirle que éramos parientes.

Pero de pronto él sonrió con una gran sonrisa. Sus dientes se hallaban en muy mal estado y aquel defecto me relajó.

—Mi marido tiene a otra. ¿Puedes ayudarme a recuperarlo? —le pregunté atropelladamente.

Él asintió. Una vez más me recordó a aquella pantera al acecho.

—Ven —dijo, poniéndose en pie y precediéndome a través de la cortina de cuentas.

Más allá de ella había un espacio sombrío y sin ventanas. Ramesh fue hacia la derecha, apartó una cortina verde y entró en una pequeña habitación donde apenas si se podía respirar debido al olor del incienso y el alcanfor. Un altar hecho de cualquier manera crecía desde el suelo, conteniendo una gran estatua de un dios o semidiós que no reconocí. Pequeñas lámparas de aceite ardían en un círculo alrededor de la estatua. A sus pies había ofrendas consistentes en pollo asado, fruta, una botella de cerveza y bandejas de flores. El rostro del dios era horrible, con una enorme lengua púrpura, ojos saltones que miraban fijamente hacia delante y una boca distendida en un terrible rugido de ira. Del agujero goteaba pintura roja. Había un cuchillo de hoja curva sobre el suelo al lado del altar y, junto a él, un cráneo humano. Ambos objetos relucían peligrosamente a la luz parpadeante de las lámparas de aceite. Me pregunté si era el mismo cráneo que solía utilizar Raja, aquel del que Sevenese me había hablado en una ocasión.

Ramesh me indicó que me sentara en el suelo y luego se sentó a su vez. Con las piernas cruzadas, parecía sentirse mucho más cómodo de lo que lo había estado en la silla de la sala de estar.

—Su amante es muy hermosa y tiene la piel muy blanca —dijo. Después encendió otra varilla de incienso y la clavó en la suave pulpa de un plátano—. ¿Tiene él dos líneas bastante profundas que bajan verticalmente por su cara desde la nariz hasta la boca?

—Sí —convine yo a toda prisa, queriendo creer en ese extraordinario poder suyo que Ramesh ejercía de una manera tan despreocupada sin ninguna clase de pompa o innecesario dramatismo.

Él vertió leche en un cuenco.

—Tu marido no es lo que tú piensas —declaró, mirándome directamente a los ojos—. Posee muchos secretos. Tiene la cara de un hombre y el corazón de una serpiente. No hagas que siga junto a ti. Tu marido tiene el poder de destruirte.

—Pero yo lo amo. Todo ha sido a causa de ella. Mi marido cambió cuando ella entró en su vida —supliqué desesperadamente—. Antes de que ella llegara, mi marido me construyó un pabellón de verano. Me enviaba narcisos, consciente de que yo sabía que en el lenguaje de las flores significan «por siempre tuyo».

Ramesh siguió mirándome sin inmutarse.

—Te equivocas acerca de él, pero haré lo que me pides.

En ese momento sentí una punzada de miedo. De pronto, me pareció que desobedecer a la pantera sería fatal. Si él hubiera insistido un poco más, si hubiera tratado de convencerme... Pero la rapidez de su capitulación hablaba de desencanto, y el desencanto solo podía provenir de un conocimiento superior.

—¿Por qué dices que mi marido tiene el corazón de una serpiente?

Ramesh sonrió con una sonrisa apenas perceptible, pero llena de sabiduría.

—Porque conozco a las serpientes y él es como ellas.

Su respuesta me dejó helada hasta la médula. No, aun así yo seguiría teniendo a Luke. Mi marido sería distinto en cuanto ella hubiera desaparecido. La madre de Alejandro Magno dormía entre serpientes y nunca le ocurrió nada. Yo seguiría teniendo a Luke a pesar de todo.

—Haz que se vaya —murmuré con voz temblorosa.

—¿Quieres hacerle daño? —me preguntó él dulcemente.

—No —dije yo inmediatamente—. No, solo quiero hacer que se vaya. —Entonces se me ocurrió pensar que si ella se iba muy lejos, Luke la echaría de menos y que eso no era lo que yo quería—. ¡Espera! —grité. El blanco de los ojos de Ramesh flotó ante los míos en la habitación sin ventanas—. Haz que mi marido deje de quererla. Haz que le tenga miedo.

Ramesh asintió.

—Así será. Necesitaré algunos ingredientes de la tienda donde compro las provisiones —dijo, poniéndose en pie y mirándome desde arriba. La pantera era rápida y grácil—. No tardaré más de veinte minutos. Tú puedes esperar aquí o tomar una taza de té en la cocina con mi esposa.

Apenas la cortina se hubo cerrado sobre su oscura figura, la habitación adquirió una apariencia siniestra. Las sombras de los rincones cobraron vida. El cráneo sonreía como si conociera muchos secretos. Las lámparas de aceite parpadeaban y las sombras se movían. Me levanté y me apresuré a salir de allí.

El pasillo estaba oscuro y frío. Lo seguí y llegué a una cocina llena de luz. Todo estaba limpio y ordenado. La mujer de la cara de murciélago dejó el coco que estaba raspando para volverse hacia mí.

—Tu marido ha ido a comprar provisiones —me apresuré a explicar—. Me pidió que tomara una taza de té contigo.

La esposa de Ramesh se limpió las manos en su sarong y sonrió. Sus dientes y sus encías estaban rojos de masticar la nuez de betel. Cuando sonreía, su pequeño rostro de murciélago parecía muy afable. Me apoyé en el quicio de la puerta y la contemplé mientras ella se disponía a preparar el té. Llenó un cazo con agua y lo puso a hervir sobre un fogón de gas.

—Mi tío solía jugar con tu marido cuando era pequeño —le conté, tratando de dar inicio a alguna clase de conversación.

Olvidándose del té que estaba echando con una cuchara en un gran tazón de porcelana, la esposa de Ramesh se volvió rápidamente hacia mí con sus redondos ojos iluminados por la primera señal de animación y curiosidad que yo había visto en ella.

—¿De veras? ¿Dónde fue eso? —preguntó.

—En Kuantan. Crecieron juntos.

Entonces ella se sentó de pronto.

—Mi marido creció en Kuantan —repitió, como si yo hubiera dicho algo increíble. Los ojos se le llenaron de lágrimas que resbalaron por su chato rostro. La miré, sintiéndome muy sorprendida—. Oh, ya no lo soporto... Ni siquiera sabía que mi marido había crecido en Kuantan. Lo único que sé de él es que su primera esposa se quitó la vida. Bebió un veneno para las malas hierbas que le abrasó las entrañas y luego pasó cinco días agonizando. Tampoco entiendo lo que me está ocurriendo a mí. Estoy tan asustada y... y mira esto —sollozó, corriendo hacia un cajón del que sacó un bolso de mano negro. Lo abrió y, poniéndolo boca abajo, lo sacudió violentamente. Todas las monedas y algunos papeles, así como su documento de identidad y dos paquetitos cuadrados de color azul, cayeron del bolso. La mujer cogió los paquetitos y me los enseñó—. Es veneno para ratas —me informó con desesperación—. Siempre lo llevo conmigo a todas partes. Sé que algún día tendré que tomarlo. Lo único que no sé es cuándo.

La miré, perpleja y sin saber qué decir. Cuando me abrió la puerta aquella mujer me había parecido un ratoncito al que nadie mira dos veces, no la lunática que en esos momentos tenía delante. Me lamí los labios nerviosamente. Su angustia me inquietaba. Su marido también me inquietaba, pero yo no quería perder a Luke. Hubiese hecho cualquier cosa para recuperarlo. Podía esperar un rato más en compañía de aquella mujer tan extrañamente perturbada para recuperar a mi marido.

Entonces se oyó un ruido delante de la casa y la esposa de Ramesh se apresuró a volver a meter los paquetitos azules, las monedas y los papeles dentro de su gastado bolso. La rapidez con que se movía era asombrosa. Se secó los ojos, echó agua hirviendo sobre las hojas de té y cubrió el tazón con una tapadera metálica, todo ello en un solo y fluido movimiento. Antes de que el sonido de los pasos de Ramesh hubiera llegado a la cocina, su esposa ya había vertido leche condensada y echado azúcar dentro de dos tazones más pequeños. Sin decir palabra, luego reanudó su labor de raspar las dos mitades del coco encima de una gran bandeja de plástico.

Cuando Ramesh apareció en el umbral, su esposa le lanzó una furtiva mirada llena de miedo antes de apresurarse a volver a su tarea. Me pregunté qué le había hecho Ramesh para inspirarle semejante terror, pero no tenía la sensación de que él fuera a hacerme ningún daño y en el caso de que lo hiciera, yo ya estaba preparada para sufrir las consecuencias de mis acciones.

—Tómate el té. Daré comienzo a mis plegarias solo. Es mejor así. —Luego dio media vuelta y se fue.

La mujer se levantó del suelo allí donde había estado raspando el coco, vertió el té en dos tazones y me ofreció uno sin mirarme a los ojos.

—Si quieres, puedes beberlo en la sala de estar —me ofreció cortésmente.

Ya no había ninguna desesperación en su voz, que se había vuelto tranquila y neutral. Aquella criatura que parecía un cruce entre un ratón y un murciélago había regresado.

Me senté en aquella sala tan parcamente amueblada y bebí mi té. El líquido caliente me calmó y alivió el nerviosismo que sentía. El miedo a la negra acción que estaba a punto de llevar a cabo se agitaba dentro de mí. Ramesh no tardó en apartar las cuentas de la cortina y se detuvo ante mí, con un pañuelo rojo para hacer envoltorios en las manos. Me apresuré a dejar en el suelo mi tazón de té y tomé el abultado paquete con el debido respeto, sujetándolo con ambas manos.

—Mete en una botella la sal que hay dentro del paño y luego espárcela cada día debajo de la cama de tu marido hasta que la hayas gastado toda. Cada vez que tu marido salga de noche, coge un puñadito de sal, repite con toda la fuerza de que seas capaz el mantra que te enseñaré y después, hablando en el mismo tono de firmeza, ordénale a tu marido que vuelva a casa.

Me cogió la mano. La suya estaba fría y seca. Volviéndola, Ramesh estudió mi palma durante unos minutos. Después dejó caer mi mano y me enseñó el mantra.

Le pagué lo que me pareció era una suma ridícula. Quería pagarle más, pero él rechazó mi oferta.

—Mira esta casa —dijo—. No necesito más.

Cogí la sal y me dispuse a irme. Mientras me estaba poniendo los zapatos, levanté la vista para decirle adiós a Ramesh y me lo encontré mirándome con una peculiar intensidad. Sus ojos eran oscuros e insondables, su rostro hermético e indescifrable. Parecía una estatua de mármol negro.

—Sé fuerte y ten mucho cuidado, o él saldrá vencedor —me dijo.

Asentí y me fui tan deprisa como pude, aferrando mi paquete rojo. La experiencia me había afectado profundamente. Podía sentir cómo la sangre corría velozmente por mi cuerpo en una enorme oleada de pánico. Pensé en llamar al tío Sevenese y contarle lo que había ocurrido, pero luego decidí no hacerlo.

Pasé por una tienda y compré un manojo de plátanos. Luego los tiré junto a la carretera y metí el pañuelo de envolver rojo y su contenido en la bolsa de papel marrón. No quería que Amu viera aquel pañuelo, porque ella enseguida sospecharía cuál era su potencial. Amu sabe todo lo que se puede llegar a saber acerca de las venganzas a las que recurre el amor despreciado. Una gran parte de mí se sentía avergonzada. ¿Qué habría dicho mi padre si me viera esparciendo mi magia debajo de la cama de Luke? ¿Qué habría dicho la abuela? No valía la pena pensar en ello.

Contemplé a Luke mientras se preparaba para salir. Se puso su camisa de seda gris y blanca. Tenía un aspecto de lo más encantador. Me sonrió y me besó tiernamente en la coronilla.

—No volveré tarde —dijo.

«Ya sé que no lo harás, persona que tiene el corazón de serpiente», pensé para mis adentros. En esos momentos yo también tenía un secreto. Eso hizo que me sintiera poderosa ante su impasible engaño. Luke podía mirarme a los ojos y mentir sin que se le moviera un solo músculo de la cara. Bueno, yo también podía hacerlo.

—¿Te espero levantada? —le pregunté con esa media sonrisa especial.

Luke llevaba mucho tiempo sin verla y pareció sorprenderse.

—De acuerdo —dijo, asintiendo de muy buena gana.

Puede que en ese momento yo ya hubiera empezado a odiarlo. No lo sé. Pero hay sangre seca en el filo de mi hacha y la mera idea de vivir sin él continúa siendo insoportable. Escuché cómo el ruido del motor de su coche se perdía en la lejanía al final del sendero antes de correr escaleras arriba, llena de furia, para esparcir la sal debajo de la cama de Luke y escupir los mantras que habían estado esperando enroscados dentro de mi boca. Luego lo llamé para que regresara a casa.

Media hora después volví a hacer lo mismo que había hecho antes. Lágrimas de furia resbalaban por mi cara. Le ordené a Luke que regresara a casa.

Treinta minutos después volví a hacerlo todo. Esta vez mi voz se volvió áspera y detestable. Le ordené a Luke que regresara a casa.

Todavía no habían transcurrido veinte minutos cuando mi marido ya estaba de vuelta. Escuché con asombro el ronroneo de su Mercedes. Ramesh realmente conocía su oficio y entonces supe que aquella era una batalla de la cual yo saldría vencedora. Quería echarme a reír. La llave de Luke encontró la cerradura de la puerta principal.

—Oh, has vuelto temprano —observé como si tal cosa.

Luke se detuvo por unos instantes en el centro de la sala como si se sintiera confuso. Me miró de una manera muy extraña.

—¿Qué sucede? —pregunté.

Una punzada de preocupación se infiltró en mi mente. No deseaba verlo tan perdido. Después de todo, se suponía que lo único que tenía que hacer Luke era regresar a casa para estar con su esposa y quererla igual que antes. Lo miré y él me devolvió la mirada.

—Pensé que podías estar enferma —dijo y su voz sonaba muy rara—. Pensé que algo podía ir mal en casa. Me sentía nervioso y preocupado. ¿Va todo bien?

—Sí —dije yo con un hilo de voz, poniéndome de pie y yendo hacia él para abrazarlo. Verlo tan derrotado me partía el corazón. Eso quería decir que no lo odiaba después de todo. Luke era mi vida—. Oh, Luke, todo va bien. No ocurre nada. Vamos a la cama.

—Me pareció sentir que algo me subía espalda arriba arrastrándose por debajo de mi camisa —murmuró.

Lo llevé escaleras arriba, desmadejado y sin entender nada. En la cama no quiso hacer el amor. Me estrechó entre sus brazos, pegándose a mí como si fuera un niño al cual había asustado una pesadilla. Verlo así me daba miedo. El poder de la sal esparcida debajo de la cama me asustaba. Vi una y otra vez el rostro lleno de confusión de Luke diciendo: «Me pareció sentir que algo me subía espalda arriba arrastrándose por debajo de mi camisa». Sin sus ojos relucientes, Luke no era más que un zombi asustado. La responsabilidad de haber hecho puré su brillante cerebro no debía llegar a ser mía. Aquella noche pasé muchas horas despierta escuchando el sonido de su respiración. En un momento dado Luke gritó y su respiración se volvió entrecortada. Lo sacudí hasta despertarlo y por un horrible instante Luke me miró fijamente, acosado y sin reconocerme.

—Todo va bien —lo reconforté yo en la suave oscuridad, acariciándole la cabeza hasta que su respiración fue volviéndose profunda y regular una vez más y se quedó dormido encima de mi pecho. ¿Por qué mi tonto corazón desea el ácido de las caricias de Luke?

A la mañana siguiente barrí la sal. Recogí los cristalitos y los tiré por el retrete. El Luke de la noche anterior era algo demasiado aterrador para mí. Tiré a la basura el paño rojo y a Ramesh lo confiné en el rincón más remoto de mi mente. Nunca volvería a intentar algo semejante. Querría a Luke hasta que hubiera dejado de quererlo y entonces sería libre. Esa era la única opción que me quedaba.

Para consolarme, preparé un gran arreglo floral que se extendía sobre más de un tercio de la mesa del comedor. Confeccionado utilizando únicamente capullos de rosa, hojas de tejo y jacintos púrpura, parecía una corona fúnebre que llorase la ausencia del color. Pero cuando Luke entró en el comedor dijo: «¡Caramba, Hoyuelo, qué hermoso es! Tienes un auténtico talento para las flores». Mi marido no se daba cuenta de que los capullos de rosa blancos significan un corazón ignorante del amor, las hojas de tejo, tristeza, y los jacintos púrpura, mi pena. Ah, bueno, ¿cómo esperar que un león como él conozca las emociones que residen tan delicadamente en las flores? Tal como yo había sospechado, tuvo que haber sido su secretaria la que descubrió el significado de los narcisos que me enviaba y de los tulipanes rojos que él traía a mi puerta.

Aún veía a su amante. Yo lo sentía en mi piel, frotándola violentamente como una áspera tela. La joven se materializaba en mis sueños, saludándome con la mano desde lejos. A veces se reía de mí y sacudía la cabeza con incredulidad. «¡No es tu hombre! —me gritaba—. Es mío.» Entonces yo despertaba y contemplaba a mi marido con algo parecido a la fascinación. Luke no tenía ni idea de que yo sabía que me amaba tan delicadamente como la seda sobre mi piel escocida. Me compraba flores, siempre muy caras y de una aterciopelada textura. Yo lo miraba y sonreía, porque él nunca debía llegar a saber que yo conocía la cara de su ramera.

Ahora hay que pensar en Nisha, claro está.

Amu quiere mucho a Nisha. Por las tardes siempre están tumbadas juntas en la hamaca, yaciendo en un lánguido sopor. A veces salgo de la casa andando de puntillas para contemplar a las dos personas que más amo en el mundo dormidas debajo de un árbol. El sudor en sus labios superiores, la respiración lenta y regular y la red de diminutas venas que cubren sus párpados cerrados, como ventanas entreabiertas, me consuela. Son curiosos los sentimientos que Amu despierta en mí. Cuando la veo en el templo en compañía de otras personas mayores, me parece frágil y patética. Su vida parece haber sido una pérdida de tiempo, pero cuando la veo con Nisha acunada en sus brazos, entonces pienso que la vida de Amu no ha podido ser más rica y satisfactoria.

Bella quería comprar una casa y le prometí correr con el pago inicial. Estoy segura de que a Luke no le importará y si le importa pues entonces peor para él. Para mi cumpleaños me compró el diamante más grande que he visto jamás. Ahora que la economía va para arriba, supongo que le estarán yendo muy bien las cosas. Es increíble lo completamente ciego que llega a estar Luke a mi dolor y mi pena. ¿Es posible que alguien pueda ser tan ciego?

Nuestra madre fue a verme. Quería dinero, porque papá no se encontraba demasiado bien y no había estado yendo a trabajar. Necesitaba veinte mil ringgits. «Naturalmente, madre.» Dentro de su boca, su lengua es muy rosada y muy afilada. Se mueve de un lado a otro por el interior de su boca como un extraterrestre lleno de energía que tuviera sus propios objetivos ocultos. Quedé realmente fascinada por ella. Hizo que me acordara de aquella vez en que el tío Sevenese cogió tal borrachera que comparó a nuestra madre con los monos aulladores de diminuto cerebro que había visto en África, negros y con una lengua muy rosada. «Si vieras su ritual de apareamiento, Hoyuelo, te sorprendería lo mucho que se parecen a tu querida madre cuando está hablando.» Claro que cuando dijo eso mi tío estaba tan borracho que se tambaleaba de un lado a otro, pero aun así...

Unos días más tarde, nuestra madre volvió a visitarme. Esta vez Nash se había metido en un lío con unos prestamistas y ella necesitaba cinco mil ringgits. Le di diez mil. Ya sé que Luke no soporta a nuestra madre y que cuando se retiran sumas importantes en efectivo a veces quiere saber cuál ha sido la razón, pero... Que se joda.

Transcurrieron dos semanas y entonces nuestra madre volvió a abrirse paso hasta mi sala de estar. Esa vez Nash sí que tenía problemas realmente serios. La noche del viernes había cogido «prestados» cuarenta mil ringgits de la caja fuerte de su oficina, esperando doblarlos en las mesas de ruleta rusa de Genting Highlands durante el fin de semana. Apenas hace falta decir que perdió todo el dinero. Su patrón lo denunció a la policía y se lo llevaron detenido. Cuando nuestra madre fue a verlo, los bronceados brazos de Nash estaban cubiertos de quemaduras de cigarrillos y sus arrogantes ojos habían sido intimidados por el miedo.

—Fueron los policías los que me lo hicieron —susurró con desesperación, hablando a través de un labio partido.

Después le estrechó frenéticamente la mano a nuestra madre y le rogó que pagara a sus jefes para que estos retiraran las acusaciones. Ni una palabra más, querida madre. Fui al banco con ella y retiré el dinero en efectivo. Estoy empezando a cogerle el gusto a esto de entregarle el dinero de Luke a nuestra madre. Papá telefoneó para darme las gracias, pero se lo oía muy triste y abatido. Supe cómo se sentía.

Deja que te cuente una historia. Es una historia muy extraña, pero te aseguro que es cierta. Tú decidirás si la heroína hizo lo que debía, porque yo me temo que cometió un grave error y que ahora ya no hay vuelta atrás.

Sucedió no hace mucho, durante una fiesta en una preciosa casa.

Aquel hombre espléndido que nunca sonreía no paraba de observarla, enjoyada, magníficamente ataviada y muy hermosa entre el gentío de los invitados a la fiesta. Naturalmente no podía oír lo que se estaban diciendo ella y aquel esbelto camarero, pero sí podía distinguir incluso el más leve de los matices que había en sus cuerpos furiosamente jóvenes. Estaban flirteando el uno con el otro. El hombre observó con gran atención los ojos de ella. Siempre podía adivinar todos sus pensamientos a partir de sus ojos. Ahora estaban vueltos hacia arriba y se hallaban humedecidos por alguna extraña emoción. ¿Había visto él aquella expresión antes? Mmm, tal vez. Investigaría más a fondo entre las sombras de sus bancos de memoria. El pasado parecía ya muy lejano, y él deseaba la objetividad por encima de todo.

Allí. Sí, allí: la roja uña de un dedo acababa de trazar un surco sobre la camisa del camarero. ¡Delante de todas aquellas personas! Qué descaro. El hombre pensó en la delicadeza del cuello de la mujer y en cuán maravillosamente encajaba dentro del círculo formado por sus dedos entrelazados. Lo sabía porque ya había probado a rodearlo con los dedos y el cuello tenía el tamaño ideal. Una imagen de la pequeña zorra llenó su mente, con sus suaves y sedosas piernas curvándose alrededor del torso desnudo del camarero. Aquella líquida visión hizo que el hombre boqueara en busca de aire.

De pronto quiso saber cuál era el aspecto que tenía la realidad. Quería estar observando desde lejos cuando ella hiciera aquellos tenues sonidos animales que producía en la cama de él. Quizá se sintiera un poco sorprendido por la súbita perversidad de sus pensamientos, pero se consoló a sí mismo diciéndose que solo se trataba de un experimento. Quizá no le gustaría, lo que naturalmente entonces lo exoneraría de toda perversión. Vio cómo ella lanzaba una rápida mirada de soslayo con sus preciosos ojos y aquella media sonrisa que más parecía un mohín, esa expresión que él reconoció sin lugar a dudas. Había habido un tiempo en el que inflamaba su sangre, haciendo que la necesidad de poseerla le abrasara las entrañas durante la noche. El hombre se removió incómodamente en sus pantalones.

Ella sacudió su larga cabellera de un negro azulado y se alejó contoneándose. El camarero siguió con la mirada aquella espalda que se alejaba de él.

El hombre espléndido que no sonreía se levantó de su asiento y echó a andar hacia el camarero. Ella había escogido el reparto y en esos momentos él tenía que contratar sus servicios. Cuando estuvo lo bastante cerca, chasqueó los dedos. El gesto era más bien grosero, pero el camarero se volvió hacia él con toda la cortesía de un profesional en su expresión, aunque sus ojos mostraban lo profundamente ofendido que se sentía. A su manera previsible y falta de personalidad, era realmente apuesto. El hombre sonrió al camarero y lo llamó curvando un dedo. Pudo ver el resentimiento que envaró los hombros del camarero cuando este se aproximó hasta él. Tenía los andares de un homosexual y el hombre elegantemente vestido se relajó.

—¿Te gustaría acostarte con mi esposa? —preguntó educadamente, con una sonrisa entre burlona y provocativa en sus fríos ojos.

El camarero se quedó rígido de puro estupor. Sus ojos recorrieron rápidamente la estancia y su posterior representación de ira y disgusto fue realmente magnífica.

—Me parece que me ha confundido con otra persona, señor —replicó—. No tengo ni la más remota idea de quién pueda ser su esposa. Se me paga únicamente para servir bebidas.

Había placer en la voz del muy bastardo.

—Es la del pelo negro largo —dijo el hombre, con el rostro impasible mientras extendía la mano y cogía un largo cabello negro de uno de los botones de la chaqueta blanca del indignado camarero.

El camarero tragó saliva visiblemente.

—Oiga, no quiero tener problemas.

—Eh, tranquilo. Yo tampoco estoy buscando problemas. Solo quiero mirar.

—¿Qué? —preguntó el joven camarero, con los ojos desorbitados por el asombro.

—Quiero miraros cuando estés con mi esposa.

—Usted está loco —balbuceó el camarero, dando un paso atrás. Evidentemente, nadie le había propuesto semejante vileza antes.

—Te pagaré quinientos ringgits si consigues llevar a mi esposa hasta uno de los dormitorios de esta gran casa y dejas abierta la puerta del baño contiguo para mí.

—Si me pillan perderé mi empleo.

—Encuentra otro —señaló despreocupadamente el hombre que no sonreía, dejando que sus ojos recorrieran la sala como si estuviera perdiendo interés en la conversación.

Cuando sus fríos ojos regresaron al objeto de las atenciones de su esposa, el camarero estaba librando una guerra perdida con la codicia. Sí, la codicia. La causa de la perdición para todos los hombres.

—¿Cómo va a pagarme?

—En efectivo, ahora.

—¿Qué es lo que tengo que hacer exactamente? —preguntó el camarero nerviosamente.

Había dado resultado. Lo cierto es que aquel hombre tan espléndido no había llegado a pensar en la mecánica del asunto, pero su mente funcionó a toda velocidad. La puerta azul a la que se llegaba yendo por el pasillo que empezaba en el balcón disponía de una suite dormitorio desde la cual se podía acceder al otro dormitorio de invitados. El hombre empezó a alejarse del gentío de gente elegante, yendo en dirección al jardín. Fuera soplaba una brisa suave y refrescante. El camarero lo siguió dócilmente.

—Llévala al dormitorio de la puerta azul que hay en el pasillo del piso de arriba y asegúrate de que dejas abiertas las puertas que conducen a la suite dormitorio y al menos una luz encendida —le fue explicando el hombre con su voz dura y precisa mientras metía la mano en su cartera.

Quinientos ringgits, todavía crujientes del banco y reunidos en un apretado fajo, fueron contados y pasaron a las manos del camarero. Por alguna extraña razón al hombre espléndido nunca se le pasó por la cabeza la idea de que el camarero pudiese fracasar. Era cierto que tenía la cara de un perdedor, pero unidas a ella había un cuerpo lleno de energía y dos ojos que relucían con intensos destellos. Eso era exactamente lo que la mujer quería aquella noche.

—¿Y si ella me rechaza? —preguntó el camarero tímidamente.

—Entonces entras en el dormitorio que hay al lado de la puerta azul y me devuelves mi dinero. —El hombre miró al nervioso, siempre ligerísimamente excitado camarero, y sonrió. Fue una sonrisa tensa y terrible.

El camarero se apresuró a asentir.

—Por cierto, le gusta que la traten con dureza —añadió el hombre como si acabara de acordarse.

Después dejó al camarero para ir en busca de su esposa, que en aquel mismo instante estaba saliendo del tocador de señoras de la planta baja.

—Ha surgido algo, querida —le dijo, con los labios tan cerca de los cabellos de ella que pudo oler el aroma a limpio de su champú—. Tengo que irme, pero mandaré de vuelta al chófer para que te recoja. Quédate y pásalo bien. Ya te veré en casa más tarde. —La besó suavemente en la mejilla.

—Oh, qué lástima —susurró ella muy dulcemente en la oreja derecha de él.

—Buenas noches, querida, y trata de divertirte un poco.

De pronto el hombre estaba impaciente por salir de allí. Que empezara el juego. Cerró tras de sí la puerta principal y anduvo a lo largo de la casa. Una especie de frío desaliento cayó sobre sus rígidos hombros. La excitación inicial se estaba disipando. El hombre se detuvo detrás de unos arbustos junto a los ventanales y contempló la magnífica fiesta que tenía lugar dentro de la casa. Vio la cascada de cabello de su esposa. Estaba sola y miraba por una de las puertas vidrieras.

Por un instante aquella visión lo dejó fascinado y maldijo el impulso que se había adueñado de él para tenderle una trampa, para observar a su esposa mientras ella no sabía que él la estaba mirando, para poner a prueba su fidelidad. Inesperadamente, su esposa parecía pequeña y solitaria. Entonces el camarero apareció junto a ella. El hombre siguió inmóvil entre las sombras y trató de alentar a su esposa mediante su presencia invisible.

—Niégate, niégate, niégate —le murmuró suavemente a un gran seto de color verde oscuro.

Ella estaba mirando por la ventana, sin hacer caso del camarero que se le aproximaba sigilosamente. El hombre pensó que iba a poner fin al experimento. Su esposa era inocente. Entonces la vio volverse y sonreír al camarero. No, tenía que ver aquello. Debía poner al descubierto el falso corazón de su esposa.

La puerta de atrás estaba abierta y el hombre atravesó una cocina muy atareada. Iba adecuadamente vestido y su rostro lucía la apropiada expresión de arrogancia, por lo que nadie lo detuvo. Subió rápidamente por la escalera antes de que alguien que lo conociera pudiera llegar a cruzarse con él. Dejó atrás la puerta azul y entró en el dormitorio contiguo. Las dos habitaciones compartían un cuarto de baño. El interior de la habitación estaba oscuro, pero no hacía nada de calor. La puerta que comunicaba con el cuarto de baño se hallaba abierta, así que el hombre cruzó el umbral y entró en la arena donde haría caer en la trampa a su bella esposa. Encendió la lámpara de la mesilla de noche y esta proyectó un charco de luz dorada sobre la colcha verde oscuro. Sus anfitriones preferían optar por un estilo sencillo y libre de adornos que lo recargaran. La mente del hombre imaginó a su esposa jadeando de repugnancia, chillando: «¡Basta! Quítame tus sucias manos de encima».

¡Ah, con tal de que ella superase aquella prueba! Desde que dio a luz al bebé su esposa se había vuelto muy fría y distante y se iba helando un poco más con cada año que transcurría. El hombre salió de la habitación sin hacer ningún ruido para esperar junto a la puerta siguiente. Sentándose en una gran cama, estuvo fumando durante cosa de veinte minutos. Entonces oyó abrirse la puerta que comunicaba con la otra habitación. Algo retumbó sordamente contra sus costillas. Alguien estaba asegurándose de que el lado del cuarto de baño ocupado por él no estuviera cerrado con llave. El hombre sonrió cínicamente en la oscuridad. El pez había mordido el anzuelo. Apagó el cigarrillo y esperó para ver si su esposa usaba el cuarto de baño antes. Luego abrió la puerta y entró en el cuarto de baño sumido en la oscuridad. El camarero había dejado entornada la puerta de acceso y el hombre podía ver directamente dentro del charco de luz.

—¿Quieres...?

—Chist —dijo ella suavemente y comenzó a besar al camarero.

El hombre sintió que la sangre comenzaba a palpitar violentamente en su cabeza. Lo que estaba sintiendo no era dolor, sino una especie de extraña excitación. La emoción era tan indescriptiblemente intensa que lo sobresaltó. Acababa de adentrarse en un nuevo horizonte junto con su esposa y el camarero. El camarero le quitó la chaquetita recamada a su esposa y aquella piel que el hombre llevaba tanto tiempo admirando relució como el marfil bajo la luz dorada. Los pequeños senos de su esposa se tensaron contra la chaqueta del camarero y este la arrastró hacia la cama sin ninguna clase de miramientos. ¡Bravo, muy bien hecho! El camarero había seguido sus consejos. «Por cierto, le gusta que la traten con dureza...» Hasta aquel momento el hombre no había prestado ninguna atención al camarero, pero de pronto pudo ver una cosa viva que se retorcía para escapar de sus pantalones. Aquello, aquello era el efecto que su esposa producía en los hombres.

—No seas duro conmigo, por favor. Hazme el amor con delicadeza —susurró ella.

El hombre que estaba observando en la oscuridad se quedó atónito. ¿Que le hiciera el amor con delicadeza? ¿Qué significaba aquello?

Entonces empezó la pesadilla. Perplejo y horrorizado, el hombre vio cómo aquella mujer que se parecía notablemente a su esposa y el hombre al cual había pagado para que le hiciera el amor se unían en un estrecho abrazo y empezaban a moverse con una gracia tan fluida que sus miembros entrelazados parecían pertenecer a una máquina bien engrasada. Lo que salió de la espléndida boca de su esposa no fueron las maldiciones, los ásperos gritos de pasión y los gruñidos animales que hacía cuando estaba con él, sino suaves suspiros y unos jadeos tan prolongados que no cabía duda nacían del más profundo placer. Cuando finalmente ella llegó al orgasmo, lo hizo suavemente y con elegancia. Su cuerpo se envaró y su cabeza se arqueó hacia atrás, ofreciendo su esbelto cuello blanco como si fuera un cisne que agoniza.

—Y ahora vete —le pidió después con dulzura.

El camarero volvió a ponerse los pantalones y se fue de allí inmediatamente. Tan pronto como se hubo marchado, ella se incorporó en la cama y se desperezó como una gata satisfecha. Sacó un cigarrillo de su bolso de mano. Luego volvió a recostarse sobre las almohadas en el charco de luz dorada y fumó en silencio, el rostro pensativo. El hombre que la observaba no podía moverse. Había quedado paralizado por el estupor. La mujer lo había estado engañando durante todos aquellos años. Nada había sido real. Los chillidos de animal, aquellos gritos enronquecidos pidiéndole que fuese más deprisa, con más energía, más adentro... Todo había sido un fraude.

En el súbito silencio, de pronto al hombre se le ocurrió pensar que ella ya llevaba algún tiempo transfiriendo lentamente dinero y propiedades a su familia. El dinero estaba siendo entregado a su tosco y nada honrado hermano, en muchas ocasiones a su avariciosa madre y, en una ocasión, incluso a su hermana. Probablemente su esposa incluso disponía de una cuenta secreta para ella misma. Se levantó, temblando de furia. ¡La muy perra! Su esposa estaba planeando dejarlo.

El hombre ya había olvidado que era él quien organizó aquel encuentro con el camarero y que se suponía que este iba a ser su nueva incursión en la depravación. Por eso, en realidad no había disfrutado viendo cómo la blanca piel de la mujer enrojecía a causa del dolor. A ella no le gustaba que la trataran con dureza. El hombre ya había olvidado todas las indirectas, las gestos y cómo él había ido enseñándole, poco a poco y de manera muy sutil, a que jadeara y gritara: «¡Más deprisa, con más energía, más adentro!». Quería castigarla, y en aquel momento supo cómo hacerlo.

La destruiría.

Ella estaba apagando el cigarrillo. Las piernas del hombre volvieron a ser capaces de moverse y entró por la puerta que comunicaba los dos dormitorios y la cerró con mucha delicadeza, sin hacer ningún ruido. Unos instantes después oyó los sonidos de la cisterna vaciándose, el papel higiénico siendo utilizado y un grifo al ser abierto.

La puerta se cerró.

Un pensamiento pasó como una exhalación por la mente del hombre. Quería volver a verlo todo. Quería estar seguro de que lo había visto correctamente. Quería ver a su esposa blanca y jadeando debajo del camarero. La reacción de ella había sido tan increíble que todo parecía un sueño. ¡Aquello no podía haber ocurrido! Santo Dios, si ya hacía seis años que estaba casada con él. Parecía imposible que él nunca hubiera visto aquella faceta suya. Sí, quería repetir aquello. Tenía que estar seguro de que no se lo había imaginado.

Eso fue lo que se dijo a sí mismo, pero sabía que la verdad era que meramente quería volver a verla con otro hombre. La realmente asombrosa verdad era que había disfrutado viéndolo. Había dado su propia sangre, y experimentado una exquisita alegría al hacerlo. Él no tenía muchos estudios, pero aun así podía darse cuenta de lo que había sucedido. La verdad es que los hombres carecen de defensas contra el dolor que sufren. Lo único que se aproxima remotamente a una defensa es transformar la tortura en placer, y esa era la masa básica que una vez cocida terminaba convirtiéndose en masoquismo. Sus ojos pasaron a ser dos trozos de pedernal en su cara. Su esposa tenía la culpa de que él hubiera seguido aquel sendero lleno de espinos. Ni siquiera estaba dispuesto a aceptar al sádico que había en él y el masoquista ya podía irse con viento fresco. El hombre no quería seguir avanzando por aquel terrible sendero. No, eso ni soñarlo. No, no repetiría el experimento. Se limitaría a hundir en la miseria a su esposa y a toda su familia con ella. Cruzó rápidamente la habitación, cerrando la puerta en cuanto hubo salido de ella. Corrió escaleras abajo y salió por la puerta principal.

También has de saber que la parte más difícil había sido estar sentada en la cama sin mi chaqueta recamada de joyas, fumando tranquilamente un cigarrillo. Asegurándome de que mis manos no temblaban, sabiendo que él estaba en la habitación de al lado mirando. Y pensando: «Oh, Dios, por favor, haz que sienta tanto asco que se divorcie de mí».

Mientras miraba por la ventana yo lo había visto echar a andar nuevamente hacia la casa, pero cuando el camarero se acercó hacia mí, temblando de puro nerviosismo, entonces lo supe. Ni siquiera necesité ver cómo Luke subía por la escalera moviéndose tan sigilosamente como una oscura sombra. Dejé que el camarero tuviera acceso al interior de mi cuerpo, pero todo lo demás fue la mejor interpretación de toda mi vida. Yo siempre había querido ser actriz y ahora sé que hubiese debido serlo. Conseguí engañar a Luke. Sentí cómo sus ojos me devoraban mientras iban atravesándome con su mirada abrasadora. Había destruido aquella pureza que él tanto adoraba. A Luke lo asquean las cosas sucias, y ahora la mejor de sus posesiones había sido echada a perder ante sus propios ojos. Yo quería que mi marido decidiera librarse de mí.

Después de aquella experiencia, yo quería darme una ducha para quitarme de encima el olor del camarero. Mis manos estaban sucias. Mi cuerpo había sido ensuciado, pero ya no podía lavarlo. La suciedad de aquel hombre siempre sería mi vergüenza. Bajé por la escalera y el camarero había desaparecido. Pasado un rato, Luke me envió al chófer para que me recogiera.

Cuando llegué a casa, Luke me estaba esperando en mi habitación. Un jadeo de estupor que había estado ocultándose dentro de mí salió a la superficie en cuanto lo vi recostado en mi cama, como un oscuro hado que hubiera estado aguardándome sobre mis limpias sábanas blancas.

—Hola, querida. ¿Estuvo bien la fiesta? —me preguntó en un tono tan suave como la seda.

Su voz había cambiado. En esos momentos, Luke estaba jugando conmigo y yo sabía que se trataba de un juego al cual nunca habíamos jugado antes.

—Sí, no ha estado mal. Pensaba que ya estarías en la cama —dije con un hilo de voz.

—Estoy en la cama.

Reí nerviosamente y fui hacia mi tocador. Sabía que no debía mostrar mi confusión. Tenía que actuar con naturalidad. Me había quitado los zapatos y mis pies no hacían ningún ruido sobre el frío suelo de mármol. Dejé mi bolso de cuentas encima de la mesita del tocador y encendí una pequeña lámpara que había junto al espejo. Luke contempló mi brillante chaqueta recamada. Estaba recordando lo que había visto hacía un rato. Bajo aquella luz amarilla, yo tenía que haberle parecido un joyero lleno de secretos. Yo le pertenecía. Era suya, su esposa y su joyero. Entonces vi cómo tenía lugar un cambio en él. Luke acababa de comprender que no podía renunciar a mí.

—Ven aquí —dijo con una voz que era como un latigazo.

Luke se había esfumado y ahora el que hablaba en su lugar era el desconocido que se ocultaba en su interior. Me estremecí. ¡Pero él me había visto con otro hombre! ¿Por qué se estaba comportando de aquella manera? ¿Dónde estaba el desconocido impasible y lleno de ira que hubiese debido rechazarme implacablemente, echándome a la calle con mi pequeña Nisha acunada en mis manos humilladas y llenas de pobreza? Luke tomó mi mano temblorosa y se la llevó a los labios. Los ojos envueltos en sombras del desconocido observaban los míos. Atrapada e indefensa, no pude evitar devolverle la mirada. ¿Cómo podía haber querido verme, a mí que era la madre de su hija, mientras me arqueaba sórdidamente debajo del cuerpo de otro hombre? ¿Cómo había podido llegar a espiarme de aquella manera, escondido y sin que nadie lo viera? Sus ojos que no pestañeaban estaban diciendo que debía castigarme de la manera en que únicamente él sabía hacerlo; Luke ya sabía que en realidad a mí no me gustaba que me trataran con dureza.

—Tus manos huelen distinto, como a sucio —susurró.

Aparté bruscamente mi mano de la suya y empecé a alejarme.

—Baila para mí, querida mía.

—Esta noche estoy un poco cansada. Creo que voy a darme una ducha y me iré directamente a la cama —le dije y mi voz sonó un poco chirriante.

Me lamí los labios resecos y entonces Luke saltó de la cama moviéndose con la rapidez de una pantera. Me cogió del brazo y me tiró encima de la cama. Mi cuerpo rebotó ligeramente en ella y por unos instantes me sentí demasiado aturdida para poder reaccionar. Lo único que hice fue alzar la mirada hacia él y contemplarlo con ojos desorbitados por el miedo.

—¿Estás demasiado cansada para bailar? ¿Qué me dirías entonces de algo un poquito diferente, mi gatita bonita? —ronroneó él malévolamente.

Vi cómo una criatura sombría y terrible brotaba de sus labios para abalanzarse sobre mí. La reconocí: era el dolor. Sentí cómo aquella oscura silueta entraba en mi cuerpo igual que un estremecimiento. Una vez que el dolor estuviera dentro de mí se quedaría allí, devorador y maligno, y solo después de que yo hubiera quedado vacía por dentro y él me hubiera llenado de hiel, saldría volando de mi cuerpo para introducirse en el de la persona de la que me sentía más próxima y a la que más quería: Nisha. Oh, Dios, ¿qué había hecho?

Aquella noche hubo un dolor como yo nunca había conocido antes. Cuando abría la boca para protestar, para gritar, Luke ponía su mano sobre ella y me la cerraba.

—No lo hagas. Despertarías a la niña —me aconsejaba fríamente.

Dicen que cuando ya no puedes seguir soportando lo que le está ocurriendo a tu cuerpo entonces puedes ver cómo tu mente sale de él y queda suspendida en el aire, y es cierto. En esos momentos tu mente flota por encima de tu cuerpo, mirando hacia abajo con la más absoluta impasibilidad mientras piensa en cosas tan prosaicas como la gota de sudor que está creciendo sobre la frente del que te maltrata y abusa de ti, o en si los cubos de la basura habrán sido sacados a la calle para que los basureros se encarguen de vaciarlos. Cuando hubo terminado, Luke me dejó con una expresión de disgusto en su rostro, porque la experiencia había sido tan desagradable para él como para mí. Mi marido sabía que a esas alturas había una fascinación diferente corriendo por su sangre. Ya no se trataba de acostarse conmigo, sino de ver cómo yo me acostaba con un desconocido al cual se le había pagado para que hiciera aquello. Verme humillada de aquella manera lo excitaba. Yo había ayudado a Luke a descubrir una horrible perversión dentro de sí mismo y tenía que pagar el hecho de que me hubiera ensuciado con ello y, al hacerlo, lo hubiera ensuciado a él.

Durante los meses siguientes, Luke lo intentó todo para apartar su atención de aquella nueva perversidad. Pero nada surtía efecto. Ni siquiera su amante, con su sonrisa despreocupada y todas las técnicas que es preciso enseñarle a una chica dorada para que haga de acompañante, nada podía hacer para mitigar la nueva pasión. Por eso Luke hizo que me siguieran. Quizá yo estaba dispuesta a tener un amante. Quizá podría recrear el número de magia de la fiesta. Desconocidos con sonrisas especulativas y ojos ligeramente despectivos empezaron a abordarme en las fiestas y los vestíbulos de los hoteles. En vez de volverme para ver sus ávidos ojos, lo que hacía era sonreírles con tal frialdad que ellos enseguida entendían que yo nunca, nunca, nunca permitiría que llegaran a ponerme las manos encima.

Entonces una noche entré en mi dormitorio y vi toda la parafernalia de un fumador de opio pulcramente ordenada encima de la mesa. Dejé que mis manos se deslizaran sobre una fabulosa pipa antigua de marfil, tallada con los elefantes más intrincados que se puedan llegar a imaginar. Cogí la copa y admiré la lámpara de aceite pintada de negro y adornada con un motivo de flores de plata y cobre. Era el día de mi cumpleaños. Cumplía veinticinco años y aquel era el regalo que me hacía Luke. Hoyuelo siempre tendría lo mejor. Él era consciente de que yo sabía cómo funcionaban aquellas cosas. Ya hacía mucho tiempo que el tío Sevenese me había abierto las puertas del mundo del opio y sabía que los esqueléticos ancianos chinos tostaban el opio sobre los labios de la lámpara de aceite antes de sacudirla e inhalar los fragantes vapores. Examiné una bolsita de plástico llena de opio y me pregunté de dónde podía haber sacado Luke aquella aromática sustancia marrón. Ya había entendido el regalo. Luke quería que me destruyera lentamente a mí misma. ¿Y por qué no? ¿Acaso las amapolas no simbolizaban la liberación de todo el dolor? ¿No había mezclado el emperador Shah Johan opio con su vino para así poder disfrutar de sus divinos éxtasis? Me alejé de mi regalo de cumpleaños magníficamente trabajado. Fuera, la luna había menguado en el negro cielo hasta quedar convertida en una sonrisa amarilla curvada hacia arriba.

El opio prometía sueños magníficos. Pensé en Nisha y en el viento que soplaba en el bosquecillo de bambúes, aquel viento que susurraba y murmuraba. «No, no lo hagas», decía. Yo me apresuré a decir que nunca lo haría, pero mis manos no tardaron en estar encendiendo la lámpara de aceite y preparando una pastilla de opio sin elaborar encima del embudo de cristal. Un fragante humo azul se elevó de la pipa e inundó la habitación. Sí, sí, ya lo sé. Thomas de Quincey también me había advertido, pero era imposible no sucumbir a los hermosos sueños. Explícame cómo podía decirle que no a una música que era como perfume y a vivir cien años en una sola noche, a pesar de que supiese que todo terminaría con el horror de miles de años en ataúdes de piedra, arrastrarse por las alcantarillas y los besos cancerosos de los cocodrilos. Después de todo, ¿qué otra cosa me quedaba aparte de los sueños?

La abuela había muerto y la verdad es que yo todavía no conseguía creérmelo.

Su pequeña casa estaba atestada de gente. Sentados o apoyados en las paredes, hablaban en voz baja y canturreaban con viejas voces cascadas disonantes canciones religiosas. Yo nunca había tenido ni idea de que la abuela conociera a tanta gente. Supongo que debían de ser sus compañías del templo. Nadie lloraba, excepto la tiita Lalita. Ni siquiera yo lloraba. Todas mis lágrimas estaban guardadas en algún lugar donde no podía dar con ellas. Yo sabía muy bien en qué terrible desastre había llegado a convertir mi vida y deseaba haberme ido de este mundo con la abuela. Nisha era lo único que me retenía. La sentía agarrándose a mí con las uñitas de sus dedos. Eran como pequeños cuchillos clavados en mi carne, pero a cada día que pasa el cielo está un poco más gris y el opio se vuelve un poco más dulce. No, durante el funeral no pensé en el humo azulado. Sucumbir a él la última vez que estaba con la abuela hubiese sido un terrible insulto. Si ella hubiera podido oír mis pensamientos, su espíritu habría llorado por mi pobre vida desperdiciada.

Papá corría de un lado a otro haciendo todo lo que podía para ayudar, pero cuando su mirada se cruzó con la mía acudió a sentarse junto a mí con las piernas cruzadas.

—Yo era su preferido, sabes —dijo, volviendo la cabeza hacia la puerta para contemplar el sitio en el que antes se alzaba el enorme rambután.

Cuando vieron las grietas que se habían abierto en los desagües de cemento alrededor de sus hogares, los nuevos vecinos de la abuela lo habían cortado porque temían que las raíces del árbol estuvieran abriéndose paso a través de los cimientos de sus casas.

—Sí, ella me lo dijo en muchas ocasiones.

—No era un buen hijo, pero la quería. Padecimos juntos durante el tiempo que los japoneses estuvieron aquí.

Miré a mi pobre padre y pensé que nunca había sabido percibir las cosas tal como eran en realidad. No solo no había sido un buen hijo, sino que había sido un hijo terrible. Le partió el corazón a la abuela y se comportó exactamente como ese enemigo en que el adivino de la tienda verde había profetizado que llegaría a convertirse cuando él todavía no había nacido siquiera. La abuela lo había sostenido como una roca ante las olas enardecidas del mar. Pero en realidad a esas alturas ya era demasiado tarde y tratar de hacerle ver su error no hubiese tenido ningún sentido.

—Padecimos juntos durante la guerra —siguió diciendo—. Yo escondí sus joyas en el cocotero, porque era el único lo bastante valiente para trepar hasta lo alto de la copa. Nadie más que yo estaba dispuesto a hacer eso por ella. Yo era el hombre de la casa. Ella recurría a mí para todo y yo nunca le fallaba. Me despertaba antes que los demás para llevarles la leche a los vendedores de té. Araba la tierra y luego llevaba el ragi a los molineros. Lo hacía por ella y por eso era justo que me quisiera más que a nadie.

Se quitó las gafas y se secó los ojos. ¡Ah, mi querido y torturado padre! Seleccionar uno tras otro los recuerdos con tanto cuidado lo había deshecho. Entonces se levantó abruptamente y salió al sol que caía sobre el patio trasero. Todas nuestras vidas se habían ido deformando poco a poco hasta volverse horribles. Cuando papá sonreía, se le hacía un hoyuelo en el mentón. Hacía años que yo no veía aquel hoyuelo. Vi cómo papá pasaba junto a Nash sin decirle palabra. Mi hermano y nuestro padre siempre habían sentido idéntico desprecio el uno hacia el otro. Fuera pude ver a mi padre hablando con la tiíta Lalita. Él quería lavar la ropa que habían puesto a remojar dentro de un gran balde rojo.

La tiíta Lalita sacudió la cabeza.

—No, no, yo haré la colada más tarde. Ahora estoy acostumbrada a lavar toda la ropa —protestó.

—Quiero lavar por última vez la ropa que llevaba nuestra madre —insistió mi padre, quitándose la camisa y el reloj.

Dejó el reloj encima de la vieja piedra de molino donde él y Mohini solían triturar las judías para convertirlas en pasta hacía ya tantos años. Luego comenzó a lavar. Me acordé de que hacía mucho tiempo la tiíta Lalita me había hablado de cuando papá lavaba la ropa. No se limita a golpear las prendas contra la lisa piedra. Arquea la totalidad de su cuerpo de tal manera que las prendas pasan un buen rato suspendidas por los aires y las gotitas de agua vuelan alrededor de él, atrapando los rayos de sol y centelleando como diamantes. Podía ver a la tiíta Lalita inmóvil junto a él, observándolo, y supe que ella estaba pensando lo mismo que yo. Mi padre es un dios del agua.

La tiíta Anna estaba en la cocina ayudando a preparar el cuerpo de la abuela que yacía encima de su banco, aquel sólido mueble que tanto le había gustado cuando llegó a Malasia siendo una joven inocente. En esos momentos la sostenía, muerta. El banco nos sobrevivirá a todos. Sé con toda certeza que me sobrevivirá a mí. Ya no me queda mucho tiempo. Es cierto que siento las uñas de los dedos de

Nash en mi carne, pero en realidad su apretón no es tan fuerte como parece. Mi vida se está desvaneciendo. Una sábana fue mantenida en alto para ocultar el cadáver desnudo mientras la tiíta Anna y otras tres mujeres lavaban a la abuela. Estreché a la pequeña Nisha entre mis brazos para tenerla un poco más cerca de mí. Estaba muy callada. La besé en la coronilla y cuando ella levantó la vista hacia mí para mirarme con sus grandes ojos llenos de interrogación, le sonreí.

Nuestra madre salió cojeando lentamente del dormitorio de la abuela, en el que había estado acostada durante un rato con unos terribles dolores artríticos. Alguien le trajo una silla porque tenía las rodillas demasiado rígidas para que pudiera sentarse en el suelo con las piernas cruzadas como hacían todos los demás. Miré sus ojos llenos de amargura. Ella no sentía ninguna tristeza por la abuela. Nuestra madre había odiado a la abuela desde el día en que se casó con mi padre, pero aun así estaba allí para presentarle sus últimos respetos y esperar el momento en que se leería el testamento.

Recuerdo que la abuela nunca quiso respeto, no parecía disponer de tiempo para él y siempre lo despreciaba burlonamente cuando le era ofrecido en lugar de un auténtico sentimiento. Ella daba profundo amor y una lealtad inconmovible y exigía lo mismo a cambio.

—El amor, Hoyuelo, no consiste en palabras sino en un profundo sacrificio —me decía con frecuencia—. El amor es estar dispuesta a dar hasta que ya no puedes seguir haciéndolo.

La tiíta Anna había ido al dormitorio de la abuela y yo la seguí. Se había sentado en el borde de la cama de cuatro postes de la abuela y cuando me vio sonrió con tristeza y abrió su palma derecha. Estaba llena de horquillas para el pelo, no de la clase corriente sino de la marca Kee Aa que llevaba la abuela. En estos días ya nadie lleva esas horquillas. Eran como una especie de pinzas para el pelo, pero en vez de mantenerse unidas lo que hacían las dos extensiones era formar una especie de U. La abuela las utilizaba para mantener el moño en su sitio.

—Años después de que me hubiera ido de esta casa, bastaba con que viera una Kee Aa para que enseguida me acordara de mamá —dijo la tiíta Anna—. Siempre recordaré el día de hoy, cuando he estado sacando todas esas horquillas de su pelo por última vez. Su cuerpo ya se ha quedado frío, pero al tacto su pelo sigue siendo exactamente igual a como era hace tantos años cuando Mohini y yo nos turnábamos para peinarla. Es curioso, pero de pronto todas estas horquillas han hecho que su muerte se vuelva insoportable. ¡Pobre mamá! Qué decepción tan monstruosa hemos sido todos nosotros para ella...

—¡Oh, tiíta Anna! Tú no fuiste ninguna decepción para ella. De hecho, tengo las cintas para demostrarlo. Te quería muchísimo, y de todos sus hijos tú fuiste la que le dio más satisfacciones. Llegaste a hacer algo de tu vida.

—No, Hoyuelo. Ninguno de nosotros supo estar a la altura de sus expectativas. Tu madre la llama araña sin tener ni la más remota idea de lo precisa que es su descripción. Cuando el latín era una lengua hablada, la palabra araña significaba «Me alzo por encima de todos». Y ella lo hacía. Se elevaba muy por encima de todos nosotros en talento, inteligencia y pura grandeza. Podía prestar su mano a cualquier oficio y superar en astucia a las personas más taimadas y sin embargo nosotros, sus maravillosos hijos, la derrotamos. ¿Sabes lo que me dijo en el hospital cuando la llevamos allí esta última vez?

Sacudí la cabeza sin decir nada.

—Dijo: «Puedo oler la muerte en el aire». Y yo, que estaba ciega y no era capaz de ver nada, le dije: «Lo que hueles es el antiséptico». Entonces ella me dijo: «No, Anna, tú hueles el antiséptico porque todavía no es tu hora».

Miré a la tiíta Anna con incredulidad porque yo me había sentido exactamente igual cuando llevé conmigo a Nisha a la casa de la abuela. Entonces olí la muerte en el aire y la vi por todas partes, pero mantuve a Nisha pegada a mi cuerpo igual que si fuera un arma y la muerte retrocedió. Mantuve a raya a ese ávido ogro teniendo a la pequeña flor junto a mí. Mientras estrecho a Nisha entre mis brazos, el perfume del ogro ya no es tan atractivo y su sonrisa no resulta tan invitadora. La tiíta Anna se echó a llorar y yo la abracé. Sus hombros temblaban de tristeza. Por la ventana vi a Nash fumando, su apuesto rostro lleno de aburrimiento.

—¿Puedo quedarme con una de las horquillas? —pregunté.

La tiíta Anna abrió la palma de su mano y cogí una horquilla. Voy a conservarla. Anna tiene razón, porque la horquilla me recordará de la manera más vívida posible a la abuela. Ahora puedo verla de pie delante del espejo vestida con su sari blanco. Todavía hay un exceso de polvos en su cara y tiene la boca llena de horquillas mientras se arregla el pelo. Las horquillas van pasando una a una a su grueso moño plateado hasta que este queda firmemente fijado sobre la parte de atrás de su cabeza. Entonces la abuela se vuelve hacia mí y me pregunta con una sonrisa si estoy lista para irme. Algún día yo le diré que lo estoy.

Después del funeral fui a ver al tío Sevenese. Tenía un aspecto horrible.

—Cuando era pequeño, soñé el funeral de mi madre —me dijo—. Todo era exactamente igual, solo que ahora he puesto nombres a las caras de esos adultos a los que antes no había reconocido. Vi a Lakshmnan y me pareció un desconocido lleno de amargura. La única de las personas presentes en mi sueño que se parecía vagamente a alguien a quien yo conociese eras tú, y di por sentado que eras Mohini ya crecida. Pero cuando te vi hoy con Nisha encima de tu regazo, el sueño se rompió.

Lo miré, llena de pena y sin saber qué decir y él me tiró un viejo ejemplar de un libro de Sartre.

—Léelo y deja de limitarte a «vivir la apariencia». Tienes la libertad de elegir, ya lo sabes. No sigas con él si no quieres hacerlo.

Hubo un tiempo en el que yo habría cogido el libro y lo hubiese leído con ávido interés. Pero en esos momentos...

—Ya no hay esperanza —le dije—. La Madre del Arroz ha muerto y ahora ya no queda nadie para proteger los sueños que tengo mientras duermo. Antes esos sueños estaban llenos de hierbas aromáticas, verdes musgos, frutas maduras y magníficos brotes, pero ahora puedo ver a todas esas pobres cositas, pálidas y sin aliento, enterradas en el fondo de un lago perdido.

Mis palabras hicieron que el tío Sevenese enmudeciera de horror y se negara a sí mismo cualquier posibilidad de saber más. A esas alturas difícilmente podía contarle que cada día necesitaba más y más mi humo azul y que cada día me gustaba menos.

Nisha me ha dicho que había un nido en el tronco del mango. Dijo que incluso desde la ventana de su dormitorio podía oír los trinos de los pajarillos recién nacidos. Me llevó fuera para que los escuchara, pero por alguna razón sus frenéticas llamadas me pusieron nerviosa.

—Ven conmigo —le dije alegremente—, vayamos a ver el nuevo café que han abierto en la ciudad.

Nos sentamos en una de las mesas de color siena, porque todo el local había sido decorado con la nueva paleta de los tonos de terracota. Tenían el arreglo floral más extraño que se pueda imaginar, para el que habían utilizado una nueva flor a la que llaman pata de canguro. Yo nunca había visto nada parecido. Era negra y muy hermosa.

¿Una flor negra? Resultaba muy extraña y aun así era muy hermosa, con pequeños pétalos en forma de almohadillas del más pálido tono verdoso. Era tan poco habitual y tan elegante que fui a la floristería y les encargué algunas patas de canguro.

Las flores llegaron el martes y se las veía muy hermosas en un jarrón de cristal transparente colocado encima de la mesita de café. Nisha pensó que parecían arañas dormidas que se hubieran hecho un ovillo encima de un tallo. ¡Qué niña es! Pero yo le enseñaré a quererlas.

Luke ya no volverá a tocarla. No la tocará porque ahora teme a los monstruos que yacen durmiendo dentro de él. ¿Y si descubre que quiere acostarse con ella? Eso es lo que teme, las nuevas perversiones que llegará a descubrir dentro de él. Nisha no puede entender por qué su papá la aparta de él. No sé qué ha sido de nosotros. Si al menos Luke nos dejara marchar a las dos... Pero sé que él nunca hará eso. Luke nunca me dejará marchar y utilizará a Nisha para mantenerme aquí.

Febrero de 1983. El tío Sevenese ha muerto. Yo estaba junto a la cabecera de su cama en el hospital cuando, con los ojos llenos de desesperación, mi tío me hizo signos de que quería escribir algo. Me apresuré a poner en sus manos una pluma y una hoja de papel. El tío Sevenese escribió temblorosamente: «Las flores crecen ba...», y luego murió. No puedo dejar de pensar en esa frase inacabada. ¿Qué súbito destello de iluminación lo impulsó a pedir pluma y papel? Mientras subía la escalera que llevaba a su habitación no dejaba de pensar en ello, sintiéndome llena de pena por la manera en que había perdido al tío Sevenese.

Las flores crecen ba...

Metí una llave grasienta en la cerradura de su puerta. La primera vaharada que salió de su habitación cerrada y sin ventilar fue tan rancia y horrible que hizo que me entraran ganas de vomitar. En su cocina había una ventanita y la abrí todo lo que permitía el mecanismo medio atascado. La habitación era sórdida. Las grietas del linóleo estaban llenas de polvo negro y grasa seca y miraras donde miraras había una película de ceniza de cigarrillos. Esta es la última vez que veré esta habitación, pensé de una manera sorprendentemente indiferente. Luego me quedé de pie allí y lo grabé todo en la memoria.

La habitación todavía conservaba extraña e inexplicablemente fresca la esencia del tío Sevenese, como si él solo hubiera ido a la calle para tomar su café de la mañana. Sus libros de astrología, sus cartas astrales y sus diagramas yacían esparcidos encima de la cama. Mi tío había estado trabajando en la carta de alguien cuando enfermó. Me senté sobre las sábanas manchadas y una imagen de aquella prostituta vestida de blanco recostada encima del colchón fumando un cigarrillo mentolado apareció súbitamente en mi mente abrumada por la pena. Ella nunca sabría que el tío Sevenese se había ido para siempre. Abrí el cuaderno de ejercicios medio roto y miré las notas que había estado tomando mi tío.

«Mantener lejos; línea de la vida corta. Rahu; serpiente en la casa del matrimonio; estancamiento. Muerte, divorcio, tristeza, tragedia.»

Compadezco al pobre idiota en cuya carta había estado trabajando mi tío. Pero cuando levanté las notas, vi que debajo de ellas estaban las cartas y los detalles astrológicos de mi hermana y de mí. Las contemplé sin poder creerlo. Era una de nosotras, Bella o yo.

Dentro de un cajón encontré un sobre dirigido a mí. No lo abrí, pero al tocarlo con los dedos pude sentir que dentro había una cinta. El tío Sevenese me había grabado un mensaje, una última historia para mi ya abandonado camino del sueño. Doblé con mucho cuidado aquel sobre marrón y lo guardé en mi bolso. Aún está allí, porque todavía no puedo soportar escucharla. Quizá una noche justo antes del humo azul, ya que entonces no me afectará tanto.

El funeral fue breve. Tuvieron que llevarse el cuerpo a toda prisa cuando todavía no había llegado el momento acordado para la cremación. Las maltratadas entrañas del tío Sevenese se pudrieron tan deprisa que los gases liberados fueron distendiendo su corpachón hasta dejarlo tan hinchado como si fuese un globo. Yo podía oír los bufidos y siseos de los gases incluso desde donde estaba sentada, como si los órganos estuvieran conspirando para estallar. Temían que trozos de mi tío terminaran esparcidos por las paredes, así que se apresuraron a sacarlo de allí. La tiíta Lalita, que siempre había tenido muy buen corazón, se inclinó sobre el ataúd y besó al tío Sevenese en la mejilla, pese a que el intenso hedor a podredumbre que emanaba de su cuerpo ya estaba amenazando con hacer que me desmayara. No era el olor de un cadáver, sino el de la basura. El tío Sevenese se negaba a seguir las normas incluso en la muerte. A pesar de dos botellas de colonia, la pestilencia de los desperdicios que se están pudriendo y el olor del formaldehído eran tan abrumadores que volvían imposible celebrar un funeral como es debido. Los penetrantes vapores hacían que nos escocieran los ojos y dos mujeres huyeron a la cocina para ocultar la repugnancia que sentían ante aquellos humos intolerables. Una anciana señora, que ya era demasiado vieja para molestarse en jugar a la diplomacia, se tapó la nariz y la boca con las puntas de su sari. Supuse que la tiíta Lalita colgaría una foto enmarcada del tío Sevenese rodeada con una guirnalda blanca y negra para que le hiciera compañía al abuelo, la abuela y Mohini. Yo tenía mucho frío. Estuve teniendo frío durante todo el día. Era por el humo azul.

La tiíta Lalita fue a visitarnos. Pasó mucho rato con Nisha en el jardín, hablando con la niña como si ella también tuviera seis años. Estuvieron mirando los peces durante horas y luego se dedicaron a estudiar a las libélulas, esas que tienen retazos de jade y turquesa esmaltándoles sus largos abdómenes, suspendidas encima de las tranquilas aguas. Lalita le contó a Nisha lo que me había contado a mí cuando era pequeña, que las libélulas son capaces de coser los labios de los niños malos mientras están dormidos, y entonces los ojos de Nisha se convirtieron en dos lagos de asombro opalescente. «¿De veras?», jadeó mi hija.

Contemplarlas es como mirar hacia atrás en el tiempo. Yo solía sentarme a la sombra con la tiíta Lalita para ver cómo las libélulas revoloteaban de un lado a otro por detrás de la casa de la abuela. Solía volver la cabeza y ver a la abuela sentada en el banco, mirándonos a través de la ventana de la misma manera en que yo las miraba en esos momentos.

Algo va terriblemente mal dentro de papá. Tuvieron que llevarlo corriendo al hospital en cuanto empezó a tener dolores en el pecho. Le dieron unas cuantas píldoras, pero luego cuando salió de allí las tiró sobre los escalones del hospital. Pobre papá... Conozco su dolor. Busca el mismo olvido que busco yo.

Nisha está teniendo problemas con una cabecilla de la escuela llamada Angela Chan cuyas uñas dejan crecientes lunares en sus brazos. Tendré que ir a hablar con la madre de esa niña.

¿Te he hablado de los sueños horriblemente maravillosos que tengo? Deben de salir del humo azul. En ellos hay un hombre muy guapo dentro de una gran caja de grueso cristal. Sus miembros son largos y hermosos, y sus rizados cabellos se curvan en suaves mechones sobre sus robustos hombros. Su rostro está oculto entre las sombras, pero aun así percibo su belleza. Sé que cuando ese hombre salga de la caja de grueso cristal, será espléndido más allá de todas mis expectativas. Sus ojos están tan tristes como lo están los míos en el retrato del piso de abajo, pero estoy segura de que me ama. Siempre me ha amado.

Ese hombre ya lleva muchos años contemplándome con un profundo anhelo, pero ahora cada vez está más impaciente por sentirme, llenarme y fundirse conmigo. No sé exactamente cuándo ocurrirá eso, pero ya hace algún tiempo que comenzó a abrirse paso a través del cristal. Él no tiene armas, así que utiliza las uñas de sus dedos. Sus dedos sangran y todo el cristal se ha puesto rojo, pero ese hombre es incansable. Su amor es muy profundo. Sus uñas arañan el cristal día y noche. Algún día logrará liberarse de la caja, y entonces yo estaré esperándolo. El momento en que lo bese será muy especial. La manera en que se curva su boca me gusta mucho. Anhelo el día en que apretaré mi cuerpo contra la esbelta longitud de esa forma y su boca cubrirá la mía, ese día en el que entregaré mi vida a la muerte. Sí, es un hombre muy hermoso.

SEXTA PARTE

LO DEMÁS SON MENTIRAS

JULIO DE 2001

LUKE

Una vez que se me ha traído a este inquietante paisaje de huesos que sobresalen afiladamente y carne que se ha hundido bajo el peso de una voraz enfermedad, ya no me atrevo a cerrar los ojos. Día y noche contemplo la puerta con mirada febril. En esta fría habitación de hospital donde tubos coloreados con los tonos de la mantequilla brotan tristemente de mis brazos consumidos y se elevan hacia las máquinas parpadeantes, sé que la muerte vendrá a llevárseme. No tardará en hacerlo. Mi respiración resuena huecamente en el silencio de la habitación. Manos invisibles han empezado a envolverme en una cérea tela amarilla, preparándome para mi viaje.

Vuelvo la cabeza para mirar a mi hija. Nisha está sentada como un ratoncito en una silla cromada y negra junto a la cabecera de mi cama. Pero si Nisha es un ratoncito, sin duda eso es obra mía. He convertido a la hermosa hija de Hoyuelo en una personita insignificante. Lo que he hecho es algo muy cruel, pero debo decir en mi defensa que nunca tuve intención de hacer daño.Tampoco resultó fácil. Conseguirlo requirió muchos años y muchas mentiras. Nisha sigue sentada en su silla, ajena a mi horrible maquinación. Si supiera lo que he hecho, entonces me odiaría. Se inclina hacia delante para tomar mi mano rígida como una garra. La mano de la pobre niña está helada.

—Nisha... —murmura mi boca reseca. Débilmente. El fin está próximo.

Ella se aproxima obedientemente hasta estar tan cerca que inhala el hedor de la carne en proceso de putrefacción. La podredumbre que hay en esa carne agita un largo dedo negro: un día esto también te ocurrirá a ti, le advierte a mi tímido ratoncito. Oigo su jadeo ahogado.

—Lo siento —susurro, y ya es tan poco lo que queda de mí que las palabras tienen que hacer un gran esfuerzo para salir penosamente de mis labios.

—¿Por qué? —exclama Nisha, debido a que no sabe nada del pasado.

Un «accidente» y un providencial ataque de amnesia hace dieciséis años son los responsables de ello. Me temo que yo saqué provecho de lo ocurrido y me dispuse a recrear su mundo para ella. Lo adorné con mentiras reconfortantes y decidí que mi hija nunca debía llegar a conocer la trágica verdad, que nunca vería la sangre que había en mi mano.

En su cara veo los ojos de Hoyuelo, pero la muchacha carece del encanto de su madre. ¡Oh, la pena, la pena! He sido muy injusto con ambas, pero hoy corregiré mi error. Le daré la llave a Nisha. Permitiré que se encuentre con mi terrible secreto, con esa forma contrahecha y encogida que se aferra implacablemente a mi cuello. Sí, aquella a la que tan cuidadosamente he cobijado y alimentado durante dieciséis años. Hoy le daré a mi hija la llave que encerró para siempre los sueños de mi querida Hoyuelo.

Porque también es preciso decir que quise muchísimo a mi pobre esposa.

Siento un leve dolor en mi pecho y noto que se me corta la respiración en la garganta. Nisha me mira con un súbito temor. Sale corriendo de la habitación, sus tacones resonando ruidosamente sobre los relucientes suelos, para ir en busca de un médico, una enfermera, un celador, alguien, cualquier persona que pueda ayudar.

NISHA

Cuando regresé con una enfermera, no había paz en la boca abierta y los ojos que miraban fijamente. Mi padre murió tal como había vivido. Me lo quedé mirando, asombrada y sin entender cómo era posible que las ascuas que relucían en las estrechas rendijas de su cara hubieran podido ser extinguidas tan fácilmente para convertirse en dos canicas carentes de vida, densas y negras. En esos momentos sus ojos son como el negro suelo de mármol que se prolonga interminablemente en mis pesadillas, tan liso y reluciente que la cara de una niña se refleja en él. Esa carita está desencajada por el terror y la conmoción. Sin duda otro fragmento de un viejo recuerdo, uno que se le ha pasado por alto a la serpiente devoradora de la memoria que se ha comido mi infancia. Esa serpiente fluye por mis sueños moviéndose con la celeridad de una gota de mercurio y susurra: «Confía en mí. Tus recuerdos están más seguros en la oscuridad de mi estómago».

Fui doblando lentamente las rodillas hasta quedar sentada junto a mi padre inmóvil y me contemplé con mirada vacía en un espejito que colgaba de la pared. La sangre de muchas razas había infundido en mi rostro sus ojos misteriosos, sus marcados pómulos y una boquita pulcramente trazada que casi parece lamentar tener que compartir el mismo espacio que mis exóticos ojos. La boca sabía lo que los hombres ignoraban, que la provocación presente en los párpados entornados disfraza una invitación a que te rompan el corazón. Yo he roto muchos corazones sin pretenderlo. Sin saberlo, incluso.

En el regazo de mi vestido marrón, mis mimadas manos murmuraban que ellas nunca habían trabajado un solo día en veinticuatro años. Miré la llave que había extraído del puño firmemente apretado de mi padre. ¿Podría ser utilizada para liberar los fragmentos de memoria escondidos en el interior de la codiciosa serpiente? Quizá les devolvería sus voces para que de esa manera pudiesen explicar tonterías tan insignificantes como por qué un grifo que goteaba me aterrorizase hasta tal punto, o por qué la combinación del rojo y el negro hace que sienta cómo un nudo de inexplicable terror me oprime la garganta. Dejé el cadáver de mi padre en aquella habitación sin mirar atrás.

Lena, la sirvienta de mi padre, me abrió la puerta de su casa. Subí corriendo por la larga curva de la escalera para irrumpir en el austero frescor de la habitación de mi padre y entonces me quedé inmóvil por un instante entre las sombras color zafiro. Podía oler a papá. Él no había estado en aquella habitación desde hacía semanas y sin embargo su olor perduraba tan inevitablemente como el de un fantasma perdido. Crucé la habitación, metí la llave en la cerradura de una puerta que había dentro de su vestidor y la hice girar.

El pequeño armario empotrado guardaba la gruesa capa de polvo blanco grisáceo de muchos años. Sus estantes se hallaban vacíos salvo por una arañita color marrón rojizo que huyó de mi presencia y una vieja caja de cartón que proclamaba, en grandes letras verdes, haber contenido en tiempos pasados doce botellas de Chardonnay francés.

MANTENER ESTE LADO ARRIBA, decía la cansada flecha roja que había estado apuntando hacia abajo durante solo Dios sabía cuántos años. La vieja cinta adhesiva cedió fácilmente y una nube de polvo blanco se elevó en el aire como una agradable neblina de las montañas.

Toda mi vida. Toda mi vida la había estado buscando sin encontrarla. Abrí la caja.

Una caja llena de cintas, una caja llena de secretos.

En las guardas de una recopilación de poemas de Omar Jayam que el tiempo había amarilleado, una pequeña caligrafía infantil proclamaba que era la propiedad particular de Hoyuelo Lakshmnan. ¿Quién demonios era Hoyuelo Lakshmnan? Lepismas sobresaltados alzaron la mirada hacia mí desde su cena consistente en tinta negra y papel viejo.

Hurgué entre las cintas. Cada una de ellas había sido minuciosamente numerada y etiquetada con un nombre —LAKSHMI, ANNA, LALITA, SEVENESE, JEYAN, BELLA...—, y me pregunté quiénes serían todas aquellas personas.

El teléfono sonó en el piso de abajo y unos instantes después oí la exclamación ahogada que dejó escapar Lena. El hospital, obviamente.

«Lo siento», había dicho mi padre tan crípticamente en el umbral de la muerte.

—No lo sientas, papá —murmuré con dulzura—. Nunca ha habido nada que yo anhelara más que llegar a estar familiarizada con los secretos que acechaban en tus fríos ojos.

LA MUJER DE NEGRO

—Lo siento mucho, Nisha —susurró una mujer muy cerca de mi oído mientras me daba unas palmaditas de simpatía en la mano.

Yo no la conocía, pero si había considerado apropiado asistir a su funeral, entonces tenía que haber sido amiga de mi padre. La vi alejarse con su vestido negro y gris adecuadamente fúnebre para la ocasión y no sentí nada.

Yo estaba impaciente por irme. Quería regresar a mi apartamento y liberar a las voces atrapadas en las cintas, pero se esperaba que las buenas hijas permanecieran allí al menos hasta que el cuerpo hubiera salido de la casa. Papá sin duda conocía a un montón de personas, ya que toda la casa estaba llena de flores que no olían. Incluso había un enorme arreglo floral enviado por un importante ministro indonesio. Era extraño que aquel hombre le hubiese enviado flores a papá, ya que el ministro nunca había gozado de su aprobación. Demasiado obvio, decía. Papá prefería que su corrupción fuera lo más sutil posible.

Me di cuenta de que no había ni una sola pata de canguro a la vista. La sensación de *déjà vu* que se había adueñado de mí cuando les puse los ojos encima por primera vez me había sorprendido. Aquellas flores me parecieron extrañamente familiares y muy hermosas, delgadas y negras con el más leve matiz de verde tierno, como si fuese su misma negrura la que suscitaba el asombro y la intensa atención de la ciencia del horticultor.

Como yo, que durante demasiados años no había sido consciente de que mi atractivo especial radicaba en la inalcanzable curva de mi mejilla mientras dormía con la cara vuelta hacia el otro lado en la oscuridad. Después de haber estado acostados en la cama junto a mí, todos los hombres que entraban en mi vida se obsesionaban de modo inexplicable por aquel misterio tan incitantemente al alcance de la mano que, aun así, seguía siendo inexpugnable. Se veían dominados por la misma fiebre, la necesidad de poseerme y de llegar hasta allí donde otros no habían llegado... Bueno, al menos no al principio.

Al principio todos entraban en mi vida llenos de esperanza y resplandeciendo de expectación. ¡Haber logrado atraer nada menos que a la hija de Luke Steadman! Las posibilidades parecían infinitas. El dinero, el poder, las relaciones... Pero al final todos se iban exasperados, sintiéndose frustrados por la revelación de que dentro del espacio oscuro que se extendía entre ellos y yo había un aterrador desfiladero cuya profundidad no podía llegar a ser conocida.

—¿Por qué? —gritó con amargo asombro desde el borde del abismo uno de los más memorables de aquellos hombres—. ¿Por qué te beso, te chupo y te follo, y tú te comportas como si yo acabara de pasar la lengua por un sello?

Las disculpas solo servían para empeorar las cosas, claro está. Quizá una explicación...

—Yo no puedo evitar que mis ojos, que ya hace muchos años que son propiedad de la desesperación, tengan la misma expresión cuando estoy pasando la lengua por un sello que cuando tú me estás follando. Tú has llegado a dominar tu técnica —le dije—. No eres tú, soy yo —añadí con dulzura, tratando de reconfortarlo. Quería salvar su orgullo, porque el orgullo de un hombre vale muchísimo—. Soy yo —insistí vagamente mientras mis largos ojos ligeramente orientales suplicaban un poco de comprensión—. Verás, cuando tenía siete años me perdí a mí misma. Fue exactamente como estar cruzando un paso cebra y que entonces tu pie salga de una de las tiras blancas para posarse sobre una tira negra de aspecto totalmente inocente, y de pronto encontrarse tropezando y cayendo. Para desaparecer dentro de un ilimitado agujero negro, con las estrellas como única compañía. Cuando un día salí de ese agujero, me encontré en una cama blanca en una habitación blanca y sin mis recuerdos.

Llegada a ese punto tenía que callar, porque los hombres me miraban como si yo acabara de inventarme toda la historia del paso cebra para que no estuvieran tan enfadados conmigo. Por eso nunca llegué a hablarles del desconocido de los ojos entornados y la expresión preocupada al que encontré mirándome desde lo alto en aquella habitación blanca. Lo miré y él me devolvió la mirada con un destello de inquietud. Sus ojos eran fríos y distantes.

Aquel desconocido me llamó Nisha y afirmó ser mi padre, aunque no intentó tocarme o abrazarme. Puede que todos los besos y abrazos entre padres e hijas fuese algo que solo sucedía en las películas de Hollywood. De hecho, llegó a ocurrírseme pensar que mi padre ni siquiera parecía alegrarse demasiado de que yo hubiera salido de aquel agujero negro donde tenía a las estrellas por única compañía. Me quedé con la insolente impresión de que se sentía muy aliviado de que yo no pudiera recordar nada.

A veces pienso que hubiera debido decirles a todos esos hombres llenos de esperanzas que mi padre casi nunca me tocaba. De hecho, no había nadie a quien le estuviera permitido tocarme. Crecí estando sola y con la servidumbre por única compañía. Tal vez entonces hubieran entendido algo acerca de ese abismo insalvable que había en la cama.

Si yo no hubiera mirado en el espejo aquel día cuando estaba acostada en la cama blanca en la habitación blanca y visto devolverme la mirada a los mismos ojos entornados que él lucía en su rostro tenso y fatigado, no hubiese creído que le pertenecía. ¿Cómo podía haberme insuflado la vida cuando su aliento era tan frío, sus ojos tan distantes? Sin embargo, me dijo que me quería y amuebló mi solitaria existencia con lo mejor de cuanto hay en el mundo. Porque era rico, muy rico, e importante. Y poderoso.

Pasé algunos días más en la habitación blanca y después él me condujo delicadamente hasta su gran coche y me llevó a una casa muy grande. Dentro de la casa hacía mucho frío. Me estremecí y entonces él bajó el aire acondicionado y me llevó a una extraña habitación rosada que yo estaba segura de no haber visto nunca antes.

—Esta es tu habitación —dijo y sus negros ojos me miraron fijamente.

Recorrí con la mirada aquella habitación de niña pequeña en la que todo parecía nuevo y olía a tal. Las prendas que colgaban dentro del armario todavía tenían las etiquetas de los precios. Al fondo del armario, caros zapatos adornados con lazos de vivos colores relucían alegremente sin la deshonra de las rozaduras en sus impolutos tacones.

—¿Te acuerdas de algo? —me preguntó cautelosamente.

No esperanzada, sino cautelosamente. Sacudí la cabeza con tanto vigor que me dolió. Todavía había una cicatriz roja allí donde me la había golpeado cuando caí por aquel agujero en el paso cebra.

—¿No tengo madre? —pregunté tímidamente, porque le tenía miedo a aquel desconocido.

—No —replicó él con tristeza, pero puede que yo no supiera interpretar su emoción.

Por aquel entonces solo era una niña. No sabía nada acerca de los papaítos que fingen. Él me enseñó una pequeña foto. La señora que estaba retratada en ella tenía unos ojos muy tristes. Sus ojos hicieron que me sintiera sola.

—Tu madre murió al darte a luz —dijo—. La pobrecita se desangró hasta morir.

Así que yo había tenido la culpa de que aquella mujer tan triste de la foto muriera. En ese momento deseé tener los ojos de mi madre. Pero tenía los de él, fríos y distantes. Quise echarme a llorar, pero no delante de aquel desconocido. En cuanto se hubo ido, me dejé caer encima de aquella cama nueva que no conocía de nada. Y lloré.

Interrogué a mi padre en muchas ocasiones acerca de aquellos años perdidos, pero cuantos más detalles me describía él más convencida me sentía yo de que estaba mintiendo. Había un secreto que me estaba ocultando, un secreto tan espantoso que mi padre se había inventado todo un nuevo pasado para mí. Ahora yo quería recuperar todos aquellos años perdidos cuya ausencia había arruinado mi vida. Sabía que las voces que había en las cintas estaban llenas de secretos y que esa era la razón por la que mi padre las había escondido hacía tantos años.

Miré en torno a mí, contemplando todos aquellos preciosos arreglos florales en los que no había ni una sola pata de canguro. Quizá salgan demasiado caras para malgastarlas en las coronas fúnebres. Supongo que las reservan para los hogares de los ricos y los famosos. Mi padre era un hombre muy rico, pero odiaba las patas de canguro. Las odiaba con una auténtica pasión, de la misma manera en que yo odio los colores rojo y negro cuando están juntos. Por alguna razón que ignoro, aquellos hermosos pétalos negros lo hacían sudar de nerviosismo. Era interesante observarlo mientras fingía que aquellas flores tan delicadamente enroscadas sobre sí mismas como arañas no lo afectaban. La primera vez que puse algunas en un arreglo floral, mi padre se las quedó mirando como si yo hubiera trenzado todo un surtido de serpientes siseantes alrededor de cada tallo.

—¿Te encuentras bien, papá?

—Sí, claro que sí. Es solo que hoy estoy un poco cansado.

Entonces me miró, escrutándome con tanta atención como si fuera yo la que estaba escondiendo algo horrible. Como si fuera yo la que hubiese comprado un guardarropa entero para él, pintado su habitación de un rosa delicado e irreconocible y contado una montaña entera de mentiras. Lo observé con un nuevo interés. Nunca llegué a conocer a mi padre. Nunca me tocó y ni siquiera llegó a acercárseme lo suficiente para que pudiera tocarme. Yo no conocía sus secretos. Y él tenía muchos. Aquellos secretos ardían como una pira fúnebre en sus fríos ojos entornados.

Lo miré con una creciente sorpresa.

—¿Has recordado algo hoy? —me preguntó abruptamente.

—No. ¿Por qué?

—No, por nada. Mera curiosidad —dijo mi deshonesto padre, mintiendo con su sonrisa de político.

Mis ojos se volvieron hacia una mujer que acababa de entrar. Lucía su pena con un trágico esplendor, vestida de pies a cabeza en tonos de negro como una modista japonesa dotada de mucho talento. Era asombrosamente hermosa. Yo nunca la había visto antes. Los labios de la mujer eran demasiado rojos. Hicieron que mis dedos se tensaran ligeramente.

Negro y rojo. Negro y rojo. ¡Cómo daban color a las pesadillas que me atormentaban! La mirada de la mujer atravesó la sala de estar de mi padre para terminar posándose en el ataúd, colocado sobre una larga mesa baja. Envuelto en fresco satén, amarillo e inmóvil, mi padre esperaba a que alimentáramos con su cuerpo a la bestia hambrienta en el crematorio.

De pronto la hermosa desconocida echó a correr con delicados pasitos femeninos. Se arrojó dramáticamente sobre el cuerpo inmóvil y empezó a sollozar. Retrocedí, ligeramente sorprendida.

Otro de los pequeños secretos de mi padre había regresado para cobrarse su deuda.

La sombría multitud no tardó en percibir el valor como curiosidad que encerraba aquella mujer. Los asistentes al funeral me observaban disimuladamente, pero yo hacía caso omiso de ellos. Por un instante, la visión de la figura vestida de negro inclinada sobre el delgado cadáver amarillo hizo que se me pasara por la cabeza la intrigante idea de una enorme araña negra que curva su cuerpo sobre su amante y lo devora mientras este se debate desesperadamente. Pero incluso en la muerte, Luke Steadman no era el tipo de enamorado que lucha y se resiste. Mi querido, querido padre se había mantenido fiel a sí mismo hasta el último instante, frío y ciertamente más allá del alcance de cualquier sedosa telaraña.

La mujer no figuraba en su testamento.

El corto testamento de mi padre no menciona a nadie aparte de a mí, su hija. Aquella a la que le dio la llave, aquella a la que ocultaba secretos. La mujer levantó la vista como si hubiera oído mis nada amables pensamientos y sus ojos se encontraron con los míos. Había algo extrañamente desamparado en el escarlata de su lápiz de labios. ¡Pobre criatura! Sentí que el corazón se me derretía un poco en el pecho. No podía evitarlo, porque creía saber lo que significa que te abandonen.

El cuerpo de mi pobre madre me lanzó al mundo y luego se desangró hasta morir. De esa manera, luego mi padre alimentó con el cuerpo exangüe de mi madre a la bestia de la saliva amarilla en el crematorio y yo me quedé con él. Y él, él me dejaba cosas —juguetes cuando era más pequeña y joyas a medida que fui haciéndome mayor— encima de una mesita que había enfrente de mi habitación unos instantes antes de que se fuera a trabajar. La triste verdad es que las dejaba delante de mi puerta para que yo nunca pudiera dejarme llevar por el impulso espontáneo de correr a sus brazos o besarlo como podría hacer cualquier hija. Para evitar todavía más la posibilidad del temido abrazo cuando regresaba a casa, mi taimado padre siempre telefoneaba antes para preguntarme si me había gustado mi nuevo regalo.

Se retiraba detrás de un muro de expresiones corteses como «Por favor», «¿Puedo?» y «Gracias». Todo el mundo creía en su magnífica e irreprochable interpretación. Algunos incluso me envidiaban la perfección del tierno cariño que imaginaban existía entre aquel padre y su hija, y para ellos Luke pasó a ser un ideal al que imitar. Solo yo me interponía entre el grueso muro que él había levantado alrededor de nosotros y gritaba en silencio, horrorizada por la terrible perfección de mi padre y la realmente asombrosa cantidad de detalles que había incorporado a su lejanía. ¡Ah, solo con que me hubiera querido un poco...! Pero mi padre nunca me quiso. Una cría de mono a la que se le niega el amor de su madre muere. Su corazón lleno de tristeza simplemente renuncia a la tediosa labor de latir. Supongo que es una suerte que yo no sea una cría de mono.

Asentí y las personas se movieron como muñecos obedientes. Yo había pasado a ser la nueva dueña y señora, la única heredera del rescate de un rey. Apartaron la desamparada boca roja del cuerpo empapado en colonia y la condujeron, sollozando, hasta un rincón guiándola con amable curiosidad.

Luego sacaron su ataúd llevándolo a hombros. Nadie lloró excepto la hermosa mujer vestida de negro con los labios color rojo sangre. Los asistentes al funeral empezaron a irse y yo me dirigí hacia la mujer que no paraba de llorar. Vista de cerca ya no era tan joven, quizá de unos treinta y tantos años o incluso aproximándose a los cuarenta. Pero sus ojos eran impresionantes, enormes y líquidos como la superficie reluciente de un lago de tranquilas aguas durante una noche sin luna. Ella también estaba llena de secretos y algunos de aquellos secretos seguramente eran míos.

La invité al estudio de mi padre, lejos de los ojos abiertamente escrutadores. La mujer me siguió en silencio. ¿Había estado en la casa antes? Una vez dentro del estudio, me volví hacia ella.

—Me llamo Rosette y me alegro mucho de conocerte por fin, Nisha —dijo con dulzura.

Curiosamente, su voz hacía juego con sus ojos: había sido cultivada para que fluyera y era tan líquida como la miel.

—¿Quieres beber algo? —pregunté automáticamente.

—Un Tía María con hielo, por favor. —Una sonrisa acudió a aquellos labios tan rojos para extenderse sobre ellos igual que la sangre, volviéndolos demasiado rojos.

Fui al armarito de las bebidas. Bueno, bueno, al parecer mi padre se mantenía aprovisionado de Tía María. Tuve una súbita imagen de sus cuerpos entrelazados y unidos en la cama del hospital, el consumido cadáver amarillento de un hombre y aquella criatura tan bella y misteriosa. Sacudí la cabeza para hacer desaparecer la desagradable corrupción de su nada apropiada unión. ¿Qué demonios me estaba sucediendo?

—¿Conocías bien a mi padre?

La oí hacer una profunda inspiración de aire.

—Bastante bien. —Su voz era suave y femenina y estaba cargada de secretos. ¿Había sido la mujer de mi padre?

—¿Hacía mucho tiempo que lo conocías? —insistí.

—Veinticinco años —dijo ella como si tal cosa.

Me volví hacia ella para mirarla con ojos llenos de perplejidad.

—¿Conociste a mi madre? —pregunté, con las palabras saliendo de mi boca antes de que pudiera detenerlas.

Algo se elevó de los lagos iluminados por la luna que había en su hermoso rostro concienzudamente maquillado, alguna cosa llena de vida y de pena. La horrible criatura del lago me contempló con tristeza durante unos segundos antes de volver a desaparecer dentro de las relucientes aguas. El rostro de la mujer volvió a quedar vacío de toda expresión.

—No —negó, sacudiendo la cabeza.

La miel en su voz se había espesado hasta convertirse en un oscuro sedimento. Acababa de mentir y me pregunté qué utilidad podía tener la lealtad hacia un hombre que ya estaba muerto. El alquiler todavía tenía que ser pagado y habría que comprar vestidos de otros tonos del negro. Me concentré en la tarea de echar el Tía María en el vaso con hielo mientras un reloj hacía tictac en el silencio justo al lado de mi cráneo.

—Mi padre no te mencionó en su testamento —dije tranquilamente.

Entonces casi oí la súbita inmovilidad que fue hacia ella para estrecharla entre sus brazos. El reloj seguía haciendo tictac con resuelta precisión. Luego dejé que transcurrieran unos momentos antes de volverme hacia ella, con una media sonrisa en los labios, y ofrecerle su bebida.

Todavía impregnada por la colonia del muerto, Rosette tomó el frío vaso en sus pálidas manos. Hay que decir que la pobrecita lo sostuvo entre sus dedos como si no supiera qué hacer con él. La mirada de desamparo regresó. Oh, cielos, era cierto que había que pagar el alquiler. Mientras la miraba, las lágrimas se acumularon en sus hermosos y tristes ojos y resbalaron por sus pálidas mejillas.

—El muy bastardo —maldijo en voz muy, muy baja antes de dejarse caer en un gran sofá que había detrás de ella.

Su forma parecía muy pequeña y muy blanca encima del verde oscuro del sofá de mi padre. En ese momento me gustó un poco.

—Me temo que soy la única persona que figura en su testamento —dije—. Ni siquiera los sirvientes, algunos de los cuales llevan aquí más tiempo de lo que puedo recordar, han merecido una mención. Voy a darles algo en nombre de mi padre. —Hice una breve pausa—. El problema estriba en que yo no conocía muy bien a mi padre y no llegué a conocer a mi madre. Si puedes ayudarme a llenar algunos de los vacíos, para mí sería un placer echarte una mano con tu situación financiera.

La criatura del lago onduló dentro de las oscuras y tranquilas aguas, puede que con la súbita comprensión de que estaba contemplando a la que sería su nueva fuente de pan y mantequilla a partir de aquel momento. ¿Me gustaba aquel nuevo poder? No cabía duda de que la mujer lo había reconocido y se había inclinado ante él. De pronto se echó a reír, un sonido áspero y lleno de amargura. Era la carcajada de una mujer que nunca ha llegado a controlar del todo su propio destino.

—Hay cosas que más vale que permanezcan ocultas en la oscuridad —dijo después—. No son la clase de recuerdos que estás buscando, porque tienen el poder de destruirte. ¿Por qué crees que te las ocultó? ¿Realmente estás segura de que quieres saberlo?

—Sí —repliqué al instante, sorprendida por la nítida convicción que había en mi voz.

—¿Te dio la llave?

La miré con asombro. Sabía incluso lo de la llave.

—Sí —dije, aturdida por lo cerca que había llegado a estar de mi padre aquella mujer tan elegante y segura de sí misma.

¡Sí, realmente yo nunca había llegado a conocer a mi padre! Los rojos labios sonrieron. Yo no podía soportar aquel color rojo sangre que era como un cuchillo hundido en mis ojos.

Rosette terminó su bebida y se levantó. En sus ojos se leía el conocimiento de que a partir de aquel momento ya solo sería posible el paso del tiempo y la muerte, así como la pena que viene de tener que lamentar las decisiones equivocadas. Hasta yo hubiese podido decirle que mi padre era una mala elección.

—Ven a verme después de que hayas escuchado las cintas. —Fue hacia el escritorio de mi padre y escribió la dirección y el número de teléfono en un cuaderno de notas—. Adiós, Nisha.

La puerta se cerró.

Cogí el cuaderno de notas. Rosette vivía en Bangsar, no muy lejos de allí. Su letra era femenina y extrañamente invitadora. Me pregunté cuáles serían sus orígenes. Tenía la piel delicada y muy blanca propia de cierta clase de mujeres árabes, esas que dejan a sus guardaespaldas esperando delante de los probadores de Emporio Armani.

Arranqué la hoja del cuaderno en la que había escrito su dirección y su número de teléfono, y me fui a casa.

En mi apartamento hacía un calor asfixiante. Las delicadas rosas de la mesa de café se habían marchitado y pétalos rosados cubrían el suelo allí donde habían caído. El tiempo ha llegado a su fin. La muerte espera en todas partes.

Sin hacer caso de los suaves timbrazos del teléfono, subí el aire acondicionado haciendo que la brisa fresca y seca se derramara silenciosamente en la habitación. Sin quitarme el negro traje de luto, conecté la grabadora y cerré mis cansados ojos. La voz de una persona llamada Laskhmi llenó la habitación con las sombras de un pasado desconocido.

A la mañana siguiente desperté de pronto, rodeada por el zumbido de las cintas y sobresaltada por el timbre de la puerta.

—Carta certificada —dijo la voz masculina carente de cuerpo que salió flotando del intercomunicador.

Firmé el acuse de recibo de la carta remitida por los abogados de mi padre. Necesitaban verme inmediatamente para un asunto de la máxima importancia. Telefoneé y concerté una cita con el socio más veterano de De Cruz, Rajan y Rahim.

El señor De Cruz se acercó a mí y envolvió por completo mi mano en las suyas, grandes y tan secas como el cuero. Por sus venas corría sangre portuguesa que se manifestaba bajo la forma de una nariz muy afilada en su orgulloso rostro y una actitud condescendiente hacia la «gente del país». Sus cabellos recubrían su cráneo receloso tan rígidamente como la plata labrada y sus ojos relucían desde sus cavernosas cuencas con la ávida e implacable codicia que había hecho famosos a sus antepasados. Había algo profundamente nocivo e inquietante en él. Debajo de su piel, me imaginé, se retorcía una criatura totalmente distinta.

En una ocasión me había encontrado con él antes de una cena en el edificio de la Bolsa. De Cruz había sonreído con gran encanto, pero no me había presentado a la joven alta y de mirada vacía que iba con él. Como me ocurre con todos los abogados que conozco, yo encontraba a De Cruz arrogante y demasiado orgulloso de su habilidad para hacer que las palabras esclavizadas se comportaran exactamente tal como él quería que lo hicieran. Aquel hombre las mantenía guardadas dentro de su boca y las sacaba de allí justo en el momento apropiado añadiéndoles la inflexión precisa, y bastaba con mirarlo para ver lo rico que eso había llegado a hacerle.

—Siento mucho lo de su padre —dijo, expresándome su conmiseración con su profunda voz.

Sin duda era un don, aquella capacidad para sonar tan sincero en cualquier momento.

—Gracias. Y gracias por las flores también —dije automáticamente.

De Cruz asintió sabiamente. Las palabras estaban esperando en su boca a que llegara el momento apropiado. Movió la mano indicándome que tomara asiento. El despacho era espacioso y fresco y en un rincón había un mueble bar muy bien provisto. A mis oídos había llegado el rumor de que De Cruz bebía, y mucho, en el club Selangor.

El abogado se acomodó en el gran asiento de cuero que había detrás de su escritorio. Después guardó silencio durante unos instantes y me estudió, allí sentada ante él. Me imaginé sus pensamientos: «Muy guapa, solo con que supiera sacar un poco más de partido de sí misma...». Acto seguido dejó que las palabras que habían estado esperando en su boca salieran de ella y le dieran un susto de muerte a aquella pobre desgraciada que no había sabido hacer gran cosa de sí misma. De Cruz no tenía la culpa, claro está. No había sido él quien hizo todas aquellas malas inversiones que habían terminado llevando a la bancarrota al padre de aquella chica mientras agonizaba en el hospital. Era la economía. Toda la maldita economía se había caído de narices después de la catástrofe que organizó George Soros cuando se hizo con el ringgit malayo y destruyó los precios de las acciones, tan irremisiblemente como un puño que cae sobre un castillo de naipes.

Escuché con el rostro vacío de toda expresión al señor De Cruz mientras este utilizaba las palabras apropiadas para describirme la caída de la Bolsa y las inevitables pérdidas en que había incurrido la cartera de valores de inversiones de alto riesgo seleccionadas por mi padre. Básicamente, me dijo, no quedaba nada que legarme aparte de enormes deudas. De hecho, incluso mi caro apartamento tendría que ser abandonado.

—¿Tiene algunas joyas que pueda vender?

Lo miré, horrorizada.

—¡Pero papá era multimillonario! ¿Cómo es posible que haya ocurrido esto?

El señor De Cruz se encogió elocuentemente de hombros.

—La economía, como ya le he dicho. Ciertas inversiones desaconsejables. Algunos tratos que salieron mal... —Toda clase de palabras tranquilizadoras resbalaban de su móvil boca—. Puede que incluso llegara a relacionarse con ciertos personajes de una reputación bastante dudosa, quién sabe.

—Así que me he quedado sin casa.

—No del todo.

El señor De Cruz me obsequió con una sonrisa, llena de incomodidad y extrañamente culpable. Luego la sonrisa fue haciéndose más grande y el destello de culpabilidad borró su nada bienvenida presencia de ella. Ningún abogado como es debido permitirá que el peso de la culpabilidad recaiga sobre su persona durante demasiado tiempo.

—Bueno, su madre le dejó una casa —dijo—. Usted hubiese tenido que entrar en posesión de ella cuando cumplió los veintiún años, pero como para aquel entonces ya se encontraba cómodamente instalada en su apartamento, su padre decidió que era preferible que no tuviera que cargar con la administración de una vieja casa decrépita. Pero como ahora las circunstancias han cambiado, quizá debería echarle un vistazo a su herencia.

—¿Mi madre me dejó una casa? —repetí estúpidamente.

—Sí, una casa en Ampang. Naturalmente, lo más probable es que el edificio se encuentre terriblemente necesitado de reparaciones, pero la tierra ya es otra cuestión... Teniendo en cuenta la situación del edificio, ahora usted se encuentra sentada encima de un considerable montón de dinero. La venta solucionaría todos sus problemas y, naturalmente, esta firma se halla perfectamente cualificada para encargarse de venderla por usted. —Frunció los labios en una resuelta mueca de hombre de negocios y abrió un expediente que había ante él.

Yo hubiese debido ser informada acerca de la casa cuando cumplí los veintiún años, pero el señor De Cruz suprimió la información porque mi padre le había pedido que lo hiciera.

—¿Quién ha estado pagando los impuestos de la propiedad? —pregunté.

—Había una herencia de su bisabuela materna que pagaba automáticamente la cantidad requerida, pero esa herencia ya ha sido gastada casi en su totalidad. También está la cuestión de una carta sellada que su padre le dejó para el momento de su muerte. Aquí tiene las llaves y la dirección de su propiedad —dijo.

Me entregó un manojo de llaves, un documento legal con la dirección y mi nombre escritos en él y la carta sellada.

Yo me había quedado sin habla. Mi madre me había dejado una casa y mi padre se había pasado todos aquellos años guardándose aquella información tan vital. Las palabras continuaban saliendo de la boca del abogado cuando me levanté abruptamente. El señor De Cruz se calló.

—Gracias —le dije educadamente, y me dirigí hacia la reluciente puerta del despacho.

En cuanto hube salido del edificio, el húmedo calor de la tarde me golpeó con la fuerza de un mazazo. Todo lo que yo daba por sentado había muerto el día anterior. La casa que había creído era mía no lo era y la montaña de dinero no existía. Sin embargo, en esos momentos lo único que importaba era las llaves que tenía en la mano y la casa que me había dejado mi madre. Seguí andando calle abajo hasta que divisé el bar Cherry Lounge. Sentía un ligero palpitar en las sienes y un enloquecido deseo de echarme a reír. Era pobre. ¡Menuda broma! Toda una vida de riqueza me había dejado impotente e indefensa. Mi licenciatura en ciencias sociales me cualificaba de sobras para trabajar como secretaria, y no me proporcionaba la titulación suficiente para ninguna otra cosa. Por mucho que me esforzara en intentarlo, me resultaba imposible imaginar la inmensa riqueza de mi padre reducida a una casa decrépita en Ampang. Pensé en los muchos políticos que iban hacia mi padre con los brazos extendidos y le daban palmaditas en la espalda. «Estupendo, estupendo. Yo sé que siempre puedo contar con Luke», decían.

¿Cómo era posible? De pronto estuve segura de que mientras yacía en su cama del hospital, mi padre había sido timado a conciencia y le habían robado todo su dinero. Mi padre era demasiado astuto e implacable para que pudiese haber llegado a perder todos los millones que tenía en propiedades inmobiliarias, acciones y cuentas secretas. Aquello únicamente podía ser alguna clase de estafa, pero me sentía mareada solo de pensar en tratar de salvar su imperio. Las personas que eran capaces de hacer desaparecer sumas tan colosales estaban sentadas en lugares muy altos, e incluso mi padre se había limitado a observarlas con mucha cautela desde una distancia segura.

Entré en el Cherry Lounge, le pedí un coñac doble a un camarero que me mostró una halagadora curiosidad y encontré un rincón oscuro en el que esconderme. Me recosté en el asiento. ¿Era posible que la vida cambiara en una tarde? Por supuesto que sí. Aparté la gruesa cortina que cubría la ventana. Fuera estaba lloviendo. Era evidente que no podía ir a ver la casa aquella misma tarde y por razones que ignoraba el hecho de que tuviera que dejarlo para más adelante hizo que sintiera un gran alivio. La casa era algo más que una mera casa. Yo había sentido su magia tan pronto como esta cayó de la boca del señor De Cruz. Me quité los zapatos, doblé las piernas debajo de mí y abrí la carta.

—Vamos a ver qué nuevas sorpresas tienes para tu hija, papaíto querido...

Pero la letra no era la de mi padre. Volví a poner los pies en el suelo y me incorporé en el asiento. La carta había sido escrita por una mano femenina y no iba dirigida a mí, sino a mi padre. Yo no quería leerla en aquel sitio horrible y resguardado, pero mis ojos que ya habían empezado a buscar se dirigieron hacia el inicio de la página:

Querido Luke,

Es mi deseo en mi lecho de muerte que Nisha tenga las cintas. No son más que recuerdos de personas a las que he querido durante toda mi vida y no tienen ningún poder de hacerte daño. Los diarios te los dejo para que hagas lo que quieras con ellos. Si ha habido algún momento en el que me hayas querido, entonces atenderás esta última petición mía. Solo quiero que mi hija sepa que viene de una orgullosa estirpe de personas realmente asombrosas, ninguna de las cuales fue tan débil como he llegado a serlo yo. Nisha debe saber que no hay nada de lo que avergonzarse.

Debajo de su piel hay magníficos antepasados. Están allí, en sus manos, en su cara y en las sombras, tanto felices como tristes, que cruzan por su rostro. Cuando abre la nevera los días en que hace mucho calor y se queda de pie delante de ella para refrescarse, hazle saber a Nisha que entonces esos antepasados se encuentran presentes en la neblina de su aliento. Son ella. Quiero que Nisha llegue a conocerlos tal como yo los he ido conociendo. Hazle saber que cuando andaban por esta tierra, esos antepasados eran personas maravillosamente fuertes que se atrevieron a ir mucho más lejos que yo y sobrevivieron.

He sido patéticamente débil, porque olvidé que el amor viene y va como el tinte que da color a una prenda. Confundí el amor con la prenda y no supe ver que la auténtica prenda es la familia. Permite que Nisha pueda lucir a su familia con orgullo.

Por favor, Luke. Dale las cintas.

La carta estaba firmada «Hoyuelo». Así que mi madre era Hoyuelo Lakshmnan y no Selina Das tal como aseguraba el certificado de nacimiento que me había enseñado mi padre. Y no murió al darme a luz. Mi madre había llegado a conocerme. Ahora yo la conocía a ella. Fuera, grandes gotas de lluvia se estrellaban contra el cristal ahumado y se deslizaban por él como gordos gusanos transparentes que tuvieran una prisa terrible.

—¡Qué mentiroso llegaste a ser, padre!

Supe que era la casa incluso desde lejos. Detuve el coche y bajé de él. El nombre de la casa, Lara, quedaba casi oculto por las malas hierbas que habían crecido sobre las puertas y encima del muro de ladrillo rojo que la circundaba. Tres chicos detuvieron sus bicicletas junto a mí.

—No irá a entrar en esa casa, ¿verdad? —preguntó uno de ellos, mirándome con curiosidad.

—Está encantada, ¿sabe? —se apresuró a añadir otro.

—¡Una mujer murió allí dentro! —exclamaron a coro los tres, sus ojos desmesuradamente abiertos—. Fue horrible. Había sangre por todas partes. Quien entra allí ya nunca vuelve a salir —me advirtieron, completamente dominados por la implacable necesidad de hacer que aquella desconocida renunciara a su fachada de impasibilidad.

—Esta casa me pertenece —les dije, contemplando a través de las puertas de hierro la curva del camino de acceso flanqueado por coníferas ya maduras.

Los muchachos se me quedaron mirando boquiabiertos por la sorpresa mientras yo introducía mi llave en la cerradura de la puerta. El sonido metálico de la llave entrando en el agujero hizo que salieran huyendo en las bicicletas con apresuradas miradas hacia atrás.

Las puertas se abrieron con un chasquido metálico y un oscuro eco. «Yo he estado aquí antes...» Mientras conducía mi coche por el sendero lleno de curvas, me sentí invadida por una sensación de pérdida. ¿Pérdida de qué? Las coníferas que se alzaban a ambos lados de mí eran dos muros de silencio verde oscuro. Estacioné el coche junto a la casa. La mayor parte de la fachada, así como las rojas tejas superpuestas del techo, había quedado cubierta de plantas trepadoras. Aquel pobre terreno abandonado parecía haber perdido hacía ya muchos años su batalla contra los hierbajos y la vegetación silvestre que me llegaba a la altura de la cintura. Abundaban las rosaledas descuidadas y erizadas de espinos, y en conjunto el lugar ofrecía una visión entre lamentable y fantasmagórica.

Sin embargo me llamaba, con cada oscura ventana como un ojo que me dirigía su suplicante invitación. Debajo de un árbol, parcialmente visible a través de todo aquel verdor que no era atendido por nadie, la estatua de un chico ofrecía algo sosteniéndolo en ambas manos como si fuera una ofrenda, pero la profusión de malas hierbas había oscurecido su regalo. Pasé ante dos leones de piedra, que permanecían inmóviles como silenciosos guardianes a los lados de la entrada, para terminar llegando a una gran puerta de caoba. Mi mano hizo que la puerta se abriera sin oponer ninguna resistencia, invitándome a entrar.

Me detuve en el centro de la espaciosa sala de estar y sonreí con la que era mi primera auténtica sonrisa desde que había muerto mi padre. La casa estaba cubierta por sus buenos dos centímetros de polvo y telarañas y se encontraba en bastante mal estado, pero era mi hogar. Yo sabía sin necesidad de mirar hacia arriba que los altos techos estaban pintados con figuras del pasado majestuosamente ataviadas.

Levanté la vista y, como era de esperar, vi que ni siquiera aquella espesa fronda de telarañas había podido llegar a oscurecer el esplendor de las magníficas pinturas. Un gorrioncito entró volando en la casa a través del cristal roto de una ventana, con su batir de alas resonando ruidosamente en el silencio. Posándose encima del pasamanos, me contempló con curiosidad. Hubo un tiempo en el que aquel pasamanos había relucido con el brillo del pulimento y eso era algo que yo sabía con tanta claridad como sabía de qué color era el suelo que había debajo de mis pies. Moví el pie derecho haciendo que describiera un pequeño arco sobre el suelo para ir apartando con él capas de hojas secas, ramitas, excrementos de pájaro y la suciedad acumulada de muchos años, y mi propio reflejo me devolvió la mirada desde una reluciente superficie negra. Ah, por fin veía el suelo de mármol negro de mis pesadillas.

Asustados por todo aquel ruido al que no estaban acostumbrados, los lagartos correteaban en el techo por encima de las inconmovibles manos regordetas de las doncellas pintadas y los querubines que retozaban entre las nubes. Mis pasos resonaban extrañamente en el silencio de la casa, pero había una sensación de bienvenida, como si todas aquellas figuras que se hallaban inmóviles en las pinturas me hubiesen estado esperando.

Mientras paseaba la mirada a mi alrededor, de pronto tuve la impresión de que los habitantes de aquella casa se habían ido hacía poco con la intención de no tardar mucho en regresar. Había un jarrón con tallos secos, un cuenco de fruta lleno de pepitas y semillas cubiertas de polvo y alcohol dentro de las botellas de cristal que cubrían la tapa de un gran piano de cola. Me acerqué a las fotos cubiertas de polvo y soplé sobre ellas. Allí estaba yo con la hermosa mujer de mis sueños, la que tenía aquella cara que había logrado escapar del estómago de la serpiente devoradora de la memoria. ¿Quién era aquella mujer? ¿Hoyuelo Lakshmnan, quizá? Si ella era mi madre muerta, entonces la mujer de la foto que me había enseñado mi padre tenía que ser otra mentira.

Encima del mármol de una mesita de centro con un aspecto imponente había un montón de revistas. La de arriba de todo tenía fecha de agosto de 1984: el año y, de hecho, el mes en que yo había caído dentro de aquel agujero negro. Vaya, vaya.

De la pared del fondo de la sala colgaba un gran cuadro magníficamente enmarcado y cubierto de polvo gris. Me subí a una silla y limpié la parte central del retrato con mi pañuelo. El busto de una mujer salió a la luz y un poco más arriba de él encontré una cara. Una mujer muy hermosa me contempló con expresión llena de tristeza y nada más verla supe con toda certeza que aquella mujer era mi madre, Hoyuelo Lakshmnan. Limpié la totalidad del retrato, bajé de la silla y di un paso atrás. De pronto tuve la sensación de que ya no estaba sola. Era como si todas las personas muertas que habían formado parte de la familia de mi madre se hubieran congregado a mi alrededor para permanecer inmóviles muy cerca de mí. Por primera vez desde que había salido del agujero negro sin conocer absolutamente a nadie, no me sentía sola.

Sintiéndome reconfortada y extrañamente satisfecha, di la espalda al retrato y subí por la escalera de mármol. Entonces tuve una fugaz imagen de una niña cayendo por ella. Me detuve y mi mano subió automáticamente hacia mi cabeza. Aquella pequeña cicatriz plateada... De pronto supe con toda certeza que yo había caído por aquella escalera. Me había precipitado por ella, gritando «¡Mami, mami!». Las cosas no habían ocurrido tal como decía mi padre. Mi caída no había tenido lugar en ningún paso cebra.

Por alguna horrible razón que yo ignoraba, mi padre me había arrancado de cuajo de aquella casa en la que yo vivía con mi madre. Había dejado atrás absolutamente todo lo que me era familiar y me había trasplantado a un entorno totalmente nuevo. Como mi padre no se había llevado consigo nada de aquella casa, en esos momentos parecía como si alguien hubiera salido de ella para ir a comprar un cartón de leche y nunca hubiera regresado. De pronto comprendí por qué mi padre no se había llevado nada de allí. No quería que nada de mi antigua vida pudiera hacerme recordar el pasado. Mi padre siempre les había tenido mucho miedo a mis recuerdos.

Fui al piso de arriba y abrí la primera puerta de la izquierda para verme inmediatamente asaltada por la visión de una niña acostada sobre la colcha de la cama. Aquella había sido mi habitación, no la habitación rosada que mi padre me había enseñado cuando salí del hospital. Reconocí las cortinas azules con los girasoles amarillos. Azul con girasoles de un intenso color amarillo. Las había escogido mi madre.

Llena de curiosidad, abrí un gran armario ropero y retrocedí ante el olor inesperadamente intenso del alcanfor. Dentro había un guardarropa realmente demasiado magnífico para que perteneciera a una niña de siete años. ¡Qué vestidos! Además todos se hallaban en perfecto estado. Mi atención fue atraída por un par de sandalias rojas adornadas por unos bonitos lazos de color rosa. Cerré los ojos y traté de obligar a los recuerdos a que regresaran a mi memoria, pero estos se negaron a acudir. «Pronto —me prometí a mí misma—. Sí, pronto lo recordaré todo.» Pasé los dedos por las prendas, sorprendida de lo bien que se habían conservado a lo largo del tiempo. Un ruido de correteos llegó hasta mí desde detrás de la cama. Ratas. Las puertas del armario tenían que ser muy sólidas.

De pronto me vi en el jardín, de pie junto a un pequeño estanque lleno de caras carpas rojas y doradas. Un instante después la imagen se desvaneció tan rápidamente como había llegado. Corrí a la ventana. Un estanque de sucias aguas permanecía sombríamente inmóvil en el centro del patio trasero lleno de hierbajos y maleza, haciendo que tuvieras la impresión de que sus aguas eran el ojo lleno de dudas del mismo jardín. Por un momento me pareció que el estanque me contemplaba con cierto reproche, como si yo tuviera la culpa de que sus aguas se hubieran ido volviendo verdes a causa del abandono. Saliendo de mi antigua habitación, caminé lentamente por la curva de la galería que circundaba la sala de estar del piso de abajo. Abrí otra puerta y dejé escapar una exclamación ahogada.

La habitación había sido decorada de la misma manera que el dormitorio de mi padre en su casa, con todo idéntico. Las sorpresas no parecían tener fin. ¡Papá había vivido en aquella casa con mamá y conmigo! Allí había ocurrido algo que hizo que mi padre saliera huyendo conmigo sin llevarse ni un solo objeto de la casa. Ver la habitación hizo que se me pusiera la piel de gallina. Crucé la espartana estancia y abrí una puerta que comunicaba con la habitación contigua.

Las cortinas estaban corridas. Había una agradable penumbra y el silencio era tan absoluto que pude oírme respirar. Muy gradualmente y de una manera casi imperceptible, fui sintiéndome invadida por una vaga impresión de que no me encontraba sola. Era como haberse quedado dormida en una playa y ser despertada por el suave golpeteo de las olas lamiendo tus pies. Me sentía a salvo y protegida, como si una persona muy querida y que me quería mucho estuviese sentada junto a mí. La sensación era tan intensa que fui hasta el otro lado de la enorme cama y miré detrás de las cortinas. Allí no había nadie, claro está. Descorrí las cortinas y el sol del atardecer se filtró en el interior con una ávida curiosidad, convirtiendo el aire en espacios mágicos llenos de polvo pero expulsando de la habitación aquella extraña presencia. Experimenté una inexplicable sensación de pérdida. Pasé junto a la gran cama de cuatro postes, cuidadosamente hecha y escondida bajo la inevitable gruesa capa de polvo, y abrí las puertas talladas de una hilera de preciosos armarios empotrados en la pared.

Hilera tras hilera de exquisitas prendas, todas ellas magníficamente conservadas, se ofrecieron a mi mirada. Los opulentos años setenta colgaban delante de mí en todo su esplendor de cuentas y bordados y con todos sus intensos colores. Creí reconocer un vestido azul y verde cuyo cuello estaba rematado por una gargantilla de brillantes de bisutería y me pareció recordarme diciendo: «Qué bonito, mamá». Cerré los ojos y contemplé cómo una esbelta figura daba vueltas de manera que su hermoso vestido nuevo cortado al bies podía revolotear alrededor de sus piernas igual que una deslumbrante mariposa. Era ella: Hoyuelo Lakshmnan, mi madre.

Descolgué el vestido de la percha con mucho cuidado y, poniéndome delante de un espejo al otro extremo de la habitación, lo sostuve ante mi cuerpo. Mi madre había sido casi de la misma talla que yo. Me quité la blusa y los vaqueros y me pasé el vestido por la cabeza. Olía a bolas de naftalina y lo sentía muy frío encima de mi piel. Alisé cuidadosamente el satén sobre mis caderas. El vestido era precioso.

Moviéndome como en sueños, quité el polvo del cojín que cubría el taburete situado delante del tocador y me senté en él. Limpié el espejo con un pañuelo de papel y examiné la colección de artículos de maquillaje que había esparcidos sobre la larga mesa. Le quité la tapa a un cilindro azul y vi que contenía un lápiz de labios fríamente rosado. Olía a vieja gelatina de petróleo, pero todavía tenía un aspecto de rocío lo bastante fresco para que pudiera ser utilizado: Christian Dior aún tenía ganas de conquistar el mundo. Lo saqué del tubo haciendo girar la parte de abajo y lo apliqué a mis labios. Luego me puse un poco de sombra de ojos de un tono azul martín pescador que había hecho furor en los años setenta. Acto seguido me puse delante del espejo y una mujer de aspecto ridículo con sombra intensamente azul en los ojos y los labios pintados me miró bajo los rayos de sol. Entonces se adueñó de mí una tristeza tan súbita e inexplicable que corrí las cortinas y me eché encima de la cama sin prestar atención al polvo que la cubría. Fue en ese preciso momento cuando me di cuenta de que con las cortinas corridas, la habitación había adquirido una atmósfera totalmente distinta a la de antes. Volví a ser consciente de aquella sensación de compañía. Cuando me miré en el espejo, vi a la mujer del retrato del piso de abajo. En la penumbra yo era hermosa, tan hermosa como lo había sido mi madre. Bien, así que no me parecía a mi padre después de todo. Seguí contemplándome, fascinada por mi propia imagen, hasta que de pronto me encontré con que lo que estaba viendo en el espejo ya no era mi sorprendido reflejo, sino una escena del pasado.

Mi madre estaba en el piso de abajo luciendo aquel mismo vestido. Se disponía a acudir a una fiesta. Vi con toda claridad la sala de estar decorada al estilo romano, con sus impresionantes arreglos florales y sus grandes cuencos de cristal llenos de fruta, el suelo, la araña de cristal, las lámparas, el pasamanos, el sofá cama victoriano de color crema, la mesa de caoba y el conjunto de espaciosos divanes: todo estaba reluciente y nuevo, sin el polvo, la suciedad o los excrementos de animales. Y resplandecía. Mientras mi madre esperaba a que papá volviera a casa del trabajo, iba disponiendo flores encima de la mesa del comedor y lloraba en silencio.

Las tijeras que utilizaba se abrían y se cerraban con un suave tintineo metálico. Estaba preparando un arreglo floral para la mesa del comedor y las rosas de color rojo sangre iban siendo emparejadas con las patas de canguro.

—¿Por qué lloras, mami?

El recuerdo se desvaneció y me encontré contemplando mi yo sutilmente alterado en el espejo. Fui al piso de abajo vestida con la ropa de mi madre. En esos momentos yo no solo parecía distinta, sino que también me sentía distinta. La atmósfera era acogedora y apacible y me sentía en casa, pero no tardaría en oscurecer y allí no había ni electricidad ni gas. Me fijé en el par de estatuas de jóvenes criados moriscos esculpidas en ébano que flanqueaban la gran escalera, cubiertas de polvo y telarañas y sosteniendo un candelabro cada una, y fui a la cocina para ver si encontraba velas.

La nevera había sido vaciada, pero los aparadores estaban llenos de conservas viejas. Había paquetes de fideos instantáneos, botes de leche en polvo, latas de sardinas, cajas de cereales vacías que habían sido volcadas por las ratas, y jarras y más jarras de mangos en adobo preparados en casa. Otra alacena contenía una botella de miel silvestre que se había separado en una sólida base de un dorado mate y un espeso líquido marrón oscuro. Encontré las velas y entonces me fijé en un manojo de llaves. Una de ellas entraba en la cerradura de la puerta de atrás. La empujé con fuerza y la puerta se abrió al atardecer que ya había empezado a ennegrecerse. El sol se había puesto detrás de los altos muros de ladrillo rojo que rodeaban el jardín. Salí a la semioscuridad del anochecer y fui por un corto sendero de piedra casi completamente circundado por la espesura que crecía a ambos lados de él. El jardín estaba maravillosamente tranquilo y silencioso. Los ruidos del tráfico parecían muy lejanos y la noche que no tardaría en llegar apenas había empezado a vestir con suaves tonos purpúreos los árboles y los parterres descuidados. La decadencia y la absoluta reclusión que reinaban dentro de aquellos altos muros de ladrillo hicieron que experimentase el delicioso placer de haber dejado atrás el mundo y descubierto un fabuloso secreto.

¿Qué es el paraíso sino un jardín amurallado?

Pasé junto a un pequeño huerto que había sido colonizado por la hierba y la maleza de grandes hojas. Como si alguien hubiera querido imitar a los esqueletos de las tiendas de los pieles rojas, palos a los que la exposición a la intemperie había ido volviendo del pálido color de la corteza de abedul habían sido clavados en el suelo formando un círculo y sus puntas habían sido unidas con cuerda. Hubo un tiempo en el que las hortalizas se habían extendido sobre ellos. Pero ya la punta de cada uno de aquellos esqueletos de tienda se hallaba recubierta de caracoles malvas y grises, apelotonados en pequeños grupos que se daban por satisfechos con permanecer inmóviles allí encima del tumulto de la vegetación abandonada. Más cerca del muro de ladrillos, las flores de un mango se habían endurecido convirtiéndose en pequeños frutos verdes. Los duros nudos de pálido verdor colgaban en cúmulos que casi rozaban el suelo. Una hamaca medio deshilachada estaba suspendida de un tronco. Un súbito recuerdo de la hamaca, nueva y meciéndose lentamente a la sombra del árbol, acudió a mi memoria. Había alguien en ella y entonces oí cómo una vocecita infantil que reía gritaba bajo la suave brisa: «¡Te echo una carrera!».

Me volví, pero allí no había nadie. El sendero de piedra moría súbitamente y de pronto me encontré en una pequeña extensión de musgo. A la izquierda había un estanque con una estatua de Neptuno cargado de musgo emergiendo de ella. Un pequeño arbusto había florecido junto a ella y una solitaria flor de un blanco rosado, casi tan grande como un repollo, colgaba pesadamente de una rama. Me incliné sobre la flor para olerla y entonces tuve una fugaz visión de estar inclinándome sobre las límpidas aguas del estanque y ver otra cara en ellas. La cara, oscura y triangular, estaba riendo. La visión se esfumó tan deprisa como había llegado. En esos momentos el estanque estaba totalmente muerto. Un sapo marrón lleno de verrugas me contemplaba con suspicacia. Seguí adelante, adentrándome en el jardín.

Al final había un pequeño cobertizo de madera casi completamente disimulado por las trepadoras. Las tejas anaranjadas que todavía no se habían desprendido del techo yacían escondidas bajo grandes y relucientes hojas de yedra con forma de corazón. Las hojas casi cubrían la entrada del cobertizo y amenazaban con hundir la totalidad del techo mediante el peso de su abundante proliferación. Apartando un poco el follaje, me agaché delante de la puerta del cobertizo y miré dentro de él. Bajo la tenue luz que ya se iba desvaneciendo, pude distinguir una mesa y una silla y lo que parecía una pequeña cama o banco de madera. El lugar tenía un aspecto demasiado peligroso para entrar en él. Allí dentro podían acechar serpientes. En la oscuridad me pareció distinguir el destello del oro en un dedo e imaginé que veía, moviéndose rápidamente entre las sombras, aquella carita triangular fruncida en una gran sonrisa que había entrevisto hacía un rato en el estanque.

La cara era anciana y los ojos amables y bondadosos. Había algo memorable en aquel rostro, un tatuaje verde oscuro hecho con puntitos y formas diamantinas que sobresalía en la frente en el centro de cada ceja y luego iba descendiendo como una constelación de estrellas a lo largo de las sienes hasta llegar a los marcados pómulos. Una vocecita infantil reía incontrolablemente. La anciana del tatuaje le estaba haciendo cosquillas en el estómago a la pequeña propietaria de la voz. Forcé la vista intentando distinguir algo más entre las sombras, pero no había nada más que se moviera. La anciana del anillo de oro y la niñita que reía tenían que haber estado hechas de pastas para el té, porque se evaporaron en la oscuridad polvorienta del cobertizo como las migajas cuando se hunden hacia el fondo de una taza de té. La oscuridad era completa. Me incorporé y volví lentamente por donde había venido, desandando mi camino hasta llegar al estanque. El tatuaje... ¿Quién era aquella anciana? De pronto lo supe: era la vieja y querida Amu.

Una vez en la cocina, cerré la puerta y me quedé en el umbral hasta que mis ojos se hubieron acostumbrado a aquella oscuridad más profunda que reinaba dentro de la casa. Después encendí una vela y, sosteniéndola en una mano con la caja de velas todavía no utilizadas en la otra, volví a la sala de estar. Allí fui introduciendo una a una las velas en los candelabros. Luego quité la gruesa mortaja de polvo y telarañas que los cubría y encendí todas las velas.

Las estatuas de los dos jóvenes criados moriscos adquirieron un aspecto magnífico una vez encendidas las velas, con sus apuestos rostros de ébano reluciendo como lisas piedras negras bajo una luna llena. Proyectaban lucecitas amarillas que danzaban en las paredes y arrojaban misteriosas sombras sobre los rincones. Mi memoria no conservaba ningún recuerdo de las expresiones ligeramente sorprendidas de las estatuas, pero sabía sin lugar a dudas que sus nombres eran Salib y Rehman. Había habido un tiempo en el que yo no era más alta que ellos. El resplandor de las velas despertó al techo. Las regordetas ninfas, las mujeres de púdica mirada y los varones impecablemente proporcionados de rizadas cabelleras cobraron vida. La casa y todo cuanto contenía me habían estado esperando. Quizá sí que estaba encantada, pero yo no tenía ningún miedo y me sentía a salvo en mi hogar. Había regresado a mi hogar y me encontraba mucho más cómoda en aquella mansión abandonada que en mi frío y suntuoso apartamento de Damansara. Pero conforme los rincones de la estancia iban oscureciéndose para quedar sumidos en la negrura, me di cuenta que si bien no quería irme de allí tenía que hacerlo, porque el delicado repiqueteo de pequeñas garras correteando por el suelo de mármol iba aproximándose al tiempo que se volvía cada vez más osado. Yo no sentía ningún deseo de conocer a las ratas que al parecer vivían en mi casa, así que soplé todas las velas, cerré con llave la puerta y me fui, con el corazón tan abrumado por la pena como si estuviera dejando abandonado algo muy importante.

Cuando por fin apagué la grabadora, ya eran las dos de la madrugada. Fuera, una tormenta aullaba inconsolablemente y sacudía la puerta del balcón como un espíritu enfurecido que anhelara entrar. Paseé la mirada por todos los lujosos objetos que había en mi apartamento y supe que no los echaría de menos. Su pérdida no sería lamentada, porque yo nunca había llegado a poner mi corazón en ellos. Los más caros satisfacían las expectativas más elevadas. La semana anterior todo había sido distinto, pero en unos días yo sería como todo el mundo. Quizá tuviera que salir en busca de trabajo y convertirme en secretaria en alguna parte. Compraría mi ropa en los grandes almacenes, prepararía mi propia comida y me encargaría de hacer la limpieza. Me encogí de hombros sin que aquella perspectiva me importara lo más mínimo.

Lo que realmente importaba en esos momentos era desentrañar el profundo misterio que envolvía a mi madre, resolver el enigma del suelo de mármol negro que ocupaba un lugar tan siniestro en mis sueños, descubrir por qué un grifo que goteaba podía aterrorizarme de tal manera y la razón por la que la combinación del rojo y el negro me resultaba tan chirriantemente ofensiva. Unas emociones muy profundas estaban empezando a despertar dentro de mí. Creía acordarme de mi bisabuela Lakshmi, pero no conseguía unir a la Lakshmi vibrantemente joven de las cintas con la anciana de cabellos canosos vagamente entrevista en mi memoria. ¿Realmente podía ser aquella misma vieja de expresión infeliz que siempre hacía trampas cuando jugaba a las damas chinas sentada en una silla de roten?

Había estado tan absorta en escuchar la cinta con la historia de Ayah que no me había acordado de cenar. Mi doncella me había dejado en la cocina una selección de platos dentro de recipientes tapados y de pronto me di cuenta de que estaba hambrienta. Me senté y comí ávidamente, devorando la cena de una manera que no era nada propia de mí.

De pronto dejé de comer. ¿Por qué me estaba comportando de aquella manera? ¿Por qué la avidez y aquella prisa tan poco educada? La imagen de un muchacho que vomitaba en su plato me vino a la mente. «¡Puedo sentir el sabor de lo que ella está comiendo!», le grita desesperadamente Lakshmnan a la anciana de los cabellos grises como el hierro y los ojos traicionados. Pero en aquella época Lakshmi debía de tener una maravillosa y abundante cabellera negra y ojos resueltos y enfadados. Aparté mi plato.

Sintiéndome extrañamente inquieta, fui a la sala de estar y me dirigí al balcón. Fuertes vientos tiraron de mi ropa y agitaron mis cabellos apenas hube salido a él. ¡Cómo anhelaba estar en la casa de mi madre! Ahora aquella casa era mía. El vendaval lanzaba la lluvia contra mi cara, y respiré su salvaje y húmedo olor. El trueno retumbó muy cerca de allí. Las voces que hablaban dentro de mi cabeza clamaban pidiendo espacio y atención. Finalmente, cuando ya empezaba a tener mucho frío, entré en la sala.

Salí de la ducha exhausta y habiendo entrado en calor, y me sequé el pelo delante del espejo. Ya casi eran las cuatro de la madrugada. Por la mañana regresaría a la casa de mi madre. Quería hacer los arreglos necesarios para mudarme inmediatamente. Desenchufé el secador de pelo y entonces mis ojos me sorprendieron en el espejo. Contemplé los puntitos verdes que había en mis pupilas. Nefertiti había muerto, pero sus ojos pervivían en mí. Vi que la expresión entre vidriosa y distante de mis ojos había desaparecido y que en su lugar relucía una feroz excitación que me daba cierto aspecto de loca. Le sonreí a mi imagen en el espejo y vi que hasta mi sonrisa era distinta.

—Ahora duerme para que a primera hora de la mañana puedas ir a tu nueva casa —le dije a la joven de mirada resplandeciente que me contemplaba desde el espejo.

Luego me deslicé bajo las sábanas y escuché el estrépito de la tormenta que rugía frenéticamente en el exterior. Di vueltas y más vueltas en la cama hasta que finalmente me levanté, encendí la luz y pulsé el botón de puesta en marcha de la grabadora.

RATHA

Envié a Nisha una carta, escrita de manera muy sencilla y remitida a la dirección de su padre, donde le explicaba que yo era una pariente de la parte de la familia de su madre. En dicha carta observaba que había sido imposible mantenerse en contacto con ella antes de la muerte de su padre porque este nos había prohibido que mantuviéramos cualquier clase de contacto con él o con su hija. También le decía que desde que la noticia del funeral de su padre apareció en el periódico yo había querido conocerla, y que hiciera el favor de telefonearme en el caso de que le pareciese bien que nos viéramos.

Cuando llegó, mi hija la acompañó hasta mi espaciosa cocina, que se había convertido en mi lugar preferido de toda la casa. Nisha era hermosa. Me saludó respetuosamente y sus ojos recorrieron mi rostro, desviándose hacia un lado, y contemplaron mis ya no muy abundantes cabellos plateados. Sé que soy una gárgola humana.

—Siéntate, Nisha —la invité con una sonrisa maliciosa—. ¿Te apetecería un poco de té? —le ofrecí.

—Sí, gracias —aceptó la muchacha.

Su voz era elegante y cultivada. Ya que no otra cosa, al menos Luke había sabido llegar a darle compostura y seguridad en sí misma. Decidí que me gustaba.

Puse una cestita de huevos delante de ella y le dije que comiera.

Nisha me contempló con el rostro inexpresivo por unos instantes, pero yo oí lo que estaba pensando: «Oh, no. En el cerebro de esta pobre vieja hay más grasa que proteína».

Mirándola con los ojos llenos de diversión, cogí un huevo, lo casqué golpeándolo suavemente contra el borde del plato y luego lo rompí estrujándolo entre mis dedos. Lo que salió de allí no fue el blanco de la yema y el amarillo de la clara. Aquel huevo tan artístico estaba hecho con pastel, almendras y crema, y la cáscara era de azúcar coloreado.

Nisha también se echó a reír. Ratha es la reina del azúcar, eso ya se sabe. Hoy ha optado por hacer algo muy sencillo, porque se ha conformado con preparar unos huevos.

—Esto es un auténtico regalo —dijo Nisha, cogiendo el pastelillo. Unos pequeños dientes blancos lo mordieron y la boca declaró que estaba soberbio—. Sí, es un regalo realmente maravilloso.

Me senté enfrente de ella.

—Soy Ratha, tu tía materna, y quiero que sepas que tu madre, Hoyuelo, cambió mi vida —comencé a decirle—. Ahora ya soy vieja y no tardaré demasiado en irme de este mundo, pero me gustaría que supieras lo que Hoyuelo hizo por mí hace ya muchos años. Tu madre era la persona más maravillosa y buena que he conocido en toda mi vida. Una tarde, ahora hace veintinueve años de eso, yo estaba sentada sola en mi casa cortando un pastel cuando oí que alguien llamaba a la puerta. Fuera estaba tu madre. Por aquel entonces ella debía de tener unos quince años y además era una cosita realmente preciosa.

»Hoyuelo me dijo que tenía urgente necesidad de hablar conmigo.

»La invité a entrar, sintiéndome muy sorprendida. Hubiese debido cerrarle la puerta en las narices, porque lo cierto era que yo no quería tener nada más que ver con la familia de mi ex marido. Eran una pandilla de mentirosos, estafadores y ladrones, y cada uno de ellos era un cruel cazador. Pero siempre hubo algo inocente y un poco dolido en aquella niña. Mientras Hoyuelo estuvo con ellos, su madre siempre la había tratado muy mal. Yo quería ayudarla, pero no sabía que ella había ido allí para ayudarme.

»Le ofrecí zumo, pero lo rechazó.

»—¿Por qué no quieres a la abuela? —preguntó, sin andarse con ninguna clase de rodeos.

»—Bueno, es una historia muy larga —comencé yo sin que tuviera ninguna intención de contarle nada a aquella chiquilla, y de pronto me encontré soltándoselo todo. Empecé por el principio cuando Rani, su madre, había ido toda sonrisas a nuestra casa de Serembán en busca de una prometida. Porque verás, el caso es que Rani nos mintió a todos. Me enseñó una fotografía de Lakshmnan, su marido, y me contó que el hombre con el cual ella tenía intención de casarme era exactamente igual que Lakshmnan.

»—Son hermanos —dijo aquella avariciosa mujer, pensando en su comisión—. Se parecen tanto que la gente siempre está confundiendo al uno con el otro.

»Miré la foto y pensé en lo mucho que quería yo a tu abuelo. Sí, eso es: aquella malvada había adivinado que su marido era el hombre de mis sueños. Lo sabía. Siempre lo había sabido y también sabía muy bien cuáles eran las tuercas que había que apretar.

»—Dame tu dote para que así pueda ayudar a Lakshmnan —dijo ella.

»¿Cómo podía negarme a hacer lo que me pedía? Rani lo sabía. Siempre lo había sabido. Pero ella no contaba con que un día su Lakshmnan podría llegar a volver la cabeza y mirarme. Rani encontraba muy divertido que una pobre ratita que vivía en su casa abrigara una pasión secreta por su marido y pensó que podría atormentarme con su buena fortuna. Ella pondría la mano como si tal cosa sobre el enorme y robusto pecho de Lakshmnan, y le ordenaría que fuera a su dormitorio y le trajera un par de zapatillas porque su artritis no le permitía hacer ninguna clase de movimientos. Rani creía que así podría llegar a pasarlo en grande burlándose de mí. Pero no contaba con una simple mirada que le demostró cuán tenue era el poder que realmente tenía sobre él.

»El caso es que accedí a casarme en principio y esperé a que llegara el día de nuestro primer encuentro. Una semana después conocí a mi prometido. Lakshmnan y mi futuro marido eran como la noche y el día. Contemplé con horror a aquel hombre tan repulsivo en la sala de estar de mi tía. Yo hubiese debido poner fin a los arreglos matrimoniales en aquel mismo instante, pero estaba la gente, los parientes, las flores, los saris, las joyas, las ceremonias... Me perdí en todo aquello y se me hizo un nudo en la garganta. Iba de un lado a otro como en sueños. De todas maneras no podía tener a tu abuelo, así que me dejé llevar por todas las cosas que había que hacer. Cada día trabajaba sin parar desde el momento en que me levantaba hasta el momento en que, agotada, me iba a dormir. Trabajaba incesantemente durante todo el día para así no verme obligada a tener que pensar en mi terrible silencio. El día de mi boda estaba cada vez más cerca y yo iba sumiéndome más profundamente en mi pozo de desesperación.

»Sola en mi cama, lloraba y lloraba. El hombre al que quería tener no tardaría en ser mi cuñado. Nadie podía llegar a conocer mi vergonzoso secreto. ¿Cómo podía contárselo a nadie? Cada noche yo sacaba de su escondite a mi pobre amor que no se atrevía a respirar durante el día y lo acariciaba para que se quedara dormido en la oscuridad. Mi silencio fue creciendo más y más, hasta que llegó un momento en el que ya era demasiado tarde para hablar.

»Por fin llegó el día de la boda y fue un desastre. Yo no tenía nada con lo que mantener ocupadas mis manos y eso hizo que las lágrimas comenzaran a manar. Una enorme presa se rompió dentro de mí y las lágrimas se negaron a dejar de fluir. Era tal el río de llanto que el adorno de mi nariz resbaló del agujero y cayó. ¡Todas aquellas lágrimas y nadie me preguntó qué era lo que ocurría! Ni una sola persona abrió la boca para preguntar: «¿Qué es lo que te sucede, niña?». Si lo hubieran hecho, entonces yo habría podido decírselo. Lo habría dicho y hubiese detenido la ceremonia. Ocurrió porque yo no tenía madre; porque no había nadie a quien le importase lo que pudiera ser de mí. Era una pregunta que solo una madre hubiese hecho.

»Luego fui a vivir a la casa de tu bisabuela Laskhmi. Ella trató de ser buena conmigo, pero yo tenía la sensación de que tu bisabuela también había ayudado a engañarme. Habían tramado entre todos cómo casarme con el idiota de su hijo. Yo percibía el desprecio que ella sentía por él. Ese desprecio nunca llegaba a ser expresado con palabras y en voz alta, pero se encontraba presente en su voz, en su mirada y en cómo lo trataba, y siempre era tan sutil que él ni siquiera llegaba a darse cuenta. Yo lo veía, pero me negaba a pensar en el terrible engaño y de esa manera me pasaba el día entero cocinando y limpiando. No paraba nunca. Limpiar debajo del hornillo de la cocina y entre las vigas, y frotar hasta que tenía la piel roja y en carne viva, suponía un gran alivio para mí. Luego también estaba la manera en que me restregaba la piel del estómago cuando nadie me veía. A veces llegaba a llenárseme de ampollas y sangraba, pero había un perverso placer en el dolor que yo me infligía a mí misma. Cuando iba al cuarto de baño, siempre examinaba con una horrible satisfacción mi piel irritada y llena de arañazos.

»Entonces llegó la invitación a cenar de Rani. Fuimos, y durante la cena ella dijo: "Quedaos a vivir aquí. Anda, quedaos". Insistió mucho, diciendo que nuestra compañía le sentaría muy bien.

»Miré a mi marido y él me miró con mansos ojos de ciervo, así que asentí tímidamente. La decisión no podía ser más equivocada, pero la tomé en el mismo instante en que mi bobo corazón comenzaba a dar saltos de alegría solo de pensar en que de esa manera podría ver a Lakshmnan cada día. "Lo único que quiero es mirarlo —susurró mi insensato corazón, para gran vergüenza mía, mientras palpitaba y suspiraba—. ¿Es que no te das cuenta de que eso ya sería alimento suficiente?" Cocinar y limpiar para Lakshmnan me llenaba de júbilo. Cuando él se sentaba a la mesa y sonreía con admiración ante mis creaciones, mi corazón florecía. Yo esperaba en silencio a que llegara la hora de comer para ver cómo Lakshmnan se volvía cada vez con más anhelo hacia la mesa, pero por desgracia no me felicitaba demasiado a menudo.

»Ya sé que es tu abuela, pero Rani tiene un puño lleno de polvo por corazón. Vi cómo iba encogiéndose y se endurecía a causa del odio y el veneno. No me quitaba los ojos de encima, pero yo no tenía nada que ocultar o de lo que avergonzarme. Era callada, respetable y muy trabajadora. Entonces llegó el día en que tu abuelo trajo un trozo de carne a casa. Lo llevó a la cocina y lo dejó encima de la mesa envuelto en un periódico viejo. Fue como si me hubiera traído un ramo de flores. Me sentí tan feliz que quise reír a carcajadas. Él nunca había hecho nada parecido antes. Abrí el paquete y vi que era la carne de un murciélago de la fruta.

»Puse manos a la obra inmediatamente. Lo primero que hice fue marinar el trozo de carne en zumo de hierbas ácidas y acto seguido fui dándole con el rodillo de amasar hasta que quedó convertido en un paño de seda. Después lo envolví en hojas de papaya a fin de que llegara a ponerse lo bastante tierno para que se le derritiera en la lengua a Lakshmnan y el deseo de comer más de aquella carne lo obsesionara después de que se hubiera levantado de mi mesa. Pasé muchas horas trabajando, cortando, machacando, trinchando y abanicando suavemente el hornillo con una hoja de palmera para que mi olla fuera cociéndose a fuego muy lento sobre las ascuas que relucían. El secreto radicaba en el mango amargo finamente trinchado, claro está. Finalmente, aquella creación mía que tenía la textura del terciopelo estuvo lista.

»Me senté a la mesa y llamé a todo el mundo para que se sentaran a comer. Cuando Lakshmnan se metió en la boca un trozo de carne violeta, vi cómo inhalaba sin darse cuenta. Nuestros ojos se encontraron y entonces un deseo repentino se infiltró en el rostro de Lakshmnan. Pero en el mismo instante en que él me miraba, vi cómo aquella súbita comprensión se hundía dentro de sus ojos de tal manera que, igual que las olas tienen que alejarse de la orilla, lo que intentaría alcanzar era algo que ya había quedado perdido para él. No, aquello nunca podría llegar a ser. Confuso, Lakshmnan bajó la vista hacia el plato y luego, como si solo entonces se hubiera acordado de la presencia de tu abuela, levantó súbitamente la mirada hacia ella. Rani estaba mirándolo fijamente, sus ojos dos oscuras rendijas en su rostro palpitante. Luego probó con una deliberada lentitud la carne que había hecho jadear de placer a su marido.

»—Demasiado salada —proclamó secamente, apartando el plato.

»Luego se levantó con tal brusquedad que su silla cayó hacia atrás y chocó ruidosamente con el suelo, y se fue a su dormitorio. En el comedor, solo Jeyan comía. Los únicos sonidos que se oían eran los que él hacía al masticar. Ciego a todas las intensas emociones que nos oprimían, Jeyan siguió comiendo. Realmente aquella era la calma que precede a la tormenta, porque unos instantes después Rani entró en el comedor gritando con toda la fuerza de sus pulmones.

»—Te he abierto las puertas de mi casa y te he dado de comer, y esta es la gratitud que obtengo a cambio —chilló—. ¡Sal de mi casa, ramera! ¿Es que no te basta con un hermano?

»¿Qué podía decir yo? Era cierto que deseaba a su marido, pero eso ella ya lo sabía antes de que me invitara a vivir en su casa o se quedara con mi dinero.

»Rani continuó gritando y despotricando hasta que Jeyan nos encontró otro alojamiento, aquella pequeña habitación encima de la tintorería china. Eran las nueve de la noche cuando subimos aquellos peldaños que crujían y solo estaban iluminados por la tenue luz de una bombilla desnuda que colgaba del techo. Yo grité cuando una rata tan grande como un gato pasó corriendo ante mis pies. La habitación era minúscula. Solo tenía una ventana y sus paredes se hallaban reducidas a tablones y madera desnuda. Las diminutas tiras de pintura por arrancar visibles en algunos sitios hablaban de que antes allí había existido una habitación color azul claro. En un rincón había una cama con solo un sucio colchón y en el otro había una mesa con tres taburetes. La suciedad crecía por todas partes como un tenue moho gris. Mi historia de amor había llegado a su fin. Desapareció para siempre detrás de un velo, como si se sintiera avergonzada. En esa oscura y diminuta habitación donde tenía que compartir un cuarto de baño con las personas más sucias que te puedas llegar a imaginar, empecé a odiar a mi marido. Odiaba tener que estar acostada junto a él durante la noche oyéndolo respirar. Odiaba a los hijos que llegaría a darle. Mi odio era una cosa sólida dentro de mi cuerpo. Lo sentía día y noche. Había momentos en los que me fiaba tan poco de mí misma que casi no me atrevía a tener un cuchillo en la mano cuando mi marido se encontraba presente.

»De esta manera fue como olvidé aquel amor que sentía por su hermano y que no había llegado a poder saborear. Me dije a mí misma que no había ningún campo en el que las flores se abrieran cada día. Me convencí a mí misma de que el mundo era horrible, un erial lleno de implacables corazones humanos que palpitaban codiciosamente con el ávido deseo de vivir. Los años fueron pasando y los niños fueron llegando. Yo los miraba y veía a mi marido en sus ojos. También despreciaba esa pequeña parte de ellos, esa determinada forma de hablar o la manera en que comían. Intenté sacarles de dentro cuanto había de él en ellos y los castigaba sin piedad. Hacía que se sintieran avergonzados de aquellas pequeñas partes de ellos que le pertenecían a mi marido. ¡Qué cruel llegaron a volverme mi frustración y mi odio!

»Enfrente de nuestra diminuta habitación atestada había centenares de cuervos que vivían en los árboles y los cables del telégrafo. Los niños se ponían delante de la ventana y contemplaban las hileras de negros cuerpos y picos anaranjados, y los cuervos les devolvían la mirada con sus ojillos como cuentas. La manera en que se congregaban, formando hileras organizadas de negro y naranja, hacía que pareciesen siniestros. A veces yo tenía pesadillas en las que los cuervos atravesaban los oscuros paneles de la ventana, posándose en los niños mientras los fragmentos de cristal volaban por todas partes. Picoteaban las caras de los niños y arrancaban trozos de carne de las figuras que gritaban mientras mi marido y yo permanecíamos tranquilamente sentados mirando. Yo iba enloqueciendo poco a poco dentro de aquella habitación.

»Cada noche oía cómo la voz de Maya me murmuraba al oído mientras mi marido y los niños dormían. Maya era la bisnieta de un gran jefe de cocina que había vivido en la época dorada del imperio mughal y yo había crecido en su regazo. Había pasado toda mi infancia suplicándole que me contara historias de los excesos a que se entregaban en los patios sombreados y el laberinto de habitaciones privadas donde solo podían entrar la familia, los eunucos y la servidumbre. Maya susurraba en mis ávidos oídos que nunca se cansaban de devorarlas aquellas historias nunca escritas que habían pasado de generación en generación únicamente mediante la palabra. Estaba al corriente de intrigas cortesanas que nunca habían llegado a hacerse públicas, pasiones caprichosas, celos horribles, excesos incomparables, historias de incestos reales y ejemplos de la más terrible crueldad cometida a una escala nunca conocida anteriormente. "Hay ciertas cosas que solo los eunucos y los sirvientes llegan a ver", me dijo en una ocasión aquella anciana que no había tenido hijos. Yo nunca llegué a darme cuenta de ello, pero en su regazo había aprendido el arte de la crueldad exquisita y ahora esa crueldad moraba silenciosamente dentro de mí.

»Era el cumpleaños de mi marido. Desperté temprano. El cielo se había puesto de un color dorado y una tenue neblina todavía flotaba en el aire. Los niños dormían y la mano de mi marido seguía encima de mi estómago. Un pensamiento pasó velozmente por mi cabeza: "¿Estás despierta ahora?". ¡Ay, mi pobre corazón! Llevaba años sin pensar en Lakshmnan y bajo la pesada mano de mi marido y las sábanas enredadas, aquel pensamiento me llenó de asco nada más llegar.

»Sintiéndome extrañamente inquieta, me levanté de la cama y, saliendo de mi minúscula habitación, pasé sin inmutarme por encima de aquellas ratas que eran tan grandes como gatos y salí al frío aire de la mañana. Me acordé de la época en la que cogía las camisas de Lakshmnan del cesto de la colada y me frotaba las mejillas con ellas, percibiendo el olor almizcleño que emanaba de él. Quería tocar su cara. De pronto lo eché tanto de menos que las lágrimas ardieron en mis ojos y un extraño dolor se alojó misteriosamente en mi corazón. Decidí hacer un pastel. Fui al colmado que había calle abajo y gasté temerariamente el dinero que estaba ahorrando para que pudiéramos disponer de una casa como era debido en azúcar para repostería, almendras, colorante alimentario, huevos, chocolate con mantequilla y la mejor harina. Una vez en casa, lo deposité todo encima de la mesa y me puse a trabajar. Dar a mi pastel la forma que quería que tuviese, muy parecida a un huevo cuadrado, no iba a resultar nada fácil. La mañana todavía no estaba muy avanzada y los niños dibujaban sin hacer ruido en un rincón de la habitación.

»Yo canturreaba mientras trabajaba. Los niños me miraron con sorpresa, porque no me habían oído canturrear desde que nacieron. Cuando el pastel estuvo horneado, quité los trocitos sobrantes y los puse en un plato limpio. Cuando mi pasta de azúcar hubo quedado del tono marrón oscuro que yo quería, la amasé hasta que se hubo puesto caliente y suave. Luego alisé con mucho cuidado todos los surcos y, cogiendo la masa como si fuera un suave paño, la extendí encima de aquella forma de huevo cuadrado que había horneado. Después corté círculos del tamaño de monedas de cinco céntimos de pétalos de cebolla y los teñí de negro. La cebolla es lo que va mejor para lo que yo quería hacer, porque está curvada y reluce con el destello exacto de un ojo humano. A continuación moldeé pasta de azúcar coloreada encima de la forma de huevo, cubriéndola exactamente tal como me había enseñado a hacer la anciana señora, hasta que incluso yo quedé sorprendida por la semejanza que había conseguido. ¡Cómo se le parecía!

»Había aprendido bien mi arte. Eché un poco de colorante alimentario en miel que ya estaba lo bastante fluida y luego fui vertiendo la mezcla alrededor de la forma que había creado. Acto seguido metí las piezas de cebolla ya secas en los círculos vacíos del óvalo de sus ojos e hice sus dientes con el azúcar blanco, glaseándolo con mucho cuidado para darle el aspecto reluciente de la dentadura. Esparcí finas hebras de caramelo para que parecieran cejas y luego ensanché un poquito más los agujeros de la nariz; finalmente, di un paso atrás para admirar mi obra. Había necesitado cinco horas, pero una vez terminado el producto era mucho mejor de lo que yo había imaginado que conseguiría antes de empezar.

»Muy complacida, lo puse en el centro de la mesa y me senté a esperar a mi marido. Jeyan entró por la puerta y, tal como yo había previsto, sus ojos que no sospechaban nada fueron directamente hacia mi obra maestra, que estaba enmarcada por los niños y por mi persona sentados alrededor de ella. ¡Pobre marido mío! La visión de su cabeza reposando apaciblemente entre una salsa de sangre encima de una gran bandeja lo afectó de una manera muy visible. ¡Qué gran momento fue aquel! Hasta los niños reconocieron la cabeza.

»—¡Es papá! —gritaron con sus voces infantiles.

»—Sí, es papá —convine yo, sintiéndome exquisitamente satisfecha de que hubieran reconocido mi obra. Luego le di el cuchillo a él—. ¡Feliz cumpleaños! —dije y los niños corearon mi felicitación.

»Mi marido se había quedado tan sobresaltado que durante unos momentos solo pudo contemplar con horror la cara que había en la bandeja, con los ojos muy abiertos y desorbitados y la boca abierta por el terror. Aquello era toda una venganza mughal en la mejor tradición. Esa fue la primera vez en que el pobre Jeyan se dio cuenta de que yo lo odiaba. Hasta entonces yo me lo había guardado todo dentro y que finalmente él lo supiera supuso una liberación para mí. La libertad era como el olor del café recién hecho por la mañana. Me despertó, e hizo que mi cerebro bostezase y se desperezara.

»Ahora yo ya podía odiar abiertamente. Como Jeyan se negó a tomar el cuchillo de mi mano, lo hundí en el pastel clavándolo justo a través de la nariz. Mi marido no tocó el pastel, pero los niños y yo disfrutamos a conciencia de él e hicimos que durara varios días. Los niños mojaban los dedos en la pringosa salsa color rojo sangre que había debajo de la cabeza y luego la lamían ávidamente. Después sus deditos eran introducidos entre sus suaves labios y sus pequeños dientes de leche mordisqueaban los dientes de azúcar glaseado. En cuanto a la lengua rosada del pastel, la sacaron de la boca y se pelearon por ella. Jeyan contempló todo aquello con una expresión dolida e inesperadamente perpleja.

»Entonces un día reuní el valor suficiente para pedirle que nos dejara.

»El día en que Jeyan se fue lo pasé arrodillada lavándome su olor de mi vida con las manos. Al principio fue muy duro, pero nos las arreglamos para salir adelante. Cada año que pasaba yo invertía un poco más de esfuerzo en mi escuela de preparación y adorno de pasteles. Los niños estaban creciendo con salud y tal como era debido, pero ambos me tenían pánico. Nos mudamos a una casa más grande, pero por dentro yo era muy infeliz.

»Mi marido se había convertido en un viejo borracho.

»A veces lo veía con los ojos ribeteados de rojo allí donde se reunían los trabajadores más humildes para beber licor barato hecho de arroz, palma de coco o incluso malas hierbas. En una ocasión pasó tambaleándose junto a mí por la calle y se alejó mascullando para sus adentros. No me había reconocido. Contemplé a aquella patética criatura que regresaba dando traspiés a su sucia y pequeña habitación y no sentí ni una pizca de remordimiento. Porque verás, el caso es que yo me había vuelto fría y dura. No había nada que pudiera conmoverme, ni siquiera mi propia infelicidad.

»Entonces un día Hoyuelo, tu madre, fue a verme. Había cogido un autobús, se había bajado en la parada equivocada y luego había recorrido todo el trayecto hasta mi pequeña casa con terraza andando bajo el sol abrasador de la tarde. La miré, con la cara enrojecida y sujetando una bolsa de plástico en la que estaba su pequeña grabadora.

»—Cuéntame tu versión de la historia —me dijo.

»Nadie me había pedido nunca que le contara mi versión de la historia. Nadie me había preguntado nunca por qué no quería a mi santa suegra. Así que se lo conté todo a Hoyuelo. Le dije que odiaba a su abuela porque de todas las personas que había en el mundo, ella era la única que realmente sabía lo que significaba casarse con un hombre que te llenaba de asco con su estupidez, su ceguera, su paso vacilante y su terca ignorancia. Ella era la única que hubiese debido entenderlo y sin embargo me casó con Jeyan. Lo hizo porque yo no le importaba en lo más mínimo. Todo fue un delicado fingimiento soberbiamente representado. En realidad, la abuela de Hoyuelo solo quería a los que eran de su sangre.

»Apenas hube vertido todos mis confusos y atropellados pensamientos dentro de aquella máquina traída por Hoyuelo que zumbaba suavemente, de pronto estos pasaron a carecer de importancia. ¿Capa tras capa de odio acumulada sobre qué? "¡Y qué más da!", gritó mi corazón mientras emprendía el vuelo escapándose de mi cuerpo. ¿Qué es este odio terrible con el que he estado cargando durante años? ¿A quién le he hecho daño con mi odio, salvo a mis pobres hijos que no tenían la culpa de nada y a mí misma? Me dije que tenía que haber estado loca para pasar todos aquellos años sintiéndome tan ofendida y agraviada cuando el resentimiento no servía absolutamente de nada. Permití que el odio se alejara de mí y así fue como perdí de vista el odio que había estado sintiendo hacia mi marido, su madre y la esposa de Lakshmnan, y el horrible y cínico desprecio que me había estado inspirando todo el mundo.

»De pronto volví a ver en la carita de tu madre todo aquel amor que yo no había llegado a saborear y Lakshmnan volvió a convertirse nuevamente en una persona. El tiempo corrió hacia atrás. El pasado llamó a la puerta y yo atrasé el reloj. Todavía amaba a Lakshmnan. Supongo que siempre lo amaré. El deseo que no ha conseguido llegar a ser satisfecho nunca es el fin del deseo, sino el perpetuador garantizado de este. Me senté con tu madre a tomar una taza de té y era como si estuviese hablando con Lakshmnan. Fue la cosa más extraña que me haya ocurrido jamás. Después de que me hubiera despedido de tu madre, cerré la puerta, me apoyé en ella y reí sin parar hasta que sentí punzadas en el estómago. Sí, eso he de agradecérselo a ella. Entonces comprendí que mis hijos eran una parte de mí. Cuando volvieron a casa aquel día, estreché sus rígidos y sorprendidos cuerpos junto al mío y me eché a llorar. Confusos y asustados, ellos intentaron consolarme y entonces yo los vi como eran realmente. Eso fue lo que tu madre hizo por mí. Me ayudó a reconciliarme con mi vida, permitiéndome volver a mirar la imagen de Lakshmnan. En mi mundo dejó de llover.

»Aquella noche abrí una vieja caja dentro del armario de mi alma y saqué de ella la imagen de aquel inolvidable momento en el que Lakshmnan puso por primera vez un trozo de carne violeta dentro de su boca. Aquel momento en el que me miró para ver si su mirada iba a serle devuelta. Aquel momento de sorpresa y furtivo deseo. Aquel momento en que la luz del sol inundó la habitación con el resplandor plateado de la luna. Ahora esa imagen reposa como un tesoro dentro de mi viejo corazón,y allí permanecerá hasta el día en que muera. Cuando supe que él había muerto, la imagen, lejos de desvanecerse, se volvió todavía más nítida e intensa. Quizá volveremos a encontrarnos en otra vida y seremos el marido y la esposa que en esta existencia no tuvimos la posibilidad de ser.

»Ahora, mi querida Nisha, la razón por la que te he contado todo esto es que pocos días después tu madre me envió una carta para decirme que los cabezales de su grabadora habían machacado la cinta que ella utilizó al grabar mi historia. Dijo que volvería a visitarme para que le contara nuevamente la historia, pero nunca lo hizo. Tu madre nunca tuvo mucho que decir acerca de lo que podía hacer y lo que no podía hacer en su vida. Como yo sabía que estaba guardando las historias para ti, pensé que al menos esto era algo que podía hacer por ella. Yo misma podría contarte lo que había en esa cinta que se hizo pedazos.

NISHA

Me detuve en el centro de la sala y miré a mi alrededor sintiendo cierta satisfacción. La casa estaba completamente silenciosa. Ni siquiera el viejo reloj de péndulo hacía tictac o daba las campanadas. Algún día lo repararía, pero de momento lo único que quería era sentir la atmósfera de la casa.

Una cuadrilla de robustas mujeres vestidas de azul había hecho desaparecer de los techos las gruesas telarañas, pulido el suelo de mármol negro hasta que relució y devuelto el resplandor a las curvas de los pasamanos. El viejo retrato de mi madre había regresado del taller de los restauradores, un objeto maravilloso que estaba lleno de belleza y misterio. Había agua en los grifos y una claridad amarilla esperando en los interruptores de la luz. Fuera de la casa, unos hombres habían cambiado la maltrecha hamaca por otra, limpiado el estanque y liberado peces del color de las llamas dentro de él. Una vez concienzudamente arrancadas del suelo, las malas hierbas habían ardido en el fondo del jardín. El pequeño pabellón de verano que había en el jardín fue reforzado y pintado de su color original, el blanco puro.

En la cocina, la mayor parte de los viejos electrodomésticos fueron sacados de allí para dejar sitio a mi equipamiento más moderno: una nevera que funcionaba, un microondas y una lavadora a la que no le ocurría nada malo pero que no consiguió ganarse la aprobación de Amu. Oh, se me olvidaba decir que encontré a Amu. No resultó nada fácil, pero un ciego al que conocí en un templo de Ganesha me condujo hasta un sacerdote de un ashram que a su vez me condujo hasta una prima envidiosa que intentó hacerme seguir un rastro falso, pero yo volví sobre mis pasos y finalmente me detuve ante ella. En esos días Amu pedía limosna en un mercado nocturno, sobreviviendo a base de hormigas rojas que recogía de los lagartos muertos y de la comida podrida que los comerciantes del mercado tiraban a la basura. La vi desdentada, con su mano como una ramita extendida ante ella y sus pies recubiertos de una gruesa capa de negrura y apestando a suciedad, y supe inmediatamente lo que era reposar dentro del círculo lleno de amor de sus morenos miembros.

—Hoyuelo... —dijo Amu en un momento de confusión.

—No, Nisha —dije yo y ella se echó a llorar sin poder contenerse. Así que me la llevé a casa.

Oficialmente yo estaba arruinada, pero no me importaba. Mis necesidades eran pequeñas. Nada parecía más importante que devolver su antigua gloria a la casa. Solía ir de un lado a otro sintiéndome impresionada y llena de incredulidad, sin hacer nada más que tocar las cosas. Dejaba que mis dedos se deslizaran sobre las relucientes y lisas superficies, todavía asombrada de que hubiera ido incontables veces por aquel camino sin sospechar jamás que torcer a la derecha me conduciría a mi propia casa. Era una casa muy notable con los tesoros más maravillosos. Apenas podía creer que todo fuera mío. Me volví una vez más hacia el retrato de mi madre para contemplarlo y encontrarme con su triste sonrisa.

Estaba decidida a dar con mis parientes. Conocer a Ratha había hecho que la idea me gustara cada vez más. Miré en la guía de teléfonos y vi que en ella solo había una Bella Lakshmnan. Marqué el número.

—Hola —respondió una voz estridente.

—Hola. Me llamo Nisha Steadman —dije yo.

Un momento de silencio fue seguido por un ruidoso gemido que me atravesó el cráneo. Mantuve el teléfono alejado de mi oreja hasta que otra voz, abrupta y firme, dijo:

—Sí. ¿Puedo ayudarla en algo?

—Hola. Me llamo Nisha Steadman. Me parece que ustedes podrían ser parientes míos.

—¿Nisha? ¿Eres tú?

—Sí, y tú eres Bella la de los preciosos rizos, ¿verdad? —pregunté, medio riendo.

—Oh, Dios, no me lo puedo creer. ¿Por qué no vienes aquí? Ven ahora mismo.

Seguí las instrucciones que me dio para llegar a Petali Jaya. El tráfico era bastante malo y cuando llegué allí ya casi anochecía. Aparqué el coche y vi a una mujer muy alta inmóvil como un guerrero en la puerta, escrutando el día que se iba oscureciendo. Cuando eché a andar hacia su puerta, la mujer salió de la entrada de su casa y se aproximó cojeando hacia mí mientras gritaba:

—¡Nisha, Nisha! ¿Realmente eres tú? Después de todos estos años... Pero yo siempre he sabido que te acordarías de tu vieja abuela Rani. ¡Mírate! Eres la viva imagen de Hoyuelo. Fue tan buena hija... Yo la quería muchísimo.

Me envolvió en un abrazo de oso y, tomando mi mano derecha en las suyas, dejó caer en ella un diluvio de besos tan resecos como el cuero.

—Entra, entra —me invitó entre sollozos y besos.

Una mujer exuberante y de magníficos rizos que le llegaban bastante por debajo de la cintura salió de la casa. Tenía el cuerpo esbelto y flexible de una bailarina y llevaba campanillas alrededor de los tobillos. En la oscuridad, sus ojos eran enormes y relucían. Sí, aquella era la flor exótica de la familia. Cuando fui hacia ella vi las finas líneas que había alrededor de sus ojos. Como mínimo ahora ya debía de tener cuarenta años.

—Hola, Nisha. ¡Caramba, cómo has crecido! Es increíble lo mucho que te pareces a Hoyuelo.

—Pues el pavo real debe de sentirse muy orgulloso de lo que hizo contigo.

—Aaah, has estado escuchando mis cintas —dijo, riendo medio avergonzada y mirando incómodamente hacia mi izquierda cuando mi recién encontrada abuela monopolizó el espacio alrededor de mí.

Me hizo entrar en una casa parcamente decorada. Había un conjunto de viejos sofás azul oscuro directamente enfrente de la puerta principal y algunos cuadros baratos sobre la vida rural malaya en las paredes. Delante de una pared se alzaba un aparador lleno de pequeños adornos. Sorprendentemente, la mesa en la que comían tenía aspecto de ser muy cara y quedaba completamente fuera de lugar en aquella casa decorada de una manera tan extraña.

La abuela Rani cogió las dos puntas de su sari y se secó lúgubremente los ojos secos con ellas.

—Llevo años rezando para que llegue este día —suspiró; acto seguido, se volvió hacia su hija y dijo—: Ve y haz un poco de té para la niña y tráeme un trozo de ese pastel importado. —Luego dirigió nuevamente su atención hacia mí y preguntó—: ¿Dónde vives ahora?

—En la casa —dije yo.

—Oh. ¿Vives allí sola?

—No, vivo con Amu.

—¿La vieja arpía todavía no se ha muerto?

—Mamá, no digas esas cosas tan horribles —la riñó Bella, sacudiendo la cabeza con disgusto.

—Bueno, ¿y qué tal te encuentras? —le pregunté a mi abuela.

—Mal, mal, muy mal.

Me entraron ganas de decirle que entonces todo seguía igual que antes, pero no lo hice. Lo que dije fue:

—Oh, no sabes cómo lo siento.

Bella se fue para hacer el té y cortar el pastel importado. La abuela Rani contempló la espalda en retirada de su hija con ojos entornados y llenos de suspicacia. Cuando estuvo segura de que Bella ya no podía oírla, se inclinó hacia delante y murmuró ferozmente:

—Es una prostituta, sabes. Ninguno de nuestros vecinos me dirige la palabra por culpa de ella. ¿Por qué no me llevas a vivir contigo a la casa de las afueras? Ya no puedo seguir viviendo aquí. El mundo entero se ríe de mí.

Contemplé sus relucientes y ávidos ojos y sentí pena por Bella. Me acordé de lo que Bella había dicho acerca de su madre en las cintas: «Es una adquisición kármica. Un regalo venenoso del destino. Una madre». No tenía que esforzarme demasiado para poder imaginar cómo aquella horrible mujer sentada ante mí le habría hecho la vida imposible a mi pobre madre. Hoyuelo era una flor demasiado frágil para semejante pitón hecha mujer y en esos momentos la pitón ya estaba tratando de aplastarme entre sus anillos. Cada vez que yo exhalara, ella apretaría un poco más fuerte hasta que llegara el momento en el que ya no percibiera más resistencia y toda yo me hubiera quedado rígida dentro de sus fuertes músculos. Entonces sus mandíbulas se separarían la una de la otra para dar inicio a la tarea de engullirme entera.

La tiíta Bella se apoyó en la puerta de la cocina.

—El agua de la tetera ya está hirviendo —nos informó alegremente.

—Oye, recuerdo que solíamos tomar helados en Damansara —le dije—. Tú siempre tomabas trocitos de nuez esparcidos en el tuyo.

—Sí, así es. Yo siempre tomo nueces con mi helado. ¿Eso quiere decir que has recuperado la memoria?

—No, solo algunas cosas. Pero me acuerdo de ti. Recuerdo el pelo, y esa ropa magnífica y realmente atrevida que llevabas. Todos los hombres solían quedársete mirando.

La abuela Rani soltó un bufido.

—¿Sabes una cosa, Bella? Olvídate del té. Tomaremos helado en vez de té.

—¡Como en los viejos tiempos! —exclamé impulsivamente.

—Trato hecho. Damansara, entonces —convino ella, sonriendo.

—Damansara —dije yo.

—¡Chicas, chicas! ¿Es que planeáis dejarme sola aquí con mis pies hinchados y mis manos lisiadas? ¿Y si me caigo mientras vosotras estáis fuera? —chilló la abuela Rani con voz malhumorada.

—¡Por favor, abuela Rani! Te prometo que no entretendré a Bella durante mucho tiempo. Tú siéntate y espera un ratito, ¿de acuerdo?

Bella se echó hacia atrás su abundante cabellera. Todavía era una mujer muy atractiva.

—Vamos —dijo. En cuanto estuvimos dentro del coche, se volvió hacia mí y dijo—: No soy prostituta, ¿sabes?

—Eso ya lo sé —dije mientras ponía en marcha el coche.

—Son cosas de mamá. Desde que asesinó a mi padre con su lengua nunca ha vuelto a ser la misma.

Escuché la última cinta, pero la historia no llegaba a su conclusión. Saqué el número de teléfono de Rosette de un cajón.

—Ya he terminado de oír las cintas —le dije por el auricular.

Se acordó una cita. Volví a poner el auricular encima de la horquilla y subí lentamente por la gran escalera. Al parecer la misteriosa amante de papá estaba disponible para una consulta a las seis y me pregunté qué regalos resultarían aceptables para el encuentro. Yo le había prometido a la dama que mejoraría su situación financiera a cambio de información, pero naturalmente eso había sido antes de descubrir que me encontraba prácticamente arruinada. Pero no todo estaba perdido. Abrí una caja fuerte que había en la pared de mi dormitorio y saqué del oscuro agujero una cajita adornada con conchas marinas, un regalo de unas vacaciones junto al mar que le habían hecho a una niña.

Abrí la caja y dentro había toda una colección de joyas, enredadas unas con otras, formada por todo lo que papá había ido dejando a lo largo de los años encima de aquella mesita que había enfrente de mi habitación. Esparcí el inapreciable contenido de la caja encima de la cama, lo que no parecía la manera más apropiada de tratar unos objetos de tan resplandeciente belleza. Las piedras blancas destellaron mientras rodaban sobre mi cama. Los diamantes siempre habían sido la gema favorita de papá y su brillantez imperecedera era la que más le gustaba. Las perlas resultaban demasiado discretas y las otras gemas se parecían demasiado a abalorios de colores, pero la dura frialdad de los diamantes siempre había encerrado un atractivo especial para él. Desenredé de entre la confusión de joyas una pequeña gargantilla de diamantes engarzados en oro blanco, con el más grande de ellos tallado en forma de rectángulo. Me acordé de que mi padre la había asegurado por la suma de veinte mil ringgits. La gargantilla colgaba de mis dedos como un espléndido trofeo y me dije que aquella hilera de piedras no tardaría en sufrir un cambio de domicilio. La sostuve a la altura de mis ojos para poder ver cómo oscilaba lentamente de un lado a otro.

—¿Te gustaría ir a vivir a Bangsar y ceñir el hermoso cuello de una ramera? —le murmuré con dulzura.

Dejé caer la gargantilla encima de la cama y volví a guardar todas las otras piezas dentro de su hogar de conchas. En el piso de abajo podía oír a Amu hablando consigo misma mientras preparaba la masa para nuestra sencilla cena de chapattis y dahl.

La casa de Rosette era fácil de encontrar. Fuera había la misma clase de higueras que circundaban la mansión de mi madre, por lo que era evidente que a mi infiel padre siempre le habían gustado mucho aquellos árboles. Dos negras puertas eléctricas se abrieron sin hacer ningún ruido en cuanto llamé al timbre. Conduje por el camino de acceso y aparqué en el porche cubierto junto a un Mercedes deportivo que ya tenía algunos años. Una doncella china me abrió la puerta de la casa. Mi mirada recorrió el interior, maravillándose ante la obra de mi padre. El mismo suelo de mármol, los mismos pasamanos que se curvaban y las mismas enormes arañas de cristal también habían sido instaladas en la casa de la ramera. No cabía duda de que a mi padre le gustaba aquella apariencia general de palacio dorado. Rosette sonrió mientras se levantaba con sinuosos movimientos de un gran sofá de cuero negro. Aquel sofá parecía ser muy nuevo y moderno y ciertamente no habría sido del gusto de papá. Rosette se dirigió hacia mí con la mano extendida.

—¿Cómo estás? —Su voz era afable, su mano suave y seca.

—Muy bien.

Aquella era la mujer que había destruido a mi padre. Miradla. Qué impasible y segura de sí misma se la veía mientras invitaba a entrar en su cubil a la hija de la misma criatura a la que ella había destrozado.

—Coñac, ¿verdad? —preguntó.

—Gracias.

—Sin hielo, si lo recuerdo correctamente. —Me miró con una ceja enarcada.

Ya no se parecía a la descripción de la joven que saludaba con la mano hecha por mi horrorizada madre, porque Rosette había ido acumulando todo un bagaje de sofisticación a lo largo del trayecto.

Asentí.

—Bueno, ¿y qué es lo que te gustaría saber?

—Todo. Empieza por el principio —dije.

Mientras hablaba metí la mano en una bolsita de terciopelo, saqué de ella la reluciente gargantilla y la dejé encima de una mesa de mármol color verde oscuro. Ningún estuche de joyero hubiese podido volverla más atractiva de lo que lo hacía la reluciente oscuridad de la superficie de mármol. El gusto de mi padre sin duda también habría influido en que resultara tan irresistible. Alcé la mirada y vi que Rosette estaba contemplando las piedras que destellaban con ojos en los que había una expresión difícil de interpretar. No era exactamente codicia, ni siquiera felicidad, sino quizá una especie de oscuro anhelo. Como si hubiera vuelto la mirada hacia su pasado para contemplar algo muy lejano que ya se hallaba al alcance de su mano, un fugaz atisbo de una vida perdida.

—Como probablemente ya sabes, cuando murió mi padre estaba arruinado —seguí diciendo—. No quedaba absolutamente nada, aparte de mis joyas y de la casa que mi madre me había dejado en su testamento. Me estaba preguntando si aceptarías esta pequeña gargantilla en vez del cheque que te había prometido.

Rosette caminó hacia mí con las bebidas en las manos. Vi que no tomaba Tía María con hielo después de todo, sino que se había servido lo que parecía un vaso de té. Su mirada se encontró con la mía y se echó a reír.

—Cuando eres joven, el alcohol está permitido en todas las ocasiones sociales. A mi edad, el alcohol solo está permitido en las ocasiones especiales.

—¿Y el funeral de mi padre era una ocasión especial?

—Conocerte sí que lo era.

—¿Qué estás bebiendo? —pregunté, un poco desconcertada por la respuesta de aquella mujer.

—Una mezcla especial indonesia hecha con hierbas y raíces. Es horriblemente amarga, pero tiene fama de mantener jóvenes a sus víctimas.

No tardaría en cumplir los cincuenta y sin embargo, relajada y a gusto en su propio entorno, no parecía tener más de treinta años. ¿Cirugía plástica? Pero no presentaba el aspecto habitual de haber sobrevivido al paso por un túnel de viento. Rosette vio que yo la estaba estudiando y se rió. Unas finas líneas aparecieron alrededor de sus ojos y su boca.

—La juventud es una amiga muy caprichosa —dijo—. Puedes dárselo todo y aun así terminará abandonándote. No, la verdadera amiga es la edad. Se queda contigo y va dándote más y más de sí misma hasta que llega el día de tu muerte. El año que viene cumpliré los cincuenta.

»Todos mis secretos proceden de una pequeña aldea indonesia en la que vive un anciano cuya cara parece una calavera y que posee la magia más maravillosa imaginable, a la que ellos llaman *susuk*. Ese anciano afila pacientemente agujas de oro y diamante hasta que se convierten en los alfileres más finos que puedas esperar llegar a ver jamás. Luego embotella la flor de la juventud dentro de esos finísimos alfileres de diamante y los introduce bajo la piel de su cliente. Una vez debajo de la piel, los alfileres confieren a su portadora una apariencia de juventud e indefinible belleza que no es la suma total de todos los rasgos, sino que existe precisamente a pesar de ella. Luego yo termino de completar la ilusión con estas repugnantes bebidas tónicas.

»El problema de tener todas esas diminutas agujas tan delgadas como hilos debajo de tu piel es que deben ser extraídas antes de que mueras o al menos antes de que te entierren, porque de lo contrario tu alma, que se encuentra atada a la tierra por el *susuk*, pasará toda la eternidad vagando por los cementerios y acechando junto a los caminos. La mayoría de nuestras grandes actrices y cantantes malayas se han sometido a este procedimiento. Fíjate bien en el resplandor que emanan y te darás cuenta de que detrás de él siempre hay una cara de lo más corriente. Antes de que vaya a morir, haré que me saquen todas mis agujas y entonces envejeceré de pronto ante mis propios ojos. Macabro, ¿verdad? —añadió, riendo ante mi cara de sorpresa—. En todo caso, tú no has venido aquí para oírme hablar de las complicaciones que mi muerte impondrá a mi alma. —Extendió sus manos, blancas e impecablemente manicuradas, ante ella para indicarme que me sentara.

Tomé asiento en un gran sillón de cuero. Era muy cómodo, pero resistí el impulso de hacerme un ovillo en él y relajarme. Quería contemplar a la fascinante criatura que, astutamente y a su vez, conseguía inspirar en mí tanto compasión como hechizo. Me erguí en el sillón. Aquella era la mujer que había tenido en sus jóvenes manos el poder de fascinar a un hombre como mi padre, alejándolo de mi madre y destrozándola con ello.

—Bien, ¿por dónde empiezo?

—Empieza por el principio y termina por el final. ¿Dónde conociste a mi padre? ¿Qué sabes de mi madre y, ya puestas, de mí?

—Conocí a tu padre mientras trabajaba en la agencia de acompañantes Chicas Doradas. De hecho, él estaba con tu madre y me la presentaron, pero creo que ella enseguida se olvidó de mí. Yo estaba sentada a una mesa enorme con un montón de otras hermosas mujeres. Aquella noche estaba cenando con un amigo de tu padre, pero él enseguida se mostró interesado por mí. Sus oscuros ojos me devoraban. Yo lo veía allí de pie y sentía las marcas de sus dientes en mi corazón. Tu madre nunca llegó a darse cuenta de lo que estaba ocurriendo ante ella. Era joven, inocente y sin un solo vestigio de corrupción; además, estaba embarazada. Cuando miraba a la cara a tu padre, sus ojos brillaban de felicidad. Nunca hubiese podido llegar a creer qué clase de hombre vivía dentro de tu padre. Era dulce y demasiado pura para él, y por eso tu padre evitaba mostrarle aquel horrible aspecto tan lleno de necesidad que mantenía oculto al resto del mundo. En mí tu padre veía una piel tan blanca como el arroz, pero lo que realmente veía por encima de eso era aceptación y reconocimiento. Yo lo entendía. Sabía que tu padre era horrible y perverso, y sin embargo lo encontraba desgarradoramente atractivo. No hubo gentileza alguna entre nosotros. Hicimos muchas cosas desagradables juntos, cosas que habrían horrorizado a tu madre.

»Nunca he tenido la sensación de que le arrebatara algo a Hoyuelo. Lo que me llevé era algo que de todas maneras ella no hubiese querido tener. El desierto quiere la lluvia para ser refrescado, endulzado y admirado, pero necesita al sol para saber que es un desierto. Tu madre era la lluvia en la vida de tu padre, pero yo era el sol. Ella lo hacía parecer hermoso y sacaba a la luz lo mejor que había en él, pero tu padre me necesitaba. En todo caso, sabía dónde encontrarme.

»Al día siguiente me telefoneó y nuestra madre clueca, madame Xu, se encargó de hacer los arreglos necesarios para que pudiéramos cenar juntos en el Shangri-La. Por aquella época el Shangri-La era el mejor hotel que había en el país. Tu padre se pasó toda la noche mirándome. Era tanta el hambre que había dentro de él que no pudo comer nada. Yo reía y provocaba a la bestia que se ocultaba dentro de él hasta que terminamos subiendo. La habitación 309 ha quedado grabada a fuego para siempre en mi memoria. Tu padre abrió la puerta de la habitación y yo entré en ella pasando ante él; cuando me volví, el hombre había desaparecido y ya solo quedaba la bestia.

»Tu padre se sacó del bolsillo del pecho un pañuelo de seda negra y, sin sonreír y sin mostrar ninguna sorpresa, yo saqué un pañuelo similar de mi bolso de mano. El dolor puede llegar a ser una cosa exquisita, pero el hombre con el que se había casado tu madre se quedó esperando fuera de nuestra habitación del hotel. Aquel hombre siguió siendo fiel a tu madre mientras la bestia y yo hacíamos lo nuestro. No era una cosa que tuviese que ver con el amor, sino algo tan vital que la mera idea de llegar a perderlo resultaba totalmente imposible de imaginar. Se trataba de una cosa que estuvo ardiendo intensamente durante más de veinticinco años hasta que tu padre murió. Tú y yo nunca podríamos haber llegado a encontrarnos mientras él vivía, aunque te he visto crecer. Me sentaba en los parques y te observaba jugar desde lejos, porque yo pertenecía a una vida distinta que seguía un curso paralelo a la tuya y las líneas paralelas nunca se encontrarán.

Dejó de hablar y tomó un sorbo de su horrible brebaje indonesio. Yo estaba fascinada. Las cosas que salían de la boca de aquella mujer no podían ser ciertas, pero en cuanto hubo terminado con su amargo sorbo, volvió a abrir la boca y más palabras fluyeron de ella cada vez más y más deprisa. Era como cuando las aguas de un río se precipitan por una grieta que acaba de abrirse en una presa, resquebrajándola rápidamente hasta que terminan haciéndola añicos. Las olas iban volviéndose cada vez más y más grandes, y pensé con desesperación que sus palabras no tardarían en engullirme. Rosette me miró directamente. Sus delicados cabellos ondularon alrededor de su rostro y terminaron extendiéndose sobre sus hombros.

—¿Por qué te sorprendes tanto? —me preguntó—. Estoy segura de que las cintas son lo que realmente ha podido afectarte, y esto de ahora tan solo es la motivación que impulsó a todos los personajes a hacer las cosas que hicieron.

Sacudí la cabeza.

—Cuando escuché las cintas era como estar leyendo una novela —le dije—, porque me estaban contando un pasado con el que yo no podía establecer ningún tipo de relación. Pero tenerte sentada aquí delante de mí hace que de pronto todo se vuelva tan real que...

No, es demasiado real. Tú haces de mi padre un desconocido. Un monstruo.

—No, tu padre no era un monstruo. Quería mucho a tu madre y sentía un profundo amor por ti.

—¡Sí, tan profundo que ni siquiera podía soportar tocarme! —exclamé yo amargamente.

—Pobre Nisha. ¿No sabes que tu padre se hubiese llenado la boca de tierra y habría caído muerto por ti? Todo lo que hizo, lo hizo pensando en ti. No sé gran cosa sobre la infancia de tu padre, pero no tuvo nada que ver con la imagen idealizada que trazó para tu madre. Le sucedieron cosas brutales y bárbaras que dieron forma a sus perversiones, pero él se negó a admitir que estas existieran hasta que me conoció. Entonces yo me convertí en su más profundo secreto, y después de que me hubiera conocido a mí tu padre empezó a tenerse mucho miedo a sí mismo. Temía las venenosas flores nocturnas que aguardaban el momento de florecer dentro de su ser.

»Luke me contó que una noche estaba sentado con tu madre tomando el té en el piso de abajo con las puertas vidrieras abiertas. Soplaba una brisa agradablemente fresca y todas las lámparas del jardín estaban encendidas. El reloj acababa de dar las diez. Habían apagado todas las luces de la casa y como única iluminación tenían las velas sostenidas por las estatuas de ébano y marfil que hay en la escalera. Tu padre se sentía satisfecho y lleno de paz en aquella suave claridad. Esa era la manera en que lo hacía sentirse tu madre. Entonces levantó la vista y tú estabas bajando por la escalera llevando un camisón blanco que no terminaba de tapar del todo tus braguitas blancas, con tus largos cabellos despeinados y el dorso de tu mano frotando tu adormilado ojo derecho. Toda tú resplandecías bajo la luz de las velas. Entonces a él se le secó la boca, porque por un segundo en el que había bajado la guardia te deseó. Entonces se acordó de quién era y sintió asco de sí mismo. Después de aquello, se odió a sí mismo y comenzó a tener miedo de ti. Porque durante ese segundo en el cual él había bajado la guardia, aquella espantosa flor de la noche cargada de horribles jugos había amenazado con abrirse dentro de él. A partir de entonces se negó a tocar tu suave y joven piel. Él quería ser tu padre, no lo que aquella flor aborrecible exigía que fuera. Luke quería ser puro para ti.

Miré a Rosette sintiendo cómo una creciente conmoción se agitaba dentro de mí, pero ella se limitó a devolverme la mirada inexpresivamente. Dejé encima de la mesa la copa de coñac que no había llegado a tocar y me puse de pie. Luego fui hasta las ventanas cercanas y miré por ellas.

—¿No hay nada bueno que puedas contarme acerca de mi padre? —me oí preguntar.

—Tu padre te quería —se limitó a decir ella.

—Sí, era un pedófilo.

—Hubiese podido serlo, de no haber sido por ti. No seas tan dura con su recuerdo. Eres afortunada. Tú no tienes ningún oscuro impulso que hierva de día y de noche dentro de ti, hablándote en susurros y apremiándote a hacer cosas que te avergüenza admitir. Hasta que murió tu madre, tu padre nunca supo que ya hacía muchos años que ella había descubierto mi existencia. Pero tu madre no supo seguir el camino apropiado. Si se hubiera encarado con él las cosas habrían podido ser distintas. El peor demonio puede parecer ridículo visto bajo una intensa luz, pero cuando está entre las sombras crece en estatura y en corpulencia hasta adquirir proporciones increíbles.

»Después de que Hoyuelo hubiese muerto, tu padre escuchó sus cintas por primera vez. Mientras las escuchaba, las lágrimas corrían por su rostro. Entonces comprendió la razón de que tu madre se hubiera mostrado cada vez más fría con él, y el porqué de su rechazo. Cuando oyó lo del camarero en la fiesta, cayó al suelo abrumado por los remordimientos. Porque verás, cuando tu madre permitió que ese joven camarero entrara en su cuerpo destruyó a aquel hombre bueno con el cual se había casado. Contemplándola en la cama con el camarero estaba el hombre que yo estrechaba entre mis brazos. Ese hombre al que tu sentimental madre había creído, ingenua y equivocadamente, que quería llegar a conocer.

»Esa noche Luke acudió a mí, enfurecido y lleno de inquietud. Se paseaba de un lado a otro igual que un tigre enjaulado mientras me miraba con ojos fríamente impasibles. Cuando me tomó en sus brazos, fue deliberadamente cruel y nos negó cualquier clase de placer a ambos. Después se sentó para tomarse dos vasos de whisky bien llenos. Luego regresó a casa y comenzó a odiar a tu madre con una gélida intensidad. Comenzó a urdir maneras de humillarla y rebajarla, de destruirla.

»Una noche llegó a casa y vio el resultado de su esfuerzo. Ella todavía no estaba muerta. Lo miró como un animal aturdido y entonces él tuvo que reconocer que aquello realmente era obra suya. Mucho tiempo después de que el cuerpo de tu madre se hubiera ido, su espíritu seguía sufriendo allí. Tu padre no podía soportar poner los ojos en nada que ella hubiera llevado o tocado y ni siquiera sobre lo que hubiera yacido. Tu madre se hallaba presente dondequiera que mirase. La veía incluso en los ojos de los sirvientes. El sueño se había vuelto imposible. Así que cerró la casa dejándola tal como estaba. Lo único que se llevó fueron aquellos papeles de su estudio que no guardaban ninguna relación con tu madre y sus queridas cintas.

»Las cintas las guardó dentro de un armario en el vestidor de su nueva casa y allí se quedaron hasta que tú las encontraste después de su muerte. Él no quería que tú la recordaras yaciendo en su propia sangre, con la boca abierta como un pez que se ha visto arrojado a la playa. Y con la pregunta "¿Estás satisfecho ahora?" en sus ojos.

»Incluso años después de aquello, una botella de Chardonnay, un arreglo floral preparado con gusto o un vestido negro largo en el escaparate de una tienda seguían preguntándole a gritos si ahora ya estaba satisfecho. Esos eran los momentos en los que al menos se alegraba de haber borrado el pasado para ti y de que él hubiera cambiado mágicamente la totalidad de tu mundo mientras yacías en una cama de hospital. Te matriculó en una nueva escuela, se libró de toda la servidumbre y cortó brutalmente cualquier clase de relación con tus parientes; eso último fue algo que tal vez debería añadir que pareció complacerle mucho hacer. Luke odiaba a tu abuela Rani.

»Compró una nueva casa y te dio una nueva habitación y una vida nueva. ¿Tan difícil te resulta perdonar que no quisiera que recordaras a Hoyuelo en ese estado? ¿Tan difícil es creer que te amaba tanto que no quería que sufrieras de la manera en que él lo hizo? Tu padre siempre quiso hablarte de su herencia y del pasado, pero cuanto más lo iba retrasando más duro se volvía para él hacerlo. Comenzó a ponerse fechas límite a sí mismo.

»"Cuando cumpla los dieciocho", me decía. Entonces los dieciocho años llegaron y quedaron atrás, y tu padre dijo: "Cuando tenga veintiún años, sin excusa posible". Los veintiún años llegaron y quedaron atrás y entonces te fuiste a estudiar fuera del país, y tu padre dijo: "Cuando regrese". Naturalmente entonces enfermó, y en ese momento dijo: "Bastará con que se lo cuente cuando vaya a morir".

—Ojalá hubiera sabido esto más pronto, cuando él todavía vivía. Siempre he pensado que mi padre no me quería —dije yo lentamente.

—Nada más alejado de la verdad —dijo Rosette con tristeza.

Me acerqué hasta donde estaba sentada aquella mujer maravillosamente conservada. Su piel era de una asombrosa blancura. Cuando

Rosette alzó la mirada hacia mi rostro, me pareció que sus ojos eran enormes y estaban llenos de una delicada oscuridad. Me pregunté qué habría visto mi padre en ellos. ¿Qué era lo que había visto en aquellos ojos que había despertado al monstruo dormido dentro de él? ¡Pensar que aquella mujer había sentido unas marcas de dientes en su corazón cuando miró a mi padre por primera vez! Qué profundamente complicadas y extrañas son las vidas de los demás. ¡Qué incomprensibles!

Rosette y yo nos limitamos a mirarnos la una a la otra durante unos minutos sin decir nada, cada una absorta en sus propios pensamientos. Finalmente me incliné sobre ella y la rodeé con mis brazos.

—Te agradezco cualquier consuelo que pudieras llegar a darle a mi padre —le dije en voz muy baja.

Una sombra que era como un espectro lleno de tristeza cruzó velozmente por los ojos de Rosette. Luego los bajó e inclinó la cabeza. Aquella soberbia y sedosa cabellera que yo había admirado hacía un rato cayó hacia delante y ocultó su rostro, y de pronto sentí agitarse en algún lugar de mi interior el súbito deseo de acariciar aquella sedosa cabeza llena de sufrimiento. Levanté la mano y la puse junto a su sien. Su cabello era realmente muy suave. Rosette restregó delicadamente su cabeza contra mi mano como hubiese hecho una inocente gata de pelaje blanco y negro. Yo nunca podría ser su amiga, porque en ese mismo instante me pasó por la cabeza una vil imagen de aquella mujer abrazando a mi padre y siendo abrazada por él.

—Gracias —murmuró Rosette—. Puede que yo sea una prostituta, pero quería a tu padre.

—Al menos tú has vivido tu vida de tal manera que ahora sabes qué aspecto tienen todos tus «y si» —le dije a Rosette, que seguía con la cabeza inclinada.

Luego di media vuelta y me fui. Sabía que nunca regresaría a aquella jaula horriblemente bañada en oro con su solitaria gata blanca y negra.

Aquella noche me desperté cuando todavía faltaba mucho para que amaneciera sin que hubiese absolutamente ninguna razón para ello. Durante un rato me quedé acostada en la cama sin moverme, confusa y sintiéndome extrañamente nerviosa. No había habido ninguna pesadilla y no tenía sed. Entonces, de pronto me acordé de otra ocasión en la que también había despertado sin que hubiera ninguna razón para ello.

Me vi apartando las mantas que me cubrían, levantándome de la cama y yendo en busca de mi madre. Ella siempre sabía lo que había que hacer en momentos como aquellos. Podíamos meternos en su gran cama bien pegadas la una a la otra; luego mi madre podía sacar de debajo de ella las aventuras de Hanuman el dios mono.

Igual que en una película, me veo a mí misma yendo hacia la habitación de mi madre. Toda la casa está silenciosa. Me agarro a la fría barandilla y, mirando hacia abajo, veo la sala de estar llena de sombras y rincones oscuros. El pasillo de abajo está a oscuras salvo por la suave claridad de las lámparas nocturnas. Eso quiere decir que papá todavía no está en casa. Mis pies descalzos no hacen ningún ruido sobre el frío suelo de mármol. La puerta de la habitación de mi madre está cerrada. Amu y el chófer están profundamente dormidos en sus habitaciones del piso de abajo. Me veo a mí misma, pequeña y con los cabellos que me caen hasta los hombros, detenerme por un momento ante la puerta de la habitación de mi madre antes de hacer girar el picaporte. La puerta se abre y de pronto estoy completamente despierta. Sin que yo sepa muy bien por qué, la habitación parece distinta. La lámpara de la mesilla de noche está encendida. La habitación se halla en silencio salvo por un ruidito de algún líquido que gotea, un sonido suave y húmedo. Plop, plop...

Como un grifo que goteara.

Mi madre se ha quedado dormida encima de la mesita que hay junto a la cama. Desplomada sobre la mesita, su cara está vuelta hacia el otro lado y no puedo vérsela. Estaba tan cansada que se había quedado dormida sobre la mesita.

—¡Mami! —la llamo suavemente.

La habitación está fría y silenciosa y el aire ligeramente cargado de humo. Hay un olor dulzón que no reconozco. Allí está ocurriendo algo raro que yo no sabría describir, pero se me eriza el vello de los brazos y de pronto tengo la boca seca. Me doy la vuelta para irme. Veré a mi madre por la mañana. Sí, es lo mejor. Las cosas siempre tienen mejor aspecto bajo la luz de la mañana. Entonces oigo nuevamente ese espeso gotear líquido. Plop, plop. Me vuelvo muy despacio y echo a andar hacia la figura dormida de mi madre. Lleva su bonito camisón azul. Encima de la mesa sobre la que se ha quedado dormida hay unas pipas y las cosas más extrañas que yo haya visto jamás. Me voy acercando cada vez más.

—Oh, mamá —digo.

El sonido parece un susurro perdido. Me acerco todavía más y entonces, en vez de volverme para quedar de cara a mi madre, doy un par de pasos que me llevan más allá de la figura profundamente dormida. Si doy un solo paso más chocaré con la cama de mi madre, así que me veo obligada a volverme. Me vuelvo muy lentamente. Por alguna razón secreta que ni yo misma entiendo, cierro los ojos. Hago una profunda inspiración de aire y luego abro lentamente los ojos.

Miro a mi madre directamente a los ojos. Ellos me miran y ven a través de mí. Los ojos de ella se han puesto vidriosos y su boca se abre y se cierra como la de un pez. En su estómago está la espada japonesa tan hermosamente esculpida que solía colgar en el estudio de papá.

«¡Haraquiri, haraquiri!», canturrea Angela Chan, la cabecilla de mi clase, con una vocecita burlona.

Los pensamientos giran locamente dentro de mi cabeza. «Vete al rosal y coge una rosa», canta Angela Chan y su voz resuena malévolamente dentro de mi cabeza. «No deberías habérselo contado, niña estúpida», sisea su malvada voz.

Sacudo la cabeza y la voz desaparece; una vez más me encuentro contemplando los ojos vacíos y vidriosos de mi madre. Entonces mi mente se llena con una súbita confusión de cancioncillas infantiles cantadas por voces que se burlan de mí. Llenan mi cabeza como un millón de abejas zumbantes, de tal manera que ya no queda espacio para que mi confuso y aturdido cerebro pueda pensar.

Por la ciudad va corriendo el pequeño Antón. Yendo arriba y abajo con su camisón. Llamando a la ventana con los nudillos, llorando a través de la cerradura. Todos los niños están en la cama porque ya son las ocho. En el libro de poemas infantiles de Mamá Ganso el pequeño Antón tenía los pies descalzos.

La paloma canta: Ruuu, ruuu, ¿qué voy a hacer?

¿Adónde vas tú volando tan arriba? A quitarle las telarañas al cielo.

¿Puedo ir contigo? Claro, hasta que haya llegado allí.

María siempre llevaba la contraria y a la pobre señorita Oveja asustó. Zapatero, zapatero, remiéndame los zapatos. El viejo rey León siempre tenía alegre el corazón. Y un alegre viejo era el rey León con su corazón.

Veo a la luna y la luna me ve a mí. Dios bendiga a la luna y me bendiga a mí.

De pronto las cancioncillas infantiles se detienen bruscamente. Silencio.

Mamá se ha hecho el haraquiri. ¿Se sentirá orgulloso papá? Siempre decía que solo los samuráis más valientes tenían agallas suficientes para hacerse el haraquiri tal como es debido, terminando el trabajo ellos mismos. Doy dos pasos hacia mi madre. Extiendo la mano y le toco el cabello. Es muy suave. Su boca se abre y se cierra. «Mami —susurro—, vas a morir desangrada porque no fuiste lo bastante valiente para terminar el trabajo como es debido.» La sangre de su herida fluye rápidamente hacia abajo sobre su palma abierta, descendiendo por su dedo medio para gotear en un charco rojo sobre el negro suelo.

Rojo sobre negro. Rojo sobre negro.

Me quedo donde estoy sin poder moverme del sitio y veo cómo una gota de sangre queda suspendida de la punta de su dedo y luego, como moviéndose a cámara lenta, cae al suelo. Contemplo el grácil descenso de la gota hasta que choca con el charco rojo que se va extendiendo sobre el suelo y desaparece en el espeso líquido y solo entonces empiezo a gritar.

Me arranco los cabellos a puñados y corro sollozando hacia el teléfono que hay junto a la cama. Una vez allí, no consigo acordarme de cómo hay que marcar el número de la policía. Mis dedos se quedan atascados en el dial y el auricular sale despedido de mi mano viscosa. Salgo corriendo de la habitación sin dejar de gritar.

—¡Mami, mami, mami! —grito histéricamente.

Al final de la escalera veo a papá con el pie en el primer escalón. Acaba de llegar a casa. Lleva su mejor camisa de batik, esa que solo se pone cuando tiene que ir a cenar con los altos dignatarios del gobierno. La sonrisa que había en sus labios se hiela en cuanto me ve.

Corro hacia él.

—¡Socorro, papá, socorro! —chillo desesperadamente.

Tropiezo. En lo alto de la escalera hay un ganso de negro cuello y rostro muy serio. ¡Ah, pero si lo conozco! Es Gander el ganso, que siempre está paseando de un lado a otro por la habitación de su señora. Debe de haberme confundido con el hombre que no quería decir sus oraciones, porque me coge por la pierna izquierda y me tira escalera abajo.

Empiezo a volar escalera abajo hacia mi atónito padre. Los escalones de mármol se encuentran conmigo hacia la mitad del descenso. No hay ningún dolor. Mi cuerpo empieza a rodar escalera abajo. Las imágenes se suceden rápidamente. Veo mi reflejo aterrorizado en el suelo de mármol. En el techo veo los ojos vidriosos de mi madre mirándome acusadoramente, con su hermosa risa muerta y atrapada dentro de la burbuja que están soplando sus labios; al final de la escalera el rostro de papá se precipita hacia mí con una horrorizada premura, su sonrisa ya rota y esfumada. Después solo hay negrura. El agujero negro me ha atrapado. «No más recuerdos para ti», me consoló con su suave voz. El agujero negro era un amigo. Le preocupaba mucho lo que pudiera ser de mí. Me dio una serpiente que se comía la memoria para que me hiciera compañía.

SÉPTIMA PARTE

ALGUNAS PERSONAS A LAS QUE HE QUERIDO

NISHA

Me quedé acostada en la oscuridad viendo mis recuerdos uno por uno, como un montón de viejas películas encontradas en una buhardilla olvidada, hasta que el alba clareó fuera de mi ventana. A las cinco y media de la mañana ya sabía que mi padre me había querido mucho. Ahora lo comprendía un poco. La pena y el dolor de los recipientes que no son del todo perfectos, ¿verdad? El tío Sevenese le había enseñado aquello a mi madre. Hundí la cara en la almohada y lloré en silencio por todo lo que hubiese podido ser. «Yo te quería de veras. Ojalá me lo hubieras contado. Yo lo habría entendido.»

Cogí el coche y fui a Kuantan. Aparqué en el sendero principal y entré andando en el callejón sin salida de la bisabuela Lakshmi. Los recuerdos volvieron a mí como un torrente. Llamé a la puerta con los nudillos y apareció mi tía abuela Lalita. Me estrechó entre sus débiles brazos, pero estaba tan vieja que no la reconocí en absoluto. Las lágrimas inundaban sus ojos nebulosos.

—Entra, entra. Eres exactamente igual que tu madre —dijo, medio riendo y medio llorando—. ¿Te acuerdas de mí?

—Un poco —respondí yo.

Ella era la última superviviente. Los demás estaban muertos y a esas alturas eran una larga hilera de fotos en blanco y negro que lucían guirnaldas de flores artificiales.

—Oh, no te preocupes —dijo ella—. Por aquel entonces no eras más que una niña. Mi madre siempre decía: «Algún día esa chica va a ser escritora, Lalita». ¿Eres escritora?

—No.

—¿Por qué no? Era tu gran sueño. Se te daba muy bien escribir y siempre estabas escribiendo cosas preciosas sobre tu terrible padre. Bueno, supongo que no debería criticar a los muertos. Tu madre era una joven muy hermosa. ¿Sabías que tu padre se enamoró de ella la primera vez que la vio?

Asentí.

—¿Te apetece un poco de caramelo de coco? Es del tipo blando. Muy apropiado para los que no tienen dientes.

—Sí, gracias —dije sonriendo.

Era adorable, exactamente tal como la había descrito mi madre. ¡Y tan inocente!

—Oh, espera un momento. Tu bisabuela dejó algo para ti.

Desapareció detrás de una cortina y regresó con un brazalete que depositó con mucho cuidado encima de mi palma extendida. Lo miré y la sombra de un recuerdo cruzó velozmente por mi pasado precariamente reconstruido. Cerré los ojos y acaricié las frías piedras del brazalete. Poco a poco fui oyendo la voz de la bisabuela diciendo: «Llévate contigo a Nisha. Siéntate allí y asegúrate de que no cambia las piedras por algo de menos valor. Esos joyeros son todos unos bribones».

Sí, recordaba haber ido dando botes sobre la barra central de la bicicleta del bisabuelo, protegida por el capullo de sus largas mangas blancas extendidas a cada lado de mí y lanzándome hacia el viento. La habitación del joyero estaba muy oscura. Trabajaba iluminándose con una pequeña llama azul. Recordaba al bisabuelo entregándole las joyas y a nosotros esperando allí con los brazos cruzados mientras el joyero trabajaba en su mesa de madera con afilados instrumentos metálicos, engarzando las joyas de la bisabuela. Recordaba haber querido un helado de crema y al bisabuelo diciendo que antes teníamos que esperar hasta que todas las piedras hubieran quedado engarzadas.

—¿De dónde salieron estas piedras? —pregunté.

—Una noche el sultán de Pahang y mi hermano Lakshmnan estaban sentados en la misma mesa de juego y el sultán perdió. Entregó las joyas en lugar del dinero que había perdido. Uno nunca discute con un sultán y mi hermano aceptó las joyas con la esperanza de poder venderlas rápidamente, pero mi madre se hizo con ellas antes. Reconoció su valor nada más verlas.

—¿Así que mi abuelo ganó estos ópalos en una mesa de juego? —pregunté yo, examinando los hermosos destellos amarillos que relucían dentro del verdor de las piedras.

Ahora tenía algo de mi abuelo. Me detuve debajo de su fotografía adornada con una guirnalda. Vi a un hombre apuesto, pero en mi imaginación su hermosa cabeza rodó por el suelo. Di la espalda a la imagen—. Gracias. Esto es algo que te agradezco muchísimo. ¿Puedo ver la estatua de Kuan Yin? —pregunté.

—¿Cómo has sabido de ella?

—He escuchado todas las cintas de mi madre. Tú fuiste la que le habló de la figurilla de Kuan Yin, ¿recuerdas?

La figurilla salió de las profundidades del aparador donde se guardaban los limpiadores de pipas en forma de pájaros y el magnífico coral blanco que el abuelo había robado del mar. Era reluciente y hermosa. Pasé un dedo admirativo por el jade, fijándome en que este no era del verde lustrosamente oscuro que se describía en las cintas, sino de un verde muy pálido.

—Creía que se suponía que era de color verde oscuro.

—Sí. Cuando hace muchos años años salió de su caja por primera vez era de un verde magníficamente oscuro, pero el color ha ido perdiendo un poco de intensidad con los años transcurridos desde entonces —dijo mi tía abuela, sonriendo con una sonrisa cubierta por el polvo de la edad.

El jade estaba cambiando de color.

—¿Sabes...?

—Sí, lo sé. Devuélvela.

Llevé la figurilla a un templo chino en la ciudad de Kuantan. Tan pronto como puse los pies en el oscuro interior, una puerta roja se abrió y una sacerdotisa vestida de blanco salió por ella. Miró a su alrededor con expresión expectante y, viéndome, caminó hacia mí. Sus ojos estaban fijos en el paquete envuelto en tela que yo llevaba en la mano.

—La has traído de vuelta. Anoche soñé que iba a regresar al templo.

Asombrada, le extendí el paquete y la sacerdotisa lo desenvolvió reverentemente.

—Oh, fíjate en el color. Tiene que haberle traído mucha mala suerte a la mujer que la tenía. ¿Era tu madre? —preguntó, alzando la mirada hacia mi rostro.

—No, no era mi madre sino mi bisabuela. Y sí, la piedra ha hecho que un terrible infortunio cayera sobre mi familia.

—Lamento mucho oírlo. Esta clase de figurillas contienen energías muy poderosas. Necesitan plegarias y una mente limpia, o de lo contrario destruirán las vidas de las personas que se han quedado con ellas. Ahora que está en el lugar al que pertenece, volverá a recuperar su color.

El anochecer se aproximaba. El sol era una bola de sangre líquida sobre el horizonte y me detuve a descansar un rato bajo el dosel de un gran árbol. Kuantan era una ciudad pequeña. Encontré lugares que reconocí de las cintas y sonreí al ver que no habían cambiado después de todos aquellos años. Entré en un centro comercial que acababan de edificar. Había algo que tenía que hacer. Fui dando vueltas sin rumbo hasta que me detuve delante de una pequeña boutique. Mi vacilación fue casi imperceptible. Una vez dentro, examiné sin demasiado interés los artículos que tenían a la venta. Lo que realmente quería colgaba del maniquí del escaparate, pero yo necesitaba un poquito de valor para pedir a la aburrida vendedora que lo sacara del escaparate y así poder probármelo. Finalmente dejé de fingir que estaba examinando las prendas. Tenía que hacerse. Tenía que decirse.

—¿Podría sacar el vestido que hay en el escaparate, por favor?

El rostro de la joven reflejó sus pensamientos: «Si saco ese maldito vestido del escaparate, más te vale comprarlo».

—¿Cuál? —preguntó cortésmente.

—El rojo y negro.

—Es muy bonito pero cuesta doscientos ringgits, ¿sabe?

Yo no dije nada mientras la joven sacaba el vestido. Visto dentro del pequeño cubículo del probador parecía más bien corto.

—¡*Wah*, qué piernas tan bonitas tiene usted! —comentó de una manera bastante exagerada la vendedora cuando metió la cabeza en el cubículo—. *Wah*, le queda muy bien —volvió a aprobar. Su reluctancia a devolver el vestido al escaparate no podía ser más evidente.

Me sorprendió descubrir que aquel odio al rojo y el negro que yo había sentido durante toda mi vida palidecía hasta no ser nada más que una leve desaprobación ante lo corto que era el vestido.

—El calzado deportivo no le va bien con eso —comentó la joven, cogiendo un par de sandalias que se ataban en los tobillos.

Metí mis vaqueros y mi camiseta dentro de la bolsa de plástico que me ofrecía la joven, pagué el vestido y las sandalias y salí de la boutique. Mientras iba dejando atrás las tiendas, contemplaba mi reflejo con sorpresa. Se me veía alta y elegante. De hecho, estaba totalmente irreconocible. Aunque yo odiaba el rojo, el rojo me amaba. Realzaba lo mejor de mi tez y prometía una relación larga y feliz.

El rojo y el negro, pensé, en realidad eran una combinación soberbia.

Un día estaba mirando a Amu tumbada en la hamaca cuando decidí probar suerte con la escritura. Algunos días escribía en el pabellón de verano de mi madre y a veces lo hacía en su habitación, pero los feroces espíritus que vivían dentro de la caja de mi madre siempre acudían a mí. Voces del pasado descendían de las alturas como nubes de flamencos rosados posándose sobre los lagos tóxicos del este de África y cada una tenía su propia voz chirriante. Cada una exigía añadir otra silueta rosada al paisaje de mi historia.

Me susurraban cosas al oído y yo iba escribiendo tan deprisa como hablaban. A veces parecían enfadadas, a veces sonaban felices y a veces estaban llenas de pena. Yo escuchaba su tristeza, sabiendo que mi madre había ido recogiendo toda su pena porque sabía que algún día su hija obtendría su libertad de ellas. La noche parecía llegar en un raudo vuelo. Cuando levantaba la cabeza fuera estaba oscuro, Amu ya estaba encendiendo la lámpara de oraciones en el piso de abajo y las estatuas de los fieles muchachos moriscos ofrecían parpadeantes llamitas de luz.

—Ven a cenar —me llamaba Amu.

Entonces llegó el día en que escribí la última página. Me recosté en mi asiento en la habitación oscurecida y algo me impulsó a coger la cinta que mi madre había encontrado en la habitación del tío Sevenese después de su muerte. La metí en la máquina y pulsé la tecla de puesta en marcha.

Y entonces otro dijo, con un largo suspiro:
«El largo olvido ha secado mi barro,
pero llenadme del viejo y familiar jugo,
y creo que poco a poco podré recuperarme».

»Y como no tengo vergüenza, yo susurré esos versos en tus oídos y hoy me has traído un magnum de sake japonés. Te tomo el pelo hablando de un amante secreto y tú te sonrojas. No, no es un amante lo que tienes. Es una espina en tu seno. No quieres contarme la naturaleza de la espina. Mi querida, queridísima Hoyuelo, eres mi sobrina preferida y siempre lo has sido, pero duele mucho querer a una criatura tan equivocada y trágicamente triste. He estudiado tus cartas astrales y la serpiente Rahu está sentada en tu casa del matrimonio. ¿Es que no te habían advertido acerca del hombre con el que te casaste? No confío en él. Lleva su sonrisa igual que sus ropas, con una tranquila despreocupación. También he estudiado sus cartas astrales y no me gusta lo que veo.

»Ese hombre será una víbora en tu seno.

»¿Te he hablado alguna vez de la serpiente en el arcón de Raja? Unos tres meses después de que muriera Mohini, Raja murió a causa de una mordedura de serpiente. Su propia y hermosa cobra lo mordió. Siempre lo recuerdo como un héroe maravilloso salido de un mundo antiguo al que se le ocurrió tener junto a él una enorme y reluciente cobra para que cazara a las serpientes. Bajo la luz de la luna, con su cuerpo color bronce reluciendo entre las altas hierbas, todos sus secretos cobraron vida. Nunca puedo olvidar ese momento en el que me dijo que lo mirara y luego fue hacia aquella amenaza negra que se mecía lentamente de un lado a otro disponiéndose a atacar como si la serpiente no fuera más que un juguete. ¿Recuerdas cuál fue su respuesta a mi pregunta de si el encantador de serpientes era mordido alguna vez por sus propias serpientes?

»—Sí —dijo—. Cuando quiere ser mordido por ellas.

»Suelo pensar que dentro de mí hay una imagen de mi persona reflejada en un espejo, un hombre tan osado como imprudente que hace todo aquello que yo no me atrevo a hacer. He vivido con él durante muchos años y me ha contado que su feroz hermano mayor vive dentro de tu marido. Me pregunto si lo has visto alguna vez acechando en su interior. Quizá no has llegado a verlo. Son unos bastardos muy astutos, créeme. Cuando yo estoy gritando: "No, no, no", él está gritando: "Adelante, adelante", con una cruel alegría en sus ojos. Cuando el gallo canta fuera y me dispongo a ir a casa, es a él a quien se le ocurre dirigir un aparatoso guiño hacia el escote esculpido de la mujer que hay en la barra del bar y decirle, pienso yo que muy insensatamente: "¿Vas a permitir que esas dulces cúpulas se echen a perder sin haber sido utilizadas?".

»Despierto bajo la brillante luz de la mañana con solo una almohada ahuecada junto a mí, los dedos de mis pies pegajosos por la mermelada, un recuerdo embarullado e imposiblemente escuálido, y un pensamiento lleno de gratitud: "Gracias a Dios que dejé mi cartera en la recepción". Las veces en que aparto mi vaso y mi mente aturdida decide que ya es suficiente, él enciende otro cigarrillo, levanta la mano y pide otro whisky. "Solo", le dice al hombre que atiende la barra. Luego me lleva a ese callejón donde ni siquiera los taxistas van. Entonces una joven se apartará de la pared en la que ha estado apoyándose y pasará su dedo índice por mi cara. Me conoce. Me conoce de la última vez.

»En Tailandia puedes comprarlo todo. Es fácil y yo he comprado un montón de cosas en mi vida. Como tú eres mi sobrina y yo todavía no estoy borracho no es apropiado ni necesario hablar de todas ellas, pero debo decirte que la heroína pura figura entre esas cosas. El porqué no lo sé, pero a mi confuso cerebro le parece que mi experiencia tiene cierta relevancia para ti. Yo estaba sentado en mi cama de la habitación del hotel y contemplaba la jeringuilla, el líquido marrón que había dentro y la aguja. Me examiné minuciosamente a mí mismo. ¿Era otra experiencia que podía añadir a mi archivo de la extrañeza o un hábito que terminaría convirtiéndose en el dueño y señor? Nunca le había dicho no a nada antes, pero la heroína es la máquina del diablo. Entras en ella y sales por el otro extremo irreconociblemente alterado. Mi personalidad compulsiva sin duda me lanzaría de cabeza al precipicio de la adicción sin pensárselo dos veces. ¡Dios mío, saldría de la máquina macilento, manchado de vómitos, con la piel del color del barro y los ojos enloquecidos! Los he visto junto a las estaciones de tren, con esos ojos suyos en sus caras encogidas y sin lavar vacíos de todo lo que no sea la sed insaciable de otra dosis. ¿Iba a ser ese mi destino?

»Titubeé, pero al final lo único de lo que se puede estar seguro en lo que a mí respecta es de que seré débil. La perspectiva de consumirse poco a poco en el estancamiento no podía igualar mis ansias de pasar por una nueva experiencia, de llegar a la autodestrucción. Até mi cinturón alrededor de la parte superior de mi brazo y luego busqué y encontré sin ninguna dificultad una gruesa vena verdosa en él. Los inspectores sanitarios saben cuál es el mejor sitio donde buscarlas. Dejé que la aguja entrara en mi piel y cerré los ojos. El calor fue instantáneo, seguido inmediatamente por un torrente de paz como nunca había experimentado antes. Los problemas de la vida realmente carecían de significado. Me dejé caer al abismo. Cálido, oscuro, suave e indescriptiblemente fabuloso. Caí y caí, y hubiese caído todavía más adentro de no ser por la cara que surgió súbitamente de la nada para flotar delante de mí: Kutub Minar, muerta hacía ya mucho tiempo, clavaba sus ojos inexpresivos en los míos. Ella, la única hembra a la que he querido con todo mi corazón. La única, quizá, a cuyo encuentro he ido con el cuerpo caliente y los labios fríos. Y ahora... Si hubiese encontrado a una mujer semejante, me habría entregado a ella de la misma manera en que el macho alfa de una manada de babuinos se estira sobre el suelo, paciente y ávidamente, con sus miembros aflojados por el recuerdo del placer y espera a que la hembra dominante le vaya quitando los piojos.

»La gata maulló con tanta tristeza como si le doliera algo. Mis miembros, que se habían vuelto muy pesados a causa de la droga, continuaron durmiendo. De pronto Mohini apareció ante mí. La miré, asombrado. Desde el día en que murió yo solo había oído su voz, pero nunca la había visto. En esos momentos se alzaba ante mí tan sólida y real como la cama sobre la que me encontraba acostado. Las lágrimas rielaban en sus verdes ojos y entonces comenzaron los colores. Los colores más brillantes imaginables aparecieron, se confundieron entre sí y desaparecieron alrededor de ella. Eran colores iridiscentes que yo nunca había visto, que siempre había imaginado solo las libélulas y los peces dorados veían. Sentí un extraño dolor, el dolor de la pérdida. No podía librarme de sus imágenes. Se fusionaban unas con otras convirtiéndose en una sola y eso hacía que me resultara imposible conseguir que se alejaran. Sentí que la vergüenza se adueñaba de todo mi ser.

»Cuando Mohini extendió la mano hacia mí y la puso encima de mi cabeza, percibí el calor de su piel. ¿Estaba muerto? Pensé que podía estarlo, así que traté de mover ligeramente la cabeza y entonces la mano que flotaba sobre ella fue hacia mi cara, con sus dedos como un suave contacto en mis mejillas. Colores soberbios se movieron para entremezclarse formando un telón de fondo. Oí las canciones religiosas que cantan los viejos en los funerales. Las voces no provenían del exterior, sino de mi cabeza. Eran aquellas horrendas canciones que yo siempre he odiado, canciones que suenan como una bandada de gaviotas gimoteando y chillando mientras picotean los ojos de los marineros muertos. Sentí un gran peso encima de mi pecho. Contemplé los ojos de mi hermana muerta. Había olvidado lo verdes que eran. De pronto Mohini sonrió y oí un tremendo estrépito de algo que se movía muy deprisa, como si me encontrara demasiado cerca de una vía mientras un tren expreso estaba pasando por ella.

»El peso se apartó de mi pecho. Los colores habían desaparecido y ella también había desaparecido. Fuera ya se había hecho oscuro. Oí los ruidos de los puestos de comida cobrando vida en el mercado de abajo, el tintinear de los platos y las bandejas y las ásperas voces carentes de instrucción de los dueños de los puestos. El honrado olor de los ingredientes baratos, el ajo, las cebollas y los trozos de carne siseando en el sebo subió del mercado para entrar flotando por mi ventana abierta. Tenía hambre. La jeringuilla que se había llenado de sangre todavía estaba clavada en mi brazo. La saqué y contemplé con curiosidad la sangre oscura. Nunca repetiría aquella experiencia. Mohini se había asegurado de ello.

»Balzac dijo que un tío es por naturaleza un perro alegre. Yo soy un payaso que baila al borde de un abismo y sin embargo ahora te digo esto aunque, al igual que yo, tú no escucharás: no entres en la máquina, porque saldrás por el otro extremo de ella cambiada sin remedio.

»No lo hagas, Hoyuelo.

»Entro en la consulta del médico y él dice: "¿Cómo? ¿Todavía está usted vivo?". No puede creer que un cuerpo tan maltratado sobreviva. Pero tú no sobrevivirás a la máquina, Hoyuelo. Deja a tu marido. Deja a la víbora en su selva. Deja a la niña en la selva, porque puedes estar segura de que la víbora no le hará daño a su propia hija. Nisha tiene buenas cartas astrales. Llegará a hacer cosas magníficas en su vida. Salva tu frágil yo ahora, mi querida Hoyuelo. Veo cosas muy malas en tus cartas y de noche los demonios me envían sueños sobre los que cae una fina llovizna de sangre. Vuelvo a tener siete años y me escondo detrás de los arbustos para ver cómo la madre de Ah Kow sacrifica un cerdo. El pánico, los gritos de terror, la fuente de sangre que mana súbitamente y ese inolvidable hedor. En mis sueños, tú estás andando bajo una lluvia de sangre. Grito y entonces te vuelves y sonríes valientemente, tus dientes rojos de sangre. Temo por tu futuro. Está escrito en sangre. Deja a tu marido, Hoyuelo.

»Déjalo. Déjalo, por favor.

La voz de Sevenese se apagó y solo quedó el suave zumbido de la cinta al girar.

Oí a Amu terminando sus oraciones y haciendo sonar su campanilla en el piso de abajo. Cerré los ojos. En las sombras rojas de mis párpados, vi al tío Sevenese sentado en el centro de un desierto, con el pecho al aire y llevando un *veshti* blanco. La noche del desierto lo ha pintado de un azul reluciente. La arena riela, pero aquí y allá yacen pájaros muertos con sus diminutos picos y gargantas abiertas que contienen tormentas de arena en miniatura. El tío Sevenese se vuelve hacia mí y sonríe. Su sonrisa me resulta familiar. «Mira —dice, extendiendo los brazos en un gesto que abarca todo el cielo—. La noche del desierto es la invención de uno, con los incontables millones de estrellas que adornan su cabello negro como el ala de un cuervo. ¿Acaso no es lo más espléndido que hayas visto jamás?»

Abrí los ojos a una habitación llena de oscuridad y de pronto lo supe. Supe qué era lo que mi tío abuelo Sevenese había intentado escribir tan desesperadamente en su lecho de muerte para mi atormentada madre. Ahora sabía cuál era el mensaje inacabado. Yaciendo en una cama de hospital, horriblemente hinchado y carente de voz en su mundo agonizante, mi tío abuelo había querido decir: «Las flores crecen bajo sus pies, pero ella no está muerta. Los años no han menguado en nada a la Madre del Arroz. La veo, mágica y tremenda. Deja de desesperarte y llámala, y verás cómo ella acudirá trayendo consigo un arco iris de sueños».

Fuera el viento hacía crujir las hojas de índigo y los bambúes empezaban a cantar allá en el fondo del jardín.

ÍNDICE

ELKHART PUBLIC LIBRARY
3 3080 01425 6146